住房城乡建设部土建类学科专业"十三五"规划教材
"十二五"普通高等教育本科国家级规划教材
教育部普通高等教育精品教材

高校土木工程专业指导委员会规划推荐教材
（经典精品系列教材）

建筑工程事故分析与处理
（第四版）

王元清　江见鲸　龚晓南　樊健生　崔京浩　编著

中国建筑工业出版社

图书在版编目（CIP）数据

建筑工程事故分析与处理/王元清等编著. —4 版.
北京：中国建筑工业出版社，2018.6（2025.6重印）
住房城乡建设部土建类学科专业"十三五"规划教材
"十二五"普通高等教育本科国家级规划教材　教育部
普通高等教育精品教材　高校土木工程专业指导委员会
规划推荐教材　经典精品系列教材
ISBN 978-7-112-22105-9

Ⅰ.①建…　Ⅱ.①王…　Ⅲ.①建筑工程-工程事故-事故分析-高等学校-教材②建筑工程-工程事故-事故处理-高等学校-教材　Ⅳ.①TU712

中国版本图书馆CIP数据核字（2018）第078212号

本书为住房城乡建设部土建类学科专业"十三五"规划教材以及"十二五"普通高等教育本科国家级规划教材。本书以第三版教材为基础，根据我国近年来发生的建筑工程事故特点，对事故发生的原因进行分析，有针对性地提出处理方法。全书共分三篇，第1、2篇介绍建筑主体结构和地基基础的结构特点、各类事故的原因分析及加固、补强、纠偏等处理方法；第3篇介绍国内外建筑火灾、燃爆事件及其危害，提出建筑结构防火、防爆设计原则及灾后的鉴定与加固措施。

本书既重视理论阐述和结构计算，又有大量工程实例作参考，指导性、实用性强，适宜作为土建类大专院校教材，也可供工程技术人员阅读参考。

为了更好地支持相应课程的教学，我们向采用本书作为教材的教师提供课件，有需要者可与出版社联系。建工书院：http://edu.cabplink.com，邮箱：jckj@cabp.com.cn，电话：（010）58337285。

责任编辑：吉万旺　王　跃　朱首明
责任校对：李欣慰

住房城乡建设部土建类学科专业"十三五"规划教材
"十二五"普通高等教育本科国家级规划教材
教育部普通高等教育精品教材
高校土木工程专业指导委员会规划推荐教材
（经典精品系列教材）
建筑工程事故分析与处理
（第四版）
王元清　江见鲸　龚晓南　樊健生　崔京浩　编著

*

中国建筑工业出版社出版、发行（北京海淀三里河路9号）
各地新华书店、建筑书店经销
霸州市顺浩图文科技发展有限公司制版
北京市密东印刷有限公司印刷

*

开本：787×1092毫米　1/16　印张：30¼　字数：749千字
2018年6月第四版　2025年6月第四十一次印刷
定价：75.00元（赠教师课件）
ISBN 978-7-112-22105-9
(36809)

版权所有　翻印必究
如有印装质量问题，可寄本社退换
（邮政编码100037）

出 版 说 明

为规范我国土木工程专业教学，指导各学校土木工程专业人才培养，高等学校土木工程学科专业指导委员会组织我国土木工程专业教育领域的优秀专家编写了《高校土木工程专业指导委员会规划推荐教材》。本系列教材自2002年起陆续出版，共40余册，十余年来多次修订，在土木工程专业教学中起到了积极的指导作用。

本系列教材从宽口径、大土木的概念出发，根据教育部有关高等教育土木工程专业课程设置的教学要求编写，经过多年的建设和发展，逐步形成了自己的特色。本系列教材曾被教育部评为面向21世纪课程教材，其中大多数曾被评为普通高等教育"十一五"国家级规划教材和普通高等教育土建学科专业"十五"、"十一五"、"十二五"规划教材，并有11种入选教育部普通高等教育精品教材。2012年，本系列教材全部入选第一批"十二五"普通高等教育本科国家级规划教材。

2011年，高等学校土木工程学科专业指导委员会根据国家教育行政主管部门的要求以及我国土木工程专业教学现状，编制了《高等学校土木工程本科指导性专业规范》。在此基础上，高等学校土木工程学科专业指导委员会及时规划出版了高等学校土木工程本科指导性专业规范配套教材。为区分两套教材，特在原系列教材丛书名《高校土木工程专业指导委员会规划推荐教材》后加上经典精品系列教材。2016年，本套教材整体被评为《住房城乡建设部土建类学科专业"十三五"规划教材》，请各位主编及有关单位根据《住房城乡建设部关于印发高等教育 职业教育土建类学科专业"十三五"规划教材选题的通知》要求，高度重视土建类学科专业教材建设工作，做好规划教材的编写、出版和使用，为提高土建类高等教育教学质量和人才培养质量做出贡献。

高等学校土木工程学科专业指导委员会
中国建筑工业出版社

第四版前言

今年是我国改革开放40年，也是我国工程建设由高速发展向平稳发展的关键节点，工程建设也逐步从追求"量"向追求"质"转变。虽然国家"十一五"、"十二五"和目前的重点研发计划专门立项进行结构工程检测诊断、鉴定评定和加固改造关键技术研究，近年来也颁布了一系列相关法规文件、规范（程）、标准和指南，但工程事故还时有发生，包括一些重大或特重大工程事故，造成了重大人员伤亡、严重经济损失和不良社会影响。从工程事故中吸取教训、分析原因、采取对策，以避免同类事故的重复发生，这一直是编写本书的目的。本书编者多年从事这一方面教学工作，也参与一系列实际工程事故处理，主编或参编国家和行业的相关规范标准，本书就是根据作者的工作实践和教学经验编写的。

不幸的是，本书主编江见鲸教授在完成第三版编著以后，于2008年9月因病去世，江老师对本书的出版和修订一直亲力亲为、认真负责，永远是我们学习的榜样。

为了更好地适应现阶段工程应用和高校教学的需要，作者对本书进行了较大的修改，主要修改内容为：

1. 对近10年来出现的重大工程事故案例进行梳理，分析这些事故发生的共性原因。

2. 对目前已经颁布和正在制定的国家和行业建筑结构验收、检测、鉴定与加固系列标准进行分类统计，供读者了解和选用；相关章节技术内容原则上均按新颁布的现行规范标准条文要求编写。

3. 更新大部分工程实例，特别是补充了更具有代表性和时效性的工程实例。

4. 在事故分析和加固计算方面，既考虑相关规范标准的条文体系要求，又要考虑教学要求和注册建造师的学习要求。

本书虽经多次修订再版，但难免还有不足之处，敬请读者批评指正。

编者
2018年3月

第三版前言

  随着国家经济的持续高速发展，我国土建工程的建设也保持高速增长。国家对工程建设的质量更为重视，并颁布了一系列新的法规文件、规范、规程。开设本课程的土建类高等院校以及高职、高专院校愈来愈多，目前开展的建造师执业考试也列入了质量控制和质量管理的有关内容。为了更适应工程应用及高校教学的需要，作者对本书作了较大的修改。主要修改的内容为：

  1. 2005 年举行的全国首次一级和二级建造师执业考试，均有关于质量管理和质量事故处理的案例。对此，本次修订充实了这方面内容。

  2. 有一些新的规章、法规已颁布实行，本书有关章节均按最新的规范作了修改。

  3. 原书三篇，为了独立成篇，有一些内容重复。这次修订，作了必要的删减，因此全书的篇幅有所缩减，但内容更加精练，系统内容更为协调。

  本书尽管已经多次修改，但缺点仍在所难免，敬请读者批评指正。

编者
2006 年 3 月

第二版前言

随着我国国民经济的迅速发展,建筑业也得到了蓬勃发展。从总的情况看,建筑工程质量是好的,但建筑工程事故也时有发生,有些事故还很严重。严重的事故会使建筑物倒塌,造成人员伤亡和严重的经济损失。从事故中吸取教训,分析原因,采取对策,以避免同类事故的重复发生,这便是编写本书的目的。本书编者多年来从事这方面的教学工作,也参与一些实际工程事故的处理,本书就是依据作者的工作实践和教学经验编写的。

本书共分三篇,主要介绍工程事故的分类、原因分析和事故处理方法。本书编写分工与第一版相同。

这次修订有以下特点:

1. 第一版中分析计算和一些构造要求均按最近颁布的有关规范或标准进行了修改。
2. 更新及补充了部分工程实例,尤其是钢结构事故分析。
3. 在火灾事故处理方面增加了一章,介绍了防火减灾的设计要点及灾后的鉴定加固。
4. 在事故分析和加固计算方面更为系统深入,以进一步符合教学要求,同时也可满足注册建造工程师的学习要求。

虽经修订再版,肯定还有不足之处,恳请读者惠予指正。

编者

2003 年 3 月

第 一 版 前 言

改革开放以来，我国经济发展迅速，建筑业也得到了蓬勃发展。从总的情况看，建筑工程质量是好的，但建筑工程事故也时有发生，有些事故还很严重。严重的事故会使建筑物倒塌，造成人员伤亡和严重的经济损失。从事故中吸取教训，分析原因，采取对策，以避免同类事故的重复发生，这便是编写本书的目的。本书编者多年来从事这方面的教学工作，也参与一些实际工程事故的处理，本书就是依据教学讲义整理、充实而写成的。

本书在绪论中对事故的分类、事故处理程序和建筑物现场测试的一些常用方法作了总的介绍。本书核心内容分为三篇：建筑主体结构篇、地基与基础篇和火灾与燃爆篇。第一篇由清华大学江见鲸教授和王元清博士编写；第二篇由浙江大学教授龚晓南编写；第三篇由清华大学崔京浩教授编写。每一篇均自成体系，有原理说明、事故实例分析和加固处理方法等内容。

本书力求选择的事故比较典型，原因分析比较深入，加固方法切合实用。但建筑工程事故种类繁多，具体情况又千差万别，加上编者的实际经验有限，因而编写很难完满，肯定有不少缺点和不当之处，敬希读者批评指正。

1998 年 8 月

目 录

第1章 绪论 ... 1
- 1.1 学习本课程的目的 ... 1
- 1.2 建筑结构事故的类别及原因综述 ... 1
- 1.3 事故处理的一般程序 ... 6
- 1.4 结构可靠度的评判依据和原则 ... 8
- 1.5 建筑结构现场检测方法 ... 21
- 参考文献 ... 43

第1篇 建筑主体结构篇

第2章 砌体结构 ... 44
- 2.1 概述 ... 44
- 2.2 砌体强度不足引起的事故 ... 47
- 2.3 因方案欠妥引起的事故 ... 50
- 2.4 因施工失误引起的事故 ... 58
- 2.5 因材料不合格或使用不当而引起的事故 ... 61
- 2.6 砌体常见裂缝分析及预防 ... 63
- 2.7 砌体的加固方法 ... 74

第3章 混凝土结构 ... 88
- 3.1 混凝土结构的缺陷 ... 88
- 3.2 设计失误引起的事故 ... 96
- 3.3 施工不良引起的事故 ... 102
- 3.4 预应力混凝土事故 ... 114
- 3.5 使用不当引起的事故 ... 116
- 3.6 混凝土构件的加固方法 ... 119

第4章 钢结构 ... 149
- 4.1 钢结构的缺陷 ... 149
- 4.2 钢结构的事故及其影响因素 ... 158
- 4.3 钢结构事故的实例分析 ... 167
- 4.4 钢结构的加固 ... 206
- 4.5 钢结构的修复 ... 231

第5章 其他类型结构 ... 240
- 5.1 木结构事故 ... 240
- 5.2 钢-混凝土组合屋架事故 ... 242
- 5.3 特种结构事故 ... 244

5.4 结构安装工程事故 ········· 249
5.5 结构耐久性事故 ········· 255
5.6 脚手架事故 ········· 259
参考文献 ········· 263

第2篇 地基与基础篇

第6章 综述 ········· 267
6.1 建筑工程对地基的要求 ········· 267
6.2 地基与基础的基本型式 ········· 268
6.3 常见地基与基础工程事故分类及原因综述 ········· 270
6.4 事故预防及处理对策 ········· 273
6.5 地基与基础加固方法分类 ········· 275
6.6 建筑物迁移 ········· 280

第7章 地基与基础工程事故及处理 ········· 284
7.1 地基沉降造成的工程事故 ········· 284
7.2 地基失稳造成的工程事故 ········· 302
7.3 基坑工程事故 ········· 307
7.4 边坡滑动工程事故 ········· 319
7.5 地震造成的工程事故 ········· 321
7.6 特殊土地基工程事故 ········· 324
7.7 基础工程事故 ········· 332
7.8 其他地基与基础工程事故 ········· 342

第8章 已有建筑物地基加固、纠倾和迁移技术 ········· 344
8.1 概述 ········· 344
8.2 地基与基础加固技术 ········· 346
8.3 纠斜技术 ········· 360
8.4 防渗堵漏技术 ········· 366
参考文献 ········· 370

第3篇 火灾与燃爆篇

第9章 火灾及其对建筑材料和构件的影响 ········· 372
9.1 概述 ········· 372
9.2 建筑火灾的基本知识 ········· 378
9.3 混凝土在高温下的物理力学性能 ········· 380
9.4 钢材在高温下的物理力学性能 ········· 384

第10章 火灾事故预防与防火设计 ········· 389
10.1 概述 ········· 389
10.2 防火分隔与疏散 ········· 393
10.3 防雷设计 ········· 398

10.4 高层建筑防火与建筑内装修问题 ………………………………………………… 404
10.5 地下建筑防火 ………………………………………………………………………… 410
10.6 钢结构防火 …………………………………………………………………………… 414

第11章 火灾后建筑结构鉴定与加固 …………………………………………………… 420
11.1 鉴定程序与内容 ……………………………………………………………………… 420
11.2 判定火灾温度的物理化学方法 ……………………………………………………… 421
11.3 火灾温度的判定 ……………………………………………………………………… 425
11.4 过火建筑鉴定与加固实例 …………………………………………………………… 430

第12章 燃爆事故预防与处理 …………………………………………………………… 441
12.1 概述 …………………………………………………………………………………… 441
12.2 燃爆机理及对建筑结构的影响 ……………………………………………………… 448
12.3 防爆设计原则与措施 ………………………………………………………………… 453
12.4 防燃爆设计 …………………………………………………………………………… 455
12.5 燃爆灾害后的调查分析与处理 ……………………………………………………… 460

参考文献 …………………………………………………………………………………… 468

第1章 绪 论

1.1 学习本课程的目的

20世纪80年代以来，我国的建筑业得到了蓬勃发展，各种现代化的建筑如雨后春笋般快速出现，小城镇的城市化也促使房建、市政建设的迅猛发展。与此同时，各种工程质量事故也时有发生。因此，我们土木工程建设者既肩负着重大而光荣的任务，也面临着严峻的挑战。所谓任务，即全国城乡开展的大规模工程建设，可为我国经济的迅速发展作重大贡献；所谓挑战，即各种工程的质量事故，会给国家财产造成重大损失并危及人民生命安全。我们编写这本书的目的主要在于：

（1）从工程事故中吸取教训，以改进设计、施工和管理工作，从而防止同类事故的发生。目前，学校中安排的土木工程建设的有关课程，绝大部分是从正面学习，自成体系。而事故的发生，造成经济损失，有时还引起人员伤亡，这从反面给我们以深刻的教训。从事故中吸取教训，有利于对正面学习到的规律和知识理解得更深刻，运用得更正确。

（2）掌握事故处理的基本知识和方法。因设计和施工的失误或管理不善而引起的事故，是工程技术人员经常遇到的。如何正确处理事故，对事故原因分析、残余承载力的判断及修复加固的措施等问题，与设计和建造新建筑有较大的不同，而掌握这方面的知识和技术是非常必要的。

（3）了解工程事故的检测、鉴定与加固基本方法。工程事故发生后，除了踏勘现场了解基本事故情况外，还需通过各种现场和实验室试验检测获取材料、构件、连接和结构的基本力学性能、实际受荷、损伤状况和破坏机理等。根据相关规范标准，对构件、节点和结构的可靠度进行鉴定评价，最后对于通过加固和修复可以继续承载的构件、节点和结构，提出合理的加固和修复方案，进而给出加固和修复设计，指导加固和修复的施工实施。

1.2 建筑结构事故的类别及原因综述

1. 我国近代建筑业的发展

我国建设工程的发展大体经历了三个阶段：

第一个阶段是新中国成立至20世纪70年代中期，为战后重建期。

这一阶段由于我国经济基础较为薄弱，相比于欧美等发达国家，此时期内建设工程发展速度较为缓慢，基础设施建设主要是依靠政府财政支出。从20世纪50年代开始一直到70年代中期，除了国庆10周年的十大建筑外，建筑业发展速度并不理想，尤其在60~70年代。建筑业不振兴的局面一直持续到1976年。以首都为例，在这一阶段北京建筑以多层（6层以下）为主，极少有高层建筑（十几层）。1976年才终于有了突破，北京开始建设"前三门"十里长街40万m^2以住宅为主的高层建筑，采用了钢筋混凝土剪力墙结构体系,并大面积采用大模板施工工艺(由法国引进)。

同时,在这一时期我国大部分的建筑工程规范都是参考苏联规范,相对保守,加上建设量很小,事故发生的概率较低,除非遭遇重特大的自然灾害,建筑工程的质量都能得到较好的保证。

第二个阶段是20世纪70年代末期到80年代,为起步过渡期。

在十一届三中全会以后,我国的建设事业开始稳步发展。随着机械化水平和施工技术的提高,建筑业在经济发达地区,尤其是在北京、上海、广州、深圳等地出现了突飞猛进的局面。但同时由于在此阶段,我国经济由计划经济向市场经济转型,建筑业总体受到国家宏观政策的影响十分明显,在1987~1990年的治理整顿期间,建筑业总产出年均下降了1.6个百分点。在平稳过渡期,全国的建筑业发展不充分不均衡情况突出,经济发达地区的建筑业发展速度较快,其他地区的发展步伐仍未跟上。

在这一时期我国发生了多起重大的自然灾害,包括1975年海城地震、河南大水,1976年唐山大地震等。经过自然灾害,工程建设者与科研工作者加深了对自然灾害的认识,加强了对灾害规律以及建设工程防灾的把握,这直接体现在逐渐形成了我国自主的设计规范,其中具有代表性的有(《钢筋混凝土结构设计规范》TJ10—74和《钢结构设计规范》TJ 17—74)、《钢结构设计规范》GB J17—88、《混凝土结构设计规范》GBJ 10—89等。

第三个阶段是20世纪90年代至今,为快速发展期。

随着改革开放深入推进以及我国经济发展的巨大需求,20世纪90年代以来,我国的建筑业呈现快速发展的态势。

随着大型施工机械设备(比如塔式起重机、土方施工机械)、工厂化预制装配化水平、脚手架工程水平、混凝土施工技术与钢结构施工水平技术的不断发展和完善,以及电子计算机技术在建筑工程中的应用,我国的建筑工程事业在全国范围内迎来了大发展和大繁荣。现在,仅北京每年的施工建筑面积就超过1亿m^2,相当于新中国成立前全北京原有建筑面积的6~7倍。这一时期,各种建筑类规范如雨后春笋般出现,已有的各种规范也不断地进行修编与完善。

然而正是在建筑业这一快速发展的时期,虽然规范完善了,但是由于建设数量巨大、质量参差不齐,所以这也是各类建筑事故的频发阶段。在2004~2013年这十年间,各类建筑业坍塌事故共发生1033起,占全国总事故起数的13.68%;死亡人数为1764人,占全国事故总死亡人数的19.28%,事故起数和死亡人数均居于各类事故的第二位。这充分说明了在建筑业的快速发展期,建设者们在注重"快"的同时没有把工程质量与建设安全摆在头号位置,建筑工程事故的分析与处理仍然是一个无论如何强调都不过分的问题和一个永不过时的话题!

2. 建筑事故分类

按照《建筑结构可靠度设计统一标准》GB 50068—2001,建筑结构必须满足以下各项功能的要求:

(1) 能承受正常施工和正常使用时可能出现的各种作用;
(2) 在正常使用时具有良好的工作性能;
(3) 在正常维护条件下具有足够的耐久性;

(4) 在偶然作用（如地震作用、爆炸作用、撞击作用等）发生时及发生后，结构仍能保持必要的整体稳定性。

当建筑结构因工程质量低下而不能满足上述要求时，统称为质量事故。小的质量事故，影响建筑物的耐久性，造成浪费；严重的质量事故会使构件破坏，甚至引起房屋倒塌，造成人员伤亡和严重的财产损失。因此，建筑工程质量的好坏，关系重大，必须十分重视。为了保证建筑工程质量，我国有关部门颁布了一系列的规范、规程等法规性文件，对建筑工程勘测、设计、施工、验收和维修等各个建设阶段都有明确的质量保证要求。只要我们严格遵守这些规定，一般不会出质量事故。新中国成立以来，特别是改革开放后，我国建筑业得到了很大的发展，建筑工程的质量基本上是好的。但是，建筑工程质量事故还时有发生，严重的建筑物倒塌事故每年也有几十起，这不能不引起我们的重视。

质量事故的分类方法很多。按事故的严重程度分，可分为重大事故或倒塌事故（如引起人员伤亡）、严重危及安全的事故（如墙体严重开裂、构件断裂等）、影响使用的事故（如房屋漏雨、变形过大、隔热隔声不好等）以及仅影响建筑外观的事故等。

按事故发生的阶段分，有施工过程中发生的事故、使用过程中发生的事故和改建时或改建后引起的事故。

按事故发生的部位来分，有地基基础事故、主体结构事故、装修工程事故等。

按结构类型分，有砌体结构事故、混凝土结构事故、钢结构事故和组合结构事故等。

住房城乡建设部曾按事故发生后果的严重程度将事故分为四级，其主要依据是事故引起的伤亡人数和经济损失。

一级事故：死亡 30 人以上，直接经济损失 300 万元人民币以上。

二级事故：死亡人数 10～29 人，直接经济损失 100 万～300 万元人民币。

三级事故：死亡人数 3～9 人，重伤 20 人以上，直接经济损失 30 万～100 万元人民币。

四级事故：死亡人数 2 人以下，重伤 3～19 人，直接经济损失 10 万～30 万元人民币。

3. 近年来我国发生的典型重大工程事故

表 1-1 列举了 2002 年至 2017 年（最近 15 年来）在我国发生的有公开报道的重大工程事故。事故的信息来源于网上资料、新闻公开报道以及文献。在本章最后"参考文献"中列出了所参考的文章，所参考的网上资料和新闻未列出。

近年来我国发生的典型重大工程事故　　　　　　　　　　表 1-1

编号	事故名称	事发时间	事故概况
1	凉山族自治州某商品住宅楼围墙坍塌	2002 年 5 月 27 日	2002 年 5 月 27 日，四川省凉山族自治州某商品住宅楼工程，由于围墙内侧堆放土方，导致围墙坍塌，造成围墙外人行道上的 3 名儿童被砸死亡
2	上海地铁施工引发高楼坍塌	2003 年 7 月 1 日	2003 年 7 月 1 日，正在建设中的上海轨道交通 4 号线某通道出现渗水引发坍塌，造成周边地区地面沉降，上午 9 时许，地面建筑物中山南路 847 号一幢 8 层楼房发生倾斜，其裙房部分倒塌。另三幢建筑物出现严重倾斜及防汛墙开裂、沉陷等险情。此事故为国内地铁施工造成经济损失最大的事故（直接经济损失 3 亿元）

续表

编号	事故名称	事发时间	事 故 概 况
3	江都市（现扬州市江都区）樊川镇三阳河上东汇大桥桥面坍塌事故	2004年5月26日	2004年5月26日夜，一个大型船队经过江都市樊川镇三阳河上东汇大桥时，撞到大桥桥墩，造成50米长的水泥桥面坍塌，三阳河附近20km航线断航，河两岸近万名群众生活受到影响
4	番禺灵山镇东帮怡风泡沫塑料厂严重坍塌事故	2005年4月9日	番禺灵山镇东帮怡风泡沫塑料厂正在修建的厂房发生严重坍塌，由石硫建筑公司承建。该起事故造成5人死亡、20人受伤，其中重伤2人
5	北京市海淀区"02.21"临建房屋坍塌事故	2006年2月21日	2006年2月21日，北京市海淀区某仓储用房工程施工现场的临时活动房在拆除过程中发生坍塌，造成3人死亡、16人受伤
6	山东省文登市水上公园人行景观桥坍塌事故	2006年6月6日	2006年6月6日，山东省文登市水上公园15孔人行景观桥工程在施工过程中发生整体坍塌事故，造成5人死亡、1人重伤，直接经济损失200余万元
7	广西医科大学图书馆二期工程坍塌事故	2007年2月12日	2007年2月12日下午3时30分左右，广东省八建集团有限公司南宁分公司正在施工的广西医科大学图书馆二期工程，演讲厅舞台屋盖工程发生坍塌事故。造成7人死亡、7人受伤
8	湖南凤凰沱江大桥特大坍塌事故	2007年8月13日	2007年"8.13"湖南凤凰沱江大桥特大坍塌事故造成64人死亡，4人重伤，18人轻伤，直接经济损失3974.7万元。事故原因是大桥主拱圈砌筑材料未满足规范和设计要求，拱桥上部构造施工工序不合理
9	杭州地铁湘湖站坍塌事故	2008年11月15日	2008年11月15日下午3时15分，正在施工的杭州地铁湘湖站北2基坑现场发生大面积坍塌事故，造成17人死亡、4人失踪、24人受伤，直接经济损失4961万元
10	石家庄市长安区南石家庄村厂房垮塌	2009年8月4日	2009年8月4日，位于石家庄市西兆通镇南石家庄村的腾飞玛钢铸造有限公司在建厂房遭雷击突然倒塌，造成17人死亡、3人受伤
11	昆明机场高架桥东引桥在建桥体塌毁事故	2010年1月3日	2010年1月3日下午2时许，昆明机场高架桥东引桥在建桥体轰然塌毁，事故发生时，在作业面上工作的有41名工人，事故导致施工工人7人死亡、26人轻伤、8人重伤
12	上海教师公寓火灾58人遇难	2010年11月15日	2010年11月15日14时许，上海市胶州路728弄1号上一钢筋混凝土高楼发生火灾，楼高85m，28层。火灾发生时，建筑正在实施静安区政府工程建筑节能综合改造项目，火灾造成58人死亡
13	大连市旅顺口区蓝湾三期工地"10.8"施工坍塌重大事故	2011年10月8日	2011年10月8日13时40分左右，大连市旅顺口区蓝湾三期住宅楼工程在地下车库浇筑施工过程中，发生模板坍塌事故，造成13人死亡、4人重伤、1人轻伤，直接经济损失1237.72万元

续表

编号	事故名称	事发时间	事故概况
14	黑龙江集贤县办公楼坍塌事故	2012年10月15日	2012年10月15日早7时50分左右,正在进行外立面装修的双鸭山市集贤县二水源旧办公楼东侧部分发生坍塌;2012年10月16日营救工作结束时,坍塌事故共造成6死2伤
15	8·24哈尔滨阳明滩大桥坍塌事故	2012年8月24日	2012年8月24日5点30分左右,哈尔滨阳明滩大桥疏解工程一上行匝道垮塌,桥上4辆货车侧翻至桥下,致使3人死亡,5人受伤
16	江苏省沛县防腐保温工程总公司坍塌事故	2013年12月13日	2013年12月13日11时左右,江苏省沛县防腐保温工程总公司驻德州办事处在山东华鲁恒升化工股份有限公司生产部热动分部生产区为放空烟囱安装脱硫检测装置项目做前期准备工作,在搭设脚手架过程中发生脚手架倒塌,造成2人死亡,3人受伤
17	清华附中体育馆施工事故	2014年12月29日	清华附中体育馆底板钢筋在绑扎过程中发生坍塌,造成10死4伤
18	云南文山州文山职教园脚手架坍塌事故	2015年2月9日	云南文山州文山职教园新卫校在施工过程中发生脚手架坍塌事故,造成5人死亡、8人受伤
19	上海市某工地爬模吊装过程中发生事故	2016年3月25日	上海市虹口区星港国际中心项目施工现场,在核心筒内侧筒架爬模吊装过程中发生一起重伤害事故,造成4名施工人员死亡
20	浙江杭州地铁4号线某工地发生突涌	2016年7月8日	浙江省杭州市地铁4号线南段中医药大学站项目,在基坑施工过程中发生突涌事故,造成4人死亡
21	山东烟台某工地升降机坠落	2016年7月15日	山东省烟台市龙口市金域蓝湾B区29号楼工程发生施工升降机坠落事故,造成8名施工人员死亡
22	11·24丰城电厂施工平台倒塌事故	2016年11月24日	2016年11月24日7点左右,江西省宜春市丰城电厂三期在建项目冷却塔施工平桥吊倒塌,造成横板混凝土通道倒塌,确认事故现场74人死亡、2人受伤
23	湖北麻城脚手架坍塌事故	2017年3月27日	2017年3月27日,湖北省麻城市五脑山水上娱乐项目综合楼穹顶发生脚手架坍塌事故,造成9人死亡
24	11·18北京大兴西红门镇火灾事故	2017年11月18日	2017年11月18日18时许,北京市大兴区西红门镇新建村发生火灾。火灾共造成19人死亡、8人受伤。起火原因系埋在聚氨酯保温材料内的电气线路故障所致
25	12·1天津城市大厦火灾事故	2017年12月1日	天津市河西区友谊路与平江道交口城市大厦38层发生火灾,造成10人死亡,起火物质为堆放在电梯间内的杂物和废弃装修材料

4. 事故原因综述

事故发生的原因是多种多样的,从已有事故分析,其主要原因有以下几个方面:

管理不善。无证设计,无证施工,有章不依,违章不纠或纠正不力;长官意志,违反基建程序和规律,盲目赶工,造成隐患;层层承包,层层克扣;监督不力,不认真检查,马马虎虎盖"合格"章；申报建筑规划、设计、施工手续不全，设计、施工人员临时拼凑，借用执照，实为"乌合之众"，出了事故，分析、处理极困难。

勘测失误，地基处理不当。常见的勘测问题有未勘探即设计；盲目套用邻区勘测资料，实际上有很大问题；钻孔布置不足，有些隐患未能查出。地基处理不当，如饱和土用强夯法，打桩未打到好的持力层，深基坑支护失当，地基土受干扰又未重新夯实。软弱地基加固方法不对，基底未验收即进行基础施工等。

设计失误。设计失误常见的情况有任务急，时间紧，结构未计算即出图；套用已有图纸而又未结合具体情况校核；计算模型取得不合适，设计方案欠妥，未考虑施工过程会遇到的意外情况；重计算，轻构造，构造不合理；计算中漏算荷载，截面取得过小，未考虑重要荷载组合的不利情况；盲目相信电算，电算错了也出图；不懂得制表原理，套用了不适用的图表，造成计算书错误。

施工质量差、不达标。主要问题是以为"安全度高得很"，因而施工马虎，甚至有意偷工减料；技术人员素质差，不熟悉设计意图，为方便施工而擅自修改设计；施工管理不严，不遵守操作规程，达不到质量控制要求；原材料进场控制不严，采用过期水泥及不合格材料；对工程虽有质量要求，但技术措施未跟上；计量仪器未校准，使材料配合比有误；技术工人未经培训，大量采用壮工顶替；各工种不协调，尤其是管工，为图方便，乱开洞口；施工中出现了偏差也不予纠正等。

使用、改建不当。使用中任意增大荷载，如阳台当库房，住宅变办公楼，办公室变生产车间，一般民房改为娱乐场所。随意拆除承重隔墙，盲目在承重墙上开洞，任意加层等。

恶性重大事故的发生，往往是多种因素综合在一起而引起的。

1.3 事故处理的一般程序

事故发生后，尤其是大事故、倒塌事故发生后，必须要进行调查、处理。对于事故处理，因为涉及单位信誉、经济赔偿及法律责任，为各方所关注。事故有关单位或个人常常企图影响调查人员，甚至干扰调查工作。所以，参加事故调查分析，一定要排除各种干扰，以规范、规程为准绳，以事实为依据，按正确、公正的原则进行。

事故调查一般按下列步骤进行：初步调查（基本情况调查）；初步分析事故最可能发生的原因，并决定进一步调查及必要的测试项目；进一步深入调查及检测；根据调查及测试结果进行计算分析、邀请专家会商，同时听取与事故有关单位的陈述或申辩，最后写出事故调查报告，送主管部门及报告有关单位。下面就几个主要步骤加以说明。

1. 基本情况调查

基本情况调查包括对建筑的勘测、设计和施工有关资料的收集，对事故现场的调查及对有关人员的访问。为了提高调查效率，避免发生遗漏，在调查前应列出提纲，并尽可能地制定好调查表格，按所列项目一一落实。事故情况的收集和调查内容列于表1-2。

当然，调查时要根据事故情况和工程特点确定重点调查项目。如对砌体结构应重点察看砌筑质量；对混凝土结构则应重点检查混凝土的质量，钢筋配置的数量及位置，应将构件缺陷作为重点调查项目。对钢结构应侧重检查连接处，如焊接质量、螺栓质量及杆件加

调查项目表 表1-2

工程情况	建筑所在地特征(如地形、地貌),气象,环境条件(酸、碱、盐腐蚀情条件等)。建筑结构主要特征(结构类型、层数、基础形式等);事故发生时工程进度情况或使用情况
事故情况	发生事故的时间、经过、事故见证人及有关人员,人员伤亡和经济损失情况。可以采用照相、录像等手段取得现场实况资料
地质水文资料	主要看有关勘测报告,并重点查看勘察情况与实际情况是否相符,有无异常情况
设计图档	任务委托书、设计单位。主要负责人及设计人员水平、资历,设计依据的有关规范、规程、设计文件及施工图。重点看计算简图是否妥当,计算是否正确,构造处理是否合理
施工记录	施工单位及其等级水平,具体技术负责人水平及资历。施工时间、气温、风雨、日照等记录,施工方法施工质检记录,施工日记(如打桩记录,地基处理记录,混凝土施工记录,预应力张拉记录,设计变更洽商记录,特殊处理记录等)
使用情况调查	房屋用途,使用荷载,腐蚀性条件,使用变更,维修记录,有无发生过灾害荷载等

工的平直度等。有时,调查可分两步进行,在初步调查以后,先做分析判断,确定事故最可能发生的一种或几种原因。然后,有针对性地做进一步深入细致的调查和检测。

2. 结构及材料检测

在初步调查研究的基础上,往往需要进一步做必要的检验和测试工作,甚至做模拟实验。测试有以下几个方面:

(1) 对没有直接钻孔的地层剖面而又有怀疑的地基应进行补充勘测。基础如果用了桩基,则要进行测试,检测是否有断桩、孔洞等不良缺陷。

(2) 测定建筑物中所用材料的实际性能,对构件所用的原材料(如水泥、钢材、焊条、砖砌体等)可抽样复查;对无产品合格证明或假证明的材料,更应从严检测;考虑到施工中采用混凝土强度等级及预留的试块未必能真实反映结构中混凝土的实际强度,可用回弹法、超声波法、取芯法等非破损或微破损方法测定构件中混凝土的实际强度。对于钢筋,可从构件中截取少量样品进行必要的化学成分分析和强度试验。对砌体结构要测定砖或砌块及砂浆的实际强度。

(3) 建筑物表面缺陷的观测。对结构表面裂缝,要测量裂缝宽度、长度及深度,并绘制裂缝分布图。

(4) 对结构内部缺陷的检查。可用锤击法、超声探伤仪、声发射仪器等检查构件内部的孔洞、裂纹等缺陷。可用钢筋探测仪测定钢筋的位置、直径和数量。对砌体结构应检查砂浆饱满程度、砌体的搭接错缝情况,遇到砖柱的包心砌法及砖、混凝土组合构件,尤应重点检查其芯部及混凝土部分的缺陷。

(5) 必要时可做模型试验或现场加载试验,通过试验检查结构或构件的实际承载力。现场常用的结构和材料的检测方法将在1.5节介绍。

3. 复核分析

在一般调查及实际测试的基础上,选择有代表性的或初步判断有问题的构件进行复核计算。这时应注意按工程实际情况选取合理的计算简图,按构件材料的实际强度等级、断面的实际尺寸和结构实际所受荷载或外加变形作用,按有关规范、规程进行复核计算。这是评判事故的重要根据,必须认真进行。

4. 专家会商

在调查、测试和分析的基础上,为避免偏差,可召开专家会协商会议,对事故发生原因进行认真分析、讨论,然后做出结论。必要时,应听取与事故有关单位人员的申诉与答辩,综合各方面意见后下最后的结论。

5. 调查报告

事故的调查必须真实地反映事故的全部情况,要以事实为根据,以规范、规程为准绳,以科学分析为基础,以实事求是和公正无私的态度写好调查报告。报告一定要准确可靠,重点突出,抓住要害,让各方面专家信服。调查报告的内容一般应包括:

(1) 工程概况:重点介绍与事故有关的工程情况。

(2) 事故情况:事故发生的时间、地点、事故现场情况及所采取的应急措施;与事故有关人员、单位情况。

(3) 事故调查记录。

(4) 现场检测报告(如有模拟实验,还应有实验报告)。

(5) 复核分析,推断事故原因,明确事故责任。

(6) 对工程事故的处理建议。

(7) 必要的附录(如事故现场照片、录像、实测记录、专家会协商的记录,复核计算书,测试记录,实验原始数据及记录等)。

1.4 结构可靠度的评判依据和原则

为了分析事故具有公正性和统一性,事故的分析和评判应以现行的国家及有关部门颁布的标准(包括统一标准、设计规范、施工及验收规范、施工操作规程、材料试验标准等)为依据,按照其规定的方法、步骤进行试验或计算。对一般建筑物检验性评定,如混凝土的质量、钢筋的质量等均可按有关规定检查,并填好检验记录。这并不复杂,但应仔细,这里不再一一叙述。

1. 单一安全系数的评判方法

对结构可靠度进行评定时,会遇到不同时期的建筑物,采用不同规范设计和施工的问题,而且有较大的差别。以混凝土结构为例,1990 年以前的建筑物是按照《钢筋混凝土结构设计规范》TJl0—74 设计的,采用的是单一的安全系数,当时质量检验评定标准是按《建筑安装工程质量检验评定标准》TJ 301—74 进行的,而在 1992 年以后建造的建筑物,采用的是概率极限状态设计准则,在可靠度的表达方式上采用了分项系数的方法,而质量鉴定方面,先有《建筑安装工程质量检验评定统一标准》GBJ 300—88,后又颁布《建筑工程施工质量验收统一标准》GB 50300—2001 及其《建筑工程施工质量验收统一标准》GB 50300—2013。因此,对不同历史时期的建筑物,在复核可靠度时应采用不同的表达方法。现简述如下。

按旧规范设计的建筑结构的强度验算,可按下式进行:

$$K_实 = \frac{R_实}{S_实} \geq \beta [K] \tag{1-1}$$

式中 $K_实$ ——实际构件强度检算的安全系数;

1.4 结构可靠度的评判依据和原则

$R_实$——构件的实际抗力,采用实测强度按规范公式计算,注意,材料实测强度应采用设计计算值,若实测材料强度的平均值为 $\bar{f}$,均方差为 σ,则设计计算值采用 $f=\bar{F}-2\sigma$;

$S_实$——构件实际承受的内力,可按事故发生时的实际荷载计算;

$[K]$——规范规定的安全系数,可按有关规范查用,为便于应用,对混凝土结构、钢结构、砌体结构所要求的安全系数分别列于表 1-3、表 1-4、表 1-5;

β——强度检验的修正系数,与检测方法、检验精度有关,可按表 1-6 取值。

钢筋混凝土及预应力混凝土结构构件强度设计安全系数　　表 1-3

项次	受力特征	基本安全系数	
		钢筋混凝土	预应力混凝土
1	轴心受弯、受拉、偏心受拉构件	1.40	1.50
2	轴心受压、偏心受压构件、斜截面受剪、受扭、局部承压	1.55	1.55

项次	选用条件		附加安全系数
1	一般构件		1.05
2	薄腹大梁、直接承受重级工作制吊车的构件		1.05
3	屋架、托架	钢筋混凝土下弦及钢丝、钢绞线的预应力混凝土拉杆	1.10
		其他杆件	1.05~1.10
4	承受风荷载为主的高耸结构		1.05~1.10
5	承受静水压力的水池等荷载变异较小的结构		1.0~0.9
6	缺乏实践经验的新结构以及荷载变异较大的结构		酌取大于 1.0 的值

钢结构构件强度设计安全系数　　表 1-4

项次	结构类型		安全系数 K
1	普通钢结构	一般结构	1.40
		轻、重级制吊车梁、恒载小于总荷载 40% 的屋面结构、轻型钢结构	1.50
2	低合金钢结构	一般结构	1.45
		轻、重级制吊车梁、恒载小于总荷载 40% 的屋面结构、轻型钢结构	1.55

注:《钢结构设计规范》TJ 17—74 采用标准荷载和容许应力进行计算,安全系数不以 K 的形式出现,为检验方便,表中给出了按照应力反算得到的安全系数值。

砖石结构构件强度设计安全系数　　表 1-5

项次	受力情况	不同砌体的安全系数 K					
		砖石砌块和空斗砌体	乱毛石砌体	网状配筋砌体	组合砌体	钢筋砖过梁	土墙
1	受压	2.3	3.0	2.3	2.1	—	3.0
2	受弯、受剪、受拉	2.5	3.3	—	—	2.5(受弯) 2.0(受剪)	—
3	倾覆和滑移	1.5	1.5	—	—	—	—

续表

项次	结件、构件类型	K 的修正系数	备 注
1	有吊车房屋	1.1	指直接受动荷载影响的墙和柱
2	特别重要的房屋和构筑物	1.1～1.2	
3	截面积 A 小于 0.35m2 的受压墙柱	$1.35-A$	仅适用于承受压力的墙和柱；对过梁、局部受压、网状配筋和组合砌体可不予修正
4	验算施工中的房屋的构件	0.8～0.9	

结构、构件强度检验修正系数　　　　表 1-6

项次	结构类型	检验方法和条件	β
1	钢筋混凝土结构	(1)混凝土强度由超声、回弹、取芯法综合确定,并有检验试块； (2)钢筋位置由钢筋探测仪测定； (3)钢筋强度由取样试验确定； (4)荷载由实测结合统计资料确定； (5)设计、施工资料齐全	0.9
		(1)混凝土强度由超声、回弹综合确定,并有检验试块； (2)钢筋凿开目测检验； (3)钢筋位置由钢筋探测仪确定； (4)荷载由实测确定； (5)设计、施工资料齐全	1.0
		其他	1.1
2	钢结构	(1)钢材取样检验； (2)荷载由实测和统计资料确定； (3)焊缝用超声检验； (4)设计、施工资料齐全	0.9
		(1)钢材与设计资料核对后采用设计值； (2)荷载实测； (3)设计、施工资料齐全	1.0
		其他	1.1
3	砖石结构	(1)砌体强度由实测砖、砂浆强度和外观检测确定； (2)荷载由实测与统计资料确定； (3)设计资料、施工资料齐全	0.9
		其他	1.0～1.1

2. 直接加荷试验评定方法

对于非倒塌事故，或对批量生产的承重构件有质量问题或事故疑问时，可进行实际加载试验，以决定结构是否可继续使用或加固。若实际荷载为 $q_实$，而设计需要的承载力的标准值为 $q_标$，如满足 $K_实 = \dfrac{q_实}{q_标} \geqslant \beta [K]$，则可认为结构或构件可继续使用。

实际现场试验时，一般不加载到结构完全倒塌，这样做比较危险，并使结构不能再使用，甚至加固也不可能了。一般 $q_实$ 取某种极限值，如挠度达到 $l/50$（l 为跨度），或裂缝达到 1.5mm 或 $q > (1.5～2.0) q_标$，则就停止试验，取这时的荷载为 $q_实$。

3. 按房屋可靠性评定标准检定

(1) 概述

对于按现行规范设计的建筑物的复核可按现行新版设计规范有关条文进行。

现行新版设计规范要求结构的可靠度指标以分项系数的表达方式来实现。复核时应满足：

$$\gamma_0 S \leqslant R \tag{1-2}$$

式中 γ_0——结构重要性系数，对一般结构取 1.0，重要结构取 1.1，临时的、次重要的结构可取 0.9；

S——作用效应，考虑了荷载分项系数，组合系数后的实际荷载作用，环境作用，约束变形的作用效应；

R——结构的抗力，按实测材料强度计算，但要考虑材料分项系数。材料的强度由实测结构推断。若实测强度的平均值为 f_m，标准差为 σ，则设计强度可取

$$f = f_m(1 - 1.645\sigma)/\gamma \tag{1-3}$$

式中 γ 为材料分项系数

对砌体　　$\gamma = 1.6$

对混凝土　$\gamma_c = 1.4$

对钢筋　　$\gamma_s = 1.1$（HPB300，HRB335，HRB400）

　　　　　$= 1.2$（预应力钢筋）

为了评定承载力的可靠度等级，可参考《民用建筑可靠性鉴定标准》GB 50292—2015 和《工业建筑可靠性鉴定标准》GBJ 50144—2008。

这两本标准（或规程）均采用分层次、分等级评定的方法。民用建筑鉴定又分为安全性评定、使用性评定和可靠性评定三类。安全性评定针对危房鉴定，房屋改建或有安全疑问时（如事故分析）采用。使用性鉴定则针对建筑物的日常维护及某些使用功能的评判。而可靠性鉴定则在安全性和使用性评定基础上，进一步作出全面评价。工业建筑鉴定规程则是以安全评定为主、兼顾重要使用功能的可靠性评定。本书以安全事故分析为主，故在此仅介绍有关民用建筑鉴定标准中有关安全性鉴定的内容。

评定时将建筑结构体系分为三个层次，即构件、子单元和鉴定单元。

构件是鉴定的第一层次，也是鉴定的基本单位，它可以是一个单件（如一根梁、一根柱或一块板），也可以是一个组合件，如一榀桁架，一片墙体。子单元由构件组成，是鉴定的第二个层次，子单元通常分为地基基础、上部承重结构和围护系统三个子单元。鉴定单元由子单元组成，小的建筑物可以定为一个鉴定单元，较大的建筑物可按结构承重体系的特点分为若干个区段，每一区段为一个鉴定单位。本书着重介绍关于建筑构件的评判方法，即第一个层次的评定。

对于安全性及可靠性的鉴定，每一个层次划分为四个等级。鉴定从第一层次（构件）开始，根据检查项目评定结果。构件的四个安全性等级用 a_u、b_u、c_u、d_u 表示，子单元的四个安全等级用 A_u、B_u、C_u、D_u 表示，鉴定单元的四个安全等级用 A_{su}、B_{su}、C_{su}、D_{su} 表示。安全性鉴定的评级层次、等级划分如表 1-7 所示。

安全性鉴定分级标准　　　　　　　　　　　　　　　　　　　　　　表 1-7

层次	鉴定对象	等级	分 级 标 准	处 理 要 求
一	单个构件或其检查项目	a_u	安全性符合本标准对 a_u 级的要求，具有足够的承载能力	不必采取措施
		b_u	安全性略低于本标准对 a_u 级的要求，尚不显著影响承载能力	可不采取措施
		c_u	安全性不符合本标准对 a_u 级的要求，显著影响承载能力	应采取措施
		d_u	安全性极不符合本标准对 a_u 级的要求，已严重影响承载能力	必须及时或立即采取措施
二	子单元的检查项目	A_u	安全性符合本标准对 A_u 级的要求，具有足够的承载能力	不必采取措施
		B_u	安全性略低于本标准对 A_u 级的要求，尚不显著影响承载能力	可不采取措施
		C_u	安全性不符合本标准对 A_u 级的要求，显著影响承载能力	应采取措施
		D_u	安全性极不符合本标准对 A_u 级的要求，已严重影响承载能力	必须及时或立即采取措施
	子单元中的每种构件	A_u	安全性符合本标准对 A_u 级的要求，不影响整体承载	可不采取措施
		B_u	安全性略低于本标准对 A_u 级的要求，尚不显著影响整体承载	可能有极个别构件应采取措施
		C_u	安全性不符合本标准对 A_u 级的要求，显著影响整体承载	应采取措施，且可能有个别构件必须立即采取措施
		D_u	安全性极不符合本标准对 A_u 级的要求，已严重影响整体承载	必须立即采取措施
	子单元	A_u	安全性符合本标准对 A_u 级的要求，不影响整体承载	可能有个别一般构件应采取措施
		B_u	安全性略低于本标准对 A_u 级的要求，尚不显著影响整体承载	可能有极少数构件应采取措施
		C_u	安全性不符合本标准对 A_s 级的要求，显著影响整体承载	应采取措施，且可能有极少数构件必须立即采取措施
		D_u	安全性极不符合本标准对 A_u 级的要求，严重影响整体承载	必须立即采取措施
三	鉴定单元	A_{su}	安全性符合本标准对 A_{su} 级的要求，不影响整体承载	可能有极少数一般构件应采取措施
		B_{su}	安全性略低于本标准对 A_{su} 级的要求，尚不显著影响整体承载	可能有极少数构件应采取措施
		C_{su}	安全性不符合本标准对 A_{su} 级的要求，显著影响整体承载	应采取措施，且可能有少数构件必须立即采取措施
		D_{su}	安全性严重不符合本标准对 A_{su} 级的要求，严重影响整体承载	必须立即采取措施

注：表中关于"不必采取措施"和"可不采取措施"的规定，仅对安全性鉴定而言，不包括正常使用性鉴定所要求采取的措施。

涉及构件安全性因素很多，鉴定标准对不同的结构分别列出了不同的检查项目，但对所有结构均以承载力作为第一个项目评定，且分级的数值也一样，可按表 1-8 采用，表中 $R/\gamma_0 S$ 按式（1-2）计算。

结构构件承载能力等级的评定　　　　表 1-8

构件类别	$R/\gamma_0 S$			
	a_u 级	b_u 级	c_u 级	d_u 级
主要构件	≥1.0	≥0.95, 且<1	≥0.90, 且<0.95	<0.90
一般构件	≥1.0	≥0.90, 且<1	≥0.85, 且<0.90	<0.85

表 1-8 中承载能力分级与可靠指标的含义可解释为：

a_u 级　符合现行设计规范对目标可靠指标 β_0 的要求，构件完好，其验算表征为 $R/\gamma_0 S \geq 1$；安全性符合 a_u 级标准时，不必采取措施。

b_u 级　略低于现行设计规范对 β_0 的要求，但尚可达到或超过相当于工程质量下限的可靠度水平，仍可继续使用，一般可不采取措施。

c_u 级　不符合现行设计规范对 β_0 的要求，其可靠指标下降已超过工程质量下限，但未达到随时有破坏可能的程度。此时，构件的安全性等级比现行规范要求下降了一个档次，显然，对承载能力有不容忽视的影响，应采取措施。

d_u 级　严重不符合现行设计规范对 β_0 的要求，其可靠指标下降较大，失效概率大幅度提高，已处于危险状态。必须立即采取措施，才能防止事故发生。

（2）混凝土构件的安全性评级

混凝土构件的安全性评定分四个检查项目：承载能力、构造、位移（或变形）和裂缝。在所有四个因素评定后，按其中最低的等级作为该构件的安全性等级。

1）承载力评定已在上一节中介绍，这里不再重复。

2）构造评定。

钢筋混凝土结构是由许多单一构件通过节点连接起来的，在外荷载作用下，通过节点传递和分配内力。连接节点的破坏将直接导致结构的破坏，因此，连接构造也是建筑结构安全性评定的重要内容之一。混凝土结构构件的安全性按构造评定，应按表 1-9 的规定，分别评定连接（或节点）构造、受力预埋件两个检查项目的等级，然后取其中较低等级作为该构件构造的安全等级。

3）位移评定。

结构由于受荷载、温度、徐变及地基不均匀沉降等因素的影响，产生挠度或位移，影响观感和使用，产生附加应力。结构过度变形是结构刚度不足或稳定性不足的标志，过大时会影响结构的承载力。

评定混凝土结构构件的位移，受弯构件评定的是挠度和侧向弯曲，柱子评定的是柱顶水平位移。受弯构件的挠度或施工偏差造成的侧向弯曲，按表 1-10 的规定评级。

4）裂缝评定。

钢筋混凝土结构出现裂缝的原因很多，裂缝对结构影响程度的差异也很大，根据裂缝产生原因的不同,可将裂缝分为两大类,即受力裂缝和非受力裂缝。受力裂缝由荷载引起,是材料应力大到一定程度的标志,是结构破坏开始的特征或强度不足的征兆。从出现受力裂缝到承载力破坏的过程有两种,即脆性破坏和延性破坏。脆性破坏具有突然性,构件一旦开裂,就已接近破坏,属于这种破坏的裂缝主要有剪切裂缝、受压裂缝、受弯构件的压区裂缝等。所以,当分析认为属于剪切裂缝时,只要裂缝存在,就应评定为 c_u 或 d_u 级;当受压区混凝土有压坏迹象时,不论其裂缝宽度大小,其安全性应直接评定为 d_u 级。

混凝土结构构件构造评级标准 表 1-9

检查项目	a_u 级或 b_u 级	c_u 级或 d_u 级
结构构造	结构、构件的构造合理,符合国家现行相关规范要求	结构、构件的构造不当,或有明显缺陷,不符合国家现行相关规范要求
连接或节点构造	连接方式正确,构造符合国家现行相关规范要求,无缺陷,或仅有局部的表面缺陷,工作无异常	连接方式不当,构造有明显缺陷,已导致焊缝或螺栓等发生变形、滑移、局部拉脱、剪坏或裂缝
受力预埋件	构造合理,受力可靠,无变形、滑移、松动或其他损坏	构造有明显缺陷,已导致预埋件发生变形、滑移、松动或其他损坏

混凝土受弯构件不适于继续承载的变形评级标准 表 1-10

检查项目	构件类别		c_u 级或 d_u 级
挠度	主要受弯构件——主梁、托梁等		$>l_0/200$
	一般受弯构件	$l_0 \leqslant 7m$	$>l_0/120$,或$>47mm$
		$7m<l_0 \leqslant 9m$	$>l_0/150$,或$>50mm$
		$l_0>9m$	$>l_0/180$
侧向弯曲的矢高	预制屋面梁或深梁		$>l_0/400$

注:1. 表中 l_0 为计算跨度;
  2. 评定结果取 c_u 级或 d_u 级,可根据其实际严重程度确定。

延性破坏的特点是从开裂到承载力破坏有一个较长的过程,在这个过程中,裂缝的宽度、长度会有很大的发展,挠度变形明显,这个过程作为破坏前的征兆,使人们能够及时采取加固措施。属于这种破坏的裂缝主要有弯曲裂缝、受拉构件裂缝、大偏心受压构件的拉区裂缝等。普通混凝土结构构件一般是允许带裂缝工作的,构件开裂时,尚有相当大的承载潜力,如果裂缝已趋于稳定,且最大裂缝宽度未超过规定的限值,则可不必采取措施,但当出现表 1-11 所列的受力裂缝时,应视为不适于继续承载的裂缝,并应根据其实际严重程度定为 c_u 或 d_u 级。

非受力裂缝往往由构件自身应力引起,一般对结构的承载力影响不大,但钢筋锈蚀造成的沿主筋方向的裂缝,意味着钢筋与混凝土之间握裹力降低,直接影响构件的安全性。因此,鉴定标准规定,因钢筋锈蚀产生的沿主筋方向的裂缝,当其裂缝宽度已大于 1mm 时,也应视为不适于继续承载的裂缝,并应根据其实际严重程度评定为 c_u 或 d_u 级;当主筋锈蚀导致构件掉角以及混凝土保护层严重脱落时,不论裂缝宽度大小,应直接评定为 d_u 级。

对于其他非受力裂缝,如温度裂缝或收缩裂缝等,鉴定标准也规定,当其宽度超过表 1-10 规定的弯曲裂缝宽度值的 50%,且分析表明已显著影响结构的受力时,视其为不适于继续承载的裂缝,并根据其实际严重程度评定为 c_u 或 d_u 级。

混凝土构件不适于继续承载的裂缝宽度评级标准 表 1-11

检查项目	环境	构件类别		c_u 或 d_u 级
受力主筋处的弯曲（含一般弯剪）裂缝和轴拉裂缝宽度(mm)	正常湿度环境	钢筋混凝土	主要构件	>0.50
			一般构件	>0.70
		预应力混凝土	主要构件	>0.20(0.30)
			一般构件	>0.30(0.50)
	高湿度环境	钢筋混凝土	任何构件	>0.40
		预应力混凝土		>0.10(0.20)
剪切裂缝(mm)	任何湿度环境	钢筋混凝土或预应力混凝土		出现裂缝

注：1. 高湿度环境系指露天环境，开敞式房屋易遭飘雨部位，经常受蒸汽或冷凝水作用的场所（如厨房、浴室、寒冷地区不保暖屋盖等）以及与土壤直接接触的部位等；
2. 表中括号内的限值适用于冷拉 HRB335、HRB400、HRB500 级钢筋的预应力混凝土构件。

(3) 钢结构构件安全性评级

钢结构构件的安全性评定，是在其承载能力、构造及变形等三个检查项目逐个评定的基础上，取最低一个等级作为该构件的安全性等级。

对于冷弯薄壁型钢结构、轻钢结构和钢桩，以及处于有腐蚀性介质的工业区或高湿、临海地区的钢结构，由于钢材锈蚀发展很快，以致在很短的时间内便会危及结构构件的承载安全，尤其是冷弯薄壁型钢结构和轻钢结构，自身截面尺寸小，对锈蚀十分敏感，因此增加锈蚀作为一个检查项目。

1) 承载能力评定已在前节中介绍，这里不再重复。

2) 构造评定。

钢结构构造的正确性与可靠性是其承载能力的重要保证，构造与连接不当将直接危及结构构件的安全。在钢结构的安全事故中，由于构造连接问题引起的破坏，如失稳、应力集中及次应力所造成的破坏，均占有较大的比例。当钢结构构件的安全性按构造评定时，应按表 1-12 的规定评级。

钢结构构件构造安全性评级标准 1-12

检查项目	a_u 级或 b_u 级	c_u 级或 d_u 级
构件构造	构件组成形式、长细比（或高跨比）、宽厚比（或高厚比）等符合或基本符合国家现行设计规范要求；无缺陷，或仅有局部表面缺陷；工作无异常	构件组成形式、长细比或高跨比、宽厚比或高厚比等不符合国家现行设计规范要求；存在明显缺陷，已影响或显著影响正常工作
节点、连接构造	节点、连接方式正确，符合或基本符合国家现行设计规范要求；无缺陷或仅有局部的表面缺陷，如焊缝表面质量稍差、焊缝尺寸稍不足、连接板位置稍有偏差等；但工作无异常	节点、连接方式不当，构造有明显缺陷，如焊接部位有裂纹；部分螺栓或铆钉有松动、变形、断裂、脱落等；节点板、连接板、铸件有裂纹或显著变形；已影响或显著影响正常工作

注：1. 评定结果取 a_u 级或 b_u 级，可根据其实际完好程度确定；评定结果取 c_u 级或 d_u 级，可根据其实际严重程度确定；
2. 构造缺陷还包括施工遗留的缺陷；对焊缝系指夹渣、气泡、咬边、烧穿、漏焊、少焊、未焊透以及焊脚尺寸不足等；对铆钉或螺栓系指漏铆、漏栓、错位、错排及掉头等；其他施工遗留的缺陷应根据实际情况确定。

3) 位移评定。

钢结构构件的位移或变形评定,对于受弯构件是指其挠度、侧向弯曲或侧向倾斜等;对于柱子是指其柱顶水平位移或柱身弯曲。受弯构件除桁架外,其挠度或偏差造成的侧向弯曲,应按表 1-13 的规定进行安全性评定。

钢结构受弯构件不适于继续承载的变形评级标准 表 1-13

检查项目	构件类别		c_u 级或 d_u 级
挠度	主要构件	网架 屋盖(短向)	$>l_s/250$,且可能发展
		网架 楼盖(短向)	$>l_s/200$,且可能发展
		主梁、托梁	$>l_0/200$
	一般构件	其他梁	$>l_0/150$
		檩条梁	$>l_0/100$
侧向弯曲的矢高	深梁		$>l_0/400$
	一般实腹梁		$>l_0/350$

注:表中 l_0 为构件计算跨度,l_s 为网架短向计算跨度。

4) 锈蚀评定。

若钢结构构件的锈蚀已达到一定深度,则其危害将不单纯是截面削弱,还会造成钢材深处的晶体间断裂或穿透,加剧应力集中。当钢结构构件的安全性按不适于继续承载的锈蚀评定时,除应按剩余的完好截面验算承载能力外,还应按表 1-14 的规定评级。

钢结构构件不适于继续承载的锈蚀评级标准 1-14

等级	评定标准
c_u	在结构的主要受力部位,构件截面平均锈蚀深度 Δt 大于 $0.1t$,但不大于 $0.15t$
d_u	在结构的主要受力部位,构件截面平均锈蚀深度 Δt 大于 $0.15t$

注:表中 t 为锈蚀部位构件原截面的壁厚或钢板的板厚。

(4) 砌体结构构件安全性评级

砌体结构构件的安全性鉴定,应按承载能力、构造以及不适于继续承载的位移和裂缝等四个检查项目,分别评定每一受检构件等级,取其中最低一个等级作为该构件的安全性等级。

1) 承载能力评定已如前述,但如所用砌块及砂浆不满足规范要求的最低强度等级时,承载力等级最高只可为 c_u 级。

2) 构造评定。

砌体结构的构造包括墙、柱高厚比和一般构造要求两个方面。墙、柱高厚比是保证砌体结构刚度和稳定的重要措施,规范对砌体墙、柱的允许高厚比作出了具体规定。一般构造要求包括墙、柱最小尺寸限制、梁的支承长度、砌体搭接与拉结、材料最低强度等。对材料强度的构造规定已在砌体承载能力评定时考虑,构造评定中可不再考虑材料强度要求。因此,当砌体结构构件的安全性按构造评定时,应按表 1-15 的规定,分别评定两个检查项目的等级,然后取其中较低等级作为该构件构造的安全等级。

3) 位移评定。

砌体结构构件不适于继续承载的位移,对墙、柱主要指侧向水平位移(或倾斜)或弯曲,对拱或壳体结构构件主要指拱脚的水平位移或拱轴变形。

砌体结构构件构造评级标准　　　　　　　　　　　表1-15

检查项目	a_u 或 b_u 级	c_u 或 d_u 级
墙、柱高厚比	符合或略不符合国家现行设计规范的要求	不符合国家现行设计规范的要求，且已超过限值的10%
连接及其他构造	连接及砌筑方式正确，构造符合国家现行设计规范的要求，无缺陷或仅有局部的表面缺陷，工作无异常	连接或砌筑方式不当，构造有严重缺陷（包括施工遗留缺陷），已导致构件或连接部位开裂、变形、位移或松动，或已造成其他损坏

注：1. 评定结果取 a_u 级或 b_u 级，可根据其实际完好程度确定；评定结果取 c_u 级或 d_u 级，可根据其缺陷严重程度确定；
　　2. 构件支承长度检查结果不参加评定，但若有问题，应在鉴定报告中说明，并提出处理意见。

砌体墙、柱水平位移或倾斜的安全性评级原则，同混凝土结构柱顶水平位移的安全性评级原则，此处不再赘述。

4）裂缝评定。

砌体结构的裂缝同混凝土结构一样，可分为受力裂缝和非受力裂缝。受力裂缝由荷载引起，如砖砌体结构的受压裂缝、受弯裂缝、稳定性裂缝、局部受压裂缝、受拉裂缝及受剪裂缝等均为受力裂缝。受压裂缝通常顺压力方向出现，当单砖的断裂在同一层多次出现时，说明墙体在竖向荷载下已经无安全储备；当竖向裂缝连续长度越过4皮砖时，该部位的砌体已接近破坏。对受弯或大偏心受压构件，当偏心距较大时，砌体会产生较大的弯曲变形，在受拉一侧可能会出现垂直于荷载力向的裂缝。当梁底部未设置垫块或垫块设置不当时，梁或垫块下的砌体可能产生因局部承压不足的竖向或斜向裂缝。受力裂缝一旦出现，即使很小，也是非常危险的，它是构件达到临界状态的重要特征之一，应根据其严重程度评定为 c_u 或 d_u 级。

砌体非受力裂缝（或称变形裂缝）是指温度、收缩、变形或地基不均匀沉降等引起的裂缝。这类裂缝占砌体裂缝的绝大多数，影响砌体结构的整体性，恶化了砌体结构的承载条件，当裂缝宽度过大时也危及结构构件承载的安全。所以，当墙身裂缝严重且最大裂缝宽度已大于5mm，或柱已出现宽度大于1.5mm的裂缝，或有断裂、错位现象，或其他显著影响结构整体性的非受力裂缝时，也应视为不适于继续承载的裂缝，并根据其实际严重程度评定为 c_u 或 d_u 级。

(5) 木结构构件安全性评级

木结构构件的安全性鉴定，应按承载能力、构造、不适于继续承载的位移、斜纹或斜裂、腐朽及虫蛀等检查项目，分别评定每一受检构件等级，取其中最低一个等级作为该构件的安全等级。因木结构目前应用较少，这里不再细述。

4. 建筑结构验收、检测、鉴定与加固系列标准

近年来，随着工程事故处理经验的积累，相关高校、研究机构、设计院和施工企业也积极采用建筑结构验收、检测、鉴定与加固系列标准的编制，已经形成了较为完整的规范标准体系，规范我国相关行业的发展和技术进步，指导相关工程的验收、检测、鉴定和加固工作。表1-16和表1-17分别给出目前（截至2017年底）已实施和正在编制的相关建筑结构验收、检测、鉴定与加固系列目录。

建筑结构验收、检测、鉴定与加固系列标准目录（已实施）　　表1-16

类别	序号	标准名称和编号	实施日期
施工质量验收	1	《建筑工程施工质量验收统一标准》GB 50300—2013	2014-06-01
	2	《砌体结构工程施工质量验收规范》GB 50203—2011	2012-05-01
	3	《混凝土结构工程施工质量验收规范》GB 50204—2015	2015-09-01
	4	《钢结构工程施工质量验收规范》GB 50205—2001	2002-03-01
	5	《钢管混凝土工程施工质量验收规范》GB 50628—2010	2011-10-01
	6	《木结构工程施工质量验收规范》GB 50206—2012	2012-08-01
	7	《建筑地基基础工程施工质量验收规范》GB 50202—2002	2002-05-01
	8	《建筑结构加固工程施工质量验收规范》GB 50550—2010	2011-02-01
结构检测检验探伤	1	《建筑结构检测技术标准》GB/T 50344—2004	2004-12-01
	2	《砌体基本力学性能试验方法标准》GB/T 50129—2011	2012-03-01
	3	《砌体工程现场检测技术标准》GB/T 50315—2011	2012-03-01
	4	《非烧结砖砌体现场检测技术规程》JGJ/T 371—2016	2016-08-01
	5	《贯入法检测砌筑砂浆抗压强度技术规程》JGJ/T 136—2017	2017-09-01
	6	《择压法检测砌筑砂浆抗压强度技术规程》JGJ/T 234—2011	2011-12-01
	7	《混凝土强度检验评定标准》GB 50107—2010	2010-12-01
	8	《混凝土耐久性检验评定标准》JGJ/T 193—2009	2010-07-01
	9	《普通混凝土用砂、石质量及检验方法评定标准》JGJ 52—2006	2007-06-01
	10	《早期推定混凝土强度试验方法标准》JGJ/T 15—2008	2008-09-01
	11	《钻心检测离心高强混凝土抗压强度试验方法》GB/T 19496—2004	2004-12-01
	12	《高强混凝土强度检测技术规程》JGJ/T 294—2013	2013-12-01
	13	《后锚固法检测混凝土抗压强度技术规程》JGJ/T 208—2010	2010-10-01
	14	《预制混凝土构件质量检验评定标准》GBJ 321—90	1991-03-01
	15	《回弹法检测混凝土抗压强度技术规程》JGJ/T 23—2011	2011-12-01
	16	《混凝土中钢筋检测技术规程》JGJ/T 152—2008	2008-10-01
	17	《超声回弹综合法检测混凝土强度技术规程》CECS 02：2005	2005-12-01
	18	《钻芯法检测混凝土强度技术规程》JGJ/T 384—2016	2016-12-01
	19	《超声法检测混凝土缺陷技术规程》CECS 21：2000	2001-01-01
	20	《剪压法检测混凝土抗压强度技术规程》CECS 278：2010	2010-09-01
	21	《拔出法检测混凝土强度技术规程》CECS 69：2011	2011-10-01
	22	《锚杆锚固质量无损检测技术规程》JGJ/T 182—2009	2010-07-01
	23	《钢结构现场检测技术标准》GB/T 50621—2010	2011-06-01
	24	《高耸与复杂钢结构检测与鉴定标准》GB 51008—2016	2016-12-01
	25	《钢结构钢材选用与检验技术规程》CECS 300：2011	2012-06-01
	26	《钢焊缝手工超声波探伤方法和探伤结果分级》GB/T 11345—2013	2014-06-01

续表

类别	序号	标准名称和编号	实施日期
结构检测检验探伤	27	《厚钢板超声波检验方法》GB/T 2970—2016	2016-09-01
	28	《金属熔化焊焊接接头射线照相》GB/T 3323—2005	2006-01-01
	29	《无损检测 渗透检测和磁粉检测观察条件》GB/T 5097—2005	2005-12-01
	30	《无损检测 磁粉检测》GB/T 15822—2005	2006-04-01
	31	《无损检测 渗透检测》GB/T 18851—2005	2005-12-01
	32	《网架结构工程质量检验评定标准》JGJ 78—1991	1992-04-01
	33	《钢结构超声波探伤及质量分级法》JG/T 203—2007	2007-11-01
	34	《焊接球节点钢网架焊缝超声波探伤及质量分级法》JG/T 3034.1—1996	1997-05-01
	35	《螺栓球节点钢网架焊缝超声波探伤及质量分级法》JG/T 3034.2—1996	1997-05-01
	36	《木结构试验方法标准》GB/T 50329—2012	2012-12-01
	37	《建筑幕墙工程检测方法标准》JGJ/T 324—2014	2014-10-01
	38	《房屋裂缝检测与处理技术规程》CECS 293:2011	2011-09-01
	39	《建筑地基检测技术规范》JGJ 340—2015	2015-12-01
	40	《建筑基桩检测技术规范》JGJ 106—2014	2014-10-01
	41	《基桩孔内摄像检测技术规程》CECS 253:2009	2009-06-01
结构鉴定	1	《建筑抗震鉴定标准》GB 50023—2009	2009-07-01
	2	《民用建筑可靠性鉴定标准》GB 50292—2015	2016-08-01
	3	《工业建筑可靠性鉴定标准》GB 50144—2008	2009-05-01
	4	《构筑物抗震鉴定标准》GB 50117—2014	2015-02-01
	5	《农村住房危险性鉴定标准》JGJ/T 363—2014	2015-08-01
	6	《烟囱可靠性鉴定标准》GB 51056—2014	2015-08-01
	7	《工程结构加固材料安全性鉴定技术规范》GB 50728—2011	2012-05-01
	8	《危险房屋鉴定标准》JGJ 125—2016	2016-12-01
	9	《火灾后建筑结构鉴定标准》CECS 252:2009	2009-09-01
	10	《建筑边坡工程鉴定与加固技术规范》GB 50843—2013	2013-05-01
	11	《既有村镇住宅建筑抗震鉴定和加固技术规程》CECS 325:2012	2013-03-01
加固改造修复	1	《建筑抗震加固技术规程》JGJ 116—2009	2009-08-01
	2	《砌体结构加固设计规范》GB 50702—2011	2012-08-01
	3	《混凝土结构加固设计规范》GB 50367—2013	2014-06-01
	4	《钢结构加固技术规范》CECS 77—1996	1996-05-30
	5	《古建筑木结构维护与加固技术规范》GB 50165—1992	1993-05-01
	6	《既有建筑地基基础加固技术规范》JGJ 123—2012	2013-06-1
	7	《碳纤维片材加固混凝土结构技术规程》CECS 146—2003	2003-05-01
	8	《喷射混凝土加固技术规程》CECS 161—2004	2004-05-01

续表

类别	序号	标准名称和编号	实施日期
加固改造修复	9	《水泥复合砂浆钢筋加固混凝土结构技术规程》CECS 242—2016	2017-03-01
	10	《预应力高强钢丝绳加固混凝土结构技术规程》JGJ/T 325—2014	2014-10-01
	11	《钢绞线网片聚合物砂浆加固技术规程》JGJ 337—2015	2016-05-01
	12	《混凝土结构后锚固技术规程》JGJ 145—2013	2013-12-01
	13	《建筑结构体外预应力加固技术规程》JGJ/T 279—2012	2012-05-01
	14	《纤维增强复合材料建设工程应用技术规范》GB 50608—2010	2011-06-01
	15	《建筑边坡工程鉴定与加固技术规范》GB 50843—2013	2013-05-01
	16	《建筑物倾斜纠偏技术规程》JGJ 270—2012	2012-12-01
	17	《地下工程渗漏治理技术规程》JGJ/T 212—2010	2011-01-01
	18	《既有村镇住宅建筑抗震鉴定和加固技术规程》CECS 325—2012	2013-01-01
	19	《既有住宅建筑功能改造技术规范》JGJ/T 390—2016	2016-12-01
	20	《房屋裂缝检测与处理技术规程》CECS 293—2011	2011-09-01
	21	《房屋渗漏修缮技术规程》JGJ/T 53—2011	2011-12-01
	22	《混凝土结构耐久性修复与防护技术规程》JGJ/T 259—2012	2012-08-01
	23	《混凝土裂缝修补灌浆材料技术条件》JG/T 333—2011	2012-02-01
	24	《混凝土裂缝修复灌浆树脂》JG/T 264—2010	2010-07-01
	25	《混凝土结构工程无机材料后锚固技术规程》JGJ/T 271—2012	2012-08-01
	26	《混凝土结构后锚固技术规程》JGJ 145—2013	2013-12-01
	27	《建(构)筑物托换技术规程》CECS 295—2011	2011-09-01
	28	《建(构)筑物移位工程技术规程》JGJ/T 239—2011	2011-12-01
	29	《灾损建(构)筑物处理技术规范》CECS 269—2010	2010-11-01

建筑结构验收、检测、鉴定与加固系列标准目录（编制中） 表 1-17

序号	标准名称和编号	立项日期
1	《既有建筑鉴定与加固技术规范》GB(全文强制)	2016
2	《既有建筑维护与改造技术规范》GB(全文强制)	2016
3	《钢结构加固设计规范》GB	2012
4	《房屋完损等级评定标准》JGJ	2016
5	《装配式住宅建筑检测技术标准》JGJ	2016
6	《既有建筑评定与改造技术规范》CECS	2012
7	《建筑金属板围护系统检测鉴定及加固技术标准》GB	2013
8	《建筑结构加固工程施工规程》JGJ	2014
9	《冲击应力法检测混凝土缺陷技术标准》CECS	2017
10	《装配式混凝土结构套筒灌浆质量检测技术标准》CECS	2017
11	《贯入法检测蒸压加气混凝土抗压强度技术规程》CECS	2017
12	《回弹法检测水泥基材料抗压强度技术规程》CECS	2017
13	《工程竹结构检测技术规程》CECS	2017

续表

序号	标准名称和编号	立项日期
14	《工程竹结构施工及质量验收技术规程》CECS	2017
15	《相邻施工建筑物安全性检测技术规程》CECS	2017
16	《在用含缺陷建筑钢结构安全评定标准》CECS	2017

1.5 建筑结构现场检测方法

1. 概述

当建筑物发生质量事故后,为了正确分析事故发生的原因,为工程质量事故的仲裁提供客观而公正的技术依据,也为建筑结构的修复、加固提供参考数据,往往需对发生事故的结构或构件进行必要的检测。这些检测包括:

(1) 常规的外观检测,如平直度、偏离轴线的公差、尺寸准确度、表面缺陷、砌体的咬槎情况等;

(2) 强度检测,如材料强度、构件承载力、钢筋配置情况等;

(3) 内部缺陷的检测,如混凝土内部的孔洞、裂缝、钢结构的裂缝、焊接缺陷等;

(4) 材料成分的化学分析,如混凝土的集料分析、水泥成分及性能分析、钢材化学成分分析等。

与常规的建筑结构构件的检测工作相比,对发生质量事故的结构进行检测有下列一些特点:

(1) 检测工作大多在现场进行,条件差,环境干扰因素多;

(2) 对发生严重质量事故的结构工程,由于管理不善,经常没有完整的技术档案,有时甚至没有技术资料,因而检测工作要计划周全;有时还会遇到虚假资料的干扰,这时尤要慎重对待;

(3) 对有些强度检测常常要采用非破损或少破损的方法进行,因事故现场尤其是对非倒塌事故一般不允许破坏原构件,或者从原构件上取样时只能允许有微破损,稍加加固后即不影响结构强度;

(4) 检测数据要公正、可靠,经得起推敲。尤其是对于重大事故的责任纠纷,涉及法律责任和经济负担,为各方所重视,故所有检测数据必须真实、可信。

被检测的结构构件类别,主要有砌体结构构件、钢筋混凝土结构构件和钢结构构件。由于结构构件类别不同,检测的方法也有所不同,至少是检测的侧重内容有所不同。为叙述方便,下面按结构构件类别介绍常用的一些检测方法,而且侧重介绍现场仪器检测的方法,至于按一般规程进行的外观检测不作详细叙述。

2. 砌体结构的检测

对砌体结构构件的检测主要包括:材料(砖材、石材或其他块材及砂浆)强度,砌筑质量(如砌筑方法,砌体中砂浆饱满度、截面尺寸及垂直度等),砌体裂缝及砌体的强度。其中,关于砌筑质量的检查可按有关施工规程的要求进行,一般并无技术上的困难,这里就不作介绍。因为砌体承载力的评定是质量评定的关键问题,而砌体承载力取决于砌块及砂浆的强度,当然与砌筑质量也有关。由于砌体中的砂浆很薄,无法再加工成标准的立方体进行压力试验,这就给检测工作带来困难。下面依据《砌体工程现场检测技术标准》GB/T 50315—2011 及《砌体基本力学性能试验方法标准》GB/T 50129—2011 重点介绍砂浆材料强度及砌体承载力的检测方法。

(1) 砌体裂缝的检测

因为砌体中的裂缝是常见的质量问题,裂缝的形态、数量及发展程度对承载力、使用性能与耐久性有很大影响,对砌体的裂缝必须做全面检测。观测裂缝的长度、宽度、裂缝走向及其数量、形态等。

裂缝的长度可用钢尺或一般米尺进行测量。宽度可用塞尺、卡尺或专用裂缝宽度仪进行测量。对于裂缝的走向、数量及形态应详细地标在墙体的立面图或砖柱展开图上,进而分析产生裂缝的原因并评价其对强度的影响程度。

(2) 砌体中砌块与灰缝砂浆强度的检测

砌体是由砌块和砂浆组成的复合体。有了砂浆及砌块的强度,就可按有关规范推断出砌体的强度。所以对砌块及砂浆强度的检测是十分关键的。对于砌块,通常可从砌体上取样,清理干净后,按常规方法进行试验。

测定砌体抗压强度,对于外形尺寸为 240mm×115mm×53mm 的普通砖和外形尺寸为 240mm×115mm×90mm 的各类多孔砖,其标准砌体抗压试件的截面尺寸 t_b(厚度×宽度)应采用 240mm×370mm 或 240mm×490mm。其他外形尺寸砖的标准砌体抗压试件,其截面尺寸可稍作调整。试件高度 H 应按高厚比 β 确定,β 值应为 3~5。试件厚度和宽度的制作允许误差,应为±5mm。单个标准砌体试件的轴心抗压强度 $f_{c,i}$ 应该按照下式计算,其计算结果取值应精确到 0.01N/mm²:

$$f_{c,i} = N/A \tag{1-4a}$$

式中 $f_{c,i}$——试件的抗压强度(N/mm²);
N——试件的抗压破坏荷载值(N);
A——试件的截面面积(mm²)。

测定砌体沿通缝截面抗剪强度,对于普通砖的砌体抗剪试件,应采用由 9 块砖组成的双剪试件,砖砌体抗剪试件的砂浆强度达到 100% 以后,可将试件立放,先后对承压面和加荷面采用 1:3 水泥砂浆找平,找平层厚度不宜小于 10mm。上下找平层应相互平行并垂直于受剪面的灰缝。其平整度可采用水平尺和直角尺检查。水平加荷的中、小型砌块砌体抗剪试件,其三个受力面也应找平,并应垂直于水平灰缝。则单个试件沿通缝截面的抗剪强度 $f_{v,i}$,应该按照下式计算,其计算结果取值应精确到 0.01N/mm²:

$$f_{v,i} = \frac{N_v}{2A} \tag{1-4b}$$

式中 $f_{v,i}$——试件沿通缝截面的抗剪强度(N/mm²);
N——试件的抗剪破坏荷载值(N);
A——试件的一个受剪面的面积(mm²)。

测定砌体弯曲抗拉强度,宜采用简支梁三分点集中加荷的方法。对于普通砖砌体抗弯试件尺寸,截面高度和宽度均应为 240mm。试件计算跨度,对于沿通缝抗弯试件,不应小于 720mm;对于沿齿缝抗弯试件,不应小于 1000mm。试件的总长度宜为试件跨度加 60mm。其他规格块体的砌体抗弯试件尺寸,可按具体情况作相应调整,但试件跨度不应小于截面高度的 3 倍。单个试件沿通缝截面或沿齿缝截面的弯曲抗拉强度 $f_{t,i}$，应按下式计算，其计算结果取值应精确至 0.01N/mm^2：

$$f_{t,i}=\frac{(N_t+0.75G)L}{bh^2} \tag{1-4c}$$

式中　$f_{t,i}$——试件的弯曲抗拉强度（N/mm^2）；
　　　N_t——试件的抗弯破坏荷载值，包括荷载分配梁等附件的自重（N）；
　　　G——试件的自重（N）；
　　　L——抗弯试件的计算跨度（mm）；
　　　b——试件的截面宽度（mm）；
　　　h——试件的截面高度（mm）。

检测砌筑块体抗压强度还可采用烧结砖回弹法。既有砌体工程，当采用回弹法检测烧结砖抗压强度时，每一检测单元的砖抗压强度等级，应符合下列要求：

1）当变异系数 $\delta\leqslant 0.21$ 时，应按表 1-18 和表 1-19 中抗压强度平均值 $f_{1,m}$、抗压强度标准值 f_{1k} 推定每一检测单元的砖抗压强度等级。每一检测单元的砖抗压强度标准值，应按下式计算：

$$f_{1k}=f_{1,m}-1.8s \tag{1-5}$$

式中　f_{1k}——同一检测单元的砖抗压强度标准值（MPa）；
　　　s——同一检测单元的砖抗压强度标准差（MPa）。

烧结普通砖抗压强度等级的推定　　　　　　　　　　　　　　　　　表 1-18

抗压强度推定等级	抗压强度平均值 $f_{1,m}\geqslant$	变异系数 $\delta\leqslant 0.21$ 抗压强度标准值 $f_{1k}\geqslant$	变异系数 $\delta>0.21$ 抗压强度的最小值 $f_{1,\min}\geqslant$
MU25	25.0	18.0	22.0
MU20	20.0	14.0	16.0
MU15	15.0	10.0	12.0
MU10	10.0	6.5	7.5
MU7.5	7.5	5.0	5.5

烧结多孔砖抗压强度等级的推定　　　　　　　　　　　　　　　　　表 1-19

抗压强度推定等级	抗压强度平均值 $f_{1,m}\geqslant$	变异系数 $\delta\leqslant 0.21$ 抗压强度标准值 $f_{1k}\geqslant$	变异系数 $\delta>0.21$ 抗压强度的最小值 $f_{1,\min}\geqslant$
MU30	30.0	22.0	25.0
MU25	25.0	18.0	22.0
MU20	20.0	14.0	16.0
MU15	15.0	10.0	12.0
MU10	10.0	6.5	7.5

2）当变异系数 $\delta>0.21$ 时，应按表 1-18 和表 1-19 中抗压强度平均值 $f_{1,m}$、以测区为单位统计的抗压强度最小值 $f_{1,\min}$ 推定每一测区的砖抗压强度等级。

当然，在寻找事故原因的复核验算中，可按实测值作为计算指标进行复核计算，不一定去套等级号。例如，若测得强度指标达 MU12，则可按此强度验算，不一定降到

MU10。但对于设计，则必须按有关规定执行。

对于砌体中的砂浆，则已不可能做成标准的立方体（70.7mm×70.7mm×70.7mm）试件，无法按常规试验方法测得其强度。目前常采用冲击法、点荷法与回弹仪法等来检测砌体中砂浆的强度。现将这些方法简要介绍如下：

1）冲击法

冲击法是在砌体上凿取一定数量的砂浆，加工成颗粒状，由冲击锤将其粉碎。冲击将消耗一定的能量。砂浆粉碎后颗粒变小、变细，其表面积增加。试验研究表明，在一定冲击作用下，砂浆颗粒增加的表面积 ΔA 与破碎功的增量 ΔW 呈线性关系，而砂浆的抗压强度与单位功的表面积增量 $\Delta A/\Delta W$ 有定量关系，从而可以据此测得砂浆的强度。试验中主要的设备是冲击仪，孔径为 12mm 及 10mm 的圆孔筛，一套砂标准筛及感量为 0.019 的天平。

试件制作。从拟检验的砌体中取硬化的砂浆约 600g（一部分用于测密度，一部分用于冲击试验），将其锤击加工成粒径 10～12mm 的颗粒，形状近于圆形，两个垂直方向的直径之比不宜大于 1.2。可用孔径为 12mm 及 10mm 的筛子筛分，取通过 12mm 孔径而留在 10mm 孔径筛子上的颗粒作为冲击试验的用料。取 180～200g 试料，放入烘箱内，在 50～60℃温度下烘烤 4～6h（干燥的试样可不必烘烤），取出在常温下搁置 8～12h，再将其分为三份，每份 50g，称量精确至 0.01g。即要平行做三组试验。

试验方法及步骤。根据砂浆的特征，估计其强度的大约范围，按表 1-20 选好打击锤的重量及落锤高度。然后将试样放入冲击仪的冲击筒中，并将其顶面摊平。整个试验分三个阶段，每一阶段均有冲击、筛分、称重三个步骤。第一阶段，冲击 2 次，进行筛分与称重；第二阶段，将试样重新放入筒内，摊平，冲击 4 次，再进行筛分与称重；第三阶段，将试样重新放入筒内摊平，最后冲击 4 次，然后筛分、称重。每一份试样总计冲击 10 次，筛分、称重 3 次。三组试样平行做三次。

锤重及落锤高度的选择　　　　　　　　　　　　　　　　　　　　表 1-20

估计砂浆强度(MPa)	锤重(质量)(kg)	落锤高度(cm)	冲击次数
<5.0	1.0	10	10
5.0～1.0	1.6	12	10
10～20	1.6	30	10
20～30	2.5	36	10
>30	3.0	50	10

测定砂浆密度，可取未冲击的砂浆试样做成 8cm² 左右的块状试件，用蜡封法测其密度。测定冲击后试料的表面积。试样粉碎后筛分 2min，分别称量各筛子上的筛余量 Q_i 及通过小于 0.015cm 筛试料的重量 Q_8，然后可按下式计算试料的总表面积：

$$A = \frac{1}{\gamma_0} 10.5 \sum_{i=1}^{7} \frac{Q_i}{d_{cpi}} + A_8 \tag{1-6}$$

式中　γ_0——试料密度（g/cm³）；

Q_i——各筛号上的筛余量（g）；

d_{cpi}——各筛号上试料的粒径（cm）（参见表 1-21）；

A_8——小于 0.015cm 的试料表面积，可按 $A_8 = 1510 \cdot Q_8/\gamma_0$ 计算。

各筛号上的平均粒径 表 1-21

筛号粒度范围(cm)	1.2~1.0	1.0~0.5	0.5~0.25	0.25~0.12	0.12~0.06	0.06~0.03	0.03~0.15
平均粒径(cm)	1.097	0.722	0.361	0.177	0.0866	0.0433	0.022

同时计算破碎试料所消耗的功：

$$W = G \cdot h \cdot n \tag{1-7}$$

式中 W——冲击机械功（J）；

G——锤重（kg）；

h——落锤高度（cm）；

n——冲击次数。

计算（$\Delta A/\Delta W$）值。一组试验分三阶段，每一阶段均可计算出（A_1，W_1）（A_2，W_2）（A_3，W_3），用最小二乘法，可计算出单位功的单位面积增量，即（$\Delta A/\Delta W$）之值。取三组试验的平均值（$\Delta A/\Delta W$），然后按下式计算砂浆的抗压强度值 f_m（N/mm²）：

$$f_m = 64.55 \left(\frac{\Delta A}{\Delta W}\right)^{-0.78} \tag{1-8}$$

上式适用于砂子的细度模数为 $2.1 < M_R < 2.9$，砂子最大粒径小于 4mm，每立方米砂浆用砂量为 1300~1600kg 的水泥砂浆或混合砂浆。否则应重新标定，按对比试验求出有关参数，公式形式仍与式（1-8）相同，即

$$f_m = a \left(\frac{\Delta A}{\Delta W}\right)^b \tag{1-9}$$

但式中参数 a、b 应经试验确定。

2）点荷法

点荷法是通过对砂浆层施加集中"点荷"，测定试件所能承受的"点荷值"，结合试件的尺寸等因素，推算出砂浆的立方体强度。这种试验类似于混凝土的劈裂试验，所以本质上是利用了砂浆的劈拉强度与抗压强度的关系。

试件加工。以砌体上凿出带有两块砖的砂浆层，小心地剥下砖块。如轻轻敲击即可使砖脱落，则可取下砂浆层。若轻敲不能使砖剥离，则不可用蛮力，应用手动钢锯或砂轮锯将其锯开，应注意不要对砂浆造成破损。剥离出砂浆层后，应剔除有明显缺陷、无代表性的试样，留下厚薄均匀的试样加工，可用小锤、手锯等工具，细心加工试样，加工或选取的砂浆试件应符合下列要求：厚度为 5~12mm；预估荷载作用半径为 15~25mm；大面应平整，但其边缘可不要求非常规则。然后应在砂浆试件上画出作用点，并应量测其厚度，精确至 0.1mm。

试验步骤。点荷法的加载头及支座均为一圆锥体，锥头半径 $r=5$mm，如图 1-1（a）所示。加载时，上、下压头要对中，试件要保持水平。然后慢慢加压至试件破坏。记下破坏时的荷载 P（kN），量测试件的厚度 t

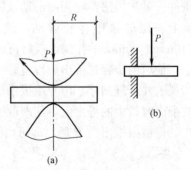

图 1-1 砂浆强度测定
(a) 点荷法；(b) 剪切法

(mm)，测定加载点到试件边缘的距离 R(mm)。可按下式推算砂浆的强度 f_c：

$$\left.\begin{array}{l} f_c=(33.3\xi_5\xi_6 P-1.1)^{1.09} \\ \xi_5=1/(0.05R+1) \\ \xi_6=1/[0.03t(0.1t+1)+0.4] \end{array}\right\} \quad (1\text{-}10)$$

式中 ξ_5——荷载作用半径的修正系数；

ξ_6——试件厚度修正系数；

R——荷载作用半径（mm）；

t——试件厚度（mm）。

3）剪切法

剪切法是利用砂浆的抗剪强度 τ 来换算其强度 f_c。具体做法是，从测点处的单块砖大面上取下原状砂浆大片，编号，并分别放入密封袋内。一个测区的墙面尺寸宜为 0.5m×0.5m。同一个测区的砂浆片，加工成尺寸接近的片状体，大面、条面应均匀平整，单个试件的各向尺寸，厚度为 7~15mm，宽度为 15~50mm，长度按净跨度不小于 22mm 确定。试件加工完毕，放入密封袋内。然后用上下刀片加剪切荷载，测量其破坏荷载 V，则抗剪强度可按下式计算：

$$\tau=0.95V/A \quad (1\text{-}11a)$$

砂浆抗压强度可按下式换算得到：

$$f_c=7.17\tau \quad (1\text{-}11b)$$

4）推出法

推出法是利用小型推出装置对砖砌体中的丁砖施加水平推力，用以间接推算出砂浆抗压强度的一种方法。这方法适用于 240mm 砖墙，被推出的丁砖的顶面及两侧的砂浆层均已予清除。

"推出法"的测试步骤包括三个方面：即测区选择，清砂浆缝，推出。

测区选择原则是尽量做到有代表性和可操作性。测区宜在墙体上均匀布置，应避开施工中预留的各种孔洞，被检测到的砖的端面应平整，砖下的水平砂浆层的厚度应在 8~12mm 之间。测区大小以能进行 6 块推出砖的检测工作为宜。对于抽样评定的墙体，随机抽样数量应不少于该总量的 30%，且不小于 3 片墙体。

清缝开洞是为了使推出装置安装就位（图 1-2），并保证被测砂浆层处于统一的边界条件。具体做法：先用冲击钻及特制金刚石锯将被推砖顶部的砂浆层锯掉；然后用扁铲插入上一层砂浆中轻轻撬动，使被推砖上部的两块顺砖脱落取下，形成一个断面为 240mm×60mm 的孔洞，最后再用锯将被推砖两侧缝砂浆清除掉，为推出检测作好准备。

最后的步骤是推出。待清好缝后，把推出装置安装在已处理好的孔洞中，接好传感器与仪表并清理归零，用专用扳手旋转加载螺杆对推出砖加载，观察传感器仪表，记录下砖被推出时最大的推出值，随即取下被推出砖测量并记录砂浆饱满度值。

得极限推出力 P 后，即可由下式算得砂浆的抗压强度 f_c：

$$f_c=0.3(P/\xi_4)^{1.19} \quad (1\text{-}12)$$

式中 ξ_4——砂浆饱满度 B 对 f_p 的修正系数，$\xi_4=0.45B^2+0.9B$，（$B<0.65$ 时不适用）

5）回弹法

回弹法是根据表面硬度与强度之间的关系而建立的一种非破损试验法。这种方法在现

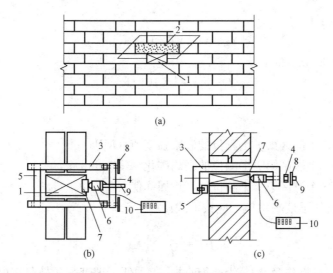

图 1-2 推出法的推出装置安装
(a) 被推丁砖的周边条件；(b) 推出装置安装后平面；
(c) 推出装置安装后剖面
1—被推出丁砖；2—被清除砖及砂浆竖缝；3—支架；4—前梁；5—后梁；
6—传感器；7—垫片；8—调平螺柱；9—传力丝扣；10—推出力显示器

场混凝土强度的测量中已得到广泛应用。应用于砂浆的回弹仪与混凝土回弹仪相似，但探头要小一些。有专门用于测定砂浆强度的回弹仪。

在测定前应宏观检查砌筑砂浆质量，水平灰缝内部的砂浆与其表面的砂浆质量应基本一致。应将砖墙上的抹灰或饰面清除干净，当清水墙灰缝已用水泥砂浆勾缝时，应将勾缝砂浆清除干净，然后用小砂轮小心地将灰缝磨平。选择的测点，砂浆与砖应粘结良好，缝厚适中（9~11mm），宜选在承重墙的可测面上，并应避开门窗洞口及预埋件等附近的墙体。墙面上每个测位的面积宜大于 $0.3m^2$。每个测位内应均匀布置 12 个弹击点。选定弹击点应避开砖的边缘、灰缝中的气孔或松动的砂浆。相邻两弹击点的间距不应小于 20mm。

测定方法。将回弹仪对准平缝的砂浆缝，回弹仪应与被测面垂直，保持水平位置，连续弹击 3 次，第 1、2 次不应读数，应仅记读第 3 次回弹值，回弹值读数应估读至 1。测试过程中，回弹仪应始终处于水平状态，其轴线应垂直于砂浆表面，且不得移位。

在每一测位内，应选择 3 处灰缝，并应采用工具在测区表面打凿出直径约 10mm 的孔洞，其深度应大于砌筑砂浆的碳化深度，应清除孔洞中的粉末和碎屑，且不得用水擦洗，然后采用浓度为 1%~2%的酚酞酒精溶液滴在孔洞内壁边缘处，当已碳化与未碳化界限清晰时，应采用碳化深度测定仪或游标卡尺测量已碳化与未碳化砂浆交界面到灰缝表面的垂直距离。

从每个测位的 12 个回弹值中，应分别剔除最大值、最小值，将余下的 10 个回弹值计算算术平均值，应以 R 表示，并应精确至 0.1。每个测位的平均碳化深度，应取该测位各次测量值的算术平均值，应以 d 表示，并应精确至 0.5mm。第 i 个测区第 j 个测位的砂浆强度换算值，应根据该测位的平均回弹值和平均碳化深度值，分别按下列公式计算：

$d \leqslant 1.0 \text{mm}$ 时：
$$f_{2ij} = 13.97 \times 10^{-5} R^{3.57} \tag{1-13}$$

$1.0 \text{mm} < d < 3.0 \text{mm}$ 时：
$$f_{2ij} = 4.85 \times 10^{-4} R^{3.04} \tag{1-14}$$

$d \geqslant 3.0 \text{mm}$ 时：
$$f_{2ij} = 6.34 \times 10^{-5} R^{3.60} \tag{1-15}$$

式中 f_{2ij}——第 i 个测区第 j 个测位的砂浆强度值（MPa）；
　　d——第 i 个测区第 j 个测位的平均碳化深度（mm）；
　　R——第 i 个测区第 j 个测位的平均回弹值。

测区的砂浆抗压强度平均值，应按下式计算：
$$f_{2i} = \frac{1}{n_1} \sum_{j=1}^{n_1} f_{2ij} \tag{1-16}$$

回弹法的优点是操作简便，测试速度快，仪器便于携带，又是非破损的，因而可以多测。其缺点是测试结果离散度较大，因而常与冲击法等结合应用。

(3) 砌体强度的检测

有了砌块及砂浆的强度，即可按《砌体结构设计规范》GB 50003—2011 求得砌体强度，这是一种间接测定砌体强度的方法。在《砌体结构设计规范》GB 50003—2011 中由砌块及砂浆的强度等级可查到相应的砌体抗压强度的数值。但现场实测所得的砖及砂浆的强度不一定就恰好很接近强度等级的数值、作为强度等级标志，可往下靠而定出其等级。但进行事故原因分析时，则可取实测的强度值。对此，可用规范推荐的公式由砖及砂浆的强度推算砌体的强度，计算公式为：

$$f_m = k_1 f_1^a (1 + 0.07 f_2) k_2 \tag{1-17}$$

式中 f_m——轴心抗压强度平均值（N/mm²）；
　　k_1、a——系数，对于烧结普通砖、烧结多孔砖、蒸压灰砂普通砖、蒸压粉煤灰普通砖、混凝土普通砖、混凝土多孔砖取 0.78 和 0.5，对于混凝土砌块、轻集料混凝土砌块取 0.46 和 0.9；
　　f_1——砖或砌块的强度等级值（N/mm²）；
　　f_2——砂浆的抗压强度平均值（N/mm²）。

此外，也可由墙体直接试验测得其强度，包括原位轴压法、扁顶法、切制抗压试件法检测砌体抗压强度及原位单剪法、原位双剪法检测砌体抗剪强度，下面介绍其中典型的测定法。

1) 切制抗压试件法

在墙体适当部体选取试件，使用电动切割机，在砖墙上切割两条竖缝，竖缝间距可取 370mm 或 490mm，应人工取出与标准砌体抗压试件尺寸相同的试件，并应运至试验室。选取切制试件的部位后，应按现行国家标准《砌体基本力学性能试验方法标准》GB/T 50129—2011 的有关规定，确定试件高度 H 和试件宽度 b（图 1-3），并应标出切割线。在选择切割线时，选取竖向灰缝上、下对齐的部位。在拟切制试件上、下两墙各钻 2 个孔，并将拟切制试件捆绑牢固，也可采用其他适宜的临时固定方法。将试件上、下表面大致修理平整，在预先找平的钢垫板上坐浆，然后将试件放在钢垫板上。试件顶面用 1∶3 水泥砂浆找平。试件上、下表面的砂浆应在自然养护 3d 后,再进行抗压测试。测量试件受压变形值时,应在宽侧面上粘贴安装百分表的表座。加压前要先估计其破坏荷载。加压时第一级加破坏荷载的 20%,以后每级加破坏荷载的 10%,直至破坏。设破坏荷载 N,试件面积 A,则砌体的实际抗压强度为:

$$f_m = \frac{N}{A} \tag{1-18}$$

2) 原位单剪法

这是一种原位测定法。检测时,测试部位选在窗洞口或其他洞口下三皮砖范围内,将试验区取 L(370~490mm)长一段,两边凿通、齐平,加压面坐浆找平,如图 1-4 所示。加压用千斤顶,受力支承面要加钢垫板,匀速施加水平荷载,并控制试件在 2~5min 内破坏。此推力对砌体试件的受力面来说是剪力。若砌体破坏时的剪力为 V,被推出部分的受剪面积为 A,则该砌体的抗剪强度为:

$$f_{v,m} = \frac{V}{A} \tag{1-19}$$

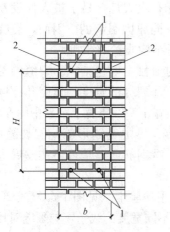

图 1-3 切制抗压试件法
1—钻孔;2—切割线;
H—试件高度;b—试件宽度

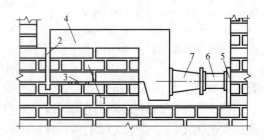

图 1-4 原位单剪法
1—被测砌体;2—切口;3—受剪灰缝;
4—现浇混凝土传力件;5—垫板;
6—传感器;7—千斤顶

应当说明,上述所测定的强度均指平均值,如要取作设计指标,则应按下式推算:

$$f = f_m(1 - 1.6458\delta_f)\gamma_f \tag{1-20}$$

对砌体结构抗压强度可取变异系数 $\delta_f = 0.17$,材料分项系数 $\gamma_f = 1.5$;对砌体抗剪强度则可取 $\delta_f = 0.20$,$\gamma_f = 1.5$。也可近似取作:

$$f = 0.447 f_{v,m} \tag{1-21}$$

3) 原位轴压法

原位轴压法(图 1-5)检测时,测试部位宜选在墙体中部距楼、地面 1m 左右的高度处;槽间砌体每侧的墙体宽度不应小于 1.5m。同一墙体上,测点不宜多于 1 个,且宜选在沿墙体长度的中间部位;多于 1 个时,其水平净距不得小于 2.0m。测试部位不得选在挑梁下、应力集中部位以及墙梁的墙体计算高度范围内。下水平槽孔应对齐。普通砖砌体，槽间砌体高度应为7皮砖；多孔砖砌体，槽间砌体高度应为5皮砖。开槽时，应避免扰动四周的砌体；槽间砌体的承压面应修平整。正式测试时，应分级加荷。每级荷载可取预估破坏荷载的10%，并应在1～1.5min内均匀加完，然后恒载2min。加荷至预估破坏荷载的80%后，应按原定加荷速度连续加荷，直至槽间砌体破坏。

3. 混凝土质量的检测

钢筋混凝土结构构件的检测，主要是要测定混凝土的强度，钢筋的位置与数量，混凝土裂缝及内部缺陷等。这些检测要在已有的结构或构件上进行，大多为现场操作，因而有一定的难度。目前已发展了一系列方法，可以对混凝土质量的评定做出较准确的检测。

(1) 混凝土表面裂缝及蜂窝面积的检测

1) 混凝土裂缝的检测

混凝土裂缝有直观性，易于被人们发现，而不同的裂缝是由不同原因引起的。因而，裂缝的观察与测量有助于对结构质量的评判。

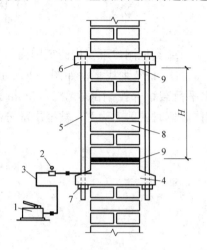

图 1-5 原位轴压法
1—手动油泵；2—压力表；3—高压油管；
4—扁式千斤顶；5—钢拉杆（共4根）；
6—反力板；7—螺母；8—槽间砌体；
9—砂垫层；H—槽间砌体高度

裂缝检测的项目主要包括：①裂缝的部位、数量和分布状态；②裂缝的宽度、长度和深度；③裂缝的形状，如上宽下窄、下宽上窄、中间宽两端窄、八字形、网状形、集中宽缝形等；④裂缝的走向，如斜向、纵向、沿钢筋向、是否还在发展等；⑤裂缝是否贯通、是否有析出物、是否引起混凝土剥落等。

检测方法。裂缝长度可用钢尺或直尺量，宽度可用检验卡（见图1-6），或20倍的刻度放大镜测定。检验卡实际上为一种标尺，上面印有不同宽度的线条，与裂缝对比即可确定裂缝宽度。刻度放大镜中有宽度标注，可直接读取。裂缝深度可用细钢丝或塞尺探测，也可用注射器注入有色液体，待干燥后凿开混凝土观测。

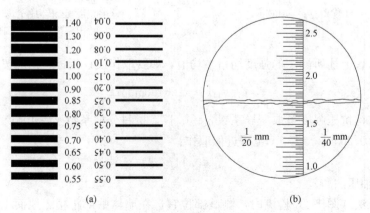

图 1-6 裂缝检测
(a) 裂缝宽度测定卡；(b) 刻度放大镜

2) 蜂窝面积测定

蜂窝处砂浆少、石子多，严重影响混凝土强度。蜂窝面积可用钢尺、直尺或百格网进行测量，以蜂窝面积占总面积的百分比计。

(2) 混凝土强度的非破损检测

混凝土的非破损检验法是通过测定混凝土的有关物理参数，利用该物理参数与混凝土强度有一定关系来推断混凝土的强度。而这种物理参数与混凝土强度的关系是通过对相同混凝土强度的标准试块进行试验，得到大量数据后经回归分析求得的，一般用测强曲线或强度方程来表示。下面介绍我国常用的几种非破损检验方法。

1) 回弹仪检测混凝土的强度

回弹法的原理是根据混凝土表面的硬度与抗压强度之间的关系，利用测量表面硬度来推算混凝土的强度。所用的仪器是回弹仪，它在国内已有多个厂家进行生产。在建筑结构检测中常采用的是中型回弹仪，其冲击动能为 2.207J。由于回弹仪结构简单，携带和操作方便，便于重复使用，所以应用非常广泛。

检测方法。回弹仪测区面积一般为 200mm×200mm 左右，选 16 个点。测出 16 个点的回弹值，分别剔除三个偏大值与三个偏小值，取中间 10 个点的回弹值平均值作为测定值。测区表面应清洁、平整、干燥，避开蜂窝麻面。当表面有饰面层、杂物、油垢时，可以除去或避开。回弹仪还应该避免钢筋密集区。如构件体积小、刚度差或测试部位混凝土厚度小于 10cm，应用支撑加固后测试，否则影响精度。

我国已经颁布了《回弹法检测混凝土抗压强度技术规程》JGJT 23—2011，应用时应予遵守。

混凝土强度的推测。由平均回弹值 N 以及回弹值与混凝土强度的关系曲线（称为测强曲线）即可查得混凝土的强度。根据使用条件和范围的不同，有三类测强曲线。

① 统一测强曲线

这是规程给出的测强曲线。它是由北京、陕西等 12 个城市或地区进行混凝土率定的统计回归曲线。

因回弹值受混凝土表面碳化深度的影响，因而除新建结构外，还应用下列方法测定碳化深度。

在回弹仪回弹测量完毕后，一般可在每个测区上选择几处测碳化深度。选好点后可在表面形成直径约 15mm 的孔洞，深度略大于混凝土的碳化深度，然后除去孔洞中的粉末和碎屑（不可用液体冲洗），并立即用浓度为 1%~2% 的酚酞酒精溶液洒在孔洞内壁的边缘处，当已碳化与未碳化界线清晰时，应采用碳化深度测量仪测量已碳化与未碳化混凝土交界面到混凝土表面的垂直距离，并应测量 3 次，每次读数应精确至 0.25mm；取三次测量的平均值作为检测结果，并应精确至 0.5mm。

如钻孔、清孔有困难时，也可从测区混凝土表面凿取一小块混凝土，然后劈开（劈开面与表面垂直），并立即在断面上涂抹 1% 的酚酞酒精溶液，用钢尺测量碳化深度。测量多处后取平均值。若 $\overline{L}<0.4$mm，可按本碳化处理。

《回弹法检测混凝土抗压强度技术规程》JGJT 23—2011 已将统一测强曲线列成表格，查用很方便，其表形式见表 1-22。

② 地区测强曲线。

这是由某省或某一地区根据本地区的具体条件率定的曲线。

测区混凝土强度值换算表　　　　　　表 1-22

平均回弹值 R_m	测区混凝土强度值 $f^c_{cu,i}$ (MPa)											
	平均碳化深度值 d_m (mm)											
	0	0.5	1.0	1.5	2.0	2.5	3.0	3.5	4.0	4.5	5.0	5.5	≥6
20.0	10.3	1.01											
20.2	10.5	10.3	10.0										
20.4	10.7	10.5	10.2										
20.6	11.0	10.8	10.4	10.1									
20.8	11.2	11.0	10.6	10.3									
21.0	11.4	11.2	10.8	10.5	10.0								
21.2	11.6	11.4	11.0	10.7	10.2								
21.4	11.8	11.6	11.2	10.9	10.4	10.0							
21.6	12.0	11.8	11.4	11.0	10.6	10.2							
21.8	12.3	12.1	11.7	11.3	10.8	10.5	10.1						

③ 专用测强曲线。

这是专以某种工程对象所率定的曲线。

应用回弹法时，应优先选用地区的或专用的测强曲线。

碳化深度对强度测定有较大影响，这是由于碳化后混凝土表面硬度增加。此外，如混凝土的测试面不是侧面，而是上表面或底面，则也应修正，见表 1-23。检测时回弹仪的角度对混凝土测试面不垂直于地面，即回弹仪不处于水平方向，如图 1-7 所示。不同测试角度的修正值列于表 1-24。于是，当只有碳化深度修正时：

$$\overline{N} = \overline{N}_s + \Delta N_s$$

当只有角度修正时：

$$\overline{N} = \overline{N}_\alpha + \Delta N_\alpha$$

当同时有碳化深度及角度修正时：

$$\overline{N} = \overline{N}_{\alpha s} + \Delta N_s + \Delta N_\alpha \tag{1-22}$$

式中，$\overline{N}_s$、$\overline{N}_\alpha$ 或 $\overline{N}_{\alpha s}$ 均为未经修正的直接测定值。

对于泵送混凝土，因其平均骨料粒径偏小，流动性偏大，对回弹值也应修正，应用时可查阅有关规定，这里不再细述。

不同浇筑面的回弹值修正值 ΔN_s　　表 1-23

$\overline{N}_s$	ΔN_s	
	表面	底面
20	+2.5	-3.0
25	+2.0	-2.5
30	+1.5	-2.0
35	+1.0	-1.5
40	+0.5	-1.0
45	0	-0.5
50	0	0

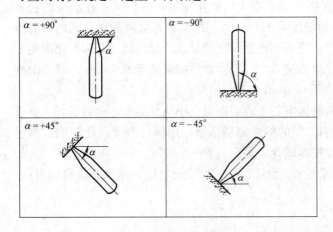

图 1-7　测试角 α 示意图

不同测试角度 α 的回弹值修正值 ΔN_α 表 1-24

$\overline{N_\alpha}$	测试角度 α							
	+90°	+60°	+45°	+30°	-30°	-45°	-60°	-90°
20	-6.0	-5.0	-4.0	-3.0	+2.5	+3.0	+3.5	+4.0
30	-5.0	-4.0	-3.5	-2.5	+2.0	+2.5	+3.0	+3.5
40	-4.0	-3.5	-3.0	-2.0	+1.5	+2.0	+2.5	+3.0
50	-3.5	-3.0	-2.5	-1.5	+1.0	+1.5	+2.0	+2.5

注：表中未列入的相应于 $\overline{N_\alpha}$ 的 $\overline{\Delta N_\alpha}$ 修正值，可用内插法求得，精确至一位小数。

2）超声脉冲法测混凝土的强度

超声脉冲法是根据超声脉冲在混凝土中的传播规律与混凝土强度有一定关系的原理，通过测定超声脉冲的参数，如传播速度或脉冲衰减值，来推断混凝土的强度，如图 1-8 所示。目前国产的超声脉冲仪大多是测量传播速度的。超声脉冲仪产生的电脉冲通过发射探头（即电-声换能器）使声脉冲进入混凝土，然后电接收探头（即声-电换能器）接收，仪器测得讯号的时间可直接化为声速表示出来，从仪器上读出了声速即可由有关测强曲线求得混凝土的强度。

测试步骤：测试要选两个对面，一边放发射探头，一边放接收探头。测点布置视结构的大小和精度而定，一般可取 10 个方格。一般方格进长 15~20cm，在一方框内测三个声速，取其平均值。测点应避开有缺陷及应力集中的部位，并应避开预埋件及与声通路平行而又很近的钢筋。两对面一般选择两侧面。设探头处表面要平整、干净。有不平整处可用砂纸磨平，在置探头处可适当涂一薄层黄油等胶粘剂，探头要压紧表面，以减少声能反射损失。

混凝土强度的推断。与回弹法相似，应当率定测强曲线。目前还没有统一规程规定的测强曲线，各单位、各部门自己应当率定，图 1-9 是某系统试验率定的测强曲线。

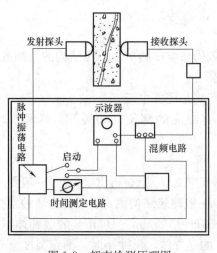

图 1-8 超声检测原理图

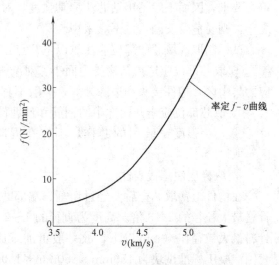

图 1-9 强度-声速曲线

3）超声回弹综合法检测混凝土强度

由于影响混凝土强度的因素比较多，超声法和回弹法的精度受各因素影响的程度也不同，用单一方法测定往往有较大的误差，将两种方法综合运用，则可提高检测的精度，消除一些不利的影响。如测得声速为 v，回弹值为 R，则强度公式有如下形式：

$$f_{cu}^c = av^b R^c \tag{1-23}$$

式中　a——常数项；

b、c——回归系数；

f_{cu}^c——混凝土试件抗压强度换算值（MPa）；

2005 年建设部颁布了《超声回弹综合法检测混凝土强度技术规程》CECS 02：2005，并附有通用强度换算表可以参考应用。

(3) 局部破损法检测混凝土的强度

1) 钻芯法

钻芯法是使用专门的钻芯机在混凝土构件上钻取圆柱形芯样，经过适当加工后在压力试验机上直接测定其抗压强度的一种局部破损检测方法。这种方法非常直观，更为可靠，在事故质量评判中也更能令人信服，因而受到重视。以前钻芯机靠外国进口，现在已有多个厂家生产钻芯机，钻孔最大孔径可达 160~200mm，完全可以满足工程需要，目前钻芯测强的方法已经得到愈来愈广泛的应用。由于取芯数量不能很多，因而这种方法也常结合非破损方法同时应用，它可修正非破损方法的精度，而取芯数目可以适当减少。目前，已有行业标准《钻芯法检测混凝土强度技术规程》JGJ/T 384—2016 供参考使用。

取芯直径常在 100mm 左右，只要布置适当，并修补及时，一般不会影响原构件的承载力。故取芯后留下的圆孔应及时修补，一般可用合成树脂为胶结材料的豆石混凝土，或用微膨胀水泥混凝土填补。填补前应细心清除孔中的污物及碎屑，用水湿润。修补后要细心养护。

钻芯法有局部破损，在使用中也受到一定限制。对预应力构件，一般也不允许钻取样以确保结构的安全。另外，对于低强度的混凝土，因取样后外表面粗糙，芯样难以修整得符合要求，因而一般不用钻芯法测其强度。对于小截面构件，钻芯直径尺寸超过构件尺寸之半，则易危及安全，也不宜采用。

试样制取。取芯的部位应注意以下几点：

① 取芯部位应选择结构受力面小、对结构承载力影响小的部位。在结构的控制截面，应力集中区，构件接头和边缘处等，一般不宜取芯。

② 取芯部位应避开构件中的钢筋和预埋件，特别是受力主筋。

③ 作为强度试验用的芯样，不应在混凝土有缺陷的部位（如裂缝、蜂窝、疏松区）取。

④ 取样应注意代表性。

在构件上钻取芯样后要经过切割、端部磨平等工艺加工成试件。试件直径一般要大于骨料最大粒径的 2~3 倍。高度为直径的 1~2 倍。一般建筑结构梁、柱、剪力墙的混凝土骨料最大粒径在 40mm 以下，故一般可加工成 $D \times H = 100\text{mm} \times 100\text{mm}$ 的圆柱体试件。我国混凝土标准试块为 150mm×150mm×150mm 的立方体，尺寸小时，测定强度会有差异，因此检测时选取芯样试件的数量应根据检测批的容量确定。标准芯样试件的最小样本量不宜少于 15 个，小直径芯样试件的最小样本量应适当增加。《钻芯法检测混凝土强度技术规程》JGJ/T 384—2016 按照概率论的方法给出检测混凝土强度的推定值，不再采用《钻芯法检测混凝土强度技术规程》CECS 03：1988 的强度换算方法。检测批混凝土强度

的推定值应按下列方法确定:

① 检测批的混凝土强度推定值应计算推定区间,推定区间的上限值和下限值按下列公式计算:

上限值:$f_{cu,e1}=f_{cu,cor,m}-k_1 S_{cor}$

下限值:$f_{cu,e2}=f_{cu,cor,m}-k_2 S_{cor}$

平均值:$f_{cu,cor,m}=\dfrac{\sum\limits_{i=1}^{n} f_{cu,cor,i}}{n}$

标准差:$S_{cor}=\sqrt{\dfrac{\sum\limits_{i=1}^{n}(f_{cu,cor,i}-f_{cu,cor,m})^2}{n-1}}$

式中 $f_{cu,cor,m}$——芯样试件的混凝土抗压强度平均值(MPa),精确至 0.1MPa;

$f_{cu,cor,i}$——单个芯样试件的混凝土抗压强度值(MPa),精确至 0.1MPa;

$f_{cu,e1}$——混凝土抗压强度推定上限值(MPa),精确至 0.1MPa;

$f_{cu,e2}$——混凝土抗压强度推定下限值(MPa),精确至 0.1MPa;

k_1、k_2——推定区间上限值系数和下限值系数,按规范附录取值的;

S_{cor}——芯样试件抗压强度样本的标准差(MPa),精确至 0.1MPa。

② $f_{cu,e1}$ 和 $f_{cu,e2}$ 所构成推定区间的置信度宜为 0.85,$f_{cu,e1}$ 和 $f_{cu,e2}$ 之间的差值不宜大于 5.0MPa 和 $0.10 f_{cu,cor,m}$ 的较大值。

③ 宜以 $f_{cu,e1}$ 作为检测批混凝土强度的推定值。

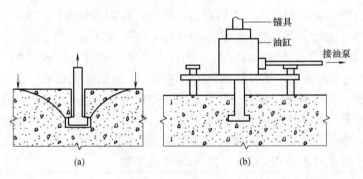

图 1-10 拔出法示意图

2) 拔出法

拔出法是在混凝土构件中埋一锚杆(可以预置,也可后装),将锚杆拔出时连带拉脱部分混凝土,图 1-10 为拔出法的示意图。试验证明,这种拔出的力与混凝土的抗拉强度有密切关系,而混凝土抗拉力与抗压力是有一定关系的,从而可据此推得混凝土的抗压强度。这种方法在美国、苏联和日本等国已经制定了试验标准。我国也已开始应用,目前也已通过了试验的技术标准,如《拔出法检测混凝土强度技术规程》CECS 69:2011。对于质量事故的检查,后置锚杆法应用广泛,介绍如下。

试验取样。按单个构件检测时,应在构件上均匀布置 3 个测点。当 3 个拔出力中的最大拔出力和最小拔出力与中间值之差的绝对值均小于中间值的 15% 时,布置 3 个测点即可；当最大拔出力或最小拔出力与中间值之差的绝对值大于中间值的 15％（包括两者均大于中间值的 15％）时，应在最小拔出力测点附近再加测 2 个测点。所选测点表面应平整，要清除抹灰、饰面层，应避开蜂窝、孔洞、裂缝及钢筋。

试验步骤与方法。以技术规程为例加以说明。其步骤为：

① 在混凝土构件上钻孔；
② 在钻孔头部扩孔成形；
③ 将锚具放入孔内；
④ 安装拔出机；
⑤ 拔出锚杆，读下拔出机上的最大拔力值。

《拔出法检测混凝土强度技术规程》CECS 69：2011 给出了建立测强曲线的方法为：

$$f_{cu}^c = A \cdot F + B \tag{1-24}$$

式中　f_{cu}^c——混凝土强度换算值（MPa），精确至 0.1MPa；
　　　F——拔出力代表值（kN），精确至 0.1kN；
　　　A——测强公式回归系数（$10^3/mm^2$）；
　　　B——测强公式回归系数（MPa）。

拔出法与钻芯法均为微破损检测法。拔出法的精度比回弹法、超声法等非破损检验法要高，但比钻芯法稍低。但拔出法检测快，一般测一点只需十几分钟，而钻芯法要几天甚至十几天；并且拔出法破损小，破损面直径小于 100mm，深度不超过 30mm，大约在保护层厚度附近，不影响结构强度。因而其使用受限制少，可更广泛地应用。

(4) 混凝土内部缺陷的检测

混凝土结构外部缺陷和损伤，例如麻面、露筋、外露的蜂窝、孔洞，一般易于发现，用外观检查法即可做出全面、准确的测定和评判。但对于混凝土内部缺陷（外部无显露痕迹），则比较困难。用于探测内部缺陷的方法有声脉冲法和射线法两大类。射线法是运用 X 射线、γ 射线透射混凝土，然后照相分析。这种方法穿透能力有限，在使用中需要解决人体防护的问题，在我国使用很少。在声脉冲法中有超声波法、声发射法等。其中超声波法已有商品化仪器，技术比较成熟，在我国已应用较广。在前节中已介绍过用超声波法检测混凝土强度，本节则介绍用超声波法检测混凝土内部的缺陷。目前已颁布行业标准《超声法检测混凝土缺陷技术规程》CECS 21：2000 供参考。

1) 缺陷部位存在及位置的检测

混凝土结构内部缺陷的探测主要是根据声时、声速、声波衰减量、声频变化等参数的测量结果进行评判的。对于内部缺陷部位的判断，由于无外露痕迹，如普遍搜索，非常费工，效率不高；一般应首先判断质量有怀疑的部位。做法是以较大的间距（例如 300mm）划出网格，称为第一级网格，测定网格交叉点处的声时值。然后在声速变化较大的区域，以较小的间距（如 100mm）划出第二级网格，再测定网格点处的声速。将具有数值较大声速的点（或异常点）连接起来，则该区域即可初步定为缺陷区，见图 1-11。

因声速值在均匀的混凝土中是比较一致的，遇到有孔洞等缺陷时，因经孔隙而变小。但考虑到混凝土原材料的不均匀性，宜用统计方法判定异常点。试测几个声速点，若混凝土构件的厚度相同，其平均值为 v_m，其标准差为 σ_v，则下列声速点可判为有缺陷，即

$$v_i < v_m - 2\sigma_v \tag{1-25}$$

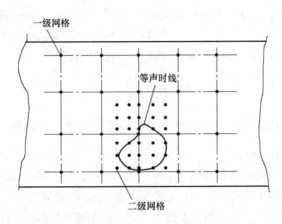

图 1-11 用超声波法测内部缺陷时的网格布置

式中 v_i——第 i 个测点的声速值；
v_m——平均声速值；
σ_v——声速值的标准差。

声速值的变化可以判断缺陷的存在，在其缺陷附近测得声时最长的点，然后用探头在构件两边检测，其连线应与构件垂直并通过声时最长点，如图 1-12 所示。然后由下式估算缺陷尺寸的直径：

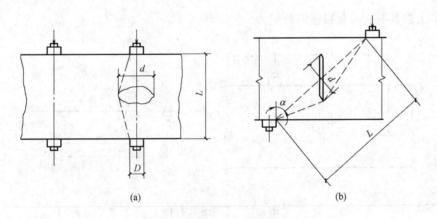

图 1-12 内部孔洞尺寸探测法
(a) 内部孔洞尺寸的对测法；(b) 内部孔洞尺寸的斜测法

$$d = D + L\sqrt{\left(\frac{t_2}{t_1}\right)^2 - 1} \tag{1-26}$$

式中 d——缺陷横向尺寸；
L——两探头间距离；
t_2——超声脉冲探头在缺陷中心时的声时值；
t_1——按相同方式在无缺陷区测得的声时值；
D——探头直径。

以上参数的意义可参照图 1-12。

2）裂缝深度的测定

对于开口而又垂直于构件表面的裂缝,可按图 1-13 (a) 所示测量。首先将探头放在一构件无裂缝位置,测得其声时值 t_0;然后将探头置于裂缝两边,测出其声时值 t_1。测 t_0 及 t_1 时应保持探头间距离 l 相同。裂缝深度 h 可按下式计算:

$$h = \frac{l}{2}\sqrt{\left(\frac{t_1}{t_0}\right)^2 - 1} \tag{1-27}$$

需注意的是,$\frac{l}{2}$ 与 h 相近时,测量效果较好;应避开钢筋,一般探头离钢筋轴线的距离为 $1.5h$ 为好。

如为开口斜裂缝,则可按图 1-13 (b) 布置。测试时首先在裂缝附近测得混凝土的平均声速 v;然后将一探头置于 A,另一探头路过裂缝,先置于 D,量得 $AD = l_1$,测得 ABD 的声时为 t_2;再置于 E,量得 $AE = l_2$,测得 ABE 的声时为 t_1;E 离裂缝边的距离为 l_3。则有方程

$$\begin{gathered}(AB)+(BE)=t_1 v \\ (AB)+(BD)=t_2 v \\ (BE)^2=(AB)^2+L_2^2-2(AB)l_2\cos\alpha \\ (BD)^2=(AB)^2+L_1^2-2(AB)l_1\cos\alpha\end{gathered} \tag{1-28}$$

式中 v、t_1、t_2、l_1、l_2 均为测得值,代入后即可解出 AB、BE 及 BD 值,从而可确定裂缝的深度。

测量注意事项同垂直裂缝的测量。

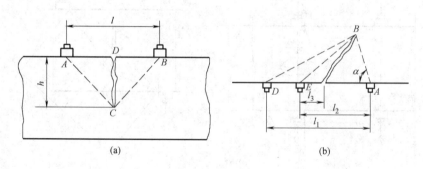

图 1-13 裂缝深度探测
(a) 平测法探测裂缝深度的探头等距布置法;(b) 斜裂缝的探测

4. 钢筋的检测

(1) 钢筋位置的检测

钢筋的检测,一般可在构件上进行。凿去保护层,即可看到钢筋的数量并测量其直径,然后与图纸对照复核。必要时,可截取钢筋作强度试验,甚至作化学成分分析。

此外,可用钢筋检测仪测量钢筋的位置、数量及保护层厚度。我国生产的钢筋检测仪是利用电磁感应原理制成的。图 1-14 (a) 是某国产钢筋检测仪的面板及探头外貌。此外,还有利用电磁波反射原理制成的雷达法钢筋检测仪。

电磁感应钢筋检测仪检测方法是,首先接通电源,探头放在空位(不可接近导磁体),调整零点,然后把探头在垂直于钢筋方向平移(探头平行于要测钢筋方向),边移动边观察指示表上的指针,指针最大读数处,即为钢筋所在位置,见图 1-14 (b)。此外,此仪器还可

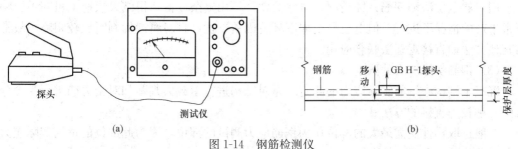

图 1-14 钢筋检测仪
(a) 钢筋位置和保护层厚度测试仪；(b) 钢筋位置和保护层厚度测试

测得保护层厚度。可参考我国的行业标准《混凝土中钢筋检测规程》JGJ/T 152—2008。

国内外有些钢筋检测仪器在一定保护层厚度内可测得钢筋的直径，这种方法已逐步推广、应用。

(2) 钢筋锈蚀程度的检测

在旧建筑中，钢筋锈蚀后，有效面积减小，使承载力降低，严重的危及安全甚至引起倒塌。

钢筋的锈蚀程度和锈蚀速度与混凝土质量、保护层厚度、受力状况及环境条件有关。对锈蚀程度的检测方法主要有两种：直接观测法与自然电位测量法，还有不少非破损检测方法正在研究或试用中。

直接观察法是在构件表面凿去局部保护层，将钢筋暴露出来，直接观察、测量钢筋的锈蚀程度，主要是量测锈层厚度和剩余钢筋面积。这种方法直观、可靠，但要破坏构件表面，一般不宜做得太多。

自然电位法的基本原理是钢筋锈蚀后其电位发生变化，测定其电位变化来推断钢筋的锈蚀程度。所谓自然电位，是钢筋与其周围介质（在此为混凝土）形成一个电位，锈蚀后钢筋表面钝化膜破坏，引起电位变化。现已有专用电位仪用于测定钢筋锈蚀程度。

在钢筋处于钝化状态时，自然电位一般处于 $-100 \sim -200$ mV 范围内（对比硫酸铜电极），若钢筋腐蚀后，自然电位向低电位变化。对此，国内外均有一些标准。

如美国标准，当钢筋中的电位高于 -200 mV 时，可判定有 90% 的置信度判断不腐蚀；当处于 $-200 \sim -300$ mV 间时，不能确定是否腐蚀；当低于 -350 mV 时，则有 90% 的可能是腐蚀了。又如日本标准为高于 -300 mV 时，不腐蚀；局部低于 -300 mV 时，局部腐蚀；全部低于 -300 mV 时，全面腐蚀。我国冶金建筑研究院对此也作过深入研究，并提出一个判别标准，$0 \sim -250$ mV 时，不腐蚀；$-250 \sim -400$ mV 时，有腐蚀的可能；低于 -400 mV 时，腐蚀。

《混凝土中钢筋检测技术规程》JGJ/T 152—2008 中钢筋状态判据建议见表 1-25。

钢筋状态判据　　　　　　　　　　　　　　　表 1-25

电位水平(mV)	钢筋锈蚀性状
>-200	不发生锈蚀的概率 $>90\%$
$-200 \sim -350$	锈蚀性状不确定
<-350	发生锈蚀的概率 $>90\%$

用自然电位法测钢筋锈蚀情况,方法简便,不用复杂设备,得结果快速,可在不影响正常生产的情况下进行。但电位易受周围环境因素干扰,且对腐蚀的判断比较粗略,故常与其他方法如直接观察法联合应用。

(3) 钢筋实际应力的测定

混凝土结构中钢筋实际应力的测定,是对结构进行承载力判断和对受力筋进行受力分析的一种较为直接的方法。

一般选取构件受力最大的部位作为钢筋应力测试的部位,因为此部位的钢筋实际应力反映了该构件的承载力情况。

测定步骤:

1) 凿除保护层、粘贴应变片:在所选部位将被测钢筋的保护层凿掉,使钢筋表层清洁并粘贴好测定钢筋应变的应变片(图1-15)。

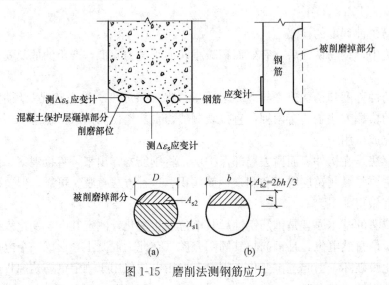

图 1-15 磨削法测钢筋应力

2) 削磨钢筋面积,量测钢筋应变:在与应变片相对的一侧用削磨的方法使被测钢筋的面积减小,然后用游标卡尺量测其减小量,同时应变记录仪记录钢筋因面积变小而获得的应变增量 $\Delta\varepsilon_s$。

3) 钢筋实际应力 σ_s 的计算近似可取:

$$\sigma_s = \frac{\Delta\varepsilon_s E_s A_{s1}}{A_{s2}} + E_s \frac{\sum_1^n \Delta\varepsilon_{si} \cdot A_{si}}{\sum_1^n A_{si}} \tag{1-29}$$

式中　$\Delta\varepsilon_s$ ——被削磨钢筋的应变增量;

　　　$\Delta\varepsilon_{si}$ ——构件上被测钢筋邻近处第 i 根钢筋的应变增量;

　　　E_s ——钢筋弹性模量;

　　　A_{s1} ——被测钢筋削磨后的截面积(图1-15a);

　　　A_{s2} ——被测钢筋削磨掉的截面积(图1-15b);

　　　A_{si} ——构件上被测钢筋邻近处第 i 根钢筋的截面积。

4) 重复测试,得到理想结果:重复 2)、3) 步骤。当两次削磨后得到的应力值 σ_s 很接近时,便可停止削磨测试而将此时 σ_s 值作为钢筋最终要求的实际应力值。

测试中应注意:经削磨减小后的钢筋直径不宜小于 $\frac{2}{3}d$(d 为钢筋的原直径)。削磨钢筋应分 2~4 次进行,每次都要记录钢筋截面积减小量和钢筋削磨部位的应变增量。钢筋的削磨面要平滑。测量削磨后的钢筋面积应使用游标卡尺。削磨时,因摩擦将使被削钢筋温度升高而影响应变读数。一定要等到钢筋削磨面的温度与大气温度相同时,方可记录应变仪读数。

测试后的构件应进行补强,可用 $\phi 20$,$l=200\text{mm}$ 的短钢筋焊接到被削磨钢筋的受损处,并用比构件高一强度等级的细石混凝土补齐保护层。

5. 钢结构构件的检测

钢结构构件中的型钢如由正规钢厂出厂并具合格证明,则一般材料的强度及化学成分是有保证的。检测的重点在于加工、运输、安装过程中产生的偏差与失误。检测可参考《高耸与复杂钢结构检测与鉴定标准》GB 51008—2016,检测主要内容有:

(1) 几何尺寸的检测。
(2) 制作安装偏差与变形的检测。
(3) 缺陷与损伤的检测。
(4) 构造与连接的检测(应作为重点)。
(5) 涂装和腐蚀的检测。

如果钢材无出厂合格证明,或者来路不明者,则应再增加检测以下项目:

(6) 钢材及焊条的材料力学性能,必要时再检测其他化学成分。

其中第 (6) 项在材料试验现程中有规定,一般施工安装单位均可按常规试验进行。这里不作介绍。

(1) 几何尺寸的检测

梁和桁架构件的整体变形有垂直变形和侧向变形,因此要检测两个方向的平直度。柱子的变形主要有柱身倾斜与挠曲。

检查时,可先目测,发现有异常情况或疑点时,对梁或桁架可在构件支点间拉紧一根细铁丝,然后测量各点的垂度与偏度;对柱子的倾斜度则可用经纬仪检测;对柱子的挠曲度可用吊锤线法测量。检测的范围应包括所抽样构件的全部几何尺寸,即构件轴线或中心线尺寸、主要零部件布置定位尺寸以及零部件规格尺寸。每个尺寸在构件的 3 个部位测量,取 3 处实测值的平均值作为该尺寸的代表值。如超出规程允许范围,应加以纠正。

构件的长细比在粗心地设计中或施工时,构件的型钢代换中常被忽视而不满足要求,应在检查时重点加以复核。

(2) 制作安装偏差与变形的检测

构件变形检测的内容应包括构件垂直度、弯曲变形、扭曲变形、跨中挠度等。构件的垂直度、侧向弯曲矢高、扭曲变形应通过测点间相对位置差计算。构件的局部平整度可用靠尺或拉线的方法检查。其局部挠曲应控制在允许范围内。

(3) 缺陷与损伤的检测

检测的内容应包括裂纹、局部变形、人为损伤、腐蚀等项目。

钢构件表面的裂纹与人为损伤可采用观察方法检测，也可用锤击法检查，即用包有橡皮的木槌轻轻敲击构件各部分，如声音不脆、传音不匀、有突然中断等异常情况，则必有裂缝。另外，也可用10倍放大镜逐一检查。如疑有裂缝，尚不肯定时，可用滴油等渗透的方法检查：无裂缝时，油渍呈圆弧形扩散；有裂纹时，油会渗入裂隙呈直线状伸展。

钢构件的内部裂纹可采用超声波探伤法或射线法检测。超声波探伤在前一节中已叙述过，对钢结构的检查，原理和方法与检查混凝土时相仿，这里不再赘述。

钢构件的局部变形可用观察和尺量的方法检测。

(4) 构造与连接的检测

钢结构事故往往出在连接上，故应将连接作为重点对象进行检查。

连接板的检查包括：①检测连接板尺寸（尤其是厚度）是否符合要求；②用直尺作为靠尺检查其平整度；③测量因螺栓孔等造成的实际尺寸的减少；④检测有无裂缝、局部缺损等损伤。

焊接连接目前应用最广，出事故也较多。应检查其缺陷。焊缝的缺陷种类不少，如图1-16所示，有裂纹、气孔、夹渣、未熔透、虚焊、咬肉、弧坑等。检查焊接缺陷时首先进行外观检查，借助于10倍放大镜观察，并可用小锤轻轻敲击，细听异常声响。必要时可用超声探伤仪或射线探测仪检查。

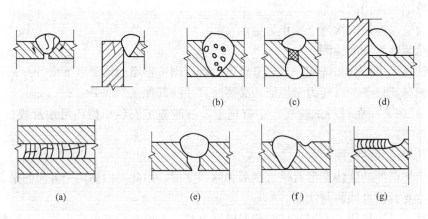

图 1-16 焊接的缺陷
(a) 裂纹；(b) 气孔；(c) 夹渣；(d) 虚焊；(e) 未熔透；(f) 咬肉；(g) 弧坑

对于螺栓连接，可用目测与锤击相结合的方法检查，并用示功扳手，（带有声、光指示的扳手）校核其拧紧度。

(5) 涂装和腐蚀的检测

涂装检测的内容应包括涂层检测和拉索外包裹防护层检测。

涂层的检测项目应包括外观质量、涂层完整性、涂层厚度。涂层外观质量可采用观察检查。涂层裂纹可采用观察检查和尺量检查，构件抽查数量不少于10%，且不少于3根。涂层完整性可采用观察检查，宜全数普查。涂层厚度可采用干膜测厚仪检测。构件抽查数量不少于10%，且不应少于3根。

拉索外包裹防护检测应包括拉索外包裹防护层外观质量和索夹填缝，可采用观察检查，宜全数普查。

腐蚀检测的内容包括腐蚀损伤程度、腐蚀速度。检测前，先清除待测表面积灰、油污、锈皮等。

对均匀腐蚀情况，测量腐蚀损伤板件的厚度时，应沿其长度方向选取 3 个腐蚀较严重的区段，且每个区段选取 8~10 个测点测量构件厚度，取各区段量测厚度的最小算术平均值，作为该板件实际厚度。腐蚀严重时，测点数应适当增加。

对局部腐蚀情况，测量腐蚀损伤板件的厚度时，应在其腐蚀最严重的部位选取 1~2 个截面，每个截面选取 8~10 个测点测量板件厚度，取各截面测量厚度的最小算术平均值，作为板件实际厚度，并记录测点的位置。腐蚀严重时，测点数可适当增加。

板件腐蚀损伤量应取初始厚度减去实际厚度。初始厚度应根据构件未腐蚀部分实测厚度确定。

参 考 文 献

[1] 王婉明. 建筑结构试验. 北京：清华大学出版社，1988.
[2] 湖南大学等编. 建筑结构试验. 第四版. 北京：中国建筑工业出版社，2016.
[3] 钱瑞芳. 建筑结构质量检验与控制. 北京：中国建筑工业出版社，1993.
[4] 邱小坛，周燕. 旧建筑物的检测加固与维护. 北京：地震出版社，1991.
[5] 侯宝隆，蒋之峰编译. 混凝土非破损检测. 北京：地震出版社，1992.
[6] 吴慧敏. 结构混凝土现场检测技术. 长沙：湖南大学出版社，1988.
[7] 王赫，金玉琬，贺玉仙. 建筑工程质量事故分析，北京：中国建筑工业出版社，1992.
[8] 魏新亚，林知炎. 中国建筑业的产业地位和发展水平分析 [J]. 哈尔滨工业大学学报，2004，36 (1)：124-128..
[9] 杨嗣信. 建国 60 年来我国建筑施工技术的重大发展 [J]. 建筑技术，2009，40 (9)：774-778.
[10] 张建设，张晶然，靳静. 2004~2013 年建筑业坍塌死亡事故统计分析 [J]. 安全，2015 (8)：17-20.
[11] 谭香华. 惊天一塌——湖南省凤凰县"8·13"沱江大桥垮塌特大事故追踪 [J]. 湖南安全与防灾，2007 (9S)：48-52.
[12] 龙文志. 上海 11·15 火灾的思考 [J]. 中国建筑金属结构，2010，38 (12)：42-49.
[13] 张旷成，李继民. 杭州地铁湘湖站"08.11.15"基坑坍塌事故分析 [J]. 岩土工程学报，2010 (s1)：338-342.
[14] 王成林. 对哈尔滨阳明滩大桥倒塌的思考 [J]. 科技视界，2012 (30)：300-300.
[15] 刘照普. 江西丰城发电厂事故调查 [J]. 中国经济周刊，2016 (47)：38-41.

第1篇　建筑主体结构篇

第2章　砌体结构

2.1　概　　述

砌体结构是一种常见的建筑结构形式，其主要受力构件由块材和砂浆砌筑而成。砌体结构的应用广泛、历史悠久，我国早在5000年前就出现了石砌围墙，万里长城、赵州桥等更是砌体结构的杰出作品。砌体结构在国外也被广泛应用，如历史上著名的各类教堂建筑、城堡以及美国19世纪末建成的一批超高层砌体结构大厦等。目前，砌体结构仍然有广阔的应用范围，许多住宅、办公楼、学校、医院等单层或多层建筑仍广泛采用砖、石或砌块墙体和钢筋混凝土楼盖组成的混合结构体系。挡土墙、小型水池、墩台、涵洞和各种地下通道等也常采用砌体结构。在钢筋混凝土结构中，砌体墙也经常用作分割空间的非承重墙。

2.1.1　砌体结构的分类和优缺点

按使用材料分类，块材主要分为砖、砌块、石三类，砂浆主要分为水泥砂浆、混合砂浆、砌筑专用砂浆和非水泥砂浆。按尺寸分类有小型、中型和大型砌块，其中，小型砌块在国内较为常用。按配筋率的大小可分为无筋砌体（配筋率小于0.07%）、约束砌体（配筋率0.07%~0.17%）和配筋砌体（配筋率约为0.2%）。砌体结构常用的结构体系为混合结构，即建筑的竖向承重构件（墙、柱、基础等）为砌体结构，屋盖、楼盖为钢筋混凝土结构或钢结构。按承重体系分类，一般可分为横墙承重体系、纵墙承重体系、纵横墙承重体系、内框架承重体系和底层框架-剪力墙结构体系。设计过程中在选定材料的同时，要根据情况合理选定结构体系。根据使用特点可分为一般砌体结构、砌体构筑物（如高度不超过60m的烟囱、水塔、挡土墙等）和特殊环境的砌体结构（如有抗震、防空、抗高温等要求的建筑）。按建造方式分类，可分为一次性新建砌体结构建筑、旧房改造建筑和旧房维修。

砌体结构的优点主要体现在以下几个方面：
(1) 砌体结构的耐火性、化学稳定性良好，容易满足对结构耐久性的要求。
(2) 砌体结构可同时满足保温隔热、分隔空间、隔声降噪等多种功能需要。
(3) 材料来源广泛，造价低廉，利用工业废料制作的空心砌块也开始大量推广。
(4) 施工方便，可以不用大型机械。砌筑初期砌体即可承受一定荷载，冬期可采用冻结法施工，保证施工的连续性。

砌体结构主要有以下几方面缺点：

(1) 自重和体积较大，砌筑工作需要较多劳动力且施工质量不易保证，砌筑质量对结构性能影响大，施工中必须对材料的质量和砌筑质量进行严格控制。

(2) 砌体的抗压、抗拉、抗弯性能都比混凝土差，块材和砂浆之间的粘结力较弱，抗拉、抗弯及抗剪强度低，结构延性和抗震性能差。可通过增加配筋、后张拉预应力和采用圈梁、构造柱等构造措施来改善其延性，提高抗震能力，但配置钢筋不如混凝土结构方便，施工难度更大。

(3) 传统黏土砖生产过程可能占用较多优质土地，对农业生产影响大，同时消耗大量的能源。

2.1.2 砌体结构的发展现状和趋势

针对砌体结构的设计和施工方法，从20世纪40年代开始，国外开始进行广泛的砌体结构试验研究，并以此为依据提出了较为系统的设计方法。我国自20世纪60年代也开始了相关理论和试验的研究，已颁布《砌体结构设计规范》、《砌体结构工程施工质量验收规范》和《砌体结构加固设计规范》等相关规范，对砌体结构的设计方法和施工要求进行了规定。砌体结构需满足强度、保温、隔声、抗火等方面的要求，砌筑质量也要保证。砌体结构的抗震性能是近年来受到普遍关注的内容之一，《砌体结构设计规范》GB 50003—2011对其抗震设计提出了专门要求。

近年来，砌体结构也有了新的发展，主要表现在以下几方面：

(1) 发展节约成本、环境友好的块材，以适应可持续发展的要求。如《砌体结构设计规范》GB 50003—2011增加了针对适应节能减排、墙材革新要求的新型砌体材料的设计方法。近年来，利用粉煤灰、煤渣等工业废料制成的空心砌块得到了发展，同时也给垃圾处理、废料回收等问题找到了理想出路。

(2) 发展高性能的材料。轻质、高强的空心砌块自重轻，施工方便，保温性能和抗震性能更好。高强度、高粘结胶合力的砂浆可有效提高砌体的强度和整体性。我国与欧美发达国家相比，差距主要在于材料，表现为砖体抗拉强度低、砂浆强度低，从而加大了材料使用量。

(3) 加强砌体结构的试验和理论研究，提高砌体结构设计和施工水平，发展砌体结构新技术、新结构体系和新设计施工方法。采用机械化施工、大尺寸砌块等措施可减少劳动力需求，加快施工进度。发展配筋砌体和预应力砌体可以改善墙体的整体性和抗震性能。

2.1.3 砌体结构事故主要原因

由于砌体结构应用广泛而工程规模相对较小，设计施工时需要注意的问题就不易被重视，近年来发生砌体结构的事故比较多。引起事故的原因是多方面的，现综述如下。

1. 设计方面主要原因

(1) 设计马虎，不够细心。有许多是套用图纸，应用时未经校核。有时参考了别的图纸，但荷载增加了，或截面减少了而未作计算。有的虽然作了计算，但因少算或漏算荷载，使实际设计的砌体承载力不足，如再遇上施工质量不佳，常常引起房倒屋塌。地基基础的设计未考虑上部结构与地基基础的共同作用，地基设计不合理可能导致不均匀沉降等事故。

(2) 整体方案欠佳，尤其是未注意空旷房屋承载力降低的因素。一些机关会议室、礼堂、食堂或农村企业车间，层高大，横墙少，大梁下局部压力大，若采用砌体结构应慎重设计、精心施工。目前，随着农村经济的发展，农用礼堂、车间采用的空旷房屋结构迅速增加。但未重视有关空旷房屋的严格要求，造成事故多发。设计时，建筑形状应尽量规整，紧邻高差不超过2层。在地基土承载力有较大变化处、分期建造房屋的分界面以及荷载突变处等部位应设置沉降缝，且应延伸到基础，并注意施工时保持沉降缝内无杂物。应重视内力分析计算，承载力不足时可采用钢筋混凝土框架结构，或将窗间墙改为加垛的T形截面。

(3) 有的设计人员注意了墙体总的承载力的计算，但忽视了墙体高厚比和局部承压的计算。高厚比不足也会引起事故，这是因为高厚比过大的墙体过于单薄，容易引起失稳破坏。支承大梁的墙体，总体上承载力可满足要求，但大梁下的砖柱、窗间墙的局部承压强度不足，如不设计梁垫或设置梁垫尺寸过小，则会引起局部砌体被压碎，进而造成整个墙体的倒塌。

(4) 未注意构造要求。重计算、轻构造是没有经验的工程师的一些不良倾向。在构造措施中，圈梁的布置、构造柱的设置可提高砌体结构的整体安全性，在意外事故发生时可避免或减轻人员伤亡及财产损失。特别是在有抗震设防要求的地区，要注意加强抗震构造措施。圈梁洞口处应满足搭接要求；在建筑物四角、楼梯间、长度较大的墙体中等处应设置构造柱；构造柱与墙体之间的连接应做成马牙槎，在浇筑构造柱时使柱与墙体结合更牢固。楼梯间以及住宅中暗设消火栓箱、配电箱等位置墙体受到削弱，承载力下降，应注意加设钢筋混凝土构造柱，加大圈梁的尺寸和墙体的厚度等。

2. 施工主要原因

(1) 砌筑质量差，违反操作流程。砌体结构为手工操作，其强度高低与砌筑质量有密切关系。施工管理不善、质量把关不严是造成砌体结构事故的重要原因。例如，施工中雇用非技术工人砌筑，砌出的墙体达不到施工验收规范的要求。其中，砌体接槎不正确、砂浆不饱满、上下通缝过长、配筋砌体钢筋遗漏或锈蚀、砖柱采用包心砌法等引起的事故频率很高。在施工上严格遵守操作规程可以减少甚至避免这些缺陷，如控制块体搭接长度、选用合适的组砌形式、严禁干砖砌筑和铺长灰砌筑、控制砂浆材料及配合比等。施工人员应持证上岗，工地采用完善的质量管理体系，控制好砌筑工艺和施工速度。

(2) 在墙体上任意开洞，或在脚手架拆除后，脚手眼未及时填好或填补不实，过多地削弱了断面。墙体前期强度较低，如果承受了较大施工荷载，则墙体可能因承载力不足而倒塌。

(3) 施工中的支撑加固措施未按照《砌体结构工程施工质量验收规范》的要求进行架设。若墙体比较高，横墙间距又大，在其未封顶时未形成整体结构，将处于长悬臂状态。施工中如不注意临时支撑，在遇上大风等不利因素影响时将造成失稳破坏。

(4) 对材料质量把关不严。使用不合格的砌块（如过火或欠火的砖、变形严重的砖等）、砂浆的配料材质差（含土、泥块等杂质）、砂浆配合比不准、砂浆搅拌时间短、存放时间过长等原因，造成砂浆强度不足，砌体中块体和砂浆粘结不足，从而导致砌体承载力下降，严重的会引起倒塌。因此，砌块和水泥进场须验收，检查合格证并进行抽样试验后方能使用。砂浆强度低，砌体自身变形大，会产生裂缝。温度变形产生裂缝很大程度上是由于材料存在质量问题,为裂缝产生、开展提供了客观条件。

(5) 后期装修和维护操作不当。若结构采用的砂浆中含黄土,装修队在施工过程中用水冲刷墙体,黄土吸水膨胀使结构变形,砂浆强度降低,可导致结构承载力不足而出现倒塌事故。装修时若大面积剥除粉刷层并湿润墙体重新粉刷,可导致结构失去原有粉刷层的约束作用而自重却增加,容易出现危险。危旧砌体结构装修或改造前应先对承载力进行复核,处于临界状态时应采取必要的加固措施。对砂浆中含有黄土的墙面的喷水要控制。

下面举一些例子来具体说明事故发生的原因。

2.2 砌体强度不足引起的事故

【例 2-1】 某包装车间扩建厂房倒塌事故

[事故简况]

某车间跨度 12m,为扩大车间,由东端向北接出一段厂房,使车间呈 L 形,如图 2-1 (a) 所示。扩建厂房在施工过程中突然倒塌,造成 4 名施工人员死亡。

[工程概况]

厂房原车间及扩建部分均为单跨单层,有轻型吊车(起重量为 10kN)。扩建部分跨度为 12m,采用钢筋混凝土双铰拱屋架(标准构件),屋架间距 4.5m,承重墙为 370mm,带 240mm×300mm 砖垛,如图 2-1 (b) 所示。屋面采用 4.5m×1.5m 槽形板,屋面为普通做法,即有平均厚 100mm 水泥焦渣保温层,20mm 水泥砂浆找平层,二毡三油防水层,上撒小豆石、吊车梁支于带砖垛的墙体上,吊车梁顶标高为 4.25m,屋架下弦标高 5.8m,屋架支于托墙上,托墙梁 240mm×450mm,支于墙垛子上,如图 2-1 (b) 所示。扩建部分由县设计室设计,县施工队施工。施工质量一般,要求材料为 MU7.5 砖、M5 砂浆,材料质量均合格。

[事故分析]

托墙梁与吊车架基本在同一高度,如设计成整体,则屋面荷载、屋架及上段墙体重可通过托墙梁传给带壁柱的墙体。但设计者将托墙梁与吊车梁分开,中间空有 70mm 间隙,这样屋面传来的荷载与上段墙体只压在 240mm×300mm 的砖垛上,形成局部承压。由于设计人员疏忽,并未进行局部承压验算。经复核,这部分局部承压强度严重不足,这是造成事故的直接原因。

按设计荷载计算:

$$MU7.5, M5, f = 1.37 N/mm^2$$

承压面积 $\quad A_l = 300 \times 240 = 72000 mm^2$

影响面积 $\quad A_0 = \left(300 + \dfrac{240}{2}\right) \times 240 = 100800 mm^2$

局部承压提高系数 $\quad \gamma = 1 + 0.35\sqrt{\dfrac{A_0}{A_l} - 1} = 1 + 0.35\sqrt{\dfrac{100800}{72000} - 1} = 1.22 < 1.25$

有吊车厂房强度调整系数 $\quad \gamma_a = 0.9$

于是,砌体局部承压强度 $\quad f = 1.22 \times 0.9 \times 1.37 = 1.5 N/mm^2$

上部传来的荷载:

$$1.2G_{恒}+1.4Q_{活}=182.3\text{kN}$$

$$\gamma_0=\frac{R}{S}=\frac{1.5\times72000}{182300}=0.59$$

可见，局部承压的承载力严重不足。

按倒塌时实际情况复核：

MU7.5、M5 砌体受压强度标准值取 $f_k=2.055\text{N/mm}^2$。

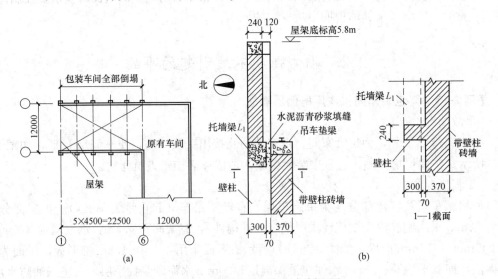

图 2-1 包装车间平面、局部剖面图

则局部承压强度为：$f_k=1.22\times0.9\times2.055=2.26\text{N/mm}^2$。

施工中倒塌时，上部传来的实际荷载为：168.6kN。

由此可得 $\gamma_0=\dfrac{R_k}{S}=\dfrac{2.26\times72000}{168600}=0.96$。

可见，局部承压强度仍不足，实际上因纵向力作用有偏心，因此，实际的承载力值还要更小一些，发生事故就在所难免了。

[结论与建议]

墙体托墙梁下局部承载力严重不足是引起倒塌的主要原因。此外，考虑到扩大车间端部无山墙，应属弹性方案，而设计按刚性方案计算。在风荷载作用下（倒塌当日有七级东北风，并伴有雨），使本来不安全的墙体又产生了较大的附加弯矩，这就促使墙体倒塌。

【例 2-2】 某挡土墙倒塌事故

[事故简况]

安徽省宿松县某竹器加工厂的石砌挡土墙建成不久，几场大雨后，墙身出现多处裂缝，继而约 25m 长的石墙从根部倒塌。破坏面集中在根部，基础部分几乎完好，是典型的弯剪破坏形态。

[工程概况]

该石砌挡土墙由 M5.0 水泥砂浆砌筑，长 70m，高 4.5m。墙基础埋深 1.0m，地基为黏性土，墙后 4m 内为松填杂填土，墙身中部每隔 2m 设置一泄水孔，如图 2-2 所示。挡土墙计算中往往只重视抗滑移和抗倾覆验算，而忽视弯剪承载力的计算。

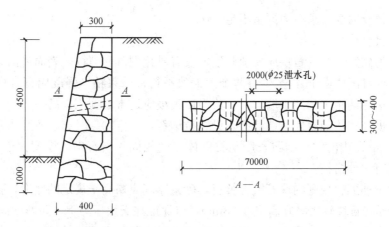

图 2-2 泄水孔布置图

[事故分析]

1. 构造不合理

石墙应每隔 20m 留一道 30mm 宽变形缝,本工程石墙较长,但没有设置变形缝,也没有按照原设计做好墙身和墙后的泄水和排水,而且墙身的排水孔大多数已堵塞,致使雨水不能及时排出,使得墙体承受较大的水压力。而原设计中因有排水孔而并未验算墙体承受的水压力。

2. 结构原因

实测挡土墙最薄处厚度 250mm,最厚处厚度 350mm,砂浆强度仅 M2.5。由于排水孔堵塞积水后,土体颗粒之间的摩擦力和土体黏聚力大幅减小,对墙体的侧压力比原设计验算使用的干土对挡土墙的侧压力大幅提高,超过了挡土墙承载能力,从而导致墙体开裂和最终的倒塌。

挡土墙如固定于基础上的悬臂板一样受力。长度方向取单位宽度墙体,不考虑墙体自重,水土压力呈三角形分布,如图 2-3 所示,则截面抵抗矩为:

$$W = \frac{bh^2}{6} = \frac{1 \times 0.35^2}{6} = 0.0204 \text{m}^3$$

式中 W——截面抵抗矩,对矩形截面 $W = bh^2/6$;

b、h——截面的宽度和高度。

根据现场检测,含水土体内摩擦角 $\phi = 20°$,含水重度 $\gamma = 17.5 \text{kN/m}^3$。因墙体背面光滑且排水不良,故不考虑土对挡土墙背的摩擦角,取主动土压力系数 $K_a = \tan^2\left(45° - \frac{\varphi}{2}\right) = 0.49$。

则弯矩设计值为:

$$M = \frac{PH^2}{6} = \frac{17.5 \times 0.49 \times 4.5^2}{6} = 28.94 \text{kN} \cdot \text{m}$$

根据《砌体结构设计规范》GB 50003,M2.5 水泥砂浆砌筑毛石砌体,弯曲抗拉强度设计值 $f_m = 0.08 \text{MPa}$,抗剪强度设计值 $f_v = 0.11 \text{MPa}$。

挡土墙受弯承载力:

$$Wf_m = 0.0204 \times 0.08 \times 10^3 = 1.63 \text{kN} \cdot \text{m} < M$$

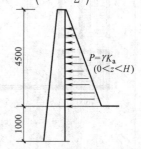

图 2-3 挡土墙受力示意图

因此,挡土墙受弯承载力严重不足。

[结论与建议]

(1) 作为砌筑墙体的石块应质地坚硬,没有风化剥落和裂纹,表面清洁无杂物,中部厚度宜大于或等于150mm,至少有两个面大致平行;砂浆粘结强度应符合设计要求。采用掺盐砂浆法冬期施工的挡土墙体,砂浆强度等级应比常温施工提高一级。

(2) 为提高整体稳定性,墙身必须设置拉结石,并应均匀分布、相互错开,当石砌体厚度在400mm以内时,拉结石长度与石砌体厚度相同,当石砌体厚度大于400mm时可用两块拉结石内外搭接。

(3) 对于外形较规则的块石或方整石,砂浆厚度应略高于规定的厚度,石块较小时宜高出3~5mm,石块较大时宜高出6~8mm,以保证在石块压力下砂浆厚度满足要求。

(4) 泄水孔宜采用抽管方法留置,即在砌筑时先预置钢管或竹管成孔,回填土前在泄水孔平面上放置宽300mm、厚200mm的碎石或卵石疏水层,以使土内积水能及时排出。

(5) 墙基底面和背面力求粗糙,以加大墙体与土壤的耦合作用,从而增强挡土墙的安全性,墙后回填土应待墙身砌体强度达到70%的设计强度后方可进行。

2.3 因方案欠妥引起的事故

【例2-3】 某教学大楼倒塌事故

[事故简况]

某大学教学大楼为砖墙承重的混合结构,楼盖为现浇钢筋混凝土结构,全楼分为甲、乙、丙、丁、戊5段,各段间用沉降缝分开,如图2-4所示。乙段与丁段在结构上是对称的。这两区均有部分地下室,首层有展览室等大空间房间。当主体结构已全部完工,在施

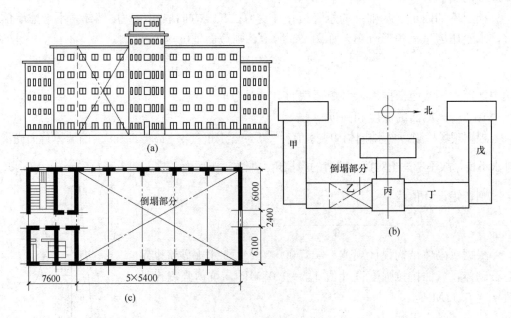

图2-4 某大学教学大楼
(a) 主楼正面图;(b) 主楼分段平面图;(c) 主楼乙段平面图

工进入装修阶段时，大楼乙段部分突然倒塌，当场压死十余人，损失惨重，倒塌部分的平面图及剖面图如图2-5所示。

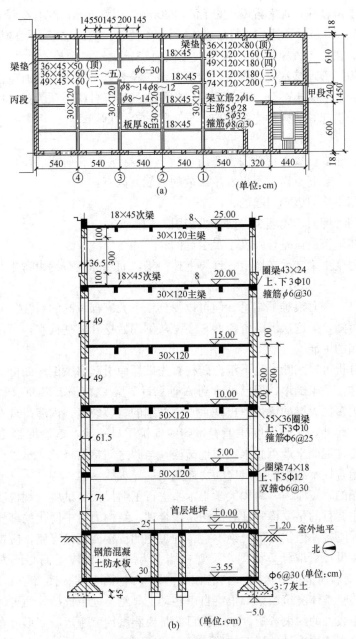

图2-5 大楼倒塌部分
(a) 倒塌部分平面图；(b) 倒塌部分剖面图

[工程概况]

该工程由正规大设计院设计，施工单位是市属的大建筑公司。大楼乙段和丁段为地上5层，跨度14.5m，现浇混凝土主梁300mm×1200mm，间距5.4m，次梁跨度5.4m，断面180mm×450mm，间距2.4~3.1m，现浇混凝土板厚8cm。大梁支承于490mm×

2000mm 的砖柱（窗间墙）上。首层砌体设计采用砖的强度等级为 MU10，砂浆为 M10。施工中对砖的质量进行检验，发现不足 MU10，因而与设计单位洽商，将丁段与乙段的砖柱改为加芯混凝土组合柱，加芯混凝土断面为 260mm×1000mm，配有少量钢筋：纵筋 6 Φ10，箍筋Φ6 间距 300mm，每隔 10 行砖左右，设Φ4 拉筋一道。支承大梁的梁垫为整浇混凝土，与窗间墙等宽，与大梁同高，并与大梁同时浇筑。经初步检查，设计按原规范进行，并无错误；施工管理基本上按常规，混凝土浇筑符合质量要求；只有砌体部分砌筑质量稍差，尤其是加芯混凝土部分，不够致密。根据现场情况分析，认为是三层窗间墙的组合砌体首先破坏而引起其他构件连锁反应，导致结构全段倒塌。

［事故分析］

事故发生后，建设行政主管部门曾邀请包括来自设计院、科研所、高校、施工单位等多方专家进行分析、会商。当时提出发生事故的可能原因有：

(1) 由于地基不均匀沉降引起的；

(2) 由于房间跨度大、隔墙少，墙体失稳引起的；

(3) 由于砌体砌筑质量差，强度不足引起的；

(4) 由于大跨度主梁支承在墙上，计算上按简支，而实际上有约束弯矩，从而引起墙体倒塌。

专家各抒己见，一时很难下结论。但可以得到以下大家都认同的看法。

从现场调查可知，无论从沉降资料看，还是从倒塌后挖开墙基检查，可以排除因地基破坏引起房屋倒塌的可能。

从以下几点分析可以判断大梁下组合砖柱首先破坏而引起房屋倒塌的可能性较大。丁段与乙段完全对称，虽未倒塌，但已可看到 A 轴靠近 7 层主楼的窗间墙存在着从底层到 4 层的斜裂缝。在大多数大梁的梁垫下出现垂直的微细的劈裂裂缝，内墙出现在梁垫下，外墙出现在梁头上。此外，从倒塌废墟上看，砌体砌筑质量一般，钢筋混凝土浇筑质量合格，但窗间墙夹心柱混凝土严重脱水，质地疏松，与砖之间粘结极差，难以"组合"起来共同工作。因而组合柱承载力的不足应为房屋倒塌的导火线。

为了弄清倒塌的真正原因，清华大学土木系进行了缩尺模型试验。现说明如下。

(1) 目的：主要目的是要检验计算简图是否合理。结构力学中简化的理想化支座，一种为铰接，一种为刚接，但实际情况绝不会是理想化的铰接或刚接支座，应视具体构造和结构情况取定。按设计所取计算简图，梁支在墙上为简支，砌体受偏心压力，若压力为 P、偏心距为 e，则墙体上端（大梁下）有偏心弯矩 Pe，而下端（楼盖顶处）弯矩为零。该结构是大梁与梁垫整体浇筑，梁端很难自由转动，显然不近于铰接，而更近于刚接，它将在大梁两端产生较大的约束弯矩。本试验目的是要测试约束弯矩、变形分布等，以确定原设计房屋中大梁支承构造是更接近铰接还是更接近刚接。

(2) 模型制作：取二层 1:2 缩尺模型，即模型中各尺寸取实际尺寸的 1/2；梁跨度 7.25m，层高 2.5m，墙宽 1m，大梁截面 150mm×600mm，翼缘厚 40mm，次梁三根均按比例缩小制作，见图 2-6。模型墙厚 370mm，以便于砌筑，大梁配筋率与实际结构相等，梁端支承部分构造也与实际结构相同。因实际结构为五层，为模拟上层传来的荷载，在墙顶加轴力 N，同时顶层两个砖墙用 2 根 22 号槽钢相连，大梁上按次梁传力位置加 4 个荷载，用千斤顶逐步施加荷载。

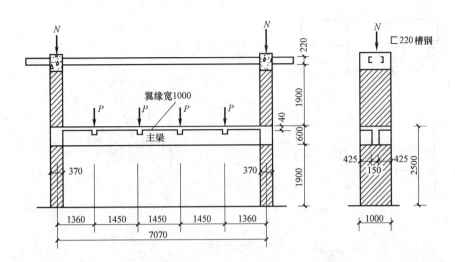

图 2-6 试验模型

(3) 量测仪表布置：沿墙体布置位移计，测量墙体变形。沿大梁也用位移计测其位移，支承处用倾角仪测其转角。为测量大梁的反弯点，在梁跨 1/3 左右处布置两组电阻应变片。在墙体支承大梁处还测量其纵向变形，以测算墙体可能承受的弯矩。

(4) 试验结果：墙体的水平位移曲线及纵向应变分布图形如图 2-7 (a) 所示。墙体的横向水平位移在上、下两层的方向相反，这与框架的变形是基本一致的，从图 2-7 (b) 可得出墙体首层的反弯点位置在层高 1/3 位置处附近。

梁端上下的砖墙截面应变示于图 2-7 (c)。根据这一应变图可以计算 1—1、2—2 截面的弯矩 M_K^1 和 M_K^2 （$M_K = E_K \cdot \varepsilon \cdot W$，式中 E_K 为砌体的受压变形模量，试验得到为 3000MPa；ε 为应变；W 为截面抵抗矩），分别为 10kN·m 和 11.6kN·m，两者相加为 21.6kN·m，与按框架算得的梁端弯矩 23kN·m 比较，相差仅 6%。

梁的挠度分布及测得的支座截面转动情况示于图 2-7 (d) 中。此外，在图 2-7 (e) 中还列出了实测的荷载与挠度的关系。从图中可以看出，实测数据与简支梁理论值相差较多，与框架梁理论结果则非常接近。

如按简支梁理论，则梁中应无反弯点。但实测结果显示出反弯点，如图 2-7 (f) 中的 O_1、O_2、O_3、O_4 点，其距柱中心线均在 100cm 左右，这与框架梁的计算结果非常接近。

试验中测得了大梁跨中截面各高度的应变值。由实测的混凝土应变 ε_c 及钢筋应变 ε_s 可反算出跨中弯矩为 24kN·m，这一值与按框架理论求得的弯矩值很接近。

试验结果还表明，T 形截面大梁的压区混凝土翼缘，其应变分布不均匀，中间大而向两边逐渐减小，如图 2-7 (g) 所示。如按等效矩形应力图折算而保持中间部分最大压应变相同，则折算的翼缘有效宽度为 600mm，规范规定 $b_i^1 = 12h_i + b = 630$mm，二者相当接近。

以上结果列于表 2-1，从表中比较的结果可知，这样构造的节点非常接近于刚接，而与铰接的假定相差甚远。将原设计（按简支梁计算）的内力与按框架进行分析的内力相比，相差很大。从试验结果判断，在下层窗间墙上端截面处，其弯矩值可差 8 倍，而轴力则大致相当。可见，按简支梁计算所得内力来验算窗间墙的承载力是严重不安全的。这一分析与倒塌过程调研所得的结论是比较一致的。

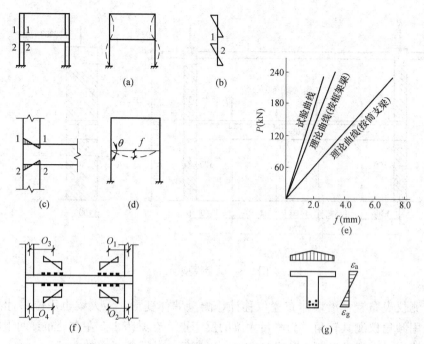

图 2-7 试验结果

(a) 墙体水平位移曲线；(b) 墙体外（内）侧纵向应变；(c) 梁垫上下墙体截面应力分布；
(d) 大梁的挠度曲线；(e) 大梁的 $P-f$ 关系；(f) 反弯点测定；(g) 大梁跨中截面应变

试验结果与理论计算比较　　　　表 2-1

	墙体 1-1 截面弯矩 M_k (kN·m)	墙体 2-2 截面弯矩 M_k (kN·m)	梁跨中弯矩 $M_k^{\text{跨}}$ (kN·m)	梁跨中挠度 f (mm)	梁支座截面转角 θ (″)	梁反弯点位置 d (mm)
试验值	10	11.6	24	1.3	72	100
按组合框架计算（相差）	9.5 (+5%)	13.5 (−16%)	28 (−16%)	1.5 (−15%)	94 (−29%)	96 (+4%)
按简支梁计算（相差）	0	23 (+98%)	51 (−113%)	3.4 (−240%)	320 (−340%)	0

［结论与建议］

(1) 一般情况下大梁支于砖墙上，可以假定作为简支梁进行内力分析。但是，对于跨度超过 10m 的空旷房屋，采用这种方案应该慎重，在设计及施工管理方面均应从严。此外，根据这一假定计算内力时，应在构造上做成能实现铰接（梁端可有微小转动）的条件，不应将梁端做成更近于刚接的构造（如梁垫与梁现浇，且与梁同高、大致与窗间墙同厚同宽）。比较好的做法是将梁垫预制好，置于大梁底下，梁垫不宜做成与窗间墙体大致同宽、同厚，应小一些。如局部承压不足则宜扩大墙体截面，如加厚、加垛等。

(2) 遇到空旷房屋，可按框架结构计算内力来复核墙体承载力，如墙体不足以承担由此而引起的约束弯矩，建议采用钢筋混凝土框架结构，或将窗间墙改为加垛的 T 形截面。

(3) 尽量避免采用砖砌体包混凝土的夹心组合砖柱、砖墙。因为混凝土包于砖砌体内，一般是先砌砖、后浇混凝土芯。砖砌体往往较薄，工人怕砌体变形歪斜，很难充分振捣，因而很难保证混凝土浇筑密实，砌体与混凝土会形成"两张皮"，不能共同受力。如砖浇水不足，则新注入混凝土脱水很快，易于形成疏松结构，使混凝土不能起骨架作用。对于偏心受力墙体，混凝土在中间，也不能充分发挥作用。砌体四面外包，一旦混凝土出现质量问题，也难以检查出来，故应尽量不用。如采用组合柱以提高承载力，则宜使混凝土至少有一边无砖砌体，使之外露，以方便拆模后检查浇筑质量。

【例 2-4】 某房屋倒塌事故

[事故简况]

某 3 层砖混结构房屋，楼梯间局部 4 层，长 24m，宽 7.8m，共 6 个开间，工程于 2003 年 7 月 23 日开工，后甲方擅自变更施工方案，先施工 3 个开间，且砌体施工到底层窗台面时停工近一年，2004 年 10 月 26 日，房屋突然倒塌，仅剩二层楼梯间和底层部分墙体。

[工程概况]

该房屋基础为钢筋混凝土条形基础，主体结构墙体为 240mm 厚砖墙，采用 MU7.5 标准砖、M5 混合砂浆砌筑，楼面及屋面采用现浇钢筋混凝土结构，底层为大开间，未设内隔墙，二、三层每 4m 设置一道主梁，梁上砌 120mm 厚砖填充墙。工程开工后，因资金和拆迁问题，甲方未经设计方同意，自行通知施工方将 6 个开间分两端施工，先施工 3 个开间。分段施工导致底层由原设计的刚性方案变为弹性方案，刚性方案中纵墙的侧向位移可以不考虑，而变为弹性方案后，在风荷载、竖向偏心荷载和底层均布荷载作用下，纵墙的侧向位移将不能忽略，结构的整体稳定性和承载力降低。施工过程中采取隔墙与承重墙同步施工的方法，改变了结构的传力路径，使得二层楼面主梁承受荷载增大，导致承载力不足。

[事故分析]

隔墙与承重墙同时施工，导致隔墙承受上层重量，传力路径改变。原来的荷载传递路线：

各层板和横隔墙 → 各层梁 → 纵墙 → 基础 → 地基

改变后：

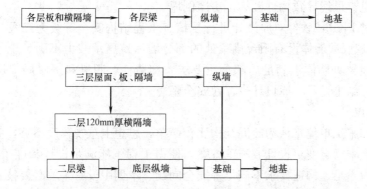

改变后二层主梁增加了三层横隔墙传递的荷载，需要重新进行高厚比和承载力验算。

墙体高厚比验算：

120mm 厚的填充墙计算高厚比为 3000/120＝25＞24，大于承重墙允许的最大高厚比。

二层托梁承载力验算：

梁截面为 250mm×750mm，支座配负筋 3Φ20，跨中配筋 4Φ25，箍筋Φ8@150。托梁顶面的荷载设计值为 $Q_1=37\text{kN/m}$，墙梁顶面荷载设计值为 $Q_2=111\text{kN/m}$。根据《砌体结构设计规范》GB 50003—2011 中 7.3.6 条规定进行跨中截面和支座截面的验算。

跨中截面：

托梁跨中截面应按混凝土偏心受拉构件计算，跨中最大弯矩设计值 M_{bi} 及轴心拉力设计值 N_{bti} 按下列公式计算：

$$M_{bi}=M_{1i}+\alpha_M M_{2i}=304+0.128\times 901=419.3\text{kN}\cdot\text{m}$$

$$N_{bti}=\eta_N \frac{M_{2i}}{H_0}=1.22\times\frac{901}{3.375}=325.7\text{kN}$$

查得跨中所需配筋：$A_s=2312\text{mm}^2>1964\text{mm}^2$，故施工方案改变后，跨中配筋不能满足强度要求。

支座截面：

托梁支座截面应按混凝土受弯构件计算，弯矩设计值 M_{bj} 按下列公式计算：

$$M_{bj}=M_{1j}+\alpha_M M_{2j}=243+0.4\times 719=530.6\text{kN}\cdot\text{m}$$

查得支座所需配筋：$A_s=3197\text{mm}^2>942\text{mm}^2$，故施工方案改变后，支座配筋不能满足强度要求。

托梁支座上部砌体局部受压承载力，根据《砌体结构设计规范》GB 50003—2011 第 7.3.10 条按下列公式进行验算：

$$Q_2\leqslant\xi fh$$

其中：$Q_2=111\text{kN/m}$，$f=1.28\text{N/mm}^2$，$h=120\text{mm}$，$\xi=0.25+0.08\times\frac{b_f}{h}=0.53$，$\xi fh=0.53\times 1.28\times 120=81.4\text{N/mm}=81.4\text{kN/m}$，$Q_2>\xi fh$，方案改变后局部受压承载力不满足要求。

施工方案改为分段施工，刚性方案变为弹性方案，承重墙和隔墙同时施工，改变了荷载的传递路径，二层主梁起到了托梁的作用，导致二层主梁的正截面、支座截面和局部受压承载力都不足，最终导致构件破坏，房屋倒塌。

此外，通过 PKPM 软件对原设计进行复核（工程结构安全等级为二级，施工等级按 C 级考虑），发现底层墙体设有阳台挑梁处的部分墙体抗压承载力不满足规范要求，各楼层 1/B 轴阳台挑梁处墙体不满足局部承压要求，构造柱、圈梁和房屋局部尺寸也不满足抗震构造要求。结果显示，原设计也存在安全隐患。

［结论与建议］

设计单位和施工单位常认为砖混结构比较简单，思想上重视程度不够，甚至可能为迎合甲方不合理要求擅自变更设计或施工方案，使得工程不能满足设计和施工的规范要求，从而出现承载力不足、构造要求不满足等安全问题。本例中没有采取必要技术措施的分段施工和隔墙、承重墙施工顺序的擅自改变等因素使得结构计算方案发生变化，导致房屋倒塌事故。在砌体结构工程中，各方都应对设计和施工方案给予足够的重视，确保满足规范要求。

【例 2-5】 上海某公司楼房裂缝问题

［事故简况］

此建筑是上海某公司的一栋 2 层砖砌楼房，是相邻厂房的辅助用房，建成投入使用后不久就出现了严重的质量问题,房屋的墙上不断出现新裂缝,裂缝宽度达几十毫米。伸缩缝两边的楼板、屋面板出现几十毫米至一百多毫米的垂直和水平位移,部分门窗变形严重。辅房北立面墙体底部开裂严重,裂缝发展不规律,窗间墙有斜裂缝和垂直裂缝,宽度5mm以上。房屋有较大不均匀沉降和墙体开裂,导致底层大门门框开裂和变形,严重影响使用。

[事故分析]

房屋裂缝主要是由于厂房和辅房的基础有不均匀沉降所造成的,因为现场检测中没有找到原房屋沉降观测点,为了估算辅房纵向的不均匀沉降,对辅房二层楼面外廊的走道高程进行了测量,采用水准仪。测量结果如表2-2和图2-8所示。

二楼楼面各部位高程（cm） 表2-2

测点	1	2	3	4	5	6	7	8	9
高程	165.5	164.5	147.0	160.5	157.2	166.1	163.2	159.2	146.0

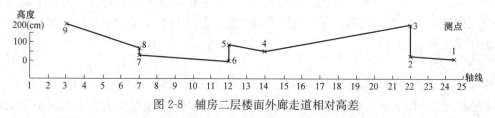

图2-8 辅房二层楼面外廊走道相对高差

检测结果显示,二层楼面在伸缩缝处的两边楼板有明显的高差,在7轴线相对高差为40mm,在12轴相对高差为89mm,在22轴相对高差为175mm,而12轴至3轴之间的高差有201mm。即使考虑到施工时原楼面不一定完全水平,但一二百毫米的高差可以反映出辅房沿纵向存在明显的不均匀沉降。值得注意的是,辅房沉降相对较大的部位均是在变压器室处,如7~12轴和22~24轴。

除了采用水准仪测量高程外,现场检测还采用经纬仪对辅房东北角和西北角的倾斜情况进行了测量,测量结果如图2-9所示。从图中可以看到,房屋明显向东北方向倾斜,最大倾斜发生在东北角,向北和向东分别倾斜83mm和30mm,倾斜角分别为9‰和3.3‰;西北角向北和向东分别倾斜40mm和7mm,倾斜角分别为4.3‰和0.8‰。

图2-9 辅房倾斜示意图

在二层楼面观察到伸缩缝处各段楼面有明显的水平错位,在12轴处错位约80mm,在14轴处错位约85mm,在22轴处错位约90mm。

不均匀沉降主要分三种情况:地基不均匀、荷载不均匀、高压缩性地基。调查此房屋不均匀沉降的原因,发现主要是由于不均匀荷载引起的。几个房间作为变压器室使用,其重量远远超过了其周围房间的使用荷载,而且作为辅助用房,是在其南面相邻的厂房之后建造的，使用荷载也不相同，导致不均匀沉降。

[结论与建议]

此房屋的不均匀沉降主要是由于设计中没有考虑到设备重量较大，将设计荷载估计过低，导致不均匀荷载引起不均匀沉降，从而产生了严重的裂缝问题，影响了建筑的正常使用，还会导致渗水漏水和安全隐患。在砌体结构的设计中一定要注意到房间的用途，使用正确合理的荷载设计值进行设计和验算。

2.4 因施工失误引起的事故

【例 2-6】 挑檐支模不当引起墙体倒塌

[事故简况]

某综合服务楼为 4 层内框架结构。外墙首层窗上沿有一通长的遮阳板，如图 2-10 所示。在浇筑遮阳板的过程中（已浇筑 22m），突然发生外墙倒塌。倒塌部分为遮阳板及全部一层窗间墙，倒塌线大致沿脚手架的留孔处发生。倒塌后，支承遮阳板的吊架斜杆发生严重的压曲变形。

[工程概况]

该工程由市正规设计院设计，外墙－内柱承重。砖墙厚 370mm，采用 MU7.5 砖、M5 砂浆砌筑。中间为钢筋混凝土柱，400mm×400mm，C25 级混凝土。由市区施工队施工。浇筑遮阳板时采用吊架支模，即在每个窗间墙内设置一个吊架，吊架由角钢及钢管连接成的三角形支架为承重骨架，两个三角形骨架间用木垫板联系好，上设 100mm×150mm 方木为立柱，支承遮阳板模。在窗间墙处，吊架支于墙上，有两个脚手眼。在窗口处，则改用斜撑直接支于窗台墙上。事故发生后检查，设计无错误。材料符合设计要求，砂浆还未完全硬化，实测强度为 M0.4。初步判断为支模不当，使墙体受力过大、承载力不足引起的。

[事故分析]

计算书无误，符合规范要求。现重点分析施工中窗间墙的受力情况。

三角形吊架支于墙上的计算简图可取为构架，如图 2-10 所示。荷载有：遮阳板混凝土重，按实际计算，为 $3.4kN/m^2$；施工荷载 $1kN/m^2$；模板自重折合 $0.4kN/m^2$。每一窗间墙有两个三角形支架，窗户处有两个支架，所以每一支架受荷面积为 1/4（开间×遮阳板伸出宽度），所以作用在三角形支架上的垂直力为：

$$P_a = P_b = \frac{1}{2} \times \frac{1}{4}(6.6 \times 0.8) \times (3.4 + 1.0 + 0.4) = 3.16 kN$$

在 P_a、P_b 作用下，窗间墙反力为：

$$H_e = H_f = P_b \times \frac{0.8}{1.4} = 1.8 kN$$

$$V_e = v_f = \frac{P_a + P_b}{2} = 3.16 kN$$

窗间墙体自重　　$W = 0.37 \times 1.95 \times 1.3 \times 1.8 = 16.88 kN$

墙体所承轴力　　$N = 16.88 + 2 \times 3.16 = 23.2 kN$

所受弯矩：

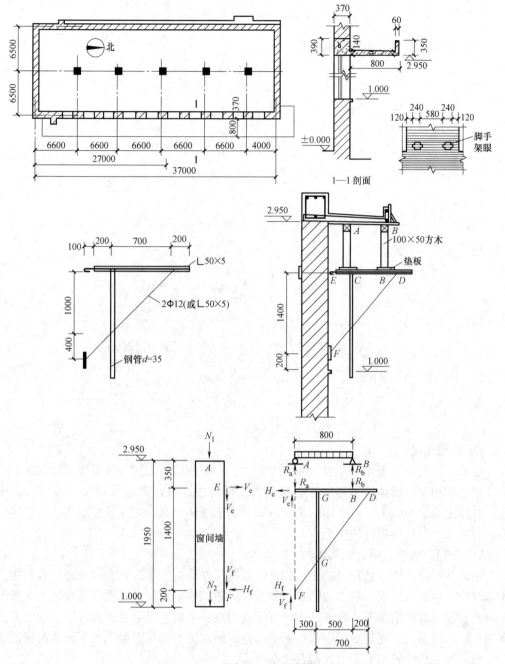

图 2-10 综合服务楼支模简图

$$M = H_e \times 1.4 + (V_e + V_f) \times \frac{0.37}{2} = 2.53 + 1.17 = 3.7 \text{kN} \cdot \text{m}$$

强度复核：

$$e_0 = \frac{3.7 \times 10^6}{23.2 \times 10^3} = 159.5 \text{mm}$$

$$y = \frac{h}{2} = \frac{370}{2} = 185 \text{mm}$$

$$\frac{e_0}{y}=\frac{159.5}{185}=0.86>0.7,但小于0.95y$$

故应按如下两个公式复核承载力：

$$N_u=\varphi f A$$

式中 $A=(1300-2\times24)\times370=303400\text{mm}^2$

由 MU7.5 及 M0.4 查得 $f=0.79\text{N/mm}^2$

由 $\beta=\dfrac{1950}{370}=0.5$

$$l=\frac{e_0}{h}=\frac{159.5}{370}=0.431$$

查表得 $\varphi=0.21$

所以 $N_u=0.21\times0.79\times303400\text{mm}^2=50330\text{N}=50.33\text{kN}>23.2\text{kN}$

这一要求可满足。

$$N_K=\frac{f_{t,k}A}{\dfrac{Ae_0}{W}-1}$$

式中 $A=303400\text{mm}^2$

$$W=\frac{1}{6}bh^2=\frac{1}{6}(1300-2\times240)\times370^2=29.6\times10^6\text{mm}^3$$

由 MU7.5、M0.4 查得 $f_{t,k}=0.06\text{N/mm}^2$

所以 $N_K=\dfrac{0.06\times303400}{\dfrac{0.303\times10^6\times159.5}{29.6\times10^6}-1}=11.650\text{N}<\text{kN}=23.2\text{kN}$（严重不足）

[结论与建议]

在施工过程中由于支模不当，倾覆力矩过大，致使墙体无能力承受而引起倒塌。

建议拆除倒塌墙体，重新施工时应改进支模方法。因遮阳板在首层，可用大头撑支模，直接支承于地面上，可不用三角形吊架。支于墙体上时，应注意扣眼孔洞对墙体的削弱，有必要计算后再进行施工操作。

【例 2-7】 挑檐、阳台塌落事故

挑檐、阳台、雨篷是常见的悬挑构件。悬挑构件塌落的事故在全国各地时有发生。由于悬挑构件在受力性能上有一些特点，如设计或施工中不加注意，尤其是在施工人员不懂技术或知之不深的情况下，很容易因处置不当而造成事故。引起悬挑构件事故的主要原因有两个：一是受力主筋放反了引起折断；二是抗倾覆能力不足而翻倒。下面举两例说明。

(1) 因主筋放置不当而引起阳台折断

在房屋结构中通常的梁板结构是两端都有支承的（支承于大梁或墙上）。在垂直荷载作用下，梁内产生正弯矩，梁或板的底面受拉，因而受拉主筋配置在下面，如图 2-11（a）所示。但悬挑构件不同，在垂直荷载作用下，挑檐产生负弯矩，上边受拉，因而受拉主筋配置在上边，如图 2-11（b）所示。这一点务必注意。如果不懂原理，把钢筋放在下边，则必然会造成断裂。在有些情况下，施工人员也知道按图应放在上边，但因支垫不妥，施工时浇筑混凝土的工人踩在上边把钢筋踩下去，或被浇筑的混凝土压到下面，这样也易造成事故，例如，某一阳台板，厚 80mm，宽 4.5m，挑出 1.2m，配筋Φ8@75，相当于每

米配筋 $A_s=671\text{mm}^2$。若施工合格，取 $a=15\text{mm}$，则 $h_0=80-15=65\text{mm}$，材料强度：C25，$f_c=11.9\text{N}/\text{mm}^2$，HPB300级钢筋 $f_y=270\text{N}/\text{mm}^2$，则其可承受的弯矩计算如下：

$$x=\frac{A_s f_y}{f_c b}=\frac{671\times 270}{11.9\times 1000}=15.22\text{mm}$$

$$M_u=A_s f_y\left(h_0-\frac{x}{2}\right)=671\times 270\times(65-15.22/2)=10397346\text{N}\cdot\text{mm}=10.4\text{kN}\cdot\text{m}$$

若施工时，受力主筋被压下去了，例如到了板的中间，使 $a=45\text{mm}$，则 $h_0=80-45=35\text{mm}$，其承载力为：

$$M'_u=A_s f_y\left(h'_0-\frac{x}{2}\right)=671\times 270\times(35-15.22/2)=-4962246\text{N}\cdot\text{mm}=5.0\text{kN}\cdot\text{m}$$

只有原设计承载力的50%，这就极易发生断裂或塌落事故。若钢筋放反了，置于梁底，则几乎丧失了承载力，发生事故是肯定无疑的。

(2) 因抗倾覆能力不足而引起翻倒

悬挑构件还有一个问题是倾覆。图 2-11（c）所示为某食堂大门的雨篷板，挑出 1.2m，宽 2m，雨篷板根部厚 100mm，经计算可知其重心在 G_0 处，如果雨罩上没有墙体（G_2）或其他压重（G_1）则必然会翻落。规范要求设计计算时取倾覆转动点在外墙皮向里的 O' 点，并要求抗倾覆的力矩（$G_1 d_1+G_2 d_2$）的0.8倍必须大于倾覆力矩（$G_0 d_0$），即相当于有1.25的安全系数。该食堂设计时其抗倾覆力矩主要依靠大型屋面板的压重。在施工过程中，雨篷板用大头撑支撑于地面上浇筑混凝土。在屋面大型屋面板尚未封顶时，由于模板周转有一定困难，工长与木工商量决定拆除雨篷下的支撑及模板，移作它处使用。在拆完支撑后，雨篷板及雨篷梁上部的砖墙同时倾覆倒塌，并拉倒了外墙脚手架，砸中拆模工人，在脚手架上工作的3名瓦工从高空坠落而一死二伤，造成重大事故。

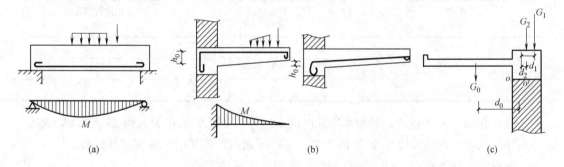

图 2-11 梁的弯矩图及相应的配筋位置
(a) 两端支承梁；(b) 悬挑梁；(c) 某食堂大门雨篷板受力分析图

2.5 因材料不合格或使用不当而引起的事故

【例 2-8】 灰砂砖墙体严重开裂事故

[事故简况]

由中国塔里木石油开发指挥部投资，在新疆库尔勒市石油物资基地修建4幢危险品仓库。库房施工刚刚结束，准备办理交工手续时，发现墙体出现裂缝，并不断增多、增宽，最大裂缝宽度达 2.1mm，一般为 1mm 左右，不得不停办交工事宜。请专家检查墙体开裂原因。

[工程概况]

该工程由新疆石油管理局克拉玛依设计院设计，由新疆兵团农二师工程团承建，手续完备，程序合格，设计和施工管理均合乎要求。库房为砖混结构，每幢面积为 937.7m²，库房长 60.5m，宽 5.5m，墙体高 4.32m。中间无任何内隔墙，前后墙上每隔 6m 有一外凸壁柱（37 墙，370mm×370mm 垛子）。两壁柱间墙上离地面 3.12m 处设两个高窗（1.5m×1.2m），窗上设一道圈梁（240mm×180mm）。前墙上开有两个 2.1m×2.4m 的大门。屋盖为钢筋混凝土 V 形折板，上铺珍珠岩保温层，采用二毡三油防水层，上铺小豆石。地基为戈壁土，地质勘测报告建议承载力为 180kN/m²。基础采用 C10 毛石混凝土。

裂缝大多从窗下口开始，大致垂直向下发展，370mm 厚墙由外向里裂透，裂缝发展了三个月，基本上稳定，最终在两壁柱间均有一道大裂缝，山墙上有 1~2 道裂缝。

[事故分析]

工程原设计采用红砖 MU7.5，因红砖供应短缺，经协商改用 MU10 灰砂砖，但对灰砂砖的性能缺乏深入了解，只是按等强度替换。其实，灰砂砖的性能有一定的特点，主要有：

(1) 其抗压性能与普通黏土砖相当，但抗剪强度平均值只有普通黏土砖的 80%，且与含水率有很大关系，其含水率对抗剪强度的影响见表 2-3。可见，灰砂砖的含水率过低或过高均使其抗剪强度降低。

含水率对砌体抗剪强度的影响　　　　　　　　　　表 2-3

含水率 （%）	砂浆强度 （MPa）	砌体抗剪强度 （MPa）
3（烘干）	3.79	0.09
7.24（自然状态）	3.79	0.14
16.2（饱和）	3.79	0.12

(2) 新出厂的灰砂砖，其含水率随时间而减小，收缩变形较大，约 25 天后趋于稳定。

(3) 灰砂砖的饱和吸水率为 19.8%，与红砖相当，但其吸水速度比红砖慢。

如对以上性能掌握不好，处置不当，则易造成开裂事故。

该工程使用灰砂砖，由于灰砂砖供应也很紧张。所有使用的砖都是在砖厂堆放不到 4 天就运到工地砌筑，有的一出窑便装车运往工地。施工时工人不懂灰砂砖的特点，考虑到新疆库尔勒属干燥地区，施工时又猛浇水，使砖的干燥时间大为延长。施工时值 8 月间，天气炎热，地表温度有时可高达 60℃，这些因素加剧了砖的干缩变形，从而造成大面积开裂。

[结论与建议]

鉴于上述事故，对使用灰砂砖的墙体工程在设计和施工时应注意：

(1) 对空旷库房、车间纵墙很长时，最好不采用灰砂砖。

(2) 灰砂砖在出窑后一定要停放一个月后再使用；堆放时要防水、防潮，以免含水率过高。

（3）一般情况下，灰砂砖含水率为5%～7.5%，可以不浇水湿润。在干燥高温时可适当浇水，但应提前一些，因为灰砂砖吸水速度很慢，临时浇水形成水膜而未吸收，反而降低砌体强度。

（4）采用灰砂砖的砌体宜适当增加圈梁。在窗下、墙顶两皮砖位置可设置Φ4钢筋网片，两端各伸入墙内500mm。

采取以上措施后一般可避免裂缝事故。

2.6 砌体常见裂缝分析及预防

砌体出现裂缝是非常普遍的质量事故之一。砌体轻微细小裂缝影响外观和使用功能，严重的裂缝影响砌体的承载力，甚至引起倒塌。在很多情况下裂缝的发生与发展往往是大事故的先兆，对此必须认真分析，妥善处理。裂缝的调查需记录以下几点：裂缝方向、长度；裂缝宽度、深度；裂缝边缘形状；裂缝出现时间。

砌体中发生裂缝的原因很多，以下详述之。

2.6.1 地基不均匀沉降引起的裂缝

地基发生不均匀沉降后，沉降大的部分砌体与沉降小的部分砌体产生相对位移，从而使砌体中产生附加的拉力或剪力，当这种附加内力超过砌体的强度时，砌体中便产生裂缝。这种裂缝多出现在房屋下层，少数可发展到2～3层，裂缝在纵墙上分布较多，横墙较少。裂缝由沉降差可以判断出砌体中主应力的大致方向。裂缝大致与主应力方向相垂直，裂缝一般朝向凹陷处，如图2-12中列举了一些常见的因地基不均匀沉降引起的裂缝。裂缝的发展变化随时间增加而增多。一般在地基变形稳定后裂缝不再发展，极少数裂缝严重导致房屋倒塌。

预防地基不均匀沉降引起裂缝的主要措施有：

（1）合理设置沉降缝。在房屋体型复杂，特别是高度相差较大时或地基承载相差过大时，应设沉降缝。沉降缝应从基础开始分开，且有足够的宽度，施工中应保持缝内清洁，应防止碎砖、砂浆等杂物落入缝内。

（2）加强上部的刚度和整体性，提高墙体的抗剪能力。减少建筑物端部的门、窗洞口，增大端部洞口到墙端的墙体宽度，加强圈梁布置加强结构的整体性。

（3）加强地基验槽工作，发现有不良地基应及时妥善处理，然后才可以进行基础施工。

（4）不宜将建筑物设置在不同刚度的地基上，如同一区段建筑，一部分用天然地基，一部分用桩基等。必须采用不同地基时，要妥善处理，并进行必要的计算分析。

（5）施工时应先建重（高层）建筑，后建轻（低层）建筑，注意基坑开挖和地基处理对相邻建筑物的影响。

2.6.2 地基冻胀引起的裂缝

地基土上层温度降到0℃以下时，冻胀性土中的上部水开始冻结，下部水由于毛细管

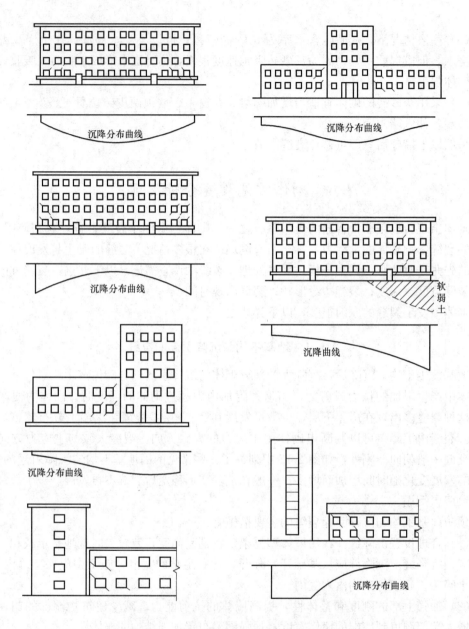

图 2-12 地基不均匀沉降引起的裂缝示例

作用不断上升,在冻结层中形成冰晶,体积膨胀,向上隆起。隆起的程度与冻结层厚度及地下水位高低有关,一般隆起可达几毫米至几十毫米,其折算冻胀力可达 2×10^6 MPa,而且往往是不均匀的,建筑物的自重往往难以抗拒,因而建筑物的某一局部将被顶起,引起房屋开裂。

这类冻胀裂缝在寒冷地区的一、二层小型建筑物中很常见。若设计员对冻胀的危害性认识不足,认为小建筑基础可以埋浅一点;或者施工人员素质欠佳,遇到难以开挖的坚硬冻土,擅自抬高基础埋深,都将造成冻胀裂缝。此外,有些建筑物的附属结构,如门斗、台阶、花坛等往往设计或施工不够精心,埋深不够,常造成冻胀裂缝。一些冻胀引起的裂缝如图 2-13 所示。

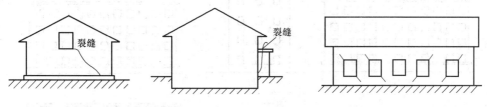

图 2-13 地基冻胀引起的裂缝示例

防止冻胀引起裂缝的主要措施有：

（1）一定要将基础的埋置深度设置到冰冻线以下。不要因为是中小型建筑或附属结构而把基础置于冰冻线以上。有时，设计人员因有采暖而未将室内隔墙基础置于冰冻线以下，从而引起事故。应注意在施工时或交付使用前即有发生冻胀事故的可能，应采取适当措施。

（2）在某些情况下，当基础不能做到冰冻线以下时，应采取换土（换成非冻胀土）等措施消除冻胀事故的隐患。

（3）用单独基础，采用基础梁承担墙体重量，其两端支于单独基础上。基础梁下应留有一定孔隙，防止土的冻胀顶裂基础和砖墙。

2.6.3 温度差引起的裂缝

热胀冷缩是绝大多数物体的基本物理性能，砌体也不例外。由于温度变化不均匀使砌体产生不均匀收缩，或者砌体的伸缩受到约束时，则会引起砌体开裂。

常见的是砌体长度过长，砌体伸缩在上层较大而在基础处受约束较小，从而引起开裂。故应按规范要求设置伸缩缝。

此外，由于混凝土屋盖，混凝土圈梁与砌体的温度膨胀系数不同，在温度变化时会使墙体产生裂缝。

图 2-14 中列举了一些常见的因温度变化而引起的裂缝。

防止温度变化引起裂缝的主要措施有：

（1）按照国家颁布的有关规定，根据建筑物的实际情况（如是否采暖，所处地点温度变化等）设置伸缩缝。在施工中要保证伸缩缝的合理做法，使之能起作用。

（2）合理设置灰缝钢筋，间距、位置、配筋率等应满足要求。

（3）屋面如为整浇混凝土，或虽为装配式屋面板，但其上有整浇混凝土面层，则要留好施工带，待一段时间后再浇筑中间混凝土，这样可避免混凝土收缩及两种材料因温度线膨胀系数不同而引起的不协调变形，从而避免裂缝。

（4）在屋面保温层施工时，从屋面结构施工完到做完保温层之间有一段时间间隔，这期间如遇高温季节则易因温度变化急剧而致裂。故屋面施工最好避开高温季节。

（5）遇有长的现浇屋面混凝土挑檐、圈梁时，可分段施工，预留伸缩缝，以避免混凝土伸缩对墙体的不良影响。

（6）必要时在顶层圈梁上设置宽 40~50mm 的遮阳板，避免阳光直射圈梁，减小温差。

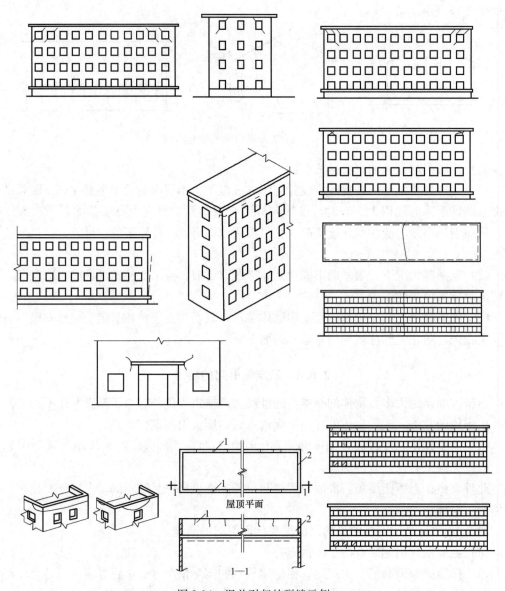

图 2-14 温差引起的裂缝示例

2.6.4 地震作用引起的裂缝

与钢结构和混凝土结构相比，砌体结构的抗震性是较差的。地震烈度为 6 度时，对砌体结构就有破坏性，对设计不合理或施工质量差的房屋就会引起裂缝。当遇到 7~8 度地震时，砌体结构的墙体大多会产生不同程度的裂缝，标准低的一些砌体房屋还会发生倒塌。

地震引起的墙体裂缝大多呈 X 形，如图 2-15 所示。这是由于墙体受到反复作用的剪力所引起的。除 X 形裂缝外，在地震作用下也会产生水平裂缝与垂直裂缝，特别是在内外墙咬槎不好的情况下，在内外墙交接处很易产生竖直裂缝，甚至整个纵墙外倾或倒塌。2008 年汶川地震中，无筋砌体房屋破坏严重，主要有窗间墙开裂、拱肩墙开裂和复合开裂几种破坏模式，说明无筋砌体结构抗拉强度低，难以满足抗震要求。2004年的土耳其Dogubayazit镇震后砌体房屋破坏严重，其主要原因在于：砂浆强度低，砌块为不规则石块，表面光滑，石块之间的连接强度低，水平力作用下易横向滑动。

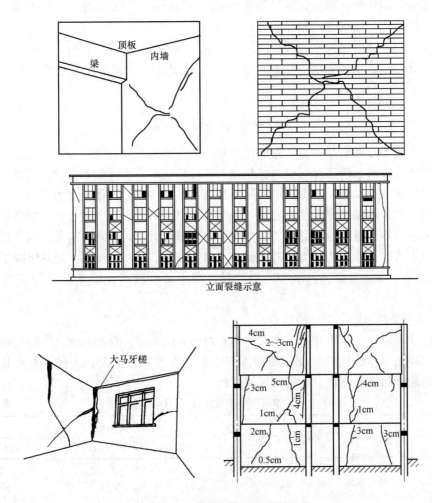

图 2-15 地震作用引起的裂缝

对砌体结构，要求在地震作用下不产生任何裂缝一般是做不到的。但设计和施工中采取一定措施，做到在地震作用下少开裂，不大开裂，并做到"大震不倒"是可能的。所能采取的措施主要有：

(1) 应按结构抗震设计规范要求设置圈梁，注意圈梁应闭合，遇有洞口时要满足搭接要求。圈梁截面高度不应小于120mm，6、7度地震区纵筋至少4Φ8，8度地震区则至少4Φ10，9度地震区为4Φ12，箍筋间距不宜过大，对6、7度，8度和9度地震区分别不宜大于250mm、200mm和150mm。遇到地基不良，空旷房屋等还应适当加强。

(2) 设置构造柱。在房屋四角、楼梯间处、较长的墙体内应设置构造柱，其截面不应小于240mm×180mm，主筋一般为4Φ14（转角处可用8Φ10），箍筋间距不宜大于250mm，且往上下端应加密。对7度地震区超过6层，8度地震区超过5层及9度地震区，箍筋间距不应超过200mm。构造柱应与圈梁连接。下边不设单独基础，但应伸入室外地面500mm或锚入地下。构造柱往往与砌体组合在一起。这时应特别注意振捣密实，不留孔洞，竖筋位置正确，与墙体拉结可靠。构造柱断面应做成马牙槎，先退后进，应该有一面是外露的，以便拆模后检查。

(3) 楼板和墙体应可靠连接并控制楼板刚度。楼板应有足够的刚度，在地震作用下能将荷载分配至墙体，结构作为整体受力，墙体承受大部分荷载，出现面内破坏，裂缝呈X形，但不易出现整体倒塌。然而楼板刚度过大且与墙体连接程度较低时，墙体所受荷载增大，容易倒塌。增强楼板和墙体连接以及增加楼板刚度的措施仅对某些类型的砌体结构适用。

2.6.5 砌块房屋的裂缝

混凝土小型空心砌块是一种新型的建筑材料，它的出现给古老的砌体结构注入了新的生命力。由于它所具有的诸多优点，已经成为替代传统的黏土砖最有竞争力的墙体材料。

但是，根据调查发现，小型砌块房屋的裂缝比砖砌体房屋多而且更为普遍，引起了工程界的重视。砌块房屋建成和使用之后，由于种种原因可能出现各种各样的墙体裂缝。从大的方面来说墙体裂缝可分为受力裂缝与非受力裂缝两大类。在各种荷载直接作用下墙体产生的相应形式的裂缝称为受力裂缝。而由于砌体收缩、温湿度变化、地基沉降不均匀等引起的裂缝则为非受力裂缝，又称变形裂缝。本小节着重讨论变形裂缝的成因和表现形式。

1. 小型砌块砌体的力学性能特点

小型砌块砌体与砖砌体相比，力学性能有着明显的差异。在相同的块体和砂浆强度等级下，小型砌块砌体的抗压强度比砖砌体高许多（表2-4）。这是因为砌块高度比砖大3倍，不像砖砌体那样受到块材抗折指标的制约。

砌体抗压强度设计值（MPa） 表2-4

砌体种类	块体强度等级	砂浆强度等级			
		M10	M7.5	M5	M2.5
砖砌体	MU15	2.31	2.07	1.83	1.60
	MU10	1.89	1.69	1.50	1.30
	MU7.5	1.63	1.47	1.30	1.13
小型空心砌块砌体	MU15	4.02	3.61	3.20	2.78
	MU10	2.79	2.51	2.22	1.93
	MU7.5	2.16	1.94	1.71	1.49
	MU5	—	1.34	1.19	1.04

砌体抗拉、抗剪强度设计值（MPa） 表2-5

	砌体种类	砂浆强度等级			
		M10	M7.5	M5	M2.5
抗拉强度	砖砌体	0.19	0.16	0.13	0.09
	小型空心砌块砌体	0.09	0.08	0.07	—
抗剪强度	砖砌体	0.17	0.14	0.11	0.08
	小型空心砌块砌体	0.09	0.08	0.06	—

但是，相同砂浆强度等级下小砌块砌体的抗拉、抗剪强度却比砖砌体小了很多，沿齿缝截面弯拉强度仅为砖砌体的 30%，沿通缝弯拉强度仅为砖砌体的 45%～50%，抗剪强度仅为砖砌体的 50%～55%（表 2-5）。因此，在相同受力状态下，小型砌块砌体抵抗拉力和剪力的能力要比砖砌体小很多，所以更容易开裂。这个特点往往没有受到重视。

此外，小型砌块砌体的竖缝比砖砌体大 3 倍，加大了其薄弱环节更容易产生应力集中。

2. 砌块房屋裂缝的特点

黏土砖是烧结而成的，成品后干缩性极小，所以砖砌体房屋的收缩问题一般可不予考虑。

小型空心砌块则是混凝土拌合料经浇筑、振捣、养护而成的。混凝土在硬化过程中逐渐失水而干缩，其干缩量因材料和成型质量而异，并随时间增长而逐渐减小。以普通混凝土砌块为例，在自然养护条件下，成型 28d 后，收缩趋于稳定，其干缩率为 0.03%～0.035%，含水率 50%～60%。砌成砌体后，在正常使用条件，含水率继续下降，可达 10%，其干缩率为 0.018%～0.027%，干缩率的大小与砌块上墙时含水率有关，也与温度有关。

对于干缩已趋稳定的普通混凝土砌块，如再次被水浸湿后，会再次发生干缩，通常称为第二干缩。普通混凝土砌块在含水饱和后的第二干缩，其稳定时间比成型硬化过程的第一干缩时间要短，一般约为 15d，第二干缩的收缩率约为第一干缩的 80%。

砌块上墙后的干缩，引起砌体干缩，而在砌体内部产生一定的收缩应力，当砌体的抗拉、抗剪强度不足以抵抗收缩应力时，就会产生裂缝。

因砌块干缩而引起的墙体裂缝，这在小型砌块房屋中是比较普遍的。在内、外墙以及房屋各层均可能出现。干缩裂缝形态一般有两种，即在墙体中部出现的阶梯形裂缝和环块材周边灰缝的裂缝（图 2-16）。

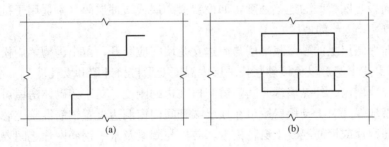

图 2-16 砌块砌体的干缩裂缝
(a) 干缩引起的阶梯状裂缝；(b) 干缩引起块材环四周裂缝

由于砌筑砂浆的强度等级不高，灰缝不饱满，干缩引起的裂缝往往呈发丝状分散在灰缝隙中，清水墙时不易被发现，当有粉刷抹面时便显得比较明显。干缩引起的裂缝宽度不大，且裂缝宽度较均匀。

砌块上墙时如含水率较大，经过一段时间后，砌体含水率降低，便可能出现干缩裂缝。即使已砌筑完工的砌体无干缩裂缝，但当砌块因某种原因再次被水浸湿后，出现第二干缩，砌体仍可能产生裂缝。

砌块的含湿量是影响干缩裂缝的主要因素，所以国外对砌块的含湿率（指与最大总吸水量的百分比）有较严格的规定。日本要求各种砌块的含水率均不超过 40%。美国和加拿大等国，则根据使用砌块地区的湿度环境和砌块的线收缩系数等提出不同要求。例如美国规定混凝土砌块线收缩系数不大于 0.03% 时，对于高湿环境允许的砌块含水率为 45%；中湿环境为 40%；干燥环境时要求含水率不大于 35%。所以，应用于建筑工程中砌筑用的砌块在上墙前必须保持干燥。

混凝土小型砌块的线膨胀系数为 $10×10^{-6}/℃$，比黏土砖砌体大一倍，因此，小型砌块砌体对温度的敏感性比砖砌体高很多，从而更容易因温度变形而引起裂缝。

3. 砌块房屋裂缝防治

（1）由于砌块及其砌体的温度变形和干缩变形均比较大，而抗拉、抗剪强度又比较低，所以伸缩缝间距限制理应比砖砌体严格，过去规范的规定与砖砌体房屋取相同的限值显然是不恰当的，《砌体结构设计规范》GB 50003—2011 已对此作出修改。从国外来看，伸缩缝最大间距的控制是比较严的。美国规定当砌块墙体有水平筋时，间距为 12～18m，当同时有水平及竖向筋时，最大限值为 30m。

（2）在砌块生产方面应加强质量控制。砌块成型后采用自然养护必须达到 28d，采用蒸汽养护达到规定强度后，必须停放 14d 后方可出厂。

（3）砌块房屋施工方面也要加强管理。砌块进入施工现场后，要分类、分型号堆放，并要加遮盖，不被雨淋，不受水浸，如砌块受湿，应再增加 15d 的停放期方可使用。顶层墙体砌筑与屋面板施工应尽量安排在天气条件大致相同的时间进行。

（4）增强基础圈梁刚度，适当增加平面上圈梁布置的密度。

（5）确保屋面保温层的隔热效果，防止屋面防水层失效、渗漏。

（6）在屋盖上设分格缝。其位置纵向在房屋两端第一开间处，横向在屋脊分水线处。

（7）顶层圈梁或支承梁的梁垫均不得与屋面板整浇。增加圈梁的平面布置密度。采取措施减弱屋面板与圈梁间的连接强度，如设置滑动层或缓冲层等（不适用于抗震设防地区和风力大于 $0.7kN/m^2$ 的地区）。

（8）屋盖保温层上的砂浆找平层与周边女儿墙间应断开，留出沟槽，用松软防水材料（如沥青麻刀等）填塞。以免该砂浆找平层因温度变形推挤外墙和女儿墙。

（9）加强顶层内、外纵墙端开间门窗洞口周边的刚度。对于砖砌体房屋可局部采取钢筋混凝土条带加强。对于砌块房屋可在顶层端开间门窗洞边设置钢筋混凝土芯柱，窗台下设置水平钢筋网片或钢筋混凝土窗台板带，芯柱与圈梁及水平钢筋网片之间要有可靠的构造连接。

（10）重新勾缝。将已破坏的砂浆剔除，重新勾缝，有时也加入钢筋或 FRP 条，以控制裂缝发展，但钢筋若锈蚀会使砂浆脱落。某石灰岩建筑足尺振动试验表明，聚合物加固平缝后有助于竖向荷载传递，减少墙体开裂。

2.6.6 因承载力不足产生的裂缝

如果砌体的承载力不足，则在荷载作用下，将出现各种裂缝，以致出现压碎、断裂、崩塌等现象，使建筑物处于极不安全的状态。这类裂缝的出现，很可能导致结构失效，所以应注意观测，主要是观察裂缝宽度、长度随时间的发展情况，在观测的基础上认真分析原因，及时采取有效措施，以避免重大事故的发生。图 2-17 列出了一些典型的因承载力不足引起的裂缝。因承载力不足而产生的裂缝必须加固。在设计时，对大开间、大进深房间加强构造配筋，并增设抗温度变化筋；在易开裂的部位边缘设置暗梁；加强薄弱部位，避免应力集中。

2.6.7 施工质量问题、材料不合格引起的裂缝

原材料的质量直接影响砌体结构的工程质量，砂浆的配合比、各成分的质量，会影响砂浆的强度和使用性能，砌块的质量也直接影响其强度和刚度。砌体结构的施工方法主要是人工砌筑，砌筑质量对结构质量也有重要影响。试验表明，不完好的砂浆勾缝可降低 25%～30% 的砌体抗压强度。澳大利亚的一项报道显示，施工中各项问题导致的结构承载力降低累计可达到 60%。

为避免因材料和施工质量问题而出现砌体裂缝，应采取以下措施：

（1）采用完善的质量管理体系，企业法人、项目经理、班组长、施工人员全员参与质量控制。控制好砌筑工艺和施工速度，抓好关键部位和关键作业。如：灰缝厚度和砌块高度之比应控制在合理范围内；控制墙体砌筑偏差，减小偏心荷载引起的承载力降低。主要注意三种缺陷：不垂直、弯曲、偏离准线。若一层高度偏差达到 15～20mm，砌体承载力可降低约 15%。

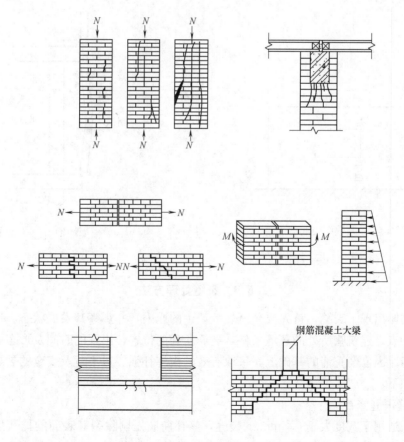

图 2-17 因承载力不足引起的裂缝示例

(2)施工前应做好技术交底工作,施工人员持证上岗,保证每个工种均由专业人员担任。

(3)模板应平整,模板支撑必须有足够刚度,接触面应有可靠的支撑点。如果采用冻结施工法,解冻前应按规定进行检测、加固。在解冻期间尽可能暂停建筑内外部所有施工操作。

(4)材料进场前应验收,并应进行抽样试验,合格后方能使用。若采用新型材料一定要注意使用条件。控制砌块的吸水率,避免砂浆中水分流失过多,降低连接强度,一些情况下砌筑中可先将砌块沾一下水(非浸泡)以减少其吸水量。

2.6.8 其他原因引起的裂缝

1. 砂浆收缩引起的裂缝

砂浆强度较低时,裂缝出现在砂浆处,而使用高强度砂浆时,裂缝出现在砌块中,收缩裂缝一般出现在开口截面或截面突变处,宽度基本不变,如图 2-18 所示。

2. 框架变形引起填充墙体裂缝

填充在框架中填充墙可能会因为框架的收缩变形产生裂缝,如图 2-19 所示。由框架收缩导致填充墙变形过大,通常需要重砌填充墙并在与楼板水平的位置设置柔性连接,减少位移差对墙体的破坏。

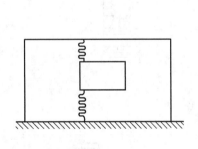

图 2-18 砂浆收缩引起的裂缝

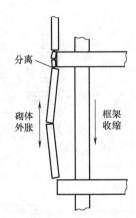

图 2-19 框架变形引起墙体开裂

2.6.9 裂缝处理方法

一旦砌体出现了裂缝,首先要分析裂缝产生的原因,并观察其发展状态。这可以从构件受力的特点,建筑物所处的环境条件,裂缝所处的位置,出现的时间及形态综合加以判断。在裂缝原因已经查清的基础上,采取有效的措施补强。对不危及安全的裂缝,常用的处理方法如下:

1. 裂缝填缝修补

填缝法适用于宽度大于 0.5mm 的裂缝,修补前应先剔除裂缝表面的抹灰层,然后沿裂缝开凿 U 形槽。深度和宽度应满足《砌体结构加固设计规范》GB 50702—2011 第

13.2.2条的要求。对锈蚀裂缝,应先对钢筋除锈,再涂刷防锈涂料,干燥后充填封闭裂缝材料。采用水泥基修补材料时,应先将裂缝及周围砌体润湿,采用有机材料则不得润湿砌体表面。充填材料应采用搓压的方法填入。

2. 裂缝压浆修补

压力灌浆法适用于裂缝宽度大于 0.5mm,深度较大的裂缝。压浆工艺应按照清理裂缝、安装灌浆嘴、封闭裂缝、压气试漏、配浆、压浆、封口处理的流程进行。灌浆采用的水泥浆液的强度大于砌筑所用砂浆,故砌体承载力可恢复。压浆时应严格控制压力,避免损坏边角部位,空气压缩机的压力宜控制在 0.2~0.3MPa。

砂浆的配合比可参考表 2-6。表中稀浆用于 0.3~1mm 的裂缝,稠浆用于 1~5mm 的裂缝;砂浆则用于宽度大于 5mm 的裂缝。

此外,也有仅用纯水泥浆或掺有矿渣料和氟硅酸钠的水玻璃浆体,还有用环氧树脂灌浆材料,可视具体工程的实际情况而选用。

灌浆浆液配合比   表 2-6

胶结料	灰浆种类	水泥	水	砂	108胶	二元乳液	水玻璃	聚醋酸乙烯
108胶	稀浆	1	0.9		0.2			
	稠浆	1	0.6	1	0.2			
	砂浆	1	0.6		0.2			
二元乳胶	稀浆	1	0.9			0.2		
	稠浆	1	0.6	1		0.15		
	砂浆	1	0.6~0.7			0.15		
水玻璃	稀浆	1	0.9				0.01~0.02	
	稠浆	1	0.7	1			0.01~0.02	
	砂浆	1	0.6				0.01	
聚醋酸乙烯	稀浆	1	1.2					0.06
	稠浆	1	0.74	1				0.055
	砂浆	1	0.4~0.7					0.06

3. 外加网片法

此法适用于增强砌体抗裂性能,修复已经风化、剥蚀的砌体。网片材料可选钢筋网、钢丝网、复合纤维织物网等,钢筋直径不宜大于 4mm。网片覆盖的面积应将锚固长度计算在内。

4. 局部更换

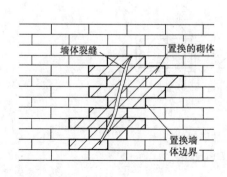

图 2-20 置换法示意图

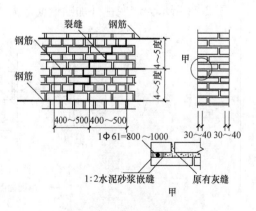

图 2-21 加筋填维修补法

当砌体受力不大,开裂部位材料强度不高时,可采用局部更换法,如图 2-20 所示,即将裂缝两侧砌块拆除,自上而下更换,可以采用原砌块材料,也可以是其他材料。修复过程中应避免对不置换部分的扰动,保证置换的砌体与原有砌体可靠嵌固。修补完成后,再做抹灰层。

当裂缝较宽时,还可在灰缝内嵌上钢筋,然后再用砂浆填缝,具体做法如图 2-21 所示。

当裂缝很宽,发展不稳定而危及安全时,则必须进行强度加固,详见下节介绍。

2.7 砌体的加固方法

当裂缝是因强度不足而引起的,或变形过大甚至已有倒塌先兆,如墙体偏离竖直线 25mm 以上,膨胀达到 10mm 以上时,则必须采取加固措施,常用的加固方法有以下几种。

2.7.1 外加钢筋混凝土加固

当砖柱承载力不足时,常可用外加钢筋混凝土加固。

1. 外加钢筋混凝土的形式

外加钢筋混凝土可以是单面的、双面的和四面包围的。外加钢筋混凝土的竖向受压钢筋可用 $\phi 8 \sim \phi 12$,横向钢箍可用 $\phi 4 \sim \phi 6$,应有一定数量的闭口钢箍,如间距 300mm 左右设一闭合箍筋,闭合箍筋中间可用开口或闭口箍筋与原砌体连接。如闭口箍的一边必须在原砌体内,则可凿去 1 块顺砖,使闭口箍通过,然后用豆石混凝土填实。具体做法如图 2-22~图 2-24 所示。

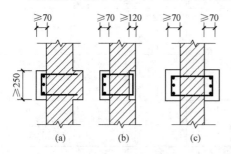

图 2-22 墙体外贴混凝土加固
(a) 单面混凝土(开口箍);(b) 单面加混凝土(闭口箍);(c) 双向加混凝土

图 2-22 所示为平直墙体外贴钢筋混凝土加固。图 2-22(a)、(b) 是单面外加混凝土,图 2-22(b) 为每隔 5 皮砖左右凿掉 1 块顺砖,使钢筋可封闭。

图 2-23 所示为墙壁柱外加贴钢筋混凝土加固。

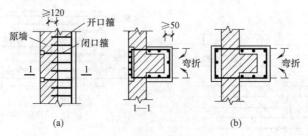

图 2-23 用钢筋混凝土加固砖壁柱
(a) 单面加固;(b) 双面加固

图 2-24 所示为钢筋混凝土加固砖柱。为了使混凝土与砖柱更好地结合,每隔 300mm

（约 5 皮砖）打去 1 块砖，使后浇混凝土嵌入砖砌体内。外包层较薄时也可用砂浆。四面外包层内应设置 $\phi 4 \sim \phi 6$ 的封闭箍筋。间距不宜超过 150mm。

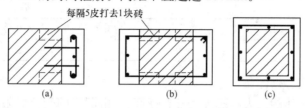

图 2-24 外包混凝土加固砖柱
(a) 单侧加固；(b) 双侧加固；(c) 四周外包加

混凝土常用 C15 或 C20。若采用加筋砂浆层，则砂浆的强度等级不宜低于 M7.5。若砌体为单向偏心受压构件时，可仅在受拉一侧加上钢筋混凝土。当砌体受力接近中心受压或双向均可能偏心受压时，可在两面或四面贴上钢筋混凝土。

2. 加固墙体的承载力计算

经混凝土加固后的砌体已成为组合砌体，可按《砌体结构设计规范》中的组合砌体计算。但应考虑新浇混凝土与原砌体所受应力起点不同，即混凝土存在着应力滞后，因此在计算加固后组合砌体的承载力时，应考虑混凝土部分的强度折减。另外，对于原砌体结构，一般可不折减，但若已经出现破损，其承载力会有所下降。也可视破损程度不同而乘一个 0.7~0.9 的降低系数。

(1) 轴心受压组合砌体

轴心受压组合砖砌体的承载力，可按下式计算：

$$N \leqslant \varphi_{\text{com}}(f_{\text{m0}}A_{\text{m0}} + f_c A_c + \eta_s f'_y A'_s) \tag{2-1}$$

式中　N——构件加固后的轴心压力设计值；
　　　φ_{com}——轴心受压构件的稳定系数，按表 2-7 取用；
　　　f_{m0}——原构件砌体抗压强度设计值；
　　　A_{m0}——原构件截面面积；
　　　f_c——混凝土或面层水泥砂浆轴心抗压强度设计值，按表 2-8 取用；
　　　A_c——新增混凝土或砂浆面层的截面面积；
　　　η_s——受压钢筋的强度系数，当为混凝土面层时，可取 1.0；当为砂浆面层时可取 0.9；
　　　f'_y——新增竖向钢筋抗压强度设计值；
　　　A'_s——新增受压区竖向钢筋截面面积。

组合砖砌体构件的稳定系数 φ_{com}　　　　表 2-7

高厚比 β	配筋率 $\rho(\%)$				
	0.2	0.4	0.6	0.8	1.0
8	0.93	0.95	0.97	0.99	1.00
10	0.90	0.92	0.94	0.96	0.98
12	0.85	0.88	0.91	0.93	0.95
14	0.80	0.83	0.86	0.89	0.92
16	0.75	0.78	0.81	0.84	0.87
18	0.70	0.73	0.76	0.79	0.81
20	0.65	0.68	0.71	0.73	0.75

注：组合砖砌体构件截面的配筋率 $\rho = \dfrac{A'_s}{bh}$。

混凝土或砂浆面层的轴心抗压强区设计值 f_c（N/mm²）　　　表 2-8

面层材料	混凝土		砂浆		
材料强度等级	C15	C20	M7.5	M10	M15
抗压强度设计值	7.2	9.6	2.5	3.4	5.0

（2）偏心受压组合砌体

偏心受压组合砌体的受力状态如图 2-25 所示。由图示的受力极限平衡条件，可得偏心受压组合砌体的承载力计算公式如下：

$$N \leqslant f_{m0}A'_m + f_c A'_c + \eta_s f_y A'_s \tag{2-2}$$

或

$$Ne_N \leqslant f_{m0}S_{ms} + f_c S_{cs} + \eta_s f'_y A'_s(h_0 - a'_s) \tag{2-3}$$

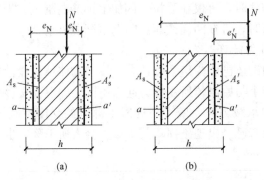

图 2-25　组合砌体偏心受压构件

钢筋 A_s 的应力 σ_s 拉应力为正，压应力为负值，应根据截面受压区相对高度 ξ 确定：

当 $\xi > \xi_b$（小偏心受压）时

$$\sigma_s = 650 - 800\xi \tag{2-4}$$

$$-f'_y \leqslant \sigma_s \leqslant f_y \tag{2-5}$$

当 $\xi \leqslant \xi_b$（大偏心受压）时

$$\sigma_s = f_y \tag{2-6}$$

$$\xi = x/h_0 \tag{2-7}$$

此时受压区的高度 x 可按下式确定：

$$f_{m0}S_{mN} + f_c S_{cN} + \eta_s f'_y A'_s e'_N - \sigma_s A_s e_N = 0 \tag{2-8}$$

$$e_N = e + e_a + (h/2 - a) \tag{2-9}$$

$$e'_N = e + e_a - (h/2 - a'_s) \tag{2-10}$$

$$e_a = \frac{\beta^2 h}{2200}(1 - 0.022\beta) \tag{2-11}$$

式中　A'_m——砌体受压区的截面面积；

　　　A'_c——混凝土面层受压区的截面面积；

　　　η_s——偏心受压构件钢筋强度利用系数，对砖砌体，取 $\eta_s = 1.0$；对混凝土小型空心砌块砌体，取 $\eta_s = 0.95$；

　　　e_N——钢筋 A_s 的合力点至轴向力 N 作用点的距离；

　　　S_{ms}——砌体受压区的截面面积对钢筋 A_s 重心的面积矩；

S_{cs}——混凝土面层受压区的截面面积对钢筋 A_s 重心的面积矩;

ξ_b——加固后截面受压区相对高度的界限值;

S_{mN}——砌体受压区的截面面积对轴向力 N 作用点的面积矩;

S_{cN}——混凝土外加面层受压区的截面面积对轴向力 N 作用点的面积矩;

e'_N——钢筋 A'_s 重心至轴向力 N 作用点的距离;

e——轴向力对加固后截面的初始偏心距,按荷载设计值计算;

e_a——加固后的构件在轴向力作用下的附加偏心距;

β——加固后的构件高厚比;

h——加固后的截面高度;

h_0——加固后的截面有效高度;

a、a'——分别为钢筋 A_s 和 A'_s 的合力点至截面较近边的距离;

A_s——距轴向力 N 较远一侧钢筋的截面面积;

A'_s——距轴向力 N 较近一侧钢筋的截面面积。

钢筋混凝土面层对砌体结构的抗震加固宜采用双面加固形式。砌体墙的抗震受剪承载力应按下式计算:

$$V \leqslant V_{ME} + \frac{V_{cs}}{\gamma_{RE}} \tag{2-12}$$

式中 V——考虑地震组合的墙体剪力设计值;

V_{ME}——原砌体抗震受剪承载力,按现行国家标准《砌体结构设计规范》GB 50003—2011 的有关规定计算;

V_{cs}——采用钢筋混凝土面层加固后提高的抗震受剪承载力,按现行国家标准《砌体结构加固设计规范》GB 50702—2011 的有关规定计算;

γ_{RE}——承载力抗震调整系数,取 γ_{RE} 为 0.85。

(3) 四周外包混凝土加固砖柱

四周外包混凝土加固砖柱的效果较好,对于轴心受压砖柱及小偏心受压砖柱,其承载力的提高效果尤为显著。

由于封闭箍筋的作用,使砖柱的侧向变形受到约束,受力类似于网状配筋砖砌体。由此,四周外包混凝土加固砖柱的受压承载力可按下式计算:

$$N \leqslant N_1 + 2\alpha_1 \varphi_n \frac{\rho_v f_y}{100}\left(1 - \frac{2e}{y}\right) A \tag{2-13}$$

式中 N_1——加固砖柱按组合砖砌体,即按式 (2-2)～式 (2-8) 算得的受压承载力;

φ_n——高厚比和配筋率以及轴向力偏心距对网状配筋砖砌体受压构件承载力的影响系数,按《砌体结构设计规范》GB 50003—2011 有关表取用;

ρ_v——体积配箍率,当箍筋的长度为 a,宽度为 b,间距为 s,单肢截面面积为 A_{sv1} 时

$$\rho_v = \frac{2A_{sv1}(a+b)}{abs} \times 100 \tag{2-14}$$

e——轴向力偏心距;

f_y——箍筋的抗拉强度设计值;

A——被加固砖柱的截面面积;

α_1——新浇的材料强度折减系数,它与原柱的受力状态有关,当加固前原砖柱未损坏时,取 $\alpha_1=0.9$;部分损坏或应力较高时,取 $\alpha_1=0.7$。

2.7.2 外包钢加固

外包钢加固具有快捷、高强的优点。用外包钢加固施工快,且不要养护期,可立即发挥作用。外包钢加固可在基本上不增大砌体尺寸的条件下,较多地提高结构的承载力。用外包钢加固砌体,还可大幅度地提高其延性,在本质上改变砌体结构的脆性破坏的特性。

1. 外包钢加固方法

外包钢常用来加固砖柱和窗间墙。具体做法是首先用水泥砂浆把角钢粘贴于被加固砌体的四角,并用卡具临时夹紧固定,然后焊上缀板形成整体。随后去掉卡具,外面粉刷水泥砂浆,既可平整表面,又可防止角钢生锈,参见图 2-26(a)。对于宽度较大的窗间墙,如墙的高宽比大于 2.5 时,宜在中间增加一缀条,并用穿墙螺栓拉结,参见图 2-26(b)。外包角钢不宜小于 L 50×5,缀板(条)可用 35mm×5mm 或 60mm×12mm 的钢板。注意,加固角钢下端应可靠地锚入基础,上端应有良好的锚固措施,以保证角钢有效地发挥作用。

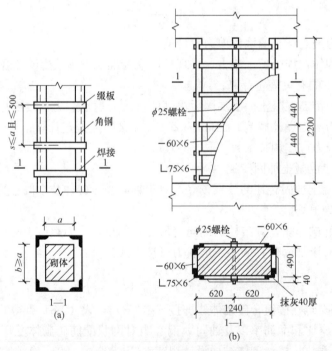

图 2-26 外包钢加固砌体结构
(a) 外包钢加固砖柱;(b) 外包钢加固窗间墙

2. 外包钢加固后承载力的计算

加固后承受的轴向压力设计值 N 和弯矩设计值 M,应按刚度比分配给原柱和钢构架。原柱承受的轴向力设计值 N_m 和弯矩设计值 M_m 应按下列公式计算:

$$N_m = \frac{k_m E_{m0} A_{m0}}{k_m E_{m0} A_{m0} + E_a A_a} N \tag{2-15}$$

$$M_{m}=\frac{k_{m}E_{m0}I_{m0}}{k_{m}E_{m0}I_{m0}+\eta E_{a}I_{a}}M \tag{2-16}$$

钢构架承受的轴向力设计值 N_a 和弯矩设计值 M_a 应按下列公式计算：

$$N_a = N - N_m \tag{2-17}$$

$$M_a = M - M_m \tag{2-18}$$

式中 k_m——原砌体刚度降低系数，对完好原柱，取 $k_m=0.9$；对基本完好原柱，取 $k_m=0.8$；对已有腐蚀迹象的原柱，经剔除腐蚀层并修补后，取 $k_m=0.65$；若原柱有竖向裂缝，或有其他严重缺陷，则取 $k_m=0$，即不考虑原柱作用，全部荷载由角钢（或其他型钢）组成的钢构架承担；

E_{m0}、E_a——分别为原砌体和新增型钢的弹性模量；

A_{m0}、A_a——分别为原砌体截面面积和新增型钢的全截面面积；

I_{m0}——原砌体截面的惯性矩；

I_a——钢构架的截面惯性矩；计算时，可忽略各分肢角钢自身截面的惯性矩，即：$I_a=0.5A_a \cdot a^2$（a 为计算方向两侧型钢截面形心间的距离）；

η——协同工作系数，可取 $\eta=0.9$。

3. 承载力验算

采用外包型钢加固轴心受压砌体构件时，其加固后原柱和外增钢构架的承载力应按下列规定验算：

(1) 原柱的承载力，应根据其所承受的轴向压力值，按现行国家标准《砌体结构设计规范》GB 50003—2011 的有关规定验算，若不满足要求，应加大钢构架截面，并重新进行外力分配和截面验算。

(2) 钢构架的承载力，应根据其所承受的轴向压力值，按现行国家标准《砌体结构设计规范》GB 50003—2011 的有关规定验算。型钢的抗压强度设计值，对仅承受静力荷载或间接承受动力作用的结构，应分别乘以强度折减系数 0.95 和 0.90，对直接承受动力荷载或振动作用的结构，应乘以强度折减系数 0.85。

外包型钢砌体加固后的承载力为钢构架承载力和原柱承载力之和。

2.7.3 钢筋网水泥砂浆层加固

钢筋水泥砂浆加固墙体是在墙体表面去掉粉刷层后，附设由 $\phi 4 \sim \phi 8$ 组成的钢筋网片，然后喷射砂浆（或细石混凝土）或分层抹上密缀的砂浆层。这样使墙体形成组合墙体，俗称夹板墙。夹板墙可大大提高砌体的承载力及延性。

钢筋网水泥砂浆加固的具体做法可参见图 2-27。

钢筋网水泥砂浆面层厚度宜为 30～45mm，若面层厚度大于 45mm，则宜采用细石混凝土。面层砂浆的强度等级一般可用 M7.5～M15，面层混凝土的强度等级宜用 C15 或 C20。面层钢筋网需用 $\phi 4 \sim \phi 6$ 的穿墙拉筋与墙体固定，间距不宜大于 500mm。

受力钢筋的保护层厚度不宜小于表 2-9 中的值。受力钢筋宜用 HPB300 级钢筋，对于混凝土面层也可采用 HRB400 级钢筋。受压钢筋的配筋率，对砂浆面层不宜小于 0.1%；对于混凝土面层，不宜小于 0.2%。受力钢筋直径可大于 48mm 的钢筋，横向筋按构造设置，间距不宜大于 20 倍受压主筋的直径及 500mm，但也不宜过密，应大于等于

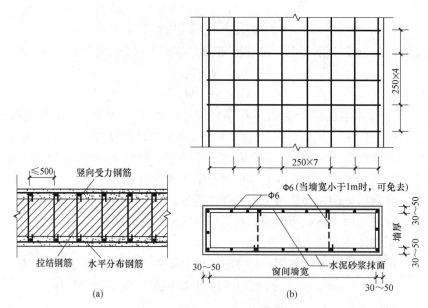

图 2-27 钢筋网砂浆加固砌体
(a) 固整片墙体；(b) 加固窗间墙

120mm。横向钢筋遇到门窗洞口，宜将其弯折 90°（直钩）并锚入墙体内。

保护层厚度（mm） 表 2-9

构件类别	环境条件	
	室内正常环境	露天或室内潮湿环境
墙	15	25
柱	25	35

喷抹水泥砂浆面层前，应先清理墙面并加以湿润。水泥砂浆应分层抹，每层厚度不宜大于 15mm，以便压密压实。原墙面如有损坏或酥松、碱化部位，应拆除后修补好。

钢筋网砂浆面层适宜于加固大面积墙面。但不宜用于下列情况：①孔径大于 15mm 的空心砖墙及 240mm 厚的空斗砖墙；②砌筑砂浆强度等级小于 M0.4 的墙体；③墙体严重酥松或油污、碱化层不易清除，难以保证面层的粘结质量。

钢筋网面层加固后的砌体也是组合砌体，也可按式（21）～式（28）计算其承载力，这里不再重复。

2.7.4 构造性加固法

1. 增设圈梁

若墙体开裂比较严重，为了增加房屋的整体刚性，则可以在房屋墙体一侧或两侧增设钢筋混凝土圈梁，也可采用型钢圈梁。钢筋混凝土圈梁的混凝土强度等级一般为 C15～C20，截面尺寸至少为 120mm×180mm。圈梁配筋可采用 4Φ10～4Φ14，箍筋可用Φ5～Φ6@200～250mm。为了使圈梁与墙体很好结合，可用螺栓、插筋锚入墙体，每隔 1.5～25m 可在墙体凿通一洞口（宽 120mm），在浇筑圈梁时同时填入混凝土使圈梁咬合于墙体上。具体做法如图 2-28 所示。

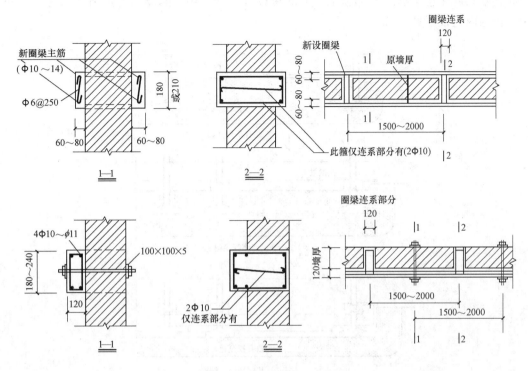

图 2-28 加固砌体的圈梁

2. 增设构造柱

当无构造柱或构造柱的设置不符合现行设计规范要求时，应增设现浇钢筋混凝土构造柱或钢筋网水泥复合砂浆组合砌体构造柱，其材料、构造、设置部位应符合现行设计规范要求。组合构造柱截面宽度不应小于 500mm，穿墙拉结钢筋宜呈梅花状布置，其位置应在丁砖缝上。面层砂浆强度等级：水泥砂浆不应低于 M10，水泥复合砂浆不应低于 M20；钢筋网水泥复合砂浆面层厚度宜为 30~45mm；钢筋网的钢筋直径宜为 6mm 或 8mm，网格尺寸宜为 120mm×120mm，构造柱的钢筋网应采用直径为 6mm 的 Z 形或 S 形锚筋，间距宜为 360mm×360mm。

3. 增设梁垫加固

当大梁下砌体局部压碎或在大梁下墙体出现局部竖向或斜向裂缝时，应增设梁垫进行加固，混凝土强度等级现浇时不应低于 C20，预制时不应低于 C25，尺寸应按现行设计规范的要求，增设梁垫应采用"托梁换柱"的方法进行施工。

4. 砌体局部拆砌

当墙体局部破裂但尚不影响承重及安全时，可将破裂墙体局部拆除，并按提高一级砂浆强度等级用整砖填砌。

2.7.5 隔 震 加 固

采用隔震技术对建筑物进行抗震加固改造是近年来逐渐发展的抗震加固方法，即将传统的"硬抗"思路转变为"软抗"。该方法通过在建筑物下部设置一道抗震层，可以减少地震向上部结构的传递，从而降低上部结构的地震反应，提高建筑的抗震能力。由于这种加固技术只需在建筑物的下部施工,上部建筑可正常使用。隔震加固在国外已有许多应用,在国内还很罕见。

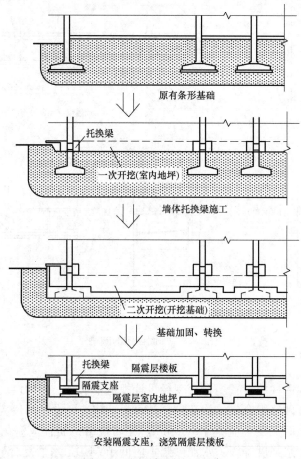

图 2-29 隔震加固施工工序

1. 隔震设计与计算

(1) 隔震支座的布置与选型原则

应在砌体房屋上部结构与基础之间受力较大的位置设置叠层橡胶垫隔震支座,如纵横向承重墙交接处等;应根据竖向承载力、侧向刚度和阻尼的要求通过计算确定其规格、数量和分布;支座的最大水平变形宜不超过支座橡胶总厚度的 215 倍或支座直径的 50%;支座面压力最大不超过 15MPa,且不宜出现拉应力。为减小扭转效应,隔震层的刚度中心与上部结构的质量中心宜相互重合;在罕遇地震下隔震层不宜出现不可恢复的变形。

(2) 隔震计算分析

按照现行国家标准《建筑抗震设计规范》GB 50011—2010 提供的隔震设计简化计算方法对被加固建筑进行计算分析,结果应满足要求。

2. 施工工艺

(1) 工艺原理

主要包括两方面:一是采用框式托换技术,利用托换夹梁和贯穿墙体的连系梁形成一个刚性底盘,上部结构荷载转移到底盘上,使上部结构与基础分离;二是在底盘与基础之间安装隔震支座,对隔震支座与上下结构构件进行可靠的连接,同时对基础进行加固处理。

(2) 施工工序

一般情况下,隔震加固的施工工序为:水准测量→室内外土方开挖→施工放样控制标高→基础加固→施工段划分→墙体托换→墙体开凿→隔震支座就位→混凝土养护、拆模,如图2-29所示。同时,应针对墙体托换、基础加固等关键步骤编制施工专项方案。

3. 构造要求

(1) 框式托换技术可安全可靠、方便快捷地完成墙体托换,托换框架由两条矩形梁和等间隔的连系梁组成,计算构造应满足国家现行《砌体结构设计规范》GB 50003—2011中关于墙梁的要求,同时应满足现行国家标准《建筑抗震设计规范》GB 50011—2010关于混凝土托墙梁的构造要求,托换框架的混凝土强度等级应不低于C25。

(2) 隔震加固后,基础所受荷载改变,由原来的线荷载变为支座传递的集中荷载,其下条形基础必须进行加固处理。

2.7.6 其他加固方法

因砌体破损的情况千差万别,加固砌体也应视具体情况不同而采用不同的方法。除了上述几种主要的加固方法以外,还有不少其他方法。

1. 增设拉杆

墙体因受水平推力、基础不均匀沉降或温度变化引起的伸缩等原因而产生外闪,或者因内外墙咬槎不良而裂开,可以增设拉杆,如图2-30所示。拉杆可用圆钢或型钢。

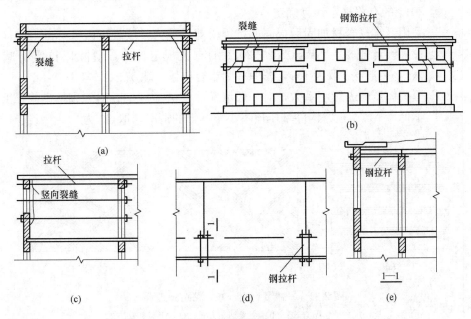

图 2-30 增设拉杆加固

加固砖墙的拉杆直径可按表2-10选用。

2. 粘贴纤维复合材加固法

本方法仅适用于烧结普通砖墙平面内受剪加固和抗震加固。应将纤维受力方式设计成仅承受拉应力作用。纤维复合材粘贴方式如图2-31和图2-32所示。

加固拉杆的直径选用表 表2-10

拉杆间距	房屋进深		
	5～7m	8～10m	11～14m
4～5m（一个开间）	2Φ16	2Φ18	2Φ20
10～12m（三个开间）	2Φ22	2Φ25	2Φ28

选定了拉杆直径，可按表2-11选用垫板尺寸。

垫板尺寸选用表 表2-11

直径	Φ16	Φ18	Φ20	Φ22	Φ25	Φ28
角钢垫板	L90×90×8	L100×100×10	L125×125×10	L125×125×10	L140×140×10	L160×160×14
槽钢垫板	[100×48	[100×48	[120×53	[140×58	[160×58	[160×58
方形垫板	80×80×8	90×90×9	100×100×10	110×110×11	130×130×13	140×140×10

抗震加固

粘贴纤维布对砖墙进行抗震加固时，应采用连续粘贴，以增强墙体的整体性能。

抗震受剪承载力应按下列公式计算：

$$V \leqslant V_{ME} + V_F \quad (2-19)$$

$$V \leqslant 1.4\alpha_V V_{ME} \quad (2-20)$$

式中 V——考虑地震组合的墙体剪力设计值；

V_{ME}——原砌体抗震受剪承载力，按现行国家标准《砌体结构设计规范》GB 50003—2011的有关规定计算确定；

V_F——采用纤维复合材加固后提高的抗震受剪承载力，按现行国家标准《砌体结构加固设计规范》GB 50702—2011的有关规定计算，应除以抗震折减系数γ_{RE}，一般γ_{RE}取为1.0，若原柱为组合砌体，取γ_{RE}为0.85；

α_V——厚砌体压应力影响系数，对一般情况，取α_V为1.0；对原砌体砂浆强度等级不低于M5，且原构件轴压比不小于0.5的情况，取α_V为0.9。

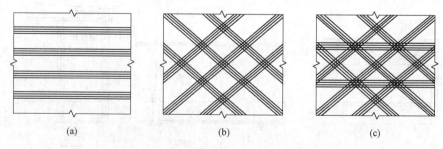

图2-31 纤维复合材（布）粘贴方式示例
(a) 水平粘贴方式；(b) 交叉粘贴方式；(c) 平叉粘贴方式

3. 钢丝绳网-聚合物改性水泥砂浆面层加固法

本方法仅适用于以钢丝绳网－聚合物改性水泥砂浆面层对烧结普通砖墙进行的平面内受剪加固和抗震加固，严重腐蚀、粉化的砌体构件不得采用本方法加固。

宜采用双面加固形式增强砌体结构的整体性，加固砌体墙的抗震受剪承载力应按下列公式计算：

$$V \leqslant V_{ME} + \frac{V_{rw}}{\gamma_{RE}} \quad (2\text{-}21)$$

$$V \leqslant 1.4 V_{ME} \quad (2\text{-}22)$$

式中 V——考虑地震组合的墙体剪力设计值；

V_{ME}——原砌体抗震受剪承载力，按现行国家标准《砌体结构设计规范》GB 50003—2011 的有关规定计算确定；

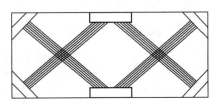

图 2-32 纤维复合材（条形板）粘贴方式示例

V_{rw}——采用钢丝绳网—聚合物砂浆面层加固后提高的抗震受剪承载力，按现行国家标准《砌体结构加固设计规范》GB 50702—2011 的有关规定计算；

γ_{RE}——承载力抗震调整系数，取 γ_{RE} 为 0.9。

不论采用何种加固方法，当拆除某部分墙体（包括开洞口）时，应采取临时加固措施以避免在加固过程中产生破坏。

4. 预应力撑杆加固

抗震设防烈度在 6 度及 6 度以下地区的烧结普通砖柱可采用预应力撑杆加固法，被加固的砖柱应较完好，无腐蚀和老化。本方法仅适用于温度不大于 60℃ 的正常环境中。预应力撑杆用的角钢，截面尺寸不应小于∟60mm×60mm×6mm，缀板截面尺寸不应小于 80mm×6mm，缀板间距应保证单肢角钢长细比不大于 40。

撑杆承受的轴向压力设计值 N_1 应按下式进行计算：

$$N_1 = N - N_m \quad (2\text{-}23)$$

式中 N——砖柱加固后需承受的轴向压力设计值；

N_m——根据原柱可靠性鉴定结果确定其轴心受压承载力。

预应力撑杆的总截面面积应按下式进行计算：

$$N \leqslant \varphi_0 (A_{m0} f_{m0} + A'_p f'_{py}) \quad (2\text{-}24)$$

式中 φ_0——原柱轴心受压的稳定系数，应按现行国家标准《砌体结构设计规范》（GB 50003—2011）的有关规定值采用；

A_{m0}——原柱的砌体截面面积；

f_{m0}——原砌体抗压强度设计值。

缀板的尺寸和间距应保证施工期间受压肢不致失稳。

施工时的预加压应力值 σ'_p 应按下式确定：

$$\sigma'_p \leqslant \varphi_1 f'_{py} \quad (2\text{-}25)$$

$$0.4 f'_{py} \leqslant \sigma'_p \leqslant 0.7 f'_{py} \quad (2\text{-}26)$$

式中 φ_1——用横向张拉法时，压杆肢的稳定系数，计算长度系数取 1/2。

当采用预应力撑杆加固偏心受压组合砌体柱时，原组合砌体柱一侧加固后承受的偏心受压荷载：

$$N_{01} = N - 0.9 f'_{py} A'_{p1} \quad (2\text{-}27)$$

$$M_{01} = M - 0.9 f'_{py} A'_{p1} a/2 \quad (2\text{-}28)$$

式中 N、M——加固后承受的最大轴向压力和弯矩设计值；

a——两侧角钢形心之间的距离。

偏心受压柱加固后承载力,应按现行国家标准《砌体结构设计规范》GB 50003—2011 的有关规定验算,当承载力不满足要求时,可加大角钢截面面积。

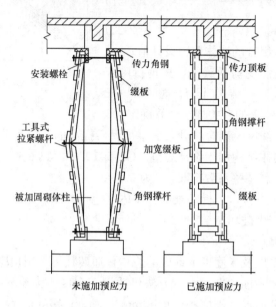

图 2-33 预应力撑杆加固方式

采用此方法需要注意校核局部受压区强度,防止局压破坏。

5. 墙体灌浆

将墙体钻孔,插入导管并灌注水泥浆。通常采用低压灌浆以避免影响周围砌体。灌浆时留一些孔不进行灌注,作为观察孔。选用的水泥浆流动性要足够好以保证良好充填孔隙。灌浆法对已有裂缝墙体的抗剪承载力及刚度提高较大,对未破坏墙体没有明显作用。因为当墙体有裂缝时,水泥浆填满孔隙,会增强砌块之间的连接,从而提高墙体的强度;若墙体本来完好,或孔隙分散,灌注水泥浆的作用就很小了。灌浆法的有效性主要取决于

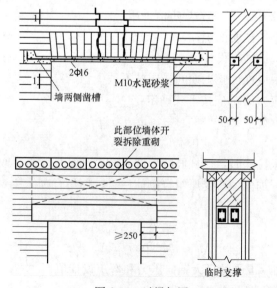

图 2-34 过梁加固

以下几点：墙体内孔隙的尺寸及分布；水泥浆填充细小裂缝（2～3mm）的能力；墙体材料的吸水率；灌注水泥浆的难易程度，特别是有淤泥和黏土的情况；灌浆的压力，既要保证填满孔隙又不能影响周围墙体。

6. 增设过梁、托梁加垫、拆墙加柱

门窗上的过梁若为砌体过梁，因某种原因引起了裂缝，这时可改为加筋砌体过梁或增设钢筋混凝土过梁，如图 2-34 所示。

大梁下的砌体产生裂缝是由于局部承压不足引起的，则可托梁加垫，如图 2-35 所示。

当某墙体局部破损严重，难以加固时，可拆除部分墙体，改用混凝土柱，如图 2-36 所示。

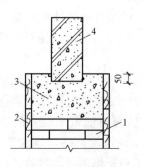

图 2-35 托梁加垫
1—砖柱；2—模板；3—现浇梁垫；4—钢筋混凝土梁

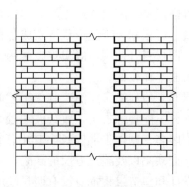

图 2-36 拆墙加柱加固

第3章 混凝土结构

3.1 混凝土结构的缺陷

混凝土是现代土木建筑工程中应用最为广泛的一种建筑材料。混凝土原材料广泛易得，价格便宜。配制混凝土所需的原材料大多可以就地取材，利于大量应用。混凝土材料易成型，可根据模板的形状浇筑成各种复杂构件。混凝土的生产能耗比钢材低，并且能够与各种钢材复合使用，以实现较好的力学性能。此外，混凝土的耐久性相对较好，且维护保养的成本比较低。

混凝土原料来源广泛，制作工艺简单，但其组成与结构则十分复杂。配制混凝土所用的原材料不能提炼加工，成分波动较大。混凝土的组成与性能也随时间和环境而变化，其施工工序多、制作工期较长，其中任何一个环节出了差错都可能带来较大问题。材料缺陷、设计缺陷以及施工方面的缺陷，都会大大降低混凝土的性能，甚至导致事故的发生。即使设计和建造过程本身没有明显缺陷，使用过程中的不当操作也可能导致事故的发生。

3.1.1 混凝土材料的特点及表面缺陷

混凝土的基本组成是水、水泥、砂和石子，有时还掺入适量的掺合料和外加剂。混凝土是一种多孔、多相、非匀质的材料。简单来说，其三相基本组成为骨料、硬化水泥浆体和过渡区。

骨料主要影响混凝土的表观密度、弹性模量和尺寸稳定性等性质。对于普通混凝土，骨料本身的强度通常比其他两相的强度高很多，因此骨料强度的波动对普通混凝土强度没有直接的影响。但是，骨料的粒径和形状间接影响到混凝土的强度。当骨料最大粒径越大、针片状颗粒越多时，其表面积存的水膜可能越厚，过渡区就相对越薄弱，因此对混凝土性能的影响就更加显著。

硬化水泥浆体由水泥熟料矿物遇水后发生水解或水化反应而形成，其本身也是不匀质的，存在多种形态的固体、空隙和水。硬化水泥浆体的强度主要来源于水化物间的范德华力。硬化水泥浆体中自由水分失去后，继续干燥会使吸附水、层间水等蒸发，出现明显的收缩。

过渡区的组成成分与硬化水泥浆体一样，但结构和性质存在很大差异。过渡区虽然只是骨料颗粒外很薄的一层，但将粗细骨料合并统计，过渡区的体积可占到硬化水泥浆体的$1/3 \sim 1/2$。过渡区是硬化混凝土中最薄弱的区域。由于过渡区大量空隙和微裂缝的存在，会明显降低混凝土的刚度和弹性模量。过渡区的特性对混凝土的耐久性也有显著影响，在较低的应力作用下其裂缝就会扩展，影响混凝土的抗渗透性等。

混凝土作为一种非匀质多孔材料，其强度受到空隙和过渡区原生裂缝的影响。混凝土的破坏过程可以大致通过 Griffith 理论来描述：混凝土内部存在形状、尺寸不同的孔隙、微裂纹，浆体与骨料间存在薄弱的过渡区；承受荷载后，混凝土在最薄弱的位置开裂；随着荷载的增长，混凝土体中裂缝逐步扩展，最后相互连通导致破坏。

混凝土在受拉时，硬化水泥浆体中裂缝的产生与扩展只需要较小的能量，在过渡区的原生裂缝和浆体内新生成的裂缝迅速地扩展并彼此连通。因此，混凝土在拉伸作用下呈脆性破坏，其抗拉强度很低，极限拉应变很小。在受压时，浆体裂缝的形成和延伸需要的能量较大，中、低强度的混凝土在受单轴压缩时，当应力上升到极限强度的50%，浆体仍不会出现开裂。但此时粗骨料周边已经存在稳定的剪切粘结裂缝，它们的数量与尺寸随着应力的增长而逐渐扩展。浆体和过渡区的裂缝最终连通起来就会形成破坏面。因此，混凝土在受压时的脆性相对小一些，其抗压强度较高。由此可见，影响混凝土强度的因素很多，包括材料组成、施工工艺、养护条件等。从微观角度概括来讲，混凝土强度是由空隙、过渡区和裂缝扩展的过程来决定的。

前面提到，混凝土抗拉强度低，极限拉应变小，因而容易产生裂缝。在设计中，与截面承载力计算相比，混凝土结构裂缝的计算是很粗略的。很多情况下，防止或限制裂缝开展仅靠构造措施来保证，这其中很多问题还有待深入研究。普通钢筋混凝土结构在使用过程中，出现细微的裂缝是正常的、允许的。例如，《混凝土结构设计规范》GB 50010—2010规定了结构构件的裂缝控制等级，如表3-1所示。但是，裂缝扩展的控制对于混凝土结构至关重要，一旦裂缝过长、过宽，就可能造成危险。许多混凝土结构在发生重大事故之前，往往有裂缝出现并不断发展，应特别注意。混凝土结构中常见的裂缝特征及原因分析，将在后面详细叙述。

结构构件的裂缝控制等级及最大裂缝宽度的限值（mm）　　　　　表 3-1

环境类别	钢筋混凝土结构		预应力混凝土结构	
	裂缝控制等级	w_{lim}	裂缝控制等级	w_{lim}
一	三级	0.30(0.40)	三级	0.20
二 a				0.10
二 b		0.20	二级	
三 a、三 b			一级	—

混凝土的表层缺损是混凝土结构的一项常见通病。在施工或使用过程中产生的表层缺损有蜂窝、麻面、小孔洞、缺棱掉角、露筋、表皮酥松等。这些缺损影响观瞻，使人产生不安全感。缺损也影响结构的耐久性，增加维修费用。当然，严重的缺损会降低结构的承载力，引发事故。现将常见的一些混凝土表层缺损的原因分析列于表3-2。

混凝土表层缺损及原因分析　　　　　表 3-2

序号	缺损类型	原因
1	蜂窝	混凝土配合比不合适，砂浆少而石子多； 模板不严密，漏浆； 振捣不充分，混凝土不密实； 混凝土搅拌不均匀，或浇筑过程中有离析现象等，使得混凝土局部出现空隙，石子间无砂浆，形成蜂窝状的小孔洞
2	麻面	模板未湿润，吸水过多； 模板拼接不严，缝隙间漏浆； 振捣不充分，混凝土中气泡未排尽； 模板表面处理不好，拆模时粘结严重，致使部分混凝土面层剥落，混凝土表面粗糙，或有许多分散的小凹坑

续表

序号	缺损类型	原 因
3	露筋	钢筋垫块移位,或者少放或漏放保证混凝土保护层厚度的垫块,使钢筋与模板无间隙; 钢筋过密,混凝土无法浇筑; 模板漏浆过多等,致使钢筋主要的外表面没有砂浆包裹而外露
4	缺棱掉角	构件棱角处脱水; 与模板粘结过牢; 养护不够,强度不足; 早期受碰撞
5	表层酥松	混凝土养护时表面脱水; 在混凝土硬结过程中受冻; 受高温烘烤

3.1.2 混凝土结构的裂缝及原因分析[4]

本节从材料、施工、受力和环境等方面,总结了混凝土结构产生各类缺陷的主要原因和特征,如表 3-3~表 3-6 所示。

混凝土缺陷原因、特征和裂缝表现（材料）　　　　　　表 3-3

序号	原 因	缺陷特征	裂缝表现
1	使用过期水泥	混凝土强度降低,构件承载力和刚度减弱	出现表 3-5 所示各种受力裂缝
2	水泥、骨料中含过量有害物质,如游离的 SO_3 等	随时间而增长的混凝土酥裂	先出现不规则网状裂缝,继而混凝土脱落,构件倒塌
3	骨料含泥土过量	随混凝土凝结和气候干燥产生不规则网状干裂缝,使混凝土强度降低	
4	骨料含活性 SiO_2,水泥中含碱量过高	随时间而增长的混凝土胀裂,裂缝呈龟背纹状,约呈 120°; 裂缝多出现在潮湿部位,且有渗出物出现; 裂缝多出现在不受约束(无筋或少筋)处;由于开裂部位有局部体积膨胀,裂缝两侧有时并不平整	
5	骨料含石灰石	待混凝土凝固后生成导致混凝土崩裂的"爆瘤"	
6	水泥水化热	大体积混凝土浇筑后数日内出现等距离的直线形裂缝,有表面的也有贯通的	

续表

序号	原 因	缺陷特征	裂缝表现
7	用含氯盐类外加剂拌合混凝土	钢筋锈蚀后体积膨胀,胀裂混凝土;或钢筋锈蚀后截面减小,造成混凝土内空鼓	空鼓　顺筋裂缝

混凝土缺陷原因、特征和裂缝表现（施工）　　　　表 3-4

序号	原因和缺陷特征	裂缝表现	预防措施
1	塑性混凝土下沉,被顶部钢筋所阻,形成沿钢筋的裂缝(通长或断续)		改善水灰比,减少泌水,加强自然养护,增加混凝土保护层厚度
2	乱踩已绑扎的上层钢筋,使承受负弯矩的受力筋的混凝土保护层加大,构件有效高度减小,形成沿构件支承边缘的垂直于受力筋的裂缝		构件顶部承受弯矩的钢筋直径不宜过细(≥φ8);施工时禁止在顶部钢筋上走动;必要时设置铁支架支住负弯矩筋
3	混凝土振捣不密实,出现蜂窝,易形成各种受力裂缝的起点		保证混凝土拌制、浇筑和振捣质量;采用对混凝土蜂窝的补强措施
4	混凝土浇筑速度过快,容易在浇筑1～2h后发生在板与墙、梁、梁与柱交接部位的纵向裂缝		在浇筑与柱和墙整体连接的梁和板时,应在柱或墙浇筑混凝土完毕后停歇1～1.5h,使其获得初步沉实,再继续浇筑板、梁的混凝土
5	混凝土搅拌、运输时间过长,使水分蒸发,引起混凝土浇筑时坍落度过低,使得在混凝土体积中出现不规则的网状裂缝		如果混凝土的坍落度损失过多(对板、梁、柱,当坍落度小于3cm时),应在浇筑前进行二次搅拌
6	混凝土初期养护时急骤干燥,使得在混凝土与大气接触面上出现不规则的网状裂缝		加强早期养护,减少水分蒸发
7	用泵送混凝土施工时,为了保证流动性,增加水和水泥用量,导致混凝土凝结硬化时收缩量增加,使得在混凝土体积中出现不规则的网状裂缝		水泥用量不宜超过 550kg/m³;水灰比不应大于 0.7(其中水泥质量包括外掺混合材料和塑化剂);砂率可以提高至 40%～50%
8	浇筑工作间歇时的施工缝接槎处理不好,容易在接槎处出现接槎裂缝		按照混凝土工程施工规范要求做好施工缝的留置和接槎处的处理

续表

序号	原因和缺陷特征	裂缝表现	预防措施
9	混凝土早期受冻,使构件表面出现裂缝或局部剥落,脱模后出现空鼓现象		按照冬期混凝土施工要求保护混凝土不受冻;在预防早期受冻的混凝土中掺入防冻剂或引气剂
10	木模板受潮膨胀上拱,使混凝土板面产生上宽下窄的裂缝		避免采用过分干燥的木材做模板
11	模板刚度不够,在刚浇筑塑性混凝土的(倾向)压力作用下发生变形,混凝土构件出现与模板变形一致的裂缝		加强模板的侧向刚度
12	模板支撑下沉或局部失稳,造成已浇筑成型的构件产生相应部位的裂缝		保证模板支撑的总体承载力、刚度和稳定;支撑应设置在坚固可靠平坦的支承面上
13	已凝结硬化的混凝土,在尚未建立足够强度以前,受到模板被振的影响产生相应裂缝		应在施工期间避免这种现象的发生
14	过早拆模,混凝土尚未建立足够强度,构件在实际施加于自身的重力荷载作用下,容易发生各种受力裂缝		跨度 $l \leqslant 2m$ 的构件,达到混凝土设计强度50%时,可拆模;跨度 $2m < l < 8m$ 的构件,达到混凝土设计强度70%时,可拆模;跨度 $l \geqslant 8m$ 的构件,达到混凝土设计强度100%时,可拆模

混凝土缺陷原因、特征和裂缝表现(受力、变形) 表3-5

	原因	一般裂缝特征	裂缝表现	临近破坏前裂缝特征(除裂缝加宽外有以下特征)
荷载作用下	(1)中心受拉	裂缝贯穿构件全截面,大体等间距(垂直于受力方向);用螺纹筋时,裂缝间出现位于钢筋附近的次裂缝		出现沿钢筋的纵向裂缝
	(2)中心受压	沿构件出现短而密的平行裂缝(平行于受力方向)		混凝土保护层脱落,箍筋内混凝土压酥,箍筋间纵向受力筋外鼓

续表

原　因		一般裂缝特征	裂缝表现	临近破坏前裂缝特征（除裂缝加宽外有以下特征）
荷载作用下	(3)受弯	弯矩最大截面附近从受拉边缘开始出现横向裂缝，逐渐向中和轴发展；用螺纹筋时，裂缝间可见短向次裂缝	次裂缝	横向裂缝向压区延伸，压区出现短而密的纵向裂缝，压区混凝土和箍筋间纵向受压筋外鼓；梁高较大的T形或I形梁中，次裂缝可发展成与主裂缝相交的枝状裂缝
	(4)大偏心受压	类似(3)		类似(3)
	(5)小偏心受压	类似(2)，但发生在压力较大一侧		类似(2)，但发生在压力较大一侧
	(6)局部受压	在局部受压区出现大体与压力方向平行的多条短裂缝	局压受载面积较大时　局压受载面积较小时	或裂缝加密，混凝土压酥；或发生一条集中开展的主裂缝，混凝土劈裂
	(7)受剪(剪压)(当箍筋适当时)	沿梁端中下部发生约45°方向相互平行的斜裂缝	斜脚裂缝	斜裂缝发展至梁顶部，同时沿梁下主筋发生斜脚裂缝
		沿悬臂剪力墙支承端受力一侧中下部发生一条约45°方向的斜裂缝		这条斜裂缝发展至墙端另一侧边缘
	(8)受剪(斜压)(当箍筋太密时)	沿梁端腹部发生大于45°方向的短而密的斜裂缝		斜裂缝处混凝土酥裂
	(9)受冲切	主次梁交接处未设附加箍筋，次梁下端的主梁上发生45°方向斜裂缝；也可能主梁一侧的斜裂缝越过次梁上端	剪切斜裂缝　冲切裂缝	次梁下端斜裂缝有穿透全截面的趋势；次梁上端斜裂缝有劈拉破坏趋势
		沿柱头板内四侧发生45°方向的斜裂缝；沿柱下基础体内柱边缘侧发生45°方向斜裂缝	冲切裂缝	斜裂缝有穿透构件全截面的趋势

续表

原因		一般裂缝特征	裂缝表现	临近破坏前裂缝特征（除裂缝加宽外有以下特征）
荷载作用下	（10）受扭力矩	某一面腹部先出现多条约45°方向斜裂缝，向相邻面以螺旋方向展开	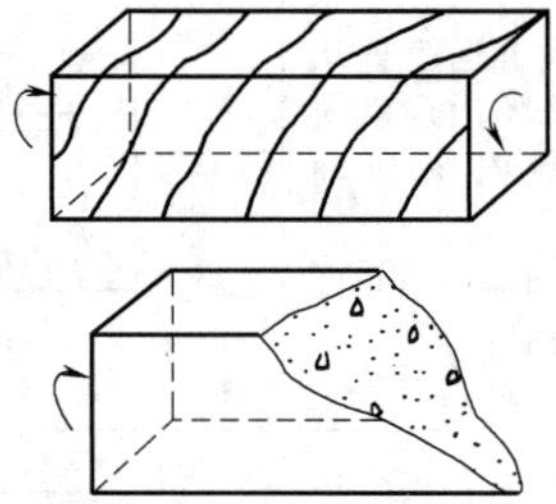	在第4个面上形成45°方向的与斜裂缝发展方向相垂直的短而密的斜裂缝
	（11）单跨框架梁、柱受弯	框架梁的跨中裂缝自上而下，两端裂缝自上而下；每侧框架柱都可能有水平裂缝，但上下两截面水平裂缝发展的方向相反	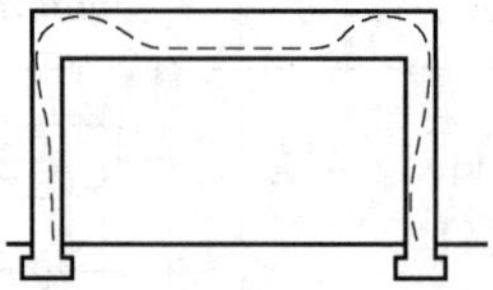	类似(3)、(4)
外加变形或约束变形作用下	（12）框架结构一侧下沉过多	框架梁两端发生裂缝的方向相反（一端自上而下，另一端自下而上）；下沉柱上的梁柱接头处可能发生细微水平裂缝	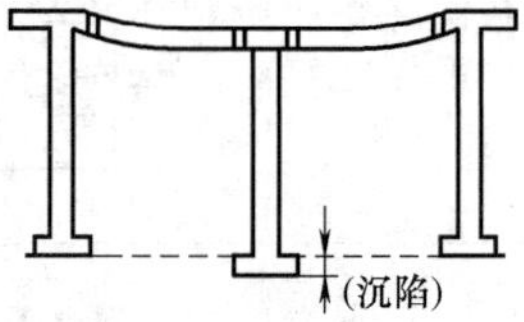	
	（13）梁的混凝土收缩和温度变形	沿梁长度方向的腹部出现大体等间距的横向裂缝，中间宽、两头尖，呈枣核形，至上下纵向钢筋处消失	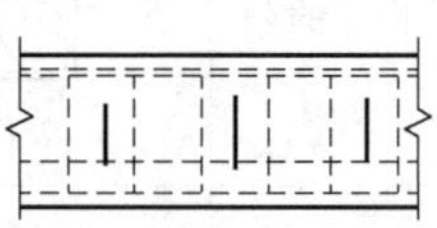	
	（14）板的混凝土收缩和温度变形	沿板长度方向出现与跨度方向一致的大体等间距的平行裂缝	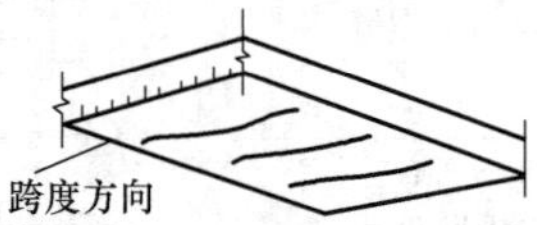	

混凝土缺陷原因、特征和裂缝表现（环境） 表3-6

序号	原因和缺陷特征	裂缝表现
1	在大气温湿度变化（冷热、干湿循环作用）下，当纵向很长的构件的变形受到某种约束时（如气温有变化时，基础部分不伸长，而上部结构伸长），就会在构件的薄弱部位产生裂缝	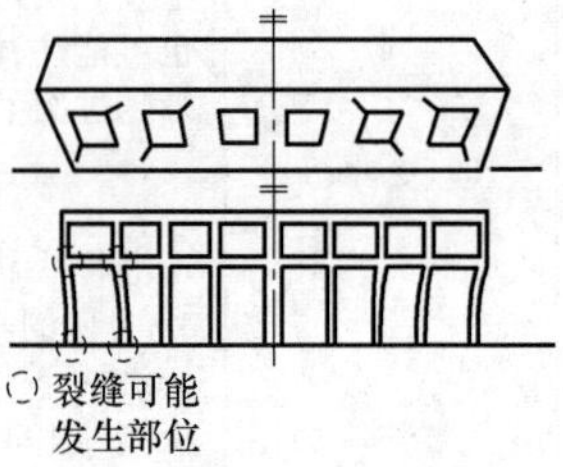

续表

序号	原因和缺陷特征	裂缝表现
2	当钢筋混凝土构件（一般为墙体）两侧面的温度、湿度差值过大时，在一侧表面或拐角处容易发生裂缝	
3	钢筋混凝土构件多次受冰冻-融解循环作用，使混凝土中产生内应力，促进已有裂缝发展，结构酥松，表面龟裂，表层剥落或整体崩溃	
4	受酸类介质（如硫酸、盐酸等）侵蚀，在混凝土体内生成会膨胀的有害介质；受盐类介质（如钠盐、镁盐等）侵蚀，在混凝土体内生成凝胶性化合物，促使混凝土组织松散，发生扁片剥落；受含氯离子介质（如海洋环境下）侵蚀，使裹在混凝土里的钢筋生锈，使混凝土保护层纵向劈裂，甚至大面积保护层剥落	
5	钢筋混凝土构件受火灾袭击，或构件表面受加热影响，使构件整个表面出现龟裂	

3.1.3 混凝土结构事故统计分析

有关研究统计了国内外的钢筋混凝土结构典型事故，分别从结构形式、事故类型、事故发生阶段及事故原因等方面进行统计分析。从统计结果来看，除开裂事故外，其他事故发生在施工阶段的数量远远大于使用阶段（表3-7）。混凝土结构施工周期长，工序复杂，影响因素多，因此施工质量不易把握，容易造成事故隐患。正因为这样，坍塌、变形过大及外观缺陷等事故往往发生在施工阶段。而混凝土的开裂及裂缝扩展一般需要时间，故该事故多发生在使用阶段。

多层及高层混凝土结构事故类型及发生阶段统计结果 表3-7

事故类型	数量	占总数比例/%	施工期数量（所占比例/%）	使用期数量（所占比例/%）
坍塌	28	37.4	21(75.0)	7(25.0)
开裂	25	33.3	7(28.0)	18(72.0)
变形过大	11	14.7	8(72.7)	3(27.3)
表面缺陷	8	10.6	8(100.0)	0(0.0)
其他	3	4.0	3(100.0)	0(0.0)

从事故发生的原因来看，施工原因所占的比例最大，为59.5%。总体来看，设计原因中的设计方案不合理，施工原因中的违反设计与规范以及现场管理混乱，还有使用原因

中的擅改结构和改变使用功能,是引发事故最常见的原因,如表 3-8~表 3-11 所示。

设计原因事故统计分析　　　　　　　　　　表 3-8

	勘察失误	设计方案失误	构造措施不合理	合计
案例数量	5	28	8	41
所占比例(%)	12.2	68.3	19.5	100.0

施工原因事故统计分析　　　　　　　　　　表 3-9

	违反设计与规范	管理混乱	材料质量低劣	人员素质差	合计
案例数量	37	24	9	18	88
所占比例(%)	42.0	27.3	10.2	20.5	100.0

建筑物使用不当事故统计分析　　　　　　　表 3-10

	改变使用功能	擅改结构	合计
案例数量	8	11	9
所占比例(%)	42.1	57.9	100.0

三种原因比较统计分析　　　　　　　　　　表 3-11

	设计原因	施工原因	使用不当	合计
案例数量	41	88	19	148
所占比例(%)	27.7	59.5	12.8	100.0

通过上述统计分析,读者能够对钢筋混凝土结构事故的特点有一个初步的了解。以下 3.2~3.5 节分别具体分析了若干混凝土结构事故案例。

3.2 设计失误引起的事故

3.2.1 概述

大多数混凝土结构事故都并非由单一因素引起的。混凝土结构在设计方面引发事故的主要原因有以下几个方面。

(1) 因设计方案不妥引起的事故。如房屋长度过长而未按规定设置伸缩缝;把基础置于承载力相差很大的两种或多种土层上而未妥善处理;房屋形体不对称,质量分布不均匀;主次梁支承受力不明确,工业厂房等大空间结构采用轻屋架而未设置必要的支撑;受动力作用的结构与振源振动频率相近而未采取措施;结构整体稳定性不够等。

(2) 因设计计算失误引起的事故。如任务急、时间紧,计算和绘图错误而未认真校对;漏算或少算荷载;套用图纸或采用标准图集后未结合实际情况复核,甚至认为原有设计有安全储备而任意减小截面,少配钢筋或降低材料强度等级;所遇问题比较复杂,而作了不合理的简化;盲目相信电算,因输入有误或不了解计算导致输出结果不正确;设计时所取可靠度不足等。

(3) 对突发事故缺少二次防御能力。我国有关规范规定,当有偶然的突发性事件发生时,允许有结构的局部破坏,但应保持在一段时间内不发生连续倒塌,能保持结构的整体稳定性。这一方面的规定往往被设计人员所忽略。

(4) 对于结构构造细节处置不当。有些设计人员重计算、轻构造，认为构造处理不是很重要的，因而缺少精心设计。常见的错误例如大梁下未设置梁垫，预埋件设置不当，钢筋锚固长度不够，节点设计不合理等。

(5) 与其他工种（如建筑、水、暖、电等）配合不好，有些变动不协调，造成设计错误。

3.2.2 因方案不妥引起的事故

【实例 3-1】 主次梁关系不清引起倒塌

1. 工程及事故概况

商店上层为办公室及职工单身宿舍，一层为营业大厅。上部 4 层用砖墙隔为小间，底层由 L_1 及 L_2 梁支承隔墙及楼盖荷载。L_1 为纵向大梁，长 39.6m；L_2 为开间架，长 6.6m，如图 3-1 所示。在楼房铺设顶板及浇筑五层钢筋混凝土檐口时，突然发生倒塌，造成重大事故。

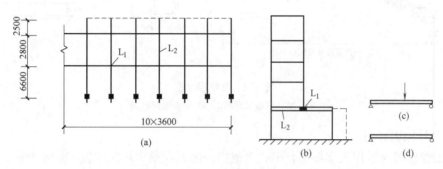

图 3-1 某乡镇商店房屋示意图
(a) 平面；(b) 剖面；(c) 正确的计算简图；(d) 误取计算简图

2. 事故原因分析

显然，L_2 梁的跨度小得多，理应将 L_1 梁作为支承在 L_2 梁上的连续梁来考虑。但设计者误认为 L_2 梁是一端支于外柱，另一端支于砖墙（240 砖墙）上的简支架。不计 L_1 梁传来的集中力，误认为 L_1 梁对 L_2 梁有支撑作用，忽略不计是偏于安全的。实际上，在 L_1 梁上有纵向隔墙，且其相对刚度比 L_2 梁小得多，因而 L_1 梁有很大一个集中力传给 L_2 梁，而设计未予考虑，因而造成配筋不足，尤其是梁端抗剪强度严重不足。

3. 经验教训

在进行结构设计时，明确方案是最基本的要求。如结构方案不妥，之后的一切计算分析都会受到影响，甚至产生根本性的错误。

3.2.3 因计算错误引起的事故

【实例 3-2】 人字形折梁计算错误引起倒塌

1. 工程及事故概况

某库房为单层结构，跨度 10m，长 24.5m，采用砖墙承重，屋面采用人字形折梁（原意为采用人字屋架，实无下弦），折梁间距 3.5m，在折梁上搁置预应力钢筋混凝土檩条，每米放 3 根，共 30 根，檩条上铺 85cm×60cm×5cm 的预制平板。人字屋架结构及配筋如图 3-2 所示。当铺完屋面，拆除折梁的模板及支撑时，屋盖倒塌。

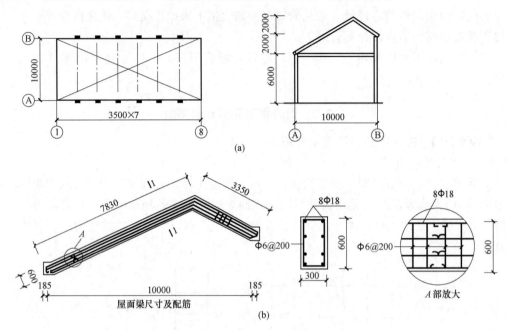

图 3-2 某单层库房
(a) 平、剖面示意图；(b) 屋面梁配筋图

2. 事故原因分析

该工程原意为采用人字屋架，形式上似拱，因而在梁中均匀配置 8Φ18 钢筋。但该结构形式上虽然像拱，但实际上无拉杆，两端又没有抗推力结构，实际上是一个折线形钢筋混凝土斜梁。如按梁计算，则其强度严重不足。计算复核如下：

已知混凝土强度等级为 C20，$f_c=9.6\text{N/mm}^2$，假定受拉筋为 4Φ18，$A_s=1018\text{mm}^2$，$f_y=210\text{N/mm}^2$，则

$$h_0=h-a=600-(35+90)=475\text{mm}$$

$$x=\frac{f_yA_s-f'_yA'_s}{f_cb}=\frac{210\times(1018-509)}{9.6\times300}=37\text{mm}<2a'=70\text{mm}$$

故取 $x=2a'$

$$M_a=f_yA_s(h_0-a')=210\times1017\times(475-35)=93.97\text{kN·m}$$

而设计弯矩为：

$$M=189.3\text{kN·m}$$

即使不计使用活载，按施工时的恒载及实际施工荷重计算，其弯矩也达

$$M_实=149.1\text{kN·m}$$

可见承载力严重不足，同时折梁曲折处受拉筋沿受拉边顺放，在弯折处对受拉力极为不利，为规范所禁止。折梁承载力不足，构造又极不合理，必然引起屋盖的破坏。

3. 经验教训

建筑工程结构设计必须认真负责。在进行结构设计计算时，首先应当选择正确的结构方案，并选用与实际受力情况相符的计算简图，正确考虑作用在结构上的荷载，认真负责

地进行结构计算，确保工程安全。

【实例 3-3】 盲目套图改图引起倒塌

1. 工程及事故概况

山西省太原市某棉毛织造厂新建漂染车间，建筑面积 $3547m^2$，其中主厂房为 $2794m^2$，生活间为 $753m^2$。主厂房为单层锯齿形装配式结构，采用钢筋混凝土杯形基础，预制 T 形钢筋混凝土薄腹梁，三角形钢筋混凝土屋架，槽形屋面板，上面干铺焦渣、做水泥蛭石保温层、二毡三油防水屋面。柱顶预设 $1m×1m$ 风道，外墙为砖圈墙，如图 3-3 所示。

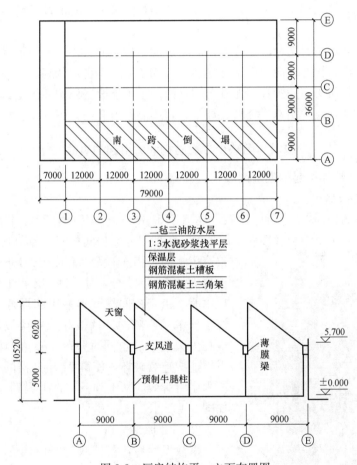

图 3-3 厂房结构平、立面布置图

本工程于 1977 年 11 月开工，1978 年 8 月完成主体工程，在 1978 年 8 月 8 日突然南跨倒塌，造成 2 人死亡，7 人重伤，1 人轻伤的重大事故。

2. 事故原因分析

本工程是一位非正式设计人员设计的，套用某毛纺厂漂染车间的施工图纸，对所有结构都没有进行计算，也未经他人审核就交付施工。经事后核检，发现设计存在如下问题：

(1) 原设计横向柱距为 7m，套用时改为 9m；原设计屋面为正放槽形板，上做沥青矿渣棉保温层，套用时改为屋面倒放槽形板，上面干铺焦渣，做水泥蛭石保温层。这一改变使得荷载增大很多。

（2）套用图纸时，将原设计的轴心受压柱用于边跨的边柱，改变了构件的受力性能。经事后验算，作用在南跨边柱柱颈（距柱顶 1m）截面上的纵向力 N 为 379kN，弯矩 M 为 278kN·m，偏心距 e_0 为 0.73m，截面尺寸和配筋数量严重不足，强度安全系数仅为 0.46，致使 T 形预制柱在柱颈处破坏断裂。作用在北跨边柱柱颈截面上的纵向力 N 为 345kN，弯矩 M 为 249kN·m，偏心距 e_0 为 0.72m，截面安全系数仅为 0.73，也已处于面临倒塌的状态。

（3）屋架之间未设水平支撑或剪刀撑，屋盖的空间稳定性较差。

（4）没有地质勘探资料，设计基础时，盲目采用地基容许承载力 $150kN/m^2$，与该车间附近建筑物地质情况相比，取值过高。在主体结构完成后，有的柱子已经下沉 30mm。

3. 经验教训

造成本工程倒塌的直接原因是边柱偏心距过大，柱断面太小，配筋不足，屋架间未设水平支撑或剪刀撑，排架横向没有构件连系，大部分处于不稳定状态。工程套用图纸应根据条件进行分析，做必要的验算。尤其套图又改图，可能改变原构件的受力性能，局部破坏会引起连锁破坏，应查明地质资料设计基础，不能盲目套图改图。

3.2.4 因缺少二次防御能力引起的事故

【实例 3-4】 爆炸引起的连续倒塌

1. 工程及事故概况

Ronan Point 公寓楼位于英国伦敦，建造于 1966—1968 年间，22 层装配式钢筋混凝土板式结构体系，承重墙板和楼板全部预制，板的尺寸与房间相同，各预制板之间的节点仅有齿槽灌浆相连而无钢筋连接。1968 年 5 月 16 日清晨大约 5 点 45 分，住在 18 层一住户在厨房点火烧水时，由于夜间煤气泄漏引起爆炸，爆炸压力破坏了该单元两侧的外墙板和局部楼板，上一层的墙板在失去支承后也同时坠落，坠落的构件依次撞击下层造成连续破坏，使得 22 层高楼的一个角区发生多米诺骨牌效应从上到下一直坍塌到底层现浇结构，如图 3-4 所示。

2. 事故原因分析

事故发生后，英国政府专门成立了小组进行调查。调查结果显示，角区倒塌的主要原因是：在结构设计时，设计人员没有考虑煤气爆炸产生的冲击波对结构承载能力的破坏，加之结构为预制大板结构，缺乏整体性和冗余度，墙板在爆炸产生的 20kPa 的侧压下克服端部摩擦力被推出后，没有一个内力重分配的过程，造成 18 层单元的倒塌，而这一倒塌产生的碎片等直接撞击下一层楼板，下一层楼板不堪承重又倒塌，从而发生多米诺骨牌现象，直至整个角区倒塌。

图 3-4 Ronan Point 公寓连续倒塌事故

3. 经验教训

这一建筑倒塌事故使英国在 1970 年对《英国建筑规范》作了第 5 次修改。规范要求在设计 5 层或 5 层以上的建筑时减少发生连续倒塌的可能性。补充规定用于所有 5 层以上的结构,以及预制墙板房屋的设计。Ronan Point 公寓的连续倒塌事故引起了国际结构工程界的高度重视并开展了广泛的讨论,由此确立了结构设计的又一个重要原则,即结构内发生一处破坏不应造成整体的连续倒塌。为吸取这一教训,各国的设计规范几乎都作了相应的修订。

3.2.5 因节点设计不当引起的事故

【实例 3-5】 节点设计不当导致倒塌

1. 工程及事故概况

某农村企业生产车间,砖柱上搁置大梁,施工完成后不久,大梁就塌落。

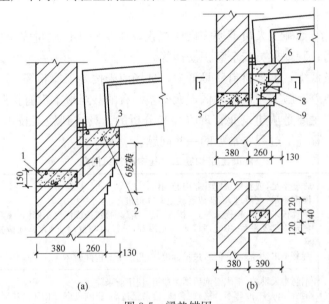

图 3-5 梁垫锚固
(a) 原设计支承大样;(b) 实际支承做法
1—钢筋混凝土圈梁;2—钢筋混凝土垫块;3—屋面大梁;4—锚栓;
5—圈梁;6—垫块;7—屋面大梁;8—锚栓;9—水泥砂浆

2. 事故原因分析

主要是梁端支承设计不当。原设计为现浇梁垫加一锚筋,如图 3-5(a)所示。实际施工时,锚筋很难插入砌体中,因而改为局部扩大混凝土垫,使之与圈梁相连并一起浇筑。因砖柱顶局部扩大,施工时顺便先砌砖柱的扩大部分并作为浇混凝土的侧模。因砖外伸,浇筑混凝土时没有充分捣固,因而很酥松。砖无咬槎,与混凝土结合力极差,实际上起不到承载作用。在大梁压力下,砖先掉落,酥松的混凝土也无足够承载力,于是引起大梁塌落。

3. 经验教训

在结构设计过程中,不可重计算、轻构造。节点构造不容忽视,应当精心设计,保证结构的安全，同时确保施工能够顺利进行。

3.3 施工不良引起的事故

3.3.1 概 述

钢筋混凝土工程使用的材料多种多样，施工工序多，工期长，其中任何一个环节出了问题都可能引起质量事故。从已有质量事故的统计来看，施工管理不善、施工质量不高引起的事故率是比较高的。混凝土结构在施工管理方面引发事故的主要原因有以下几个方面。

（1）违反设计与规范。如无设计先施工，未勘测先设计，不按图施工甚至无图施工；施工过程中偷工减料；建筑市场不规范，施工单位层层转包；未经有关部门批准，擅自开工等。

（2）管理混乱。如施工人员不遵守操作规程，违章作业；质量安全监督检查不到位，质检人员检查不力；管理人员安全意识淡薄等。

（3）材料质量低劣。工程材料质量低劣，进场前未按要求检验等。

（4）人员素质差。施工人员技术低，素质差，有的甚至根本没有执照。

以上几点原因主要是从建筑业管理方面来分析的。具体到施工技术方面，表3-12总结了混凝土结构工程施工过程中常见的一些问题。

混凝土结构施工过程中的常见问题　　　　　　　表 3-12

模板问题	强度不足，或整体稳定性差引起塌模； 刚度不足，变形过大，造成混凝土构件歪扭； 木模板未刨平，钢模未校正，拼缝不严，引起漏浆，造成混凝土麻面、蜂窝、孔洞等毛病； 模板内部不平整、不光滑或未用脱模剂，拆模时与混凝土粘结，硬撬拆模，造成脱皮、缺棱掉角； 混凝土未达需要的强度，过早拆模，引起混凝土构件破坏
钢筋问题	钢筋露天堆放，雨水浸泡后锈蚀严重，使用前未除锈； 钢材延伸率、冷弯不合格，或含硫、含磷量过高，影响成型、加工（尤其是焊接）质量； 施工人员不熟悉图纸或看错图纸导致钢筋放置错位； 梁、柱在同一截面的接头过多，甚至达100%； 接头不牢，绑扎松扣或焊接虚焊、漏焊； 预埋件放置不当
混凝土问题	配制混凝土配合比不准，或不按配合比设计配料，尤其是操作人员为了增加流动性而多加水； 为节省工本而偷工减料，少加水泥，减少面积； 对于骨料质量把关不严； 使用过期水泥，使混凝土质量达不到要求，导致承载力不足； 搅拌混凝土搁置时间过久，超过初凝时间才浇筑； 捣固不实引起蜂窝、麻面、露筋、孔洞等，尤其是对于水灰比较小的干硬性混凝土，钢筋布置紧密的部位及边角之处； 浇筑顺序不当，使模板产生不利变形； 未按规定留好施工缝，或施工缝位置不当，使一些大面积、大体积混凝土容易因收缩而产生裂缝； 混凝土浇筑完毕后养护不当，造成失水、冻害等； 混凝土强度不足时过早拆模

3.3.2 因模板工程问题引起的事故

【实例 3-6】 因擅改结构引起的支模系统倒塌

1. 工程及事故概况

2008年4月30日中午12时30分左右,长沙某商业广场东部裙楼中庭部位浇筑顶盖混凝土时,因模板支撑系统失稳,导致约21m高的整个支模系统坍塌,造成8人死亡、3人受伤,直接经济损失339.4万元。事发当日8时左右,按照项目部安排,泥工班长带领9名泥工开始裙楼东天井加盖现浇钢筋混凝土屋面施工,12时左右,天井屋面从中间开始下沉,并迅速导致整体坍塌。

2. 事故原因分析

直接原因:

(1) 天井顶盖模板支撑系统搭设材料不符合要求,据抽样检测,钢管壁厚不合格率为55%,钢管力学性能试验合格率只有22%,直角扣件力学性能合格率只有19.2%,对接扣件受拉性能合格率70%;搭设不符合要求,横杆步距较大,未设置剪刀撑。

(2) 天井浇筑施工中出现局部塌陷,现场施工负责人未立即撤离天井屋面作业人员,仍违章指挥工人冒险作业。

(3) 该工程建设单位擅自将中庭顶盖由轻钢网架结构更改为钢筋混凝土结构,施工单位未按规定指定和实施有效的专项施工方案,监理单位未履行安全生产监理责任。

间接原因:

(1) 施工组织混乱。模板支撑系统搭设无专项施工方案,未组织专家论证,未组织技术和安全交底。

(2) 安全管理混乱。施工、监理单位未正确履行职责,安全检查流于形式。

(3) 安全生产培训教育不落实。施工人员无特种作业资格证,未经岗前安全教育,缺乏必要的安全生产常识和自我保护能力。

(4) 安全监管工作不落实。有关主管监管人员未及时发现和处理安全生产违法、违规行为,对于发现的违法行为也未依法予以处理。

3. 经验教训

这是一起由于违章指挥、冒险作业而引起的生产安全责任事故。事故的发生暴露出施工单位施工组织混乱、安全管理缺乏、检查不到位等问题。模板支撑系统的搭设选材一定要严格按照国家和行业的相关标准、规范严格执行,任何不合格产品的入场都会造成不可估量的损失。施工现场发现违章指挥、冒险作业时,任何人都有责任在第一时间制止,这样才能将事故消灭在萌芽状态。

【实例 3-7】 因支模的大头柱强度不足引起倒塌

1. 工程及事故概况

广东省某农机加油站的一个油亭,于1986年1月,在浇筑屋面混凝土时突然塌落,造成5人死亡、1人重伤、3人轻伤的重大事故。

该工程为单层钢筋混凝土结构,由4根钢筋混凝土柱支承一反井字梁屋盖,共有10根交叉大梁。平面尺寸为14m×14m,面积196m²,支撑屋盖的柱子高6.8m,柱间距双向均为9m,如图3-6(a)所示。

该工程结构不复杂。浇筑屋盖时采用满堂支模板，梁底部采用的大头撑立柱，间距0.5m。平板部分采用1m×1m间距的支撑。因板距地面6.8m，支撑采用杂圆木，均不够长，于是采用双层支模，在4.1m处设一层铺板，再在其上支第一层支撑，直至梁板底部，如图3-6（b）所示。

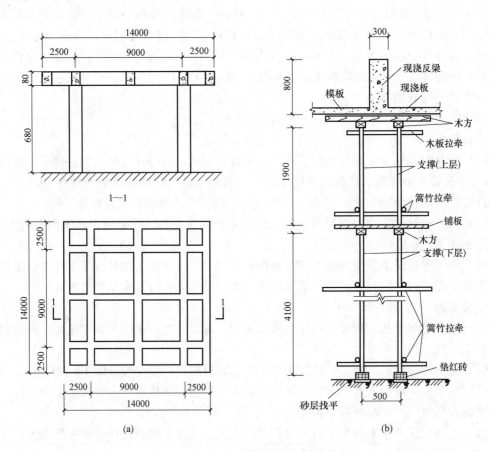

图 3-6 柱支承反井子梁屋盖

2. 事故原因分析

原支撑未经计算，事故后复核计算，发现模板的支承强度不够，模板整体也不稳定，从而造成塌倒。杂圆木直径较细，最小梢径仅为35mm，平均只有57mm，而且不直，多有弯曲，最大的弯曲可达300mm，最小的弯曲值也达20mm，平均为96mm。施工操作时，上、下层支撑只有一个钉子连接，立柱不够高时在下边用红砖垫起，一般为3~5皮砖，最多达7皮砖。支撑下面的土基也未认真夯实，受压后有下沉现象。这样的支撑很难保证均匀受力。立柱之间用20mm粗的篙竹牵拉，绑扎又不够牢固，根本起不到支撑稳定的作用。

经计算：支撑计算高度为4.1m，采用平均直径57mm计，其长细比为287，大大超过支撑受压木柱要求长细比50~200的要求。

又从强度计算，由新浇混凝土、木模自重，施工机重量及施工荷载总计对每一个立柱的压力产生的应力约20N/mm²，而杂木的设计强度为11~13N/mm²，不足以承载施工时产生的应力,再考虑到各柱受力不均匀,个别柱的应力还会更高一些。由此可见发生事故是必然的。

3. 经验教训

由本例事故可见,在施工中要进行模板设计,以保证有足够的强度。支撑立柱要选择平直的木料,支撑间应有有效的支承,长细比不能超过规定,以保证施工的安全进行。

【实例 3-8】 拆模过早引起倒塌

1. 工程及事故概况

某轻工厂为 2 层现浇框架结构,预制钢筋混凝土楼板。施工单位在浇筑完首层钢筋混凝土框架及吊装完一层楼板后,继续施工第二层。在开始吊装第二层预制板时,为加快施工进度,将第一层大梁下的立柱拆除,以便在底层同时进行内部装修,结果在吊装二层预制板将近完成时,发生倒塌,当场压死多人,造成重大事故。

2. 事故原因分析

事故发生后,经调查分析,倒塌的主要原因是底层大梁立柱及模板拆除过早。在吊装二层预制板时,梁的养护只有 3 天,强度还很低,不能形成整体框架传力,因而二层框架及预制板的重量及施工荷载由二层大梁通过立柱直接传给首层大梁,而这时首层大梁的强度尚未完全达到设计的强度等级 20,经测定只有 C12。首层大梁承受不了二层结构自重及本层结构自重而引起倒塌。

3. 经验教训

从这例事故可以看出拆除模板的时间应按施工规程要求进行,必要时(尤其是要求提前拆除模板时)应进行验算。

3.3.3 因钢筋工程问题引起的事故

【实例 3-9】 因钢筋锚固长度不足而引起的事故

1. 工程及事故概况

某锻工车间屋面梁为 12m 跨度的 T 形薄腹梁,在车间建成使用后不久,梁端头突然断裂,造成厂房局部倒塌,倒塌构件包括屋面大梁及大型面板。

2. 事故原因分析

事故发生后到现场进行调查分析,混凝土强度能满足设计要求。从梁端断裂处看,问题出在端部钢筋深入支座的锚固长度不足。设计要求锚固长度至少 150mm,实际上不足 50mm。设计图上注明,钢筋端部至梁端外边缘的距离为 400mm,实际上却只有 140~150mm,如图 3-7 所示。因此,梁端支承于柱顶上的部分接近于素混凝土梁,这是非常不可靠的。加之本车间为锻工车间,投产后锻锤的动力作用对厂房产生较强影响,这在一定程度上增加了大梁的负荷。在这种情况下,最终引起了大梁的断裂。

3. 经验教训

由本事故可见,钢筋除按计算要求配足数量以外,还应按构造要求满足锚固长度等要求。

【实例 3-10】 配筋方向错误引起事故

1. 工程及事故概况

某工程框架柱,断面 300mm×500mm,弯矩作用主要沿长边方向,在短边两侧各配

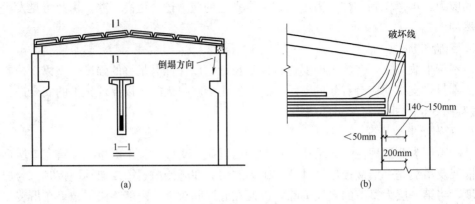

图 3-7 某锻工车间屋面梁

筋 5Φ25，见图 3-8（a）。在基础施工时，钢筋工误认为长边应多放钢筋，将两排 5Φ25 的钢筋放置在长边，而两短边只有 3Φ25，不满足受力需要，见图 3-8（b）。基础浇筑完毕，混凝土达到一定强度后绑扎柱子钢筋，这时发现基础钢筋与柱子钢筋对不上，这时才发现搞错了。

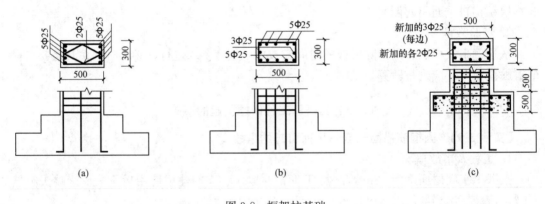

图 3-8 框架柱基础

2. 处理方案

（1）在柱子的短边各补上 2Φ25 插铁，为保证插铁的锚固，在两短边各加 3Φ25 横向钢筋，将插铁与原 3Φ25 钢筋焊成一整体。

（2）将台阶加高 500mm，采用高一强度等级的混凝土浇筑。在浇筑新混凝土时，将基础面凿毛，清洗干净，用水润湿，并在新台阶的面层加铺 Φ6@200 钢筋网一层。

（3）原设计柱底钢箍加密区为 300mm，现增加至 500mm。

3.3.4 因混凝土工程问题引起的事故

【实例 3-11】 混凝土浇筑质量差引起的事故

1. 工程及事故概况

某院观众厅看台为框架结构，有柱子 14 根，其剖面及断面如图 3-9 所示。底层柱从基础顶到一层大梁止，高 7.5m，断面为 740mm×740mm。混凝土浇筑后，拆模时发现

13根柱有严重的蜂窝、麻面和露筋现象,特别是在地面以上1m处尤其集中,问题严重。

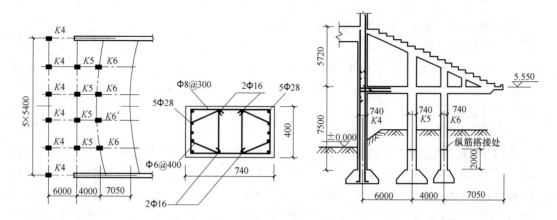

图3-9 某影剧院看台结构

2. 事故原因分析

(1) 配合比控制不严。混凝土设计强度等级为C18,水灰比为0.53,坍落度为3～5cm。但施工第二天才安装磅秤。有了磅秤还时用时不用,只有做试块时才认真按配合比称重配料,实际使用的混凝土配合比控制极为马虎,尤其是水灰比控制不严。

(2) 灌筑高度超高。按照《混凝土结构工程施工规范》的规定,柱、墙模板内的混凝土浇筑倾落高度不应大于3m(骨料粒径大于25mm)或6m。该工程柱高7m,施工时柱子模板上未留浇灌的洞口,混凝土从7m高处倒下,也未用串筒或溜管等设备,一倾到底,这样势必造成混凝土的离析,从而易造成振捣不密实与露筋等问题。

(3) 每次浇筑混凝土的厚度太厚。该工程由乡村修建队施工,没有机械振捣设备,如振捣器等,采用2.5cm×4cm×600cm的木杆捣固。这种情况,每次浇筑厚度不应超过200mm,且要随灌随捣,捣固要经过两层交界处,才能保证捣固密实。但施工时,以一车混凝土为准作为一层捣固,这样每层厚达400mm,超过规定一倍,加上捣固马虎,出现蜂窝、麻面是不可避免的。

(4) 柱子中钢筋搭接处钢筋配置太密。该工程从基础顶面往上1～2m间为钢筋接头区域,搭接长度1m左右。搭接区内,在同一断面的某一边上有6～8根钢筋,钢筋的间距只有30～37.5mm而规范要求柱内纵筋间距不应小于50mm。加上施工时钢筋分布不均匀,许多露筋处钢筋间距只有10mm,有的甚至筋碰筋,一点间隙也没有,这样必然造成露筋等质量问题。

3. 经验教训

对此事故采取如下补强加固措施:

(1) 将蜂窝、孔洞附近疏松的混凝土全部凿掉;

(2) 用水将蜂窝、孔洞处混凝土湿润,可采用淋水及用湿麻袋覆盖等办法;

(3) 在要补填混凝土的洞口附近支模,为便于浇筑,上边留出喇叭口;

(4) 将混凝土强度提高一级,用C28混凝土并加入早强剂,或掺入微膨胀剂,将洞口填实,要捣固密实;

(5) 养护要加强,保持湿润14昼夜,以防混凝土发生较大收缩,使新、旧混凝土间产生裂缝；

（6）拆模，将多余混凝土凿去，磨平。

【实例 3-12】 减水剂使用不当引起的事故

1. 工程及事故概况

广州某一高楼 28 层，为框架-剪力墙结构，采用泵送混凝土现浇梁柱及楼板。基础为钻孔灌注桩。在浇筑第三层楼板时，泵送混凝土发生了堵管，眼看事故要扩大，不得不紧急停工，检查原因。

2. 事故原因分析

堵管问题往往是水泥不合格、配合比不当或外加剂使用不当造成的。从水泥抽样检验来看，各项指标完全符合标准，配合比也严格按试配后确定的比例配置。堵管的原因只有从外加剂上去找，外加剂中的木钙粉，一直广为应用，似乎应无问题。最后通过对水泥成分进行 x 射线分析，得知水泥中含有大量的硬石膏（$CaSO_4$），于是确定为硬石膏与木钙作用形成的假凝现象造成了此次事故。

3. 经验教训

为改善混凝土的性能，满足各种功能要求，加快施工进度，改善劳动条件，节约水泥等目的，各种混凝土外加剂被研制出来，并得到愈来愈广泛的应用，如减水剂、早强剂、防冻剂、脱模剂等。现在外加剂品种极多，多数为液态，在施工中加入混凝土拌合物，一般掺量低于水泥用量的 5%。其中减水剂可在减少水灰比的条件下大大改善混凝土的流动度，而在常用范围内降低水灰比可提高混凝土的强度，因而得到广泛应用，可以说，目前绝大多数混凝土工程都采用了减水剂。

有一种我国自行研究、生产并得到普遍应用的减水剂是木钙粉。其主要成分为木质素磺酸钙及其衍生物。这是利用生产化纤或纸浆的下脚料经酒精提取后的废液，经石灰、硫酸处理后喷雾干燥而成。它极易溶于水，对水泥颗粒有明显的分散效应，掺入量合适时，不仅使混凝土流动度大为改善，且能够提高混凝土强度。因为工艺流程简单，原料来源又是废物利用，生产难度不大。木钙类减水剂和以工业素为原料的减水剂相比，是一种投资少，收益大，见效快的产品。中国生产厂家很多，促进了其普遍应用。但木钙类减水剂有一缺点，就是易与硬石膏产生不良反应，严重的可引起工程事故。因为普通水泥中水化反应速度很快的熟料矿物为铝酸三钙（C_3A），它的优点是硬化快，早期强度高，但它的存在使水泥浆凝结过快，施工不便，为此，一般加入二水石膏（$CaSO_4 \cdot 2H_2O$），起缓凝作用，但是有些水泥生产厂家，不用二水石膏，而采用硬石膏（$CaSO_4$）作调凝剂。因为木钙的原料中除含有木质素外，还有其他成分。尤其是经石灰和硫酸处理后，产品是从分离出硫酸钙沉淀的滤液中喷雾干燥而得，硬石膏（$CaSO_4$）在木钙溶液中是不溶的，因而它不能参与铝酸三钙的水化过程，即其调凝作用不能发挥，在泵送中便过早凝结而引起堵管。

事故原因弄清楚后，改用其他类型的减水剂（焦磷酸钠），泵送混凝土就很正常，工程顺利进行。由此可见，若水泥中是使用硬石膏作调凝剂的，就不应使用木钙类减水剂；若用木钙类减水剂就不应采用以硬石膏为调凝剂的水泥。这类问题，常为施工人员所忽视，必须引起注意。

【实例 3-13】 膨胀剂使用不当引起的事故

1. 工程及事故概况

某地修建游泳池,底板采用180mm厚的混凝土,为防止龟裂,添加了硫铝酸钙类膨胀剂。施工期间在夏天,浇筑、养护均按正常工序进行。半个月以后,有一天下了大雨,游泳池被水泡了。第二天,发现有7m×6m范围内混凝土表层呈粉末状态,就像泡水的面包呈疏松状态。

2. 事故原因分析

经检查,其他部分的混凝土没有破损,就只有这一局部有问题。据施工人员回忆,有两盘混凝土搅拌时多加了膨胀剂。一般膨胀剂添加量为混凝土重量的6%～12%是合适的。当时有两盘加到了16%还多一点,当时认为就费点料,质量会更好。实际上,添加膨胀剂超过12%时,混凝土强度会急剧下降。施工正值夏天,天气无雨而干燥,膨胀剂多了未完全水化掉。两周以后,下雨淋湿了,膨胀剂与雨水反应膨胀,就使混凝土疏松了。

3. 经验教训

加膨胀剂不是越多越好,一定要适量。在本例的后续处理中,将7m×6m范围内疏松混凝土全部凿掉,清理干净后重新浇筑微膨胀混凝土,并精心湿润养护一周。修补后未再发现问题。

【实例3-14】 养护不当引起的干缩裂缝

1. 工程及事故概况

某9层办公楼,为框架结构。钢筋混凝土柱及楼盖均为现场浇筑。每层面积863m²。浇筑完每层的楼层后,盖草帘浇水养护。在主体结构基本完成,养护28天后,拆除底模,在去掉草帘时发现第三层楼盖布满了不规则裂缝,大多数裂缝宽0.05～0.5mm,有的裂缝已上下贯通,如图3-10所示。但其余楼层均无裂缝。

2. 事故原因分析

排除配筋不足及温度变化等原因,最大可能是

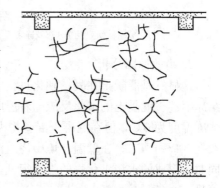

图3-10 楼板上典型裂缝

混凝土干缩裂缝。进一步检查,第三层施工时气温高达30℃,天气干热,相对湿度不到40%,而且当日有七八级大风,风速达12～18m/s。在如此干燥的天气加上热风猛吹,混凝土的干缩比一般情况下可增大4～5倍,可使混凝土在浇筑后立即发生开裂。因而尽管浇筑后也按一般情况盖上草帘,但浇水不足,热风一吹,很快蒸发掉了。混凝土硬化期间温度高,湿度极小,引起剧烈收缩,从而造成裂缝事故。

3. 经验教训

混凝土浇筑完成后,一定要重视养护工作。本例的后续处理中,经钻芯及用回弹仪检测,混凝土强度平均降低15%,裂缝已停止发展,补强后尚可应用。故采用灌浆封闭裂缝,上面铺上一层钢筋网(Φ4@200),打上30mm的豆石混凝土。

【实例3-15】 养护不足引起的冻害事故

1. 工程及事故概况

某省一综合加工楼,5层,砖混结构,砖墙承重,现浇钢筋混凝土楼盖。在浇筑混凝

土时正值冬季（1988年1月间，日间气温0～5℃）。但施工队缺乏冬期施工措施，在拆模后发现冻害严重。具体表现在：①板面混凝土层剥落，板面疏松，用铁器或木板刮时，表层纷纷剥落，有的外露石子，用手可以抠动，结构疏松；②混凝土强度严重不足，原设计混凝土强度等级为C25，实测强度等级大都在C10～C13之间，个别的仅为C6；③表面裂缝遍布，如图3-11所示。

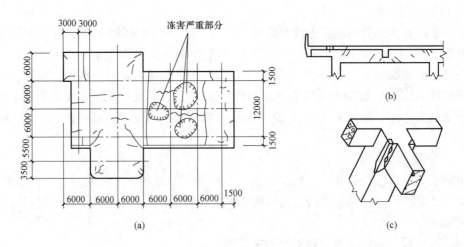

图3-11 楼盖冻害图
(a) 裂缝分布及冻害严重部位；(b) 梁上裂缝；(c) 柱端头的裂缝

2. 事故原因分析

这显然是混凝土在凝结硬化过程中受了冻害。从取样混凝土中发现骨料表面有明显的结冰痕迹。混凝土的水化反应随着温度的降低而减弱，水结冰则水化反应完全停止。水的冰冻温度为0℃，但在混凝土混合物中总有一些溶解物质，使得水的结冰温度要低于0℃，约在-1～-4℃。在低温环境中浇筑混凝土，由于混凝土在硬化前受冻，水化反应很弱，同时新形成的水泥水化物的强度很低，水结冰冻胀时，内部结构遭到破坏，因而强度严重不足。

3. 经验教训

该例的处理措施如下：

(1) 板面处理，将脱皮及不实的混凝土全部剔掉，清理干净，用清水冲洗表面。先刷素水泥砂浆，加铺Φ4@150钢筋网，打上40mm厚的C25豆石混凝土，并仔细养护7昼夜。

(2) 梁加固。采用扩大断面法，即梁的两侧面及底面加上围套的钢筋混凝土。

【实例3-16】 因采用不合格水泥引起的事故

1. 工程及事故概况

某地一高层建筑结构，共27层，建筑平面尺寸为60.7m×90.4m，现浇混凝土框架-剪力墙结构。1987年施工，1988年主体结构完成到14层楼板。赶上重点工程建筑质量大检查，发现第10层到14层混凝土强度普遍达不到设计要求。设计混凝土强度等级为C30。实际测定只有C10～C15。有些混凝土显得疏松，用小锤轻轻敲打，即有掉皮及漏砂现象，从散落的混凝土可见水泥浆粘结性能很差。

2. 事故原因分析

主要是水泥质量极差。在浇筑 10~14 层的混凝土期间,水泥供应紧张,进场的水泥没有严格检验。水泥来源于许多小水泥厂,牌号很杂。原厂标明为 425 号普通硅酸盐水泥,经实测只能达到 225~325 号,施工时按 425 号水泥配制,强度达不到设计要求。加上施工用的砂子本应为粗砂,实际上用了粉细砂,使得混凝土质量更差。

3. 经验教训

为不留后遗问题,在该事故处理中,决定将这几层结构彻底拆除,重新施工,造成了很大的经济损失。

【实例 3-17】 骨料中混入膨胀性矿物引起事故

1. 工程及事故概况

某一市镇的乡办企业车间,面积 $4600m^2$,为 3 层钢筋混凝土框架结构,梁、柱为现浇混凝土,楼板为本镇预制厂生产的多孔板。于 1986 年春开工,同年 8 月完成,交付使用后 1 个月即发现梁、柱等有多处爆裂,在 6~7 个月以后,又陆续发现大量混凝土爆裂,其中严重的裂缝长达 150cm,有的已贯通大梁,导致大梁折断。

2. 事故原因分析

事故发生后,取裂缝处碎片进行 x 射线分析,结果显示主要的晶相为方镁石 MgO,此外还有少量的生石灰石 CaO,由此可以判定是方镁石及石灰石水化膨胀所致。其来源的乡镇企业为了节省资金,采用了本乡耐火材料厂生产镁砂时所产生的废砂代替混凝土中的部分集料。该厂以白云石 $[CaMg(CO_3)]$ 为原料,锻烧生产耐火材料,而废渣中含有 MgO 及 CaO。结果引起事故,得不偿失。

3. 经验教训

易混入混凝土骨料的有害物质主要有生石灰(游离氧化钙 CaO)和方镁石(游离氧化镁 MgO),这类物质与水发生水化反应时,固体体积膨胀。

$$MgO+H_2O=Mg(OH)_2(水镁石)$$
$$CaO+H_2O=Ca(OH)_2(羟钙石)$$

方镁石水化时固体体积膨胀 2.19 倍;生石灰水化时体积膨胀 1.97 倍。它们均会产生很大的膨胀应力,混凝土因无法抵抗而爆裂。该应力有时还足以挤弯钢筋。这类有害物质混入混凝土拌合物后,有的可在短时间内水化,较快地发生混凝土爆裂;有的可能陆续水化,在浇筑后几个月,甚至 1 年后才发生水化膨胀。

【实例 3-18】 混凝土强度不足拆模过早引起事故

一般地,伴随着混凝土强度的增长,混凝土结构与模板、支撑组成施工期间的临时体系。施工期间,混凝土强度增长对施工的支护方案、拆模时间以及施工活荷载的取值等均存在影响。结构的构件往往需要承担来自本层和上部模板与支撑传递来的荷载,因此,要根据混凝土强度增长情况,选择相应的模板以及支撑层数。否则,盲目地选择支护方案,增大支撑层数,可能会因混凝土强度发展不足而发生安全事故。除此之外,混凝土强度的增长情况影响拆模时间。根据国家标准,拆模时的混凝土强度应满足下限值,当混凝土强度低于该下限值时,按照规定不能拆模。在施工过程中,变异性最大的为施工活荷载,一方面施工活荷载可能相对正常情况出现大的异常荷载,另一方面施工活荷载可能分布不均,活荷载的取值受到临时承载体系的承载力限制。相应的,混凝土的强度很大程度上影响临时体系的承载力，因此，混凝土的强度增长对施工活荷载的取值也存在影响。

很多工程事故是由拆模时混凝土强度不足造成的。例如在1978年4月27日，美国西弗吉尼亚州柳树岛普莱森特电厂一在建冷却塔发生坍塌事故，造成51人死亡。事发冷却塔采用提模施工法，工人在拆下段模板，布置好塔周顶层钢筋之后，将模板提升以进行混凝土浇筑工作。在混凝土浇筑工作开始之后出现了模板向塔内倾斜下跌，随之塔周坍塌，脚手架和模板均掉入冷却塔内，平台上施工人员无一生还。

1. 工程及事故概况

2016年11月24日江西省某发电厂冷却塔施工时，因忽略气温骤降对混凝土强度发展的延迟，过早拆除了冷却塔筒壁的模板，导致该节段混凝土从浇筑的完成部位开始坍塌，沿圆周方向向两侧连续倾塌坠落，施工平台及平桥上的作业人员随同筒壁混凝土及模架体系一同坠落。事故造成73人死亡，2人受伤，部分已完工程受损，直接经济损失10197.2万元。

2. 事故原因分析

直接原因：

混凝土强度不足，拆模过早。混凝土浇筑完成后的养护期间，当地气温骤降，且为阴有小雨天气，这种气象条件延迟了混凝土强度的发展。试验结果表明，模板拆除时，筒壁混凝土的抗压强度未达到国家标准中规定的强度。当筒壁各区段分别开始拆模后，随着拆除模板数量的增加，筒壁混凝土失去模板的支撑，不足以承担上部荷载，所承受的弯矩迅速增大，从底部最薄弱处开始坍塌，造成该段及以上筒壁混凝土及模架体系连续倾塌坠落。坠落物冲击与筒壁内侧连接的平桥附着拉索，导致平桥整体坍塌。

间接原因：

（1）施工工期压缩。在冷却塔施工过程中，施工单位为完成工期目标，施工进度不断加快，导致拆模前混凝土养护时间减少，混凝土强度发展不足。

（2）施工组织混乱。在气温骤降的情况下，施工单位没有采取相应的技术措施以加快混凝土强度发展速度。筒壁工程施工方案存在严重缺陷，施工单位项目部未按照规定将筒壁工程定义为危险性较大的分部分项工程，未制定针对性的拆模作业管理控制措施。对试块送检、拆模的管理失控，在施工过程中，没有关于拆模作业的管理规定，也没有任何拆模的书面控制记录，也从未在拆模前通知总承包单位和监理单位。

（3）安全生产机制不健全。施工单位未按规定设置独立安全生产管理机构，安全管理人员数量不符合要求，未建立安全生产"一岗双责"责任体系，未按规定组织召开安全生产委员会会议，对施工现场的安全、质量管理重点把控不准确。

（4）安全监管工作不落实。总承包单位、监理单位、项目建设单位等的监管不力，相关主管监管人员未及时发现和处理安全生产违法、违规行为，对于发现的违法行为也未依法予以处理。

3. 经验教训

这是一起重大的生产安全责任事故。事故暴露出施工单位、总承包单位、监理单位等存在的多方面问题。通过这起重大事故，相关单位和部门需要警醒，吸取经验教训，避免类似事故的再次发生。

（1）增强安全红线意识，进一步强化建筑施工安全工作。各地区、各有关部门、各建筑企业要坚持安全发展，坚守发展决不能以牺牲安全为代价这条不可逾越的红线。各有关部门要督促企业严格按照有关法律法规的标准要求，建立健全安全生产责任制，完善企业和施工现场作业安全管理规章制度。

（2）完善电力建设安全监管机制，落实安全监管责任。各地区、各有关部门要督促工程建设、勘察设计、总承包、施工、监理等参建单位严格遵守法律法规要求，严格履行项目开工、质量安全监督、工程备案等手续。国家能源局及派出机构要加强现场监督检查，严格执法。要加强对全国电力工程质量监督的归口管理，防范电力质检机构职能弱化及履职不到位的现象。

（3）进一步健全法规制度，明确工程总承包模式中各方主体的安全职责。各相关行业主管部门要及时研究制定与工程总承包等发包模式相匹配的工程建设管理和安全管理制度，完善工程总承包相关的招标投标、施工许可（开工报告）、竣工验收等制度规定，为工程总承包的安全发展创造政策环境。

（4）规范建设管理和施工现场监理，切实发挥监理管控作用。各建设单位要认真执行工程定额工期，严禁在未经过科学评估和论证的情况下压缩工期，要加强对工程总承包、监理单位履行安全生产责任情况的监督检查。各监理单位要完善相关监理制度，强化对派驻项目现场的监理人员特别是总监理工程师的考核和管理。

（5）夯实企业安全生产基础，提高工程总承包安全管理水平。各建筑业企业要保障安全生产投入，完善规章规程，健全制度体系，加强全员安全教育培训。要高度重视企业经营范围扩大、产业链延伸后所带来的安全生产新风险。要高度重视从事工程总承包业务的人才队伍建设，加强项目管理人员的业务培训。

（6）全面推行安全风险分级管控制度，强化施工现场隐患排查治理。各建筑业企业要制定科学的安全风险辨识程序和方法，全方位、全过程辨识存在的安全风险，逐一落实企业、项目部、作业队伍和岗位的管控责任。要健全完善施工现场隐患排查治理制度，将责任逐一分解落实。施工企业应及时将重大隐患排查治理的有关情况向建设单位报告，建设单位应积极配合做好重大隐患排查治理工作。

（7）加大安全科技创新及应用力度，提升施工安全本质水平。各建筑业企业要强化科技创新，从根本上减少传统登高爬下和手工作业方式带来的事故风险。特别是建筑业中央企业等骨干企业要引领行业安全科技水平的提升。各相关行业主管部门要及时制定严重危及生产安全的工艺、设备淘汰目录。要加快推进创新成果向技术标准的转化进程。

3.3.5 因其他施工问题引起的事故

【实例3-19】 看错图纸引起的倒塌事故

1. 工程及事故概况

1962年12月，美国曼哈顿市中心一座地下车库，其混凝土顶板在没有预兆的情况下发生坍塌。该车库顶板由406mm的双向密肋板组成，

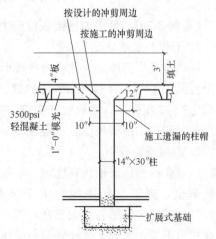

图3-12 柱顶的柱帽

其上覆盖0.92m的土,如图3-12所示。坍塌面积大约为入口广场的一半,从直接原因来看,破坏完全是冲剪作用所致。

2. 事故原因分析

施工方在建造过程中,遗漏了破坏区域所有柱子顶部的柱帽。破坏区的排水管堵塞后,水不能排去,冻土覆盖增加了重量,加速了倒塌的发生。至于破坏的关键原因,即遗漏柱帽的原因,竟然是施工方看错图纸。在查看结构施工图时发现,承包商误把代表混凝土柱帽的线当作大放脚的尺寸线。

3. 经验教训

施工方在看图纸时一定要仔细检查,正确理解图纸的意思。同时,设计方在绘图时也应当力求表达清晰,避免产生歧义。

3.4 预应力混凝土事故

3.4.1 概述

预应力混凝土在我国有广泛的应用,其中先张法大多用于中小型标准构件,如预应力圆孔板、预应力大梁等;后张法用于大中型构件,有的还在施工现场拼装;无粘结预应力混凝土在我国多数用于高层建筑结构的楼盖结构。预应力混凝土工程对材料要求高,对施工工序要求严,稍有不慎即发生事故。引起事故常见的原因有:

(1) 锚具不合格。如后张法螺栓端杆断裂、螺栓端杆变形;对预应力筋锚夹不紧而滑脱;锚具加工精度差,导致预应力筋内缩量大;锚具内夹片碎裂、锚环开裂等。

(2) 预应力筋不合格。如锈蚀严重,强度不足,冷弯性能不良,伸长率不合格,钢丝表面有脱皮划伤,下料长度不足,穿筋发生绞丝交叉,钢丝镦头不合格等。

(3) 后张法预留孔道不合格。如孔道弯曲、堵塞,拼装的分部件孔道对不准等。

(4) 张拉过程的事故。锚固处出现顺筋裂缝,预应力筋断裂。预应力周边混凝土被压碎等。

3.4.2 因预应力施工引起的事故

【实例3-20】 预应力屋架张拉应力过大引起的事故

1. 工程及事故概况

四川省某厂房屋架为预应力折线形屋架,跨度24m,采用后张法预应力生产工艺,下弦配置两束$4\phi12$的44Mn2Si冷拉螺纹钢筋,用两台60t拉伸机分别在两端同时张拉。第一批生产13根屋架,采取卧式浇筑、重叠四层的方法制作。屋架两束预应力筋由两台千斤顶同时张拉,屋架张拉后,发现屋架产生平面外弯曲,下弦中点外鼓10~15mm。

2. 事故原因分析

(1) 张拉油压表未认真标定。事故后对张拉设备重新校验,发现有一台油压表的表盘读数偏低,亦即实际张拉力大于表盘指示值。当按油压表指示张拉到设计张拉值259.7kN时,实际的张拉力已达297.5kN,比规定值高出14.6%。于是,两束钢筋的实际张拉力不等,导致下弦杆件偏心受压,引起屋架平面外弯曲。

(2) 由于张拉承力架的宽度与屋架下弦宽度相同,而承力架的安装过程与屋架端部的尺寸形状常有误差，重叠生产时误差的积累使上层的承力架不能对中，这会加大屋架的侧向弯曲。

（3）个别屋架由于孔道不直和孔位偏差，使预应力偏心，从而加大了屋架的侧弯。

（4）为了弥补构件间因自重应力产生的摩阻力所造成的损失，施工中还实行超张拉，有的提高张拉力3％、6％和9％。这样，读数偏低的张拉应力值实际上会大大超过冷拉应力设计值680.0N/mm^2。复核结果见表3-13。

张拉应力复核　　　　　　　　　　　表3-13

层次	应力(N/mm^2) 设计值	规定最高值	因读数不准超张值	总计
4	586.0	0	96.6	682.6
3	586.0	17.5	96.6	700.2
2	586.0	35.2	96.6	717.8
1	586.0	52.7	96.6	735.4

3. 经验教训

该事故处理方法是打掉锚头处混凝土（此时孔道尚未灌浆），放松预应力筋，并更换钢筋，重新张拉和锚固。因打碎自锚头时，屋架端部产生不少裂缝，为了安全，用角钢和螺栓将端头包紧，外面再浇筑细石混凝土，厚60mm，见图3-13。加固后，经试压检验，完全符合要求。

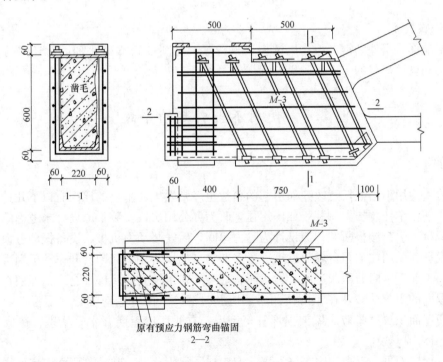

图3-13　端部加固示意图

【实例3-21】 局部承压强度不足引起裂缝事故

1. 工程及事故概况

某单层双跨厂房采用21m和24m预应力梯形屋架，现场预制后张拉预应力，预应力筋为4束，冷拉Ⅳ级钢丝，共92榀。张拉完毕后检查发现相当一部分屋架在屋架端部节点产生宽度为 0.05~0.35mm 的裂缝，顺预应力筋方向，长 500mm 左右，其中有 4 根屋架缝宽达 0.9~1.0mm，长度达 600mm，如图 3-14（a）所示。

2. 事故原因分析

经复核计算，总体强度设计可靠度足够，但局部承压强度不足。混凝土受到局部压力时，在一定范围内，在横向产生拉应力。构造要求承压锚板厚度应为 14mm，实际上采用了 8mm 的钢板，起不到分散压力的作用，预应力孔道只需 Φ50，而施工时改为 Φ60，削弱了承压面积，最主要的原因是端部横向配筋不足。按规范要求配置螺旋筋为 Φ8 长 400mm，实际只配 Φ6 长 200mm。

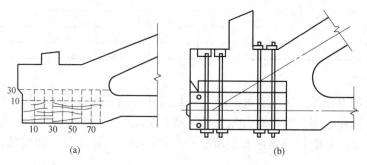

图 3-14 屋架端部节点

3. 经验教训

屋架端部采用外贴钢夹板；用螺栓套箍拧紧，见图 3-14（b），加固后还进行了荷载检验，达到设计荷载的 1.6 倍，无异常现象。

3.5 使用不当引起的事故

3.5.1 概 述

结构由使用不当或任意改建而引起的事故也经常发生，主要的原因有以下几种。

（1）使用中任意加大荷载。如民用住宅改为办公用房，安装了原设计未考虑的大型设备，荷载过大引起楼板断裂；原设计为静力车间，后安装动力机械，设备振动过大引起房屋过大变形；民用住宅阳台堆放过重、过多杂物（如煤饼）引起阳台开裂甚至倒翻等等。

（2）工业厂房屋面积灰过厚。对水泥、冶金等粉尘较大的厂房、仓库，即使在设计中考虑了屋面的积灰荷载，在正常使用时还应及时清除；但有些地方管理不善，未及时扫灰，致使屋面积灰过厚造成屋架损坏甚至倒塌。有些厂房屋面漏水管堵塞，造成过深积水，引起檐沟板破坏。

（3）加层不当。近来，因经济发展，旧房加层很为普遍，甚至已成立了房屋增层加固委员会，业务兴旺。但有些单位自行加固，未对原有房屋进行认真验算，就盲目往上加层，由此造成的事故在全国许多省市都发生过。

（4）维修改造不当。有的使用单位任意在结构上开洞，为了扩大使用面积和得到大空间而任意拆除柱、墙，结果承重体系破坏，引发事故。有些房屋本为轻型屋面，但使用者为了保温、隔热，新增保温、防水层，结果使屋架变形过大，严重的造成屋塌房毁。

3.5.2 因使用不当引起的事故

【实例 3-22】 韩国三丰百货大楼倒塌事故

1. 工程及事故概况

曾是首尔地标的三丰百货店,由两幢对称的大楼并排组成,地下 4 层,地上 5 层,中间在三层处有一走廊将两楼连接起来,共计建筑面积达 7.4 万 m²。该大楼于 1989 年下半年竣工,1990 年 7 月 7 日开始营业。其结构形式为钢筋混凝土柱、无梁楼盖。

1995 年 6 月 29 日下午 6 点 05 分,大楼开始倒塌,在 20s 内,5 层百货大楼层层塌陷进地下 4 层内。事故发生后 50 多辆消防车呼啸到现场,1100 名救援人员和 150 名战士参加救助,动用了 21 架直升飞机,大批警察封锁现场。救助工作持续 20 余天,最后统计,共造成 502 人死亡,937 人受伤,是韩国历史上在和平时期伤亡最严重的一起事故,也是世界上建筑自行倒塌的伤亡极其重大的事故之一。

2. 事故原因分析

造成这一事故的原因是多方面的。首先从设计上看,安全度留得不够。每根柱子设计要求承载力应达 4.5t(相当于 45kN)左右,实际复核其承载力没有安全裕度。原设计为由梁柱组成框架结构与现浇钢筋混凝土楼板。为提高土地利用系数,施工时将地上 4 层改为地上 5 层,并将有梁楼盖体系改为无梁楼盖,以争取室内有较大的空间。改为无梁楼盖时,虽然增加了板厚,但整体刚性不如有梁体系,且柱头冲切强度比设计要求的强度还略低一点。这为事故发生种下了祸根。

在之后的调查中,调查人员发现,根据建筑物的安全标准计算结果,三丰百货大楼的柱子直径应该是 80cm,而实际测量却发现其缩减到了 60cm,中间的钢筋也从 16 根减少到 8 根,使大楼的承重能力减少将近一半。在四楼用于强化混凝土楼板的钢筋也装错了位置,本应与楼面相差 5cm,而实际测量发现其与楼面相差了 10cm 之多,这相当于把楼板厚度变薄了,也导致了楼板与柱子之间的强度减少了 20%。这把本来设计安全度不足的结构更加推向了危险的边缘。

从使用过程看,原设计楼面荷载为 200kg/m²(2kN/m²),实际上由于货物堆积,柜台布置过密,加上增加了不少附属设备,购物人群拥挤,致使实际使用荷载已近 4kN/m²。整幢大楼的空调设备(水冷式冷气机)现在都被安装在了楼顶之上。3 台大型冷气机共重 29t,加上冷气机注满水时,总重量更高达 87t,达设计标准的承重负荷 4 倍之多。让情况变得更糟的是,在 1993 年,由于周围居民对冷气机噪声的抱怨,大楼后部所有的冷气机都被移到了前部。这一移动本应使用起重机,但结果是所有的设备都是直接在楼顶上利用滑轮被推拽到位的,使整个楼顶结构大受损伤,冷气机所过之处充斥着裂痕,再加上冷气机运作时产生的振动使冷气机附近的 5E 号柱子和楼顶的连接点出现裂痕,支柱不能发挥其作用。最后一次改建装修时在柱头焊接附件,使柱子承载力进一步削弱,终于酿成了惨剧。

尽管此楼设计不足,施工质量差,使用改建又极不妥当,但发生事故仍有一些先兆,说明结构还有一定的延性。如能及时组织人员疏散,还有可能避免大量人员伤亡。事故发生当天早上,守夜保安就报告了楼顶出现裂缝,但负责人并未理会。上午,一家餐馆发现有地板和柱子开始出现裂缝,而商店负责人仅关闭冷气机。负责人为了不影响营业,断然认为没有大问题。下午 4 时许，三丰百货大楼楼顶传来"轰"的一声巨响，但在地下室的人们和管理层对此毫不知情，而此时由于冷气机长期以来对 5E 号柱子施加压力和传导振动，使得五楼的地板、天花板和 5E 号柱子开裂，四楼、五楼的天花板开始慢慢下陷。下午 5 时，4 楼的天花板下陷愈发严重，百货大楼工作人员因此封闭了这一楼层。大约 5 点 50 分，楼上又传来一声更大的巨响并伴随着"噼里啪啦"的断裂声，大楼开始剧烈摇晃，工作人员拉响了警报，并开始疏散顾客。6 点 05 分左右，5E 号柱子在五楼天花板的连接点再也支撑不住了，它终于崩溃了，楼顶开始垮塌，上面的楼板连同冷气机掉在了超载的第五层地板上。而起支撑作用的承重柱，由于为自动扶梯腾出空间早已变得不堪重负，此时也开始一个接一个倒了下去，楼板一层一层地掉落，致使整栋建筑有一大半几乎在瞬间就全部垮塌，填满了四层的地下室，韩国曾经的标志性建筑在 20s 内夷为平地。

3. 经验教训

从以上详细记述可以看出，造成这一事故的原因是多方面的。这一工程在设计、施工、管理、使用等方面都存在着严重的问题，最终发生惨剧。韩国政府在事后对全国的建筑进行严格检查，结果需要重建的占 1/7，需要大规模维修的占 4/5，只有 2% 确定为安全，不需要维修。

【实例 3-23】 孟加拉塌楼事故

1. 工程及事故概况

孟加拉当地时间 2013 年 4 月 24 日，孟加拉首都达卡郊区的一座 8 层建筑物倒塌。截至北京时间 2013 年 5 月 13 日，事故遇难者总数已达 1127 人，另有 2500 多人受伤。这是迄今为止全世界最严重的建筑物自行倒塌灾难。

事故大楼名叫热那大厦（Rana Plaza），为当地孟加拉国人民联盟领导人索赫尔·热那所私人拥有。大楼里面设置有数家各自独立的服装工厂，这些服装厂总共雇佣了约 5000 名工人。另外在大楼内还有一家银行、数家商店以及其他各种产品的加工厂。

当地核查人员在 4 月 23 日进行检查后便已经发现大楼表面有裂缝，随即要求疏散楼内人员且同时永久关闭该大厦。位于下面几层的数家商店和一家银行在得到消息后立即关闭，但服装工厂负责人于隔天要求工人继续返回工厂上班，并告诉工人说大楼建筑在安全上并没有问题。一些工人则表示在大楼倒塌前，当地电视台已经报道大楼裂开的情形十分严重。最后在 2013 年 4 月 24 日快到上午 9 点时，大楼发生倒塌事故，倒塌后只有位于地面的一楼楼层完好。

2. 事故原因分析

整栋大楼第五~八层是未经允许而私自建造，实际上许可证只允许建筑 4 层楼的建筑。并且业主允许进驻的工厂使用按建筑物设计标准无法承受的重型设备，使用不当进一步加速了大楼的破坏。

3. 经验教训

除了违章建设之外，导致这一事故发生的关键原因在于使用不当和管理混乱。即使大楼倒塌难以避免，及时采取正确的疏散措施等至少能够避免如此大规模的人员伤亡。安全监管必须要得到足够的重视。

3.6 混凝土构件的加固方法

3.6.1 概 述

钢筋混凝土出现质量问题以后,除了倒塌断裂事故必须重新制作构件外,在许多情况下可以用加固的方法来处理。建筑加固是减轻地震灾害的有效措施,抗震加固不仅在发生地震时能大大减轻房屋的破坏,保障人员的安全,就是没有发生地震时也能增加建筑物安全度,延长建筑物的寿命,还能提高建筑物抵御意外突发事故(如振动、爆炸)的能力。现首先将常用的结构补强加固办法及加固计算基本原则作一个总的介绍。

3.6.1.1 常用加固方法

1. 加大断面补强法

混凝土构件因孔洞、蜂窝或强度达不到设计等级需要加固时,可用扩大断面、增加配筋的方法。扩大断面可用单面(上面或下面)、双面、三面甚至四面包套的方法。所需增加的断面一般应通过计算确定,在保证新旧混凝土有良好粘结的情况下可按统一构件(或叠合构件)计算。增加部分断面的厚度较小,故常用豆石混凝土或喷射混凝土等,当厚度小于 20mm 时还可用砂浆。增加的钢筋应与原构件钢筋能组成骨架,应与原钢筋的某些点焊接连好。这种加固方法的优点是技术要求不太高,易于掌握;缺点是施工繁杂,工序多,现场施工时间长,而且会带来建筑物净空间的明显减小。此外,加大构件截面的同时也会增加地震作用,对于立柱还会导致柱的延性降低,破坏类型变为脆性的剪压破坏,所以在立柱的抗震加固中应慎重使用。这种加固方法的技术关键是:新旧混凝土必须粘结可靠,新浇筑混凝土必须密实。

2. 外贴钢板补强法

外贴钢板加固方法是指在混凝土构件表面贴上钢板,与混凝土构件共同作用,一起承受外界作用,从而提高构件的抗力。至于外贴的方法,主要有焊接、锚接和粘结。焊接和锚接是很早就采用的,粘接则是随着高强胶粘剂的出现而逐步得到推广的。

(1) 焊接钢板法

将钢板或钢筋、型钢焊接于原构件的主筋上,它适用于整体构件加固。目前这种方法常与扩大断面法结合使用。焊接钢板的主要工序是:

1) 将混凝土保护层凿开,使主筋外露;

2) 用直径大于 20mm 的短筋把新增加的钢筋、钢板与原构件主筋焊接在一起(可用断续焊接);

3) 用混凝土或砂浆将钢筋封闭。

因焊接时钢筋受热,形成焊接应力。施工中应注意加临时支撑,并设计好施焊顺序。目前这种方法常与扩大断面法结合使用。

(2) 锚接钢板法

由于冲击钻及膨胀螺栓的应用,可以将钢板甚至其他钢件(如槽钢、角钢等)锚接于混凝土构件上,以达到加固补强的目的。

锚接钢板的优点是可以充分发挥钢材的延性性能,锚接速度快,锚接构件可立即承受外力作用。锚接钢板可以厚一点,甚至用型钢,这样可大幅度提高构件承载力。当混凝土孔洞多,破损面大而不能采用粘接钢板时,用锚接钢板效果更好。但该方法也有缺点,即加固后表面不够平整美观,对钢筋密集区锚栓困难,钢材孔径位置加工精度要求较高。并且锚栓对原构件有局部损伤,处理不当会起反作用。混凝土表面往往不够平整,常需要用水泥砂浆或环氧砂浆找平,以使所加钢板与混凝土面紧密结合。

(3) 粘结钢板法

采用高强胶粘剂,将钢板粘于钢筋混凝土构件需要补强部分的表面,以达到增加构件承载力的目的。如对跨中抗弯能力不够的梁,可将钢板粘于梁跨中间的下边缘;对于支座处抵抗负弯矩不足的梁,则可在梁的支座截面处上边缘贴钢板,或者在上边打出一定长度的槽形孔,在其中粘结扁钢;对抗剪能力不够的梁,则可在梁的两侧粘结钢板。

粘结钢板的截面可由承载力计算确定。一般钢板厚度 3~5mm,粘结前应除锈并将粘结面打毛(粗糙化),以增强粘结力。粘结钢板施工 3 天后即可正常受力,发挥作用。外露钢板应涂防腐蚀油漆。

粘结钢板补强的优点是:不占用室内使用空间,可以在短时间内达到强度。但工艺要求较高,并且现在胶粘剂耐高温性能差,当温度达到 80~90℃时,胶粘剂强度下降。此外,胶粘剂的老化问题也需要进一步研究。

3. 碳纤维布加固法

碳纤维布加固修复混凝土结构是将高强碳纤维布用粘结材料粘于混凝土结构表面,即可达到加固目的。碳纤维材料为代表的高性能纤维复合材料具有下述优点:

(1) 碳纤维布具有良好的物理力学性能:抗拉强度为普通钢材 10 倍以上,弹性模量相当于普通钢材的 1.1~2.4 倍,自重轻,厚度小,因而基本不增加结构截面尺寸和自重。

(2) 现场施工方便:没有湿作业和明火施工,占用场地小,也不需要大型施工机具,因此施工方便、工效高、施工质量容易保障。

(3) 适用范围广:可用于梁、板、柱及桥梁、隧道、烟囱等多种结构的加固补强。特别是在曲面壳体和复杂节点的加固中,具有其他加固方式无法比拟的优势,与混凝土有效接触面积可达 100%。

这种方法的应用面日益扩大,但应用于刚度不足情况的结构加固,以及高温等特殊使用条件存在一定不足。

4. 预应力加固法

预应力加固是采用预加应力的钢拉杆或撑杆对结构进行加固。钢拉杆的形式主要有水平拉杆、下撑式拉杆和组合式拉杆三种。这种方法几乎可不缩小使用空间,不仅可提高构件的承载力,而且可减小梁、板的挠度,缩小原梁的裂缝宽度甚至使之闭合。预应力能消除或减小后加杆件的应力滞后现象,使后加杆件的材料强度得到充分利用。这种方法广泛地应用于加固受弯构件,也可用于加固柱子。但这种方法不宜用于处在高温环境下的混凝土结构,也不宜用于混凝土收缩徐变大的结构,加固后需要注意预应力筋的防腐问题。

5. 其他加固方法

加固方法种类很多,除上述介绍的常用加固方法外,还有一些加固方法可根据不同现场情况选用,如:

(1) 增设支点法,以减小梁的跨度;

(2) 另加平行受力构件,如外包钢桥架、钢套柱等;

(3) 增加受力构件,如增加剪力墙、吊杆等;

(4) 增加圈梁、拉杆,增加支撑加强房屋的整体刚度等。

3.6.1.2 混凝土加固结构材料要求

1. 混凝土材料的基本要求

结构加固用的混凝土强度等级应比原结构、构件提高一级,且不得低于C20。这不仅是为了保证新旧混凝土截面以及新混凝土与新加钢筋或其他加固材料之间能有足够的粘结强度,还因为局部新增的混凝土的浇筑空间有限,施工条件较差,导致新浇混凝土均匀性与强度较差。因而加固时需要较高强度等级的混凝土。

可以使用的掺杂粉煤灰应为Ⅰ级灰,且烧失量不应大于5%。因为部分粉煤灰质量较差,烧失量过大,致使相应混凝土的收缩率可能难以与原构件混凝土相适应,所以需要上述两条的限制。

2. 钢材的基本要求

在加固结构中的钢材选择原则如下:

(1) 在二次受力条件下,具有较高的强度利用率和较好的延性,能充分发挥被加固构件新增部分混凝土的材料潜力;

(2) 具有良好的可焊性,在钢筋、钢板和型钢之间的焊接可靠性能得到保障;

(3) 高强度钢材仅适合用于预应力加固及锚栓连接。

依据上述原则,钢筋宜选用 HRB335 级或 HPB300 级普通钢筋,当有工程经验可采用较高等级钢筋,对体外预应力加固,宜使用 UPS15.2-1860 低松弛无粘结钢绞线。这是由于设计的加固结构达到承载能力极限状态(原有混凝土达到极限承载力)时,新加钢筋、新浇筑混凝土一般未达到屈服状态,使用强度过高的钢筋用处不大,仅仅作为额外的安全储备。

混凝土结构加固用的钢板、型钢、扁钢和钢管,应采用 Q235 级或 Q345 级钢材,对重要结构的焊接构件,应当采用 Q235B 级钢。这是为了确保重要部位的延性破坏。

3.6.1.3 混凝土加固结构受力特点及计算基本假定

1. 混凝土加固结构的受力特点

对已建结构的加固,其受力性能与一次建成全新结构有一些不同之处,主要有两点:

(1) 加固结构与已有结构结合在一起承载,新、旧两部分结构能否很好地整体工作取决于新、旧结合面传递剪力的能力。结合面混凝土的抗剪强度低于混凝土自身的强度,这一点在加固设计中应予注意。

(2) 加固结构属于二次受力,加固前原结构已承担荷载(第一次受力),构件已产生变形及应力,后加结构如在未卸载的条件下完成,则其应力、应变只有在增加荷载时(第二次受力)才开始,这种现象称为应力滞后,即新加结构的应力、应变滞后于原结构的应力、应变,两者不同时达到应力峰值。

加固结构有以上受力特点,在进行加固结构的计算 ε_c 和构造处理时必须予以考虑。

2. 混凝土加固计算的基本假定

加固混凝土结构与一次浇筑的混凝土结构受力特点有所不同,但基本原理还是相通的,进行加固结构计算时,可采取以下基本假定:

(1) 截面变形仍保持平面。

(2) 不考虑混凝土的抗拉强度。

(3) 混凝土轴心受压的应力 σ_c 与应变关系为抛物线，如图 3-15a) 所示，其方程式为式 (3-1)，极限变形值 $\varepsilon_{c0}=0.002$。

$$\sigma_c = \left[2\left(\frac{\varepsilon_c}{\varepsilon_{c0}}\right) - \left(\frac{\varepsilon_c}{\varepsilon_{c0}}\right)^2 \right] \cdot f_c \tag{3-1}$$

式中　f_c——混凝土轴心抗压强度设计值。

(4) 混凝土非均匀受压时的应力 σ_c 与应变 ε_{cu} 关系为抛物线和水平线之组合曲线，如图 3-15 (b) 所示，其方程式为式 (3-2)，极限变形值 $\varepsilon_{cu}=0.0033$。

$$\sigma_c = \begin{cases} \left[2\left(\dfrac{\varepsilon_c}{\varepsilon_{c0}}\right) - \left(\dfrac{\varepsilon_c}{\varepsilon_{c0}}\right)^2 \right] f_{cm} & (\varepsilon_c \leqslant \varepsilon_{c0}) \\ f_{cm} & (\varepsilon_{c0} < \varepsilon_c \leqslant \varepsilon_{cu}) \end{cases} \tag{3-2}$$

式中　f_{cm}——混凝土弯曲抗压强度设计值。

(5) 钢筋应力 σ_s 与应变关系为直线和水平线之组合折线，其关系按式 (3-3)，受拉钢筋极限变形值 $\varepsilon_{su}=0.01$，如图 3-15 (c) 所示。

$$\sigma_s = \begin{cases} \varepsilon_s E_s \varepsilon & (\varepsilon_s E_s \leqslant f_y) \\ f_y & (\varepsilon_s E_s > f_y) \end{cases} \tag{3-3}$$

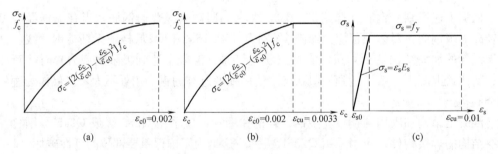

图 3-15　材料的应力-应变关系

(a) 混凝土轴心受压应力-应变关系；(b) 混凝土非均匀受压应力-应变关系；(c) 钢筋应力-应变关系

3.6.1.4　新旧混凝土共同工作问题

混凝土加固属二次组合受力结构，在受力过程中，结合面上会产生拉、压、剪等复杂应力，尤其是受弯或偏压构件，其结合面上会产生较大的剪应力。新旧材料能否有效地共同工作取决于结合面上的剪应力能否有效地传递。新旧混凝土结合面有一定的抗剪能力，若这一抗剪能力不足，应配置一定的抗剪钢筋。

对此，现行规范《混凝土结构加固设计规范》GB 50367—2013 指出，使用增大截面加固法时，设计文件应对所采用的界面处理方法和处理质量提出要求。一般情况下，对梁、柱构件，在原混凝土表面凿毛的基础上，只要再涂布结构界面胶即可满足安全要求；而对墙、板构件则还需增设剪切销钉。

某些结构架设钢架和模板所需时间很长，已大大超出了涂布界面胶的可操作时间（适用期）。在这种情况下，界面胶将因失去其粘结能力，而不再有使用价值，可以使用剪切销钉来解决新旧混凝土共同工作的问题。根据已有的工程经验，当采用 $\phi 6mm$ 的 r 形销钉种植,且植入深度为 5mm、销钉间距为 200~300mm 时,可以满足混凝土表面已凿毛的界面传力要求。

3.6.2 增大截面加固法

3.6.2.1 加固形式与构造要求

增大混凝土截面法是加固柱子的常用方法,由于加大了柱子的截面及配筋量,不仅可以提高柱子承载力,还可降低柱子长细比,加固效果明显。加大截面方法及构造要求可参见图 3-16。加大截面方式有四边加大、三边加大或一边加大等。

特别地,如果承重构件受压区混凝土强度偏低或者有严重缺陷的局部加固适合使用置换混凝土加固法。置换法加固梁式构件时,应对原结构加以有效的支顶。当加固柱、墙等构件时,应对原结构、构件在施工全过程中的承载状态进行验算、观测和控制,置换界面处的混凝土不应出现拉应力,当控制有困难时应采取支顶等措施卸载。置换混凝土加固法的公式与本章节公式略有不同,读者可参考《混凝土结构加固设计规范》GB 50367—2013 第 6 章相关要求进行设计。

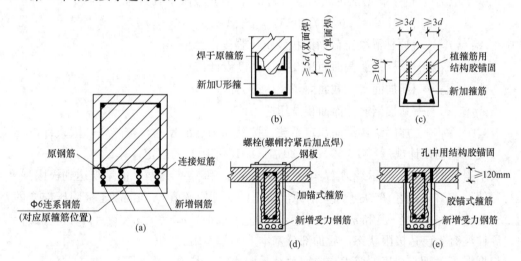

图 3-16 加大截面方式及构造要求
(a) 短筋焊接连接构造;(b) 设置 U 形箍筋构造;(c) 植筋埋设 U 形箍构造;
(d) 环形箍筋或加锚式箍筋构造;(e) 环形箍筋或加锚式箍筋构造端部加固示意图

新增混凝土厚度,板应不小于 40mm;梁、柱,采用现浇混凝土、自密实混凝土或灌浆料施工时,不应小于 60mm(若采用喷射混凝土,厚度不小于 50mm)。新浇混凝土应紧顶梁底或板底,不得留有间隙。

新增钢筋应采用热轧钢筋。板的受力钢筋直径不应小于 8mm;梁的受力钢筋直径不应小于 12mm;柱的受力钢筋直径不应小于 14mm;加锚式箍筋直径不应小于 8mm;U 形箍直径应与原箍筋直径相同;分布筋直径不应小于 6mm。新增受力钢筋与原受力钢筋的净间距不应小于 25mm,并应采用短筋或箍筋与圆钢筋焊接,其具体构造参见规范条文。

3.6.2.2 轴心受压构件的加固计算

使用增加截面法的加固方式会改变构件截面面积,也会相应改变结构构件的内力大小、长细比、剪跨比等，这些参数的变化在结构加固中需要计入考虑。

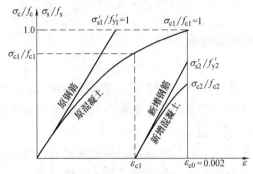

图 3-17 新增钢筋及混凝土应力-应变曲线

现行设计规范假定加固钢筋混凝土极限承载力在旧混凝土达到极限承载力时达到。事实上这种计算假定是偏保守的，在新加混凝土面积较大或者强度较高时，也可能实际承载力略高于这一计算值。轴心受压柱的加固计算，应考虑原柱子的实际应力水平，在轴向荷载作用下，原有钢筋、混凝土已有应变 ε_{c1}，新增钢筋及混凝土随后才参与受力。当原柱混凝土应变由 ε_{c1} 增至 ε_{c0}（0.002）时，首先被压碎，退出工作，新加部分混凝土要多承担原柱混凝土未破坏前所受的力，应力突然增大而导致破坏，这便是中心受压柱的承载力极限状态，如图 3-17 所示。此时原柱混凝土应力达 f_{c1}；原柱钢筋应力达 f'_{y1}；而新混凝土应力为 σ_{c2}，新增加钢筋的应力为 σ'_{s2}，故其极限承载力为：

$$N_u = \varphi(A_{c1}f_{c1} + A'_{s1}f'_{y1} + A_{c2}\sigma_{c2} + A'_{s2}\sigma'_{s2}) \tag{3-4}$$

式中　　A_{c1}、f_{c1}——原柱混凝土截面面积及抗压强度设计值；

A'_{s1}、f'_{y1}——原柱钢筋截面面积及抗压强度设计值；

A_{c2}、σ_{c2}——新加混凝土截面面积及压应力值；

A'_{s2}、σ'_{s2}——新加钢筋截面面积及压应力值；

φ——加固结构纵向稳定系数，按照加固后的尺寸，按照现行国家标准《混凝土结构设计规范》GB 50010—2010（2015 年版）的规定计算。

要求得加固后的极限承载力 N_u，关键要确定 σ_{c2} 和 σ'_{s2}，这两个值均未达到极限强度，是待定值。σ_{c2} 和 σ'_{s2} 量值取决于加固前原混凝土的实际应变值 ε_{c1} 与混凝土极限压应变的差值 $\Delta\varepsilon_{c1} = \varepsilon_{c0} - \varepsilon_{c1}$ 愈大，σ_{c2} 和 σ'_{s2} 就愈大，当 $\Delta\varepsilon_{c1} = \varepsilon_{c0}$ 时，$\sigma_{c2} = f_{c2}$，$\sigma'_{s2} = f'_{y2}$；当 $\Delta\varepsilon_{c1} = 0$ 时，原柱混凝土已达极限状态，后加部分基本上不起作用。

根据混凝土轴心受压的应力与应变关系为抛物线，其关系式为：

$$\sigma_c = \left[2\left(\frac{\varepsilon_c}{\varepsilon_{c0}}\right) - \left(\frac{\varepsilon_c}{\varepsilon_{c0}}\right)^2\right]f_c = \left[1 - \left(\frac{\varepsilon_0}{\varepsilon_{c0}} - 1\right)^2\right]f_c \tag{3-5}$$

$$a_c = \frac{\sigma_{c2}}{f_{c2}} = 1 - \left(\frac{\Delta\varepsilon_{c1}}{\varepsilon_{c0}} - 1\right)^2$$

$$= 1 - \left(\frac{\varepsilon_{c0} - \varepsilon_{c1}}{\varepsilon_{c0}} - 1\right)^2 = 1 - \left(\frac{\varepsilon_{c1}}{\varepsilon_{c0}}\right)^2 \tag{3-6}$$

式中　　ε_{c0}——混凝土轴心受压的极限变形值，取 $\varepsilon_{c0} = 0.002$；

a_c——新加混凝土强度利用系数。

$$\sigma_{c2} = \left[2\left(\frac{\varepsilon_c}{\varepsilon_{c0}}\right) - \left(\frac{\varepsilon_c}{\varepsilon_{c0}}\right)^2\right]f_c = \left[1 - \left(\frac{\varepsilon_0}{\varepsilon_{c0}} - 1\right)^2\right]f_c \tag{3-7}$$

$$\beta = \frac{\sigma_{c1}}{f_{c1}} = \frac{N_{1k}}{A_{c1}f_{clk}} = 1 - \left(\frac{\varepsilon_{c1}}{\varepsilon_{c0}} - 1\right)^2 \tag{3-8}$$

解得

$$\frac{\varepsilon_{c1}}{\varepsilon_{c0}} = 1 - \sqrt{1-\beta} \tag{3-9}$$

将式（3-9）代入式（3-7）得

$$\begin{aligned} a_c &= 1 - \overline{1 - \sqrt{1-\beta}}^2 \\ &= 2\sqrt{1-\beta} + \beta - 1 \end{aligned} \tag{3-10}$$

将式（3-10）代入式（3-7），即得

$$\sigma_{c2} = a_c f_{c2} = (2\sqrt{1-\beta} + \beta - 1) f_{c2} \tag{3-11}$$

β 称为原柱混凝土应力水平指标。由于结构加固的条件不同，有的被加固结构应力已接近极限状态（$\beta=1$），有的应力却很低（$\beta=0$），其值变化在 $0 \sim 1$ 之间。β 和 a_c 之间的对应关系，根据公式（3-10）计算的结果列于表 3-14 中。

β 与 a_c 对应关系   表 3-14

β	0.1	0.2	0.3	0.4	0.5	0.6	0.7	0.8	0.9
a_c	0.99	0.98	0.97	0.95	0.91	0.86	0.79	0.69	0.5

由表 3-14 可知，新加钢筋的应力，当原混凝土应变达 ε_{c0} 时，σ'_{s2} 为：

$$\begin{aligned} \sigma'_{s2} &= \Delta\varepsilon_{c1} E_{s2} = \left(1 - \frac{\varepsilon_{c1}}{\varepsilon_{c0}}\right) \varepsilon_{c0} E_{s2} \\ &= \sqrt{1-\beta}\, \varepsilon_{c0} E_{s2} = a_s f'_{y2} \end{aligned} \tag{3-12}$$

$$a_s = \frac{\sigma'_{s2}}{f'_{y2}} = \frac{E_{s2}\varepsilon_{c0}}{f'_{y2}}\sqrt{1-\beta} = \frac{E_{s2}}{500 f'_{y2}}\sqrt{1-\beta} \tag{3-13}$$

a_s 称为新加钢筋强度利用系数，其值变化在 $0 \sim 1$ 之间。当计算 $a_s > 1$ 时，说明钢筋已进入塑性区，可取 $a_s = 1$。

将求得的 σ_{c2} 和 σ'_{s2} 代入式（3-6），可得加固结构轴心受压承载力设计表达式：

$$N \leqslant \varphi(A_{c1}f_{c1} + A'_{s1}f'_{y1} + a_c A_{c2} f_{c2} + a_s A'_{s2} f'_{y2}) \tag{3-14}$$

现行《混凝土结构加固设计规范》GB 50367—2013 直接将 a_s、a_c 这两个参数统一为 α_{cs}，并取值为 0.8，在整个公式左侧乘以系数 0.9 作为安全储备，最终公式为：

$$N \leqslant 0.9\varphi[A_{c1}f_{c1} + A'_{s1}f'_{y1} + \alpha_{cs}(A_{c2}f_{c2} + A'_{s2}f'_{y2})] \tag{3-15}$$

需要注意的是，当原混凝土柱应力水平高于 0.8 或者加固采用强度很高的钢筋（400MPa 以上钢筋）时，新加混凝土、钢筋的强度利用系数可能较低，适宜采用前述公式单独计算新加钢筋的强度利用系数，用以确保加固。

【例 3-1】 某中心受压柱，高 $H=4.5$m，截面 450mm×500mm，原设计混凝土为 C30，对称配筋，上、下两边分别为 2Φ16+2Φ18 直径钢筋，钢筋强度等级为 HPB300。承受轴向荷载标准值为：恒载 850kN，活载 2000kN。施工时，因水泥质量差，柱子混凝土强度仅达 C20。要求对该柱进行加固。

【解】 (1) 原柱承载力计算：

C20 混凝土 $f_{c1} = 9.6$MPa，HPB300 钢筋 $f'_{y1} = 270$MPa。

$L_0 = 4.5$m，$L_0/b = 4500/450 = 10$

查找《混凝土结构设计规范》表 6.2.15 可知：$\varphi = 0.98$。

$A_{c1} = 450 \times 550 = 24750\text{mm}^2$，$A'_{s1} = 1822\text{mm}^2$

轴向力设计值：

$N_1 = 1.2G_k + 1.4Q_k = 1.2 \times 850 + 1.4 \times 2000 = 3820 \text{kN}$

$N_2 = 1.35G_k + 0.7 \times 1.4Q_k = 1.35 \times 850 + 0.98 \times 2000 = 3107.5 \text{kN}$

取上述两个计算结果的最大值，取为 $N = 3820 \text{kN}$。

承载力设计值：

$$N_{u1} = \varphi(f_{c1}A_{c1} + f'_{y1}A'_{s1})$$
$$= 0.98 \times (9.6 \times 247500 + 270 \times 1822)/100$$
$$= 2811 \text{kN} < N = 3820 \text{kN}$$

承载力不满足，必须加固处理：

(2) 采用混凝土围套加固，每边增厚80mm，混凝土强度为C25，加配8Φ18，如图3-18所示。

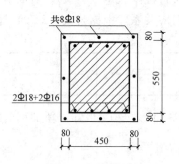

图3-18 柱截面

$C25 \; f_{c2} = 11.9 \text{N/mm}^2$

HRB335级钢筋 $f'_{s2} = 300 \text{N/mm}^2$

$A_{c2} = 610 \times 710 - A_{c1} = 185600 \text{ mm}^2$

$A_{s2} = 2036 \text{ mm}^2$

$G_{2k} = 25 \times 10^{-9} \times 185600 \times 4500 = 21 \text{kN}$

$N_1 = 1.2G_k + 1.4Q_k = 1.2 \times 871 + 1.4 \times 2000 = 3845 \text{kN}$

$N_2 = 1.35G_k + 0.7 \times 1.4Q_k = 1.35 \times 871 + 0.98 \times 2000 = 3136 \text{kN}$

$$N_u = 0.9\varphi(A_{c1}f_{c1} + A'_{s1}f'_{y1} + a_cA_{c2}f_{c2} + a_sA'_{s2}f'_{y2})$$
$$= 0.9 \times 1 \times (247500 \times 9.6 + 1822 \times 300 + 0.8 \times 134400$$
$$\times 11.9 + 0.8 \times 1232 \times 300)/1000$$
$$= 4048 \text{kN} > N = 3845 \text{kN} \quad \text{（满足要求）}$$

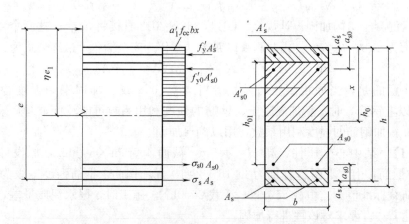

图3-19 增大截面法加固偏心受压构件

3.6.2.3 偏心受压构件的加固计算

采用增大截面法加固钢筋混凝土偏心受压构件计算公式形式中，引入下述基本假定：

对混凝土而言，认为新旧混凝土组合截面的混凝土轴心抗压强度设计值可近似按照下式计算：

$$f_{cc} = \frac{1}{2}(f_{c0} + 0.9f_c) \tag{3-16}$$

使用该公式直接计算受压区混凝土的贡献,可以近似满足工程实际的要求。对钢筋而言,认为新加入的纵向受压钢筋乘以 0.9 的安全储备系数,作为新增纵向受压钢筋应力,偏于保守。

基于上述假定,可统一给出大偏心和小偏心工况下的偏心受压构件设计公式:

$$N \leqslant \alpha_1 f_{cc} bx + 0.9 f'_y A'_s + f'_{y0} A'_{s0} - \sigma_s A_s - \sigma_{s0} A_{s0} \tag{3-17}$$

$$Ne \leqslant \alpha_1 f_{cc} bx \left(h_0 - \frac{x}{2}\right) + 0.9 f'_y A'_s (h_0 - a'_s) + f'_{y0} A'_{s0} (h_0 - a'_{s0}) - \sigma_{s0} A_{s0} (a_{s0} - a_s) \tag{3-18}$$

$$\sigma_{s0} = \left(\frac{0.8 h_{01}}{x} - 1\right) E_{s0} \varepsilon_{cu} \leqslant f_{y0} \tag{3-19}$$

$$\sigma_s = \left(\frac{0.8 h_0}{x} - 1\right) E_s \varepsilon_{cu} \leqslant f_y \tag{3-20}$$

式中 f_{cc}——新旧混凝土组合截面的混凝土轴心抗压强度设计值,按照式(3-16)计算;

f_c、f_{c0}——分别为新旧混凝土轴心抗压强度设计值;

σ_{s0}——原构件受拉边或受压较小边纵向钢筋应力,当为小偏心受压构件时,图 3-19 中方向可能变向,当计算值大于屈服强度时取为屈服强度;

σ_s——受拉边或受压较小边新增纵向钢筋应力,当计算值大于屈服强度时取为屈服强度;

A_{s0}——原构件受拉边或受压较小边纵向钢筋截面积;

A'_{s0}——原构件受压较大边纵向钢筋截面积;

e——偏心距,为轴向压力设计值 N 的作用点至纵向受拉钢筋合力点的距离;

a_{s0}——原构件受拉边或受压较小边纵向钢筋合力点到加固后截面近边距离;

a'_{s0}——原构件受压较大边纵向钢筋合力点到加固后截面近边距离;

a_s——受拉边或受压较小边新增纵向钢筋合力点到加固后截面近边距离;

a'_s——受压较大边纵向钢筋合力点到加固后截面受压较大边距离;

h_0——受拉边或受压较小边新增纵向钢筋合力点至加固后截面受压较大边距离;

h_{01}——原构件截面有效高度;

x——加固后所有混凝土的相对受压区高度,联立式(3-17)、式(3-19)、式(3-20)三式可以求解出 x。再将计算得出的 x 带入式(3-18)判断弯矩承载力是否满足要求。

利用上述公式可以统一地求解大偏心、小偏心工况下的加固截面压弯承载力,计算结果偏于保守。此外,轴向压力作用点至纵向受拉钢筋的合力作用点距离(偏心距)应按下列规定确定:

$$e = e_i + \frac{h}{2} - a \tag{3-21}$$

$$e_i = e_0 + e_a \tag{3-22}$$

式中 e_i——初始偏心距;

a——纵向受拉钢筋的合力点至截面近边缘的距离;

e_0——轴向压力对界面的重力偏心距 M/N；

e_a——附加偏心距，按偏心方向截面最大尺寸 h 确定，h 不超过 600mm 时取为 20mm，否则取为 $h/30$。

【例 3-2】 某框架柱，截面尺寸 $b \times h = 400\text{mm} \times 500\text{mm}$，计算长度 $l_0 = 540\text{mm}$，采用对称配筋，每边 4Φ20。承受轴力 $N = 1050\text{kN}$，弯矩较大端 $e_0 = 334\text{mm}$，由于立柱长细比较小，可不考虑二阶效应。钢筋形心到混凝土边缘距离均为 35mm。原设计混凝土强度等级 C35，实际强度等级只达 C20。要求进行加固设计。

【解】 由于本题中立柱长细比较小，可不考虑二阶效应作用，计算初始偏心距：

$$e_i = e_0 + e_a = 334 + 20 = 354\text{mm}$$

对偏心压力 N 的作用点取矩。

$$f_{c0} \cdot b \cdot x \left(e_i - \frac{h}{2} + \frac{x}{2}\right) + f'_{y0}A'_{s0}\left(e_i - \frac{h}{2} + a'_s\right) = f_{y0}A_{s0}\left(e_i + \frac{h}{2} - a_s\right)$$

$9.6 \times 400x\left(354 - \frac{500}{2} + \frac{x}{2}\right) + 300 \times 1256 \times \left(354 - \frac{500}{2} + 35\right) = 300 \times 1256 \times (354 + 250 - 35)$ 得，$x = 204.5\text{mm} < \xi_b h_0 = 0.555 \times 465 = 258.1\text{mm}$，可知该构件为大偏心受压。

其中：$\xi_b = \dfrac{\beta_1}{1 + \dfrac{f_y}{E_s \varepsilon_{cu}}} = \dfrac{0.8}{1 + \dfrac{300}{206000 \times 0.0033}} = 0.555$

C20 混凝土的设计强度为：$f_{c0} = 9.6\text{N/mm}^2$，原柱能承担极限内力：

$$N_u = f_{c0}bx + A'_{s0}f'_{s0} - A_s f_y = 9.6 \times 400 \times 224.6$$
$$= 862.5\text{kN} < N = 1050\text{kN}$$

可知柱子不安全，必须加固。

如图 3-20 所示，采用混凝土围套加固，围套厚度 $\delta = 60\text{mm}$，强度等级 C30，每边配 3Φ18，$A'_s = A_s = 763\text{mm}^2$。新加钢筋强度为 300MPa。

求受压区换算高度 x，此处联立方程式 (3-19)、式 (3-21)、式 (3-22) 可以求解：

$$N \leqslant \alpha_1 f_{cc}bx + 0.9 f'_y A'_s + f'_{y0} A'_{s0} - \sigma_s A_s - \sigma_{s0} A_{s0}$$

$$\sigma_{s0} = \left(\frac{0.8 h_{01}}{x} - 1\right) E_{s0} \varepsilon_{cu} \leqslant f_{y0}$$

$$\sigma_s = \left(\frac{0.8 h_0}{x} - 1\right) E_s \varepsilon_{cu} \leqslant f_y$$

式中 f_{cc}——新旧混凝土组合截面的混凝土轴心抗压强度设计值，新浇混凝土为 14.3MPa，$f_{cc} = \dfrac{1}{2}(f_{c0} + 0.9 f_c) = 0.5 \times (9.6 + 14.3) = 11.9\text{MPa}$；

A_{s0}——原构件受拉边纵向钢筋截面积 1256mm²；

A'_{s0}——原构件受压边纵向钢筋截面积 1256mm²；

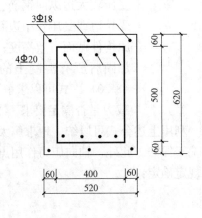

图 3-20 某框架截面加固图

e——偏心距 354mm；
a_{s0}——原构件受拉边纵向钢筋合力点到加固后截面近边距离 95mm；
a'_{s0}——原构件受压边纵向钢筋合力点到加固后截面近边距离 95mm；
a_s——受拉边新增纵向钢筋合力点到加固后截面近边距离 35mm；
a'_s——受压较大边纵向钢筋合力点到加固后截面受压边距离 35mm；
h_0——加固后构件截面有效高度 585mm；
h_{01}——原构件截面有效高度 465mm；
x——加固后所有混凝土的相对受压区高度，事实上联立式（3-19）、式（3-21）、式（3-22）可以求解出 x：

$1050000 = 1.0 \times 11.9 \times 520x + 0.9 \times 300 \times 753 + 300 \times 1256 - \sigma_s \times 763 - \sigma_{s0} \times 1256$

$$\sigma_{s0} = \left(\frac{0.8 \times 465}{x} - 1\right) \times 206 \times 3.3 \leqslant 270$$

$$\sigma_s = \left(\frac{0.8 \times 585}{x} - 1\right) \times 206 \times 3.3 \leqslant 270$$

求解可得 $x=173.8$mm，解得各个受拉钢筋达到屈服应力 300MPa，也可以使用计算器求解出这一方程的根。

$$M \leqslant \alpha_1 f_{cc} bx \left(h_0 - \frac{x}{2}\right) + 0.9 f'_y A'_s (h_0 - a'_s) + f'_{y0} A'_{s0} (h_0 - a'_{s0}) - \sigma_{s0} A_{s0} (a_{s0} - a_s)$$

$= 1.0 \times 11.9 \times 520 \times 173.9 \times (585 - 173.9/2) + 0.9 \times 300 \times 763 \times (585 - 35)$
 $+ 300 \times 1256 \times (585 - 95) - 300 \times 1256 \times (95 - 35)$
$= 831.6$kN·m $> M = 702.5$kN·m

3.6.2.4 受弯构件的加固计算

梁板受弯构件的加大截面加固，可根据实际情况分别采用受压区加层加固、受拉区加大加固。现行《混凝土结构加固设计规范》GB 50367—2013 引用了《混凝土结构设计规范》GB 50010—2010 的叠合层相关规定如下。

叠合梁的叠合层混凝土的厚度不宜小于 100mm，混凝土强度等级不宜低于 C30。预制梁的箍筋应全部伸入叠合层，且各肢伸入叠合层的直线段长度不宜小于 $10d$，d 为箍筋直径。预制板的顶面应做成凹凸差不小于 6mm 的粗糙面。

叠合板的叠合层混凝土厚度不应小于 40mm，混凝土强度等级不宜低于 C25。预制板表面应做成凹凸差不小于 4mm 的粗糙面。承受较大荷载的叠合板以及预应力叠合板，宜在预制底板上设置伸入叠合层的构造钢筋。

1. 保证粘结力的措施

(1) 对混凝土结合面可采取以下措施之一：

1) 将原构件项面凿毛、洗净，并隔一定间距凿一凹槽，以便二次浇筑混凝土时形成剪力键。

2) 将原构件表面凿毛、清洁后，涂上一层粘结力强的浆液（如丙乳胶水泥浆、108 胶聚合水泥浆），同时浇筑新混凝土。

(2) 在后浇层中加配箍筋及架立筋，并设法与原构件中的钢筋连接或锚入原构件混凝土中，参见图 3-21。

2. 正截面强度验算

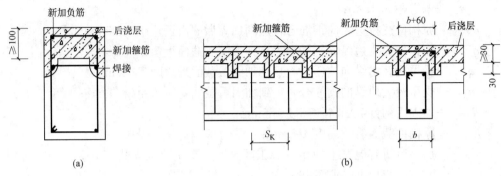

图 3-21 加厚梁（板）受压区的连接构造
(a) 独立梁上做后浇层；(b) 利用板上后浇层做叠合梁

试验研究表明，在相同弯矩作用下，二次受力叠合梁的受拉主筋应力、挠度和曲率都比相同截面与配筋的一次受力整浇梁的相应值大得多。其次，二次受力叠合梁在第一次受力时是由叠合前的原梁混凝土承受压力，而在二次受力时，主要由后浇混凝土承受压力。这使后浇混凝土受压应变比相应整浇梁小，因此，加固计算必须考虑叠合梁二次受力的特点进行较复杂的计算。

内力计算应分别按两个阶段计算，见图 3-22。

第一阶段：加固的叠合层混凝土未达到强度设计值之前的阶段。荷载由原结构承担；荷载包括原构件自重、叠合层自重以及本阶段的施工活荷载。

第二阶段：叠合层混凝土达到设计规定的强度值之后的阶段。叠合构件按整体结构计算，荷载考虑下列两种情况并取最大值：

施工阶段考虑叠合构件自重，原构件自重，面层、吊顶等自重以及本阶段的施工活荷载。

使用阶段考虑叠合构件自重，原构件自重，面层、吊顶等自重以及使用阶段的可变荷载。

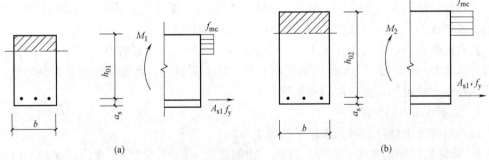

图 3-22 叠合梁极限状态应力
(a) 第一阶段；(b) 第二阶段

原构件弯矩设计值计算如下：
$$M_1 = M_{1G} + M_{1Q} \tag{3-23}$$

叠合构件的正弯矩区段弯矩设计值：
$$M = M_{1G} + M_{2G} + M_{2Q} \tag{3-24}$$

叠合构件的负弯矩区段弯矩设计值：

$$M = M_{2G} + M_{2Q} \tag{3-25}$$

式中　M_{1G}——加固前结构构件自重、叠合层自重在计算截面产生的弯矩设计值；

M_{2G}——第二阶段构件自重在计算截面产生的弯矩设计值；

M_{1Q}——第一阶段施工活荷载在计算截面产生的弯矩设计值；

M_{2Q}——第二阶段可变荷载在计算截面产生的弯矩设计值，取本阶段施工活荷载使用荷载在计算截面产生的弯矩设计值中的较大值。

在计算抗力时，正弯矩区段的混凝土强度等级，按叠合层取用，负弯矩区段的混凝土强度等级，按计算截面受压区的实际情况取用。

3. 斜截面承载力验算

原结构的剪力设计值：

$$V_1 = V_{1G} + V_{1Q} \tag{3-26}$$

作用在加固构件上的最大剪力

$$V = V_{1G} + V_{2G} + V_{2Q} \tag{3-27}$$

式中　V_{1G}——加固前结构构件自重、叠合层自重在计算截面产生的剪力设计值；

V_{2G}——第二阶段构件自重在计算截面产生的剪力设计值；

V_{1Q}——第一阶段施工活荷载在计算截面产生的剪力设计值；

V_{2Q}——第二阶段可变荷载在计算截面产生的剪力设计值，取本阶段施工活荷载使用荷载在计算截面产生的剪力设计值中的较大值。

在计算中，叠合构件斜截面上混凝土和箍筋的受剪承载力设计值 V_{cs} 应取叠合层和预制构件中较低的混凝土强度等级进行计算，且不低于原构件的受剪承载力设计值。

特别地，应对叠合面的抗剪承载力进行验算，如图 3-23 所示，叠合面受剪承载力应满足：

$$V \leqslant 1.2 f_t b h_0 + 0.85 f_{yv} \frac{A_{sv}}{s} h_0 \tag{3-28}$$

其中，混凝土的抗拉强度设计值 f_t 取叠合层和预制构件中较低值。

对于不配箍筋的叠合板，当符合对于截面粗糙度的规定时，叠合截面的受剪强度应符合下式的要求：

$$\frac{V}{b h_0} \leqslant 0.4 (\text{N/mm}^2) \tag{3-29}$$

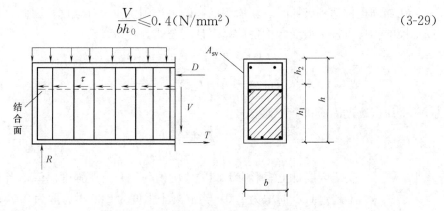

图 3-23　叠合面受剪计算简图

此外，设计中还需要验算加固构件原钢筋的拉应力，并验算裂缝宽度，正常使用极限状态下的挠度。读者可以参考《混凝土结构设计规范》GB 50010—2010 的相关条文进行验算。

3.6.2.5 受拉区增厚并增加钢筋

在梁、板底面增加混凝土厚度的主要目的在于增加受拉钢筋，通常是紧贴原梁底增加受拉钢筋，将增加受拉筋与原主筋连接，见图 3-24（a）。为增大内偶力臂，也可在受拉区增厚混凝土，这时增加的拉筋可通过附加弯起筋与原主筋焊接，见图 3-24（b），也可采用其他形式锚筋与原梁牢固结合。当受拉区厚度较大时，还应增加 U 形箍筋，并与原结构连接牢固，参见图 3-24（c）、(d)、(e)。

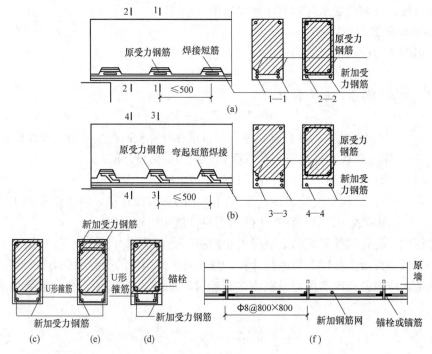

图 3-24 加大截面法加固新旧部分连接构造
(a) 焊接短筋链接；(b) 弯起短筋焊接；(c) 原箍筋上焊 U 形箍；
(d) 锚接 U 形箍；(e) 封闭式箍筋连接；(f) 锚栓锚固钢筋网

在加固构件达到破坏时，新加钢筋一般可达到抗拉设计强度，因此，在受拉区增加钢筋加固的构件可按一般受弯构件计算。计算公式为：

$$\alpha_1 f_{cm} \cdot b \cdot x = f_{y1} \cdot A_{s1} - f'_{y1} A'_{s1} + \alpha_s f_{y2} \cdot A_{s2} \tag{3-30}$$

$$M \leqslant f_{y1} \cdot A_{s1} \left(h_{01} - \frac{x}{2} \right) + f'_{y1} A'_{s1} \left(\frac{x}{2} - a'_s \right) + \alpha_s f_{y2} A_{s2} \left(h_{02} - \frac{x}{2} \right) \tag{3-31}$$

受压区高度尚应符合下列要求：

$$x \leqslant \xi_b h_{02} \tag{3-32}$$

$$x \geqslant 2a'_s \tag{3-33}$$

式中 α_1——受压区混凝土矩形应力图的应力值与轴心抗压强度比值，当混凝土等级强度不超过 C50 时取为 1.0；当混凝土强度为 C80 时，取为 0.94；其间按线性内插法确定；

f_{cm}——原构件混凝土轴心抗压强度设计值；

b——矩形截面宽度；

x——混凝土的受压区高度；

f_{y1}、f_{y2}——原受拉区钢筋和新增受拉区钢筋的屈服强度；

A_{s1}、A_{s2}——原受拉区钢筋和新增受拉区钢筋的总面积；

h_{01}、h_{02}——原截面、新截面的有效截面高度；

ξ_b——构件增大截面加固后的相对界限受压区高度；

α_s——新加部分钢筋承载力应乘以共同工作系数。

拉区增加钢筋加固后的受弯构件与一般受弯构件有如下不同点：

(1) 新加部分钢筋承载力应乘以共同工作系数 α_s，对于正截面受弯 $\alpha_s=0.9$。

(2) 加固结构截面相对界限受压区高度 ξ_b 与一般受弯构件不同，现行规范按下列公式计算：

$$\xi_b = \frac{\beta_1}{1+\frac{\alpha_s f_{y1}}{\varepsilon_{cu} E_s}+\frac{\varepsilon_{s2}}{\varepsilon_{cu}}} \tag{3-34}$$

$$\varepsilon_{s2} = \left(1.6\frac{h_{02}}{h_{01}}-0.6\right)\varepsilon_{s0} \tag{3-35}$$

$$\varepsilon_{s0} = \frac{M_{0k}}{0.85 h_{01} A_{s1} E_{s0}} \tag{3-36}$$

式中 ε_{s2}——新增钢筋位置处，按照平截面假设确定的初始应变值；当新增主筋与原主筋的连接采用短钢筋焊接时，可近似取 $h_{01}=h_{02}$，$\varepsilon_{s2}=\varepsilon_{s0}$；

M_{0k}——加固前，受弯构件验算截面上原作用的弯矩标准值；

ε_{s0}——加固前，在初始弯矩 M_{0k} 作用下原受拉钢筋的应变值。

(3) 当计算得出的加固后混凝土受压区高度 x 与加固前原截面有效高度 h_{01} 之比 x/h_{01} 大于原截面相对界限受压区高度 ξ_{b0} 时，应考虑原纵向受拉钢筋应力 σ_{s1} 尚未达到屈服强度 f_{y1} 的情况。此时，应将公式 (3-30)、式 (3-31) 中的 f_{y1} 替换为 σ_{s1}，按照下式确定。

$$\sigma_{s1} = \left(\frac{0.8 h_{01}}{x}-1\right)\varepsilon_{cu} E_s \leqslant f_{y1} \tag{3-37}$$

(4) 当新加钢筋与原钢筋相距甚远时，按 A_{s1} 和 A_{s2} 均达到 f_y 时计算，受拉区混凝土可能会出现较大裂缝，应采取适当措施，满足使用要求。

对于斜截面抗剪承载力计算，应符合下列规定。

当受拉区增设配筋混凝土层，并采用 U 形箍与原箍筋逐个焊接时：

$$V \leqslant \alpha_{cv}[f_{t1}bh_{01}+\alpha_c f_{t2}b(h_{02}-h_{01})]+f_{yv1}\frac{A_{yv1}}{s_1}h_{02} \tag{3-38}$$

当增设钢筋混凝土三面围套，并采用加锚式或胶锚式箍筋时：

$$V \leqslant \alpha_{cv}(f_{t1}bh_{01}+\alpha_c f_{t2}A_c)+\alpha_s f_{yv2}\frac{A_{yv2}}{s_2}h_{02}+f_{yv1}\frac{A_{yv1}}{s_1}h_{01} \tag{3-39}$$

式中 α_{cv}——斜截面混凝土受剪承载力系数，对一般受弯构件取为 0.7，对集中荷载作用下情况的独立梁参考《混凝土结构设计规范》；

α_c——新增混凝土强度利用系数,取 0.7;
b——原构件截面宽度;
f_{yv1}、f_{yv2}——原箍筋和新增箍筋的屈服强度;
f_{t1}、f_{t2}——原混凝土和新增混凝土的抗拉强度;
A_{yv1}、A_{yv2}——同一截面内原箍筋和新增箍筋的各肢截面总面积;
h_{01}、h_{02}——原截面、新截面的有效截面高度;
s_1、s_2——原箍筋和新增箍筋沿构件长度方向的间距;
ξ_b——构件增大截面加固后的相对界限受压区高度;
α_s——新加部分箍筋承载力应乘以共同工作系数,取 0.9。

【例 3-3】 某实验楼钢筋混凝土楼盖 T 形截面梁（图 3-25），跨度 $L=8m$，简支于砖垛上，截面尺寸为 $b=200mm$，$b'=400mm$，$h=600mm$，$h'_f=80mm$，混凝土强度等级为 C20，主筋 4Φ22，箍筋 Φ6@250，该梁承受荷载为 $g_k=8kN/m$，$q_k=12kN/m$，由于改变用途，实际荷载为 $q_k=16.5kN/m$，要求进行加固处理，本题中忽略加固导致的自重变化。

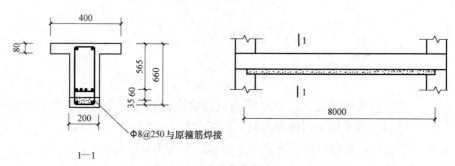

图 3-25 加固处理的 T 形截面梁

【解】 （1）原梁所能承担的弯矩

对 T 形截面，首先判断中和轴位置取 $h_0=600-35=565mm$。

当翼缘全部受压承受弯矩所需相应的受拉钢筋应为：

$$A_{s0}=\frac{b'_f h'_f f_{cm}}{f_y}=\frac{400\times 80\times 9.6}{270}=1137.8mm^2$$

实际钢筋全部受压承受弯矩所需相应的受拉钢筋应为：

$$A_{s10}=\frac{(b'_f-b)h'_f f_{cm}}{f_y}=\frac{(400-200)\times 80\times 9.6}{270}=568.9mm^2$$

$$M_{u10}=f_{cm}(b'_f-b)\cdot h'_f\cdot\left(h_0-\frac{h'_f}{2}\right)$$

$$=9.6\times(400-200)\times 80\times\left(565-\frac{80}{2}\right)$$

$$=80.6\times 10^6 N\cdot mm=80.6 kN\cdot m$$

$$A_{s20}=A_s-A_{s10}=1520-568.9=951.1mm^2$$

$$x=\frac{f_y\cdot A_{s20}}{f_{cm}\cdot b}=\frac{270\times 951.1}{9.6\times 200}=133.7mm$$

$$M_{u20}=f_y A_{s20}\left(h_0-\frac{x}{2}\right)=270\times 951.1\left(565-\frac{133.7}{2}\right)/10^6$$

$$=127.9 \text{kN} \cdot \text{m}$$

梁所能承受的最大弯矩

$$M_u = M_{u10} + M_{u20} = 80.6 + 127.9 = 208.5 \text{kN} \cdot \text{m}$$

原梁所能承担的剪力

$$V_u = 0.7 f_t b h_0 + f_{yv} \frac{A_{sv}}{S} h_0$$

$$= 0.7 \times 1.1 \times 200 \times 565 + 270 \times \frac{57}{250} \times 565$$

$$= 121.8 \text{kN}$$

(2) 改变用途后，荷载产生的内力

跨中弯矩

$$M = \frac{1}{8}(1.2 g_k + 1.4 q_k) L^2$$

$$= \frac{1}{8}(1.2 \times 8 + 1.4 \times 16.5) \times 8^2 = 261.6 \text{kN} \cdot \text{m}$$

梁端剪力

$$V = \frac{1}{2} = (1.2 g_k + 1.4 q_k) \cdot L$$

$$= \frac{1}{2}(1.2 \times 8 + 1.4 \times 16.5) \times 8 = 130.8 \text{kN}$$

显然原梁的抗弯、抗剪承载力均不满足要求。决定在受拉区加厚混凝土 60mm，采用 C25，加箍筋 $\phi 6@250$ 与原箍筋焊牢，受拉主筋按计算配置。

(3) 加固后斜截面抗剪承载力验算

$h_2 = 600 + 60 = 660 \text{mm}$，$h_{01} = 600 - 35 = 565 \text{mm}$，$h_{02} = 625 \text{mm}$，$f_{c1} = 9.6 \text{MPa}$，$f_{t1} = 1.1 \text{MPa}$，$f_{c2} = 11.9 \text{MPa}$，$f_{t2} = 1.27 \text{MPa}$

取 $a_c = 0.7$，$\psi = 1.0$，则

$$V_u = \alpha_{cv}[f_{t1} b h_{01} + \alpha_c f_{t2} b(h_{02} - h_{01})] + f_{yv2} \frac{A_{yv1}}{s_1} h_{02}$$

$$= 0.7 \times (1.1 \times 200 \times 565 + 0.7 \times 1.27 \times 200 \times 60) + 270 \times \frac{57}{250} \times 625$$

$$= 132.9 \text{kN}$$

(4) 加固梁正截面受弯承载力计算

略去受压钢筋不计，取原梁受弯正截面承载力不足部分，由补加纵向钢筋来承担。

$$\Delta M = M - M_u = 261.6 - 208.5 = 53.1 \text{kN} \cdot \text{m}$$

$$a_s = \frac{\Delta M}{f_{cm} b h_{02}^2} = \frac{53.1 \times 10^6}{9.6 \times 200 \times 625^2} = 0.0708$$

$$\gamma_s = (1 + \sqrt{1 - 2a_s})/2 = 0.963$$

$$A_{s2} = \frac{\Delta M}{0.9 \gamma_s f_{y2} h_{02}} = \frac{53.1 \times 10^6}{0.9 \times 0.963 \times 270 \times 625} = 363.1 \text{mm}^2$$

$A_{s2} = 363.1 \text{mm}^2$ 即可，实配 $2\phi 18$。

3.6.3 外包钢加固法

3.6.3.1 外包钢加固法的类型

外包钢加固法是将型钢（角钢、扁钢等）包于混凝土构件的四角或两侧，型钢之间用缀板连接形成钢构架，与原混凝土构件共同受力。加固截面如图 3-26 所示。这种加固法比较多用于加固柱子。对于烟囱、水池等圆形构件，常用扁钢加套箍的方法加固。

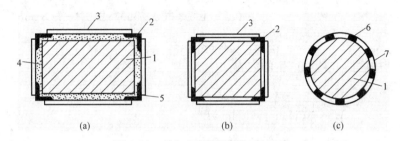

图 3-26 外包钢加固混凝土柱示意
1—原柱；2—角铁；3—缀板；4—填充混凝土或砂浆；5—胶粘剂；6—扁铁；7—套箍

外包钢加固方式有干式和湿式两种。干式外包钢把型钢构架直接包在混凝土柱外边，型钢与混凝土之间没有连接，或虽有一些连接但不能保证结合面的剪力传递。湿式外包钢加固是在外包钢与原混凝土柱表面之间用胶粘剂或填实混凝土，使得结合面能有效地传递剪力，外包钢与原混凝土柱形成组合截面，共同受力。

当工程要求不适用结构胶粘剂时，宜选用干式外包钢加固法。在设计中应按照现行国家标准《钢结构设计标准》GB 50017—2017 规定的格构式柱进行计算，并乘以与原柱协同工作的折减系数 0.9。当工程允许使用结构胶粘剂时，适宜选用湿式外包钢加固方法。这一方法对于提高承载能力更有效。

3.6.3.2 湿式外包钢构件计算

湿式外包钢的截面承载力可按整体截面计算，但应考虑外包钢应力滞后现象，予以适当折减。整体截面的抗弯刚度可按下式计算：

$$EI = E_{c0}I_{c0} + \frac{1}{2}E_a A_a a^2 \tag{3-40}$$

式中 E_{c0}——原有构件混凝土弹性模量；
I_{c0}——原有构件截面惯性矩；
E_a——加固型钢弹性模量；
A_a——加固构件外包钢一侧截面面积；
a——受拉与受压侧型钢截面形心间的距离。

1. 轴心受压柱承载力计算

$$N \leqslant 0.9\varphi(\psi_{sc}f_{c0}A_{c0} + f'_{y0}A'_{s0} + \alpha_a f'_a A'_a) \tag{3-41}$$

式中 φ——轴心受压构件的稳定系数，应根据加固后的截面尺寸计算；
ψ_{sc}——考虑型钢构架对混凝土约束作用引入的混凝土承载力提高系数；对圆形截面柱，取为 1.15，对截面高度不足 600mm 的矩形截面柱取为 1.1，对不满足上述规定的矩形截面柱取为 1.0；

α_a——新增型钢强度系数,除抗震计算取为 1.0 外,其他计算均取为 0.9;
f'_a——新增型钢抗压强度设计值;
A'_a——全部受压肢型钢截面积。

2. 受压柱承载力计算

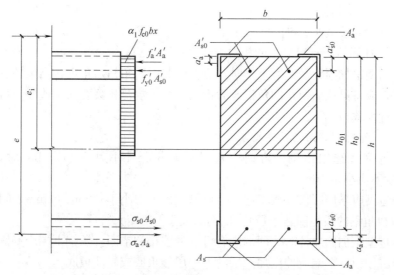

图 3-27 外粘型钢加固偏心受压柱的截面计算简图

$$N \leqslant \alpha_1 f_{c0} bx + f'_{y0} A'_{s0} + \alpha_a f'_a A'_a - \sigma_a A_a - \sigma_{s0} A_{s0} \quad (3-42)$$

$$Ne \leqslant \alpha_1 f_{c0} bx \left(h_0 - \frac{x}{2}\right) + \alpha_a f'_a A'(h_0 - a'_a) - \sigma_{s0} A_{s0}(a_{s0} - a_a) \quad (3-43)$$

$$\sigma_{s0} = \left(\frac{0.8 h_{01}}{x} - 1\right) E_{s0} \varepsilon_{cu} \leqslant f_{y0} \quad (3-44)$$

$$\sigma_a = \left(\frac{0.8 h_0}{x} - 1\right) E_a \varepsilon_{cu} \leqslant f_y \quad (3-45)$$

式中 f_{c0}——原构件混凝土轴心抗压强度设计值;
f'_{y0}——原构件受压区纵向钢筋抗压强度设计值;
A'_{s0}——原构件受压较大边纵向钢筋截面积;
σ_{s0}——原构件受拉边或受压较小边纵向钢筋应力,当为小偏心受压构件时,
图 3-27 中方向可能变向,当计算值大于屈服强度时取为屈服强度;
A_{s0}——原构件受拉边或受压较小边纵向钢筋截面积;
α_a——新增型钢强度利用系数,除抗震设计取 1.0 外,其他取 0.9;
f'_a——型钢抗压强度设计值;
A'_a——全部受压肢型钢截面面积;
σ_a——受拉肢或受压较小肢型钢应力,可按照式(3-45)计算也可近似取为 σ_{s0};
A_a——全部受拉肢型钢截面积;
e——偏心距,为轴向压力设计值 N 的作用点至纵向受拉型钢形心距离;
a_{s0}——原构件受拉边或受压较小边纵向钢筋合力点到原截面近边距离;
a'_{s0}——原构件受压较大边纵向钢筋合力点到原截面近边距离;

a_a——受拉肢或受压较小肢型钢截面形心至原截面近边的距离；

a'_a——受压肢型钢截面形心到原截面近边距离；

h_0——加固后受拉肢或受压较小肢型钢的截面形心至原构件截面受压较大边的距离；

h_{01}——原构件截面有效高度；

E_a——全部受拉肢型钢截面面积；

x——加固后所有混凝土的相对受压区高度。

采用外粘型钢加固钢筋混凝土梁时，应在梁截面四角粘贴角钢，当梁的受压区有翼缘或有楼板时，应将梁顶面两角的角钢改为钢板，满足规范相关要求构造时，可按照粘贴钢板加固法进行承载力计算。

3.6.3.3 外包钢加固的构造要求

（1）外包钢宜选用角钢，角钢边长对梁和桁架不宜小于50mm，对柱不应小于75mm，厚度不应小于5mm。

（2）外包钢应采用缀板焊接相连，扁钢箍截面不应小于40mm×4mm，间距不宜大于$20r$（r为单根角钢的最小回转半径），也不应大于500mm。

（3）外包型钢加固立柱时，两端应有可靠的连接和锚固。角钢下端应锚固于基础，中间应穿过隔层楼板，上端应伸至加固层的上一层楼板底或屋面板底。

（4）外包钢外应有防锈措施。

3.6.4 粘结钢板加固法

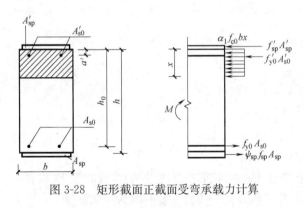

图3-28 矩形截面正截面受弯承载力计算

粘结钢板法适用于对钢筋混凝土受弯、大偏心受压和受拉构件加固。要求粘结材料质量可靠，施工质量良好，则当截面达极限状态时，粘结在梁受拉边的钢板可以达到屈服强度。粘贴钢板加固钢筋混凝土结构构件时，应将钢板受力方式设计成仅承受轴向应力作用。钢板外表面应进行防锈蚀处理。在加固时，应采取措施卸除或大部分卸除结构活载。

3.6.4.1 受弯构件正截面承载力计算

在矩形截面受拉面和受压面粘贴钢板进行加固时，承载力可按下式进行计算（图3-28）：

$$M \leqslant \alpha_1 f_{c0} bx \left(h - \frac{x}{2}\right) + f'_{y0} A'_{s0}(h-a') + f'_{sp} A'_{sp} h - f_{y0} A_{s0}(h - h_0) \tag{3-46}$$

$$\alpha_1 f_{c0} bx = \psi_{sp} f_{sp} A_{sp} + f_{y0} A_{s0} - f'_{y0} A'_{s0} - f'_{sp} A'_{sp} \tag{3-47}$$

$$\psi_{sp} = \frac{0.8\varepsilon_{cu} h/x - \varepsilon_{cu} - \varepsilon_{sp,0}}{f_{sp}/E_{sp}} \leqslant 1.0 \tag{3-48}$$

$$x \geqslant 2a' \tag{3-49}$$

式中 M——构件加固后弯矩设计值;
x——加固后所有混凝土的相对受压区高度;
b、h——矩形截面宽度和高度;
f_{sp}、f'_{sp}——加固钢板的抗拉、抗压强度设计值;
A_{sp}、A'_{sp}——受拉钢板、受压钢板的截面积,特别地,当没有受压面钢板时$A'_{sp}=0$;
A_{s0}、A'_{s0}——原截面受拉、受压钢筋的截面积;
a'——纵向受压钢筋合力点至截面近边距离;
h_0——构件加固前的界面有效高度;
ψ_{sp}——考虑二次受力影响时,受拉钢板抗拉强度的折减系数,不超过1.0;
ε_{cu}——混凝土极限压应变0.0033;
$\varepsilon_{sp,0}$——考虑二次受力影响时,受拉钢板的滞后应变,不考虑时可取为0;
x——加固后所有混凝土的相对受压区高度。

3.6.4.2 粘结锚固计算

1. 锚固长度

外部粘结加固钢板的锚固至关重要,必须保证钢板在拉断之前不发生脱胶等粘结破坏现象,即要求钢板在锚固区的粘结受剪承载力必须大于钢板的受拉(受压)承载力。对受弯构件正弯矩区的正截面加固,其受拉面沿轴向粘贴钢板截断位置,应从其强度充分利用点截面算起,取不小于下式计算的粘贴延伸长度:

$$l_{sp} \geqslant \frac{f_{sp}t_{sp}}{f_{bd}} + 200 \tag{3-50}$$

式中 l_{sp}——受拉钢板粘贴延伸长度;
t_{sp}——受拉加固钢板厚度;
f_{sp}——加固钢板的抗拉强度设计值;
f_{bd}——钢板与混凝土之间的粘结强度设计值,取为0.5倍抗拉设计强度,其中f_{bd}最低设为0.5MPa,最高取为0.8MPa。

2. 增设U形箍板

当实际施工的延伸长度无法满足要求时,可按照图3-29要求在钢板端部锚固区加贴U形箍板,箍板的数量计算如下:

当 $f_{sv}b_1 \leqslant 2f_{bd}h_{sp}$ 时:
$$f_{sp}A_{sp} \leqslant 0.5f_{bd}l_{sp}b_1 + 0.7nf_{sv}b_{sp}b_1 \tag{3-51}$$

当 $f_{sv}b_1 > 2f_{bd}h_{sp}$ 时:
$$f_{sp}A_{sp} \leqslant 0.5f_{bd}l_{sp}b_1 + nf_{sv}b_{sp}b_1 \tag{3-52}$$

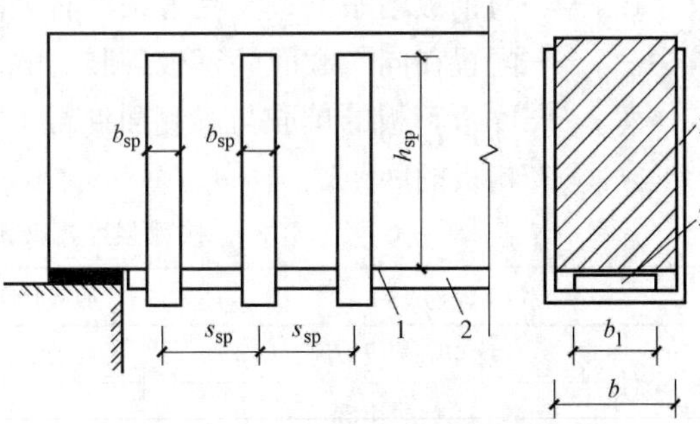

图3-29 端部增设U形箍板锚固
1—胶层;2—加固钢板;3—U形箍板

式中 f_{sv}——钢对钢粘结强度设计值,A级胶为3.0MPa,B级胶为2.5MPa;
A_{sp}——加固钢板的截面面积;
n——加固钢板每段加贴U形箍板数量;

b_1——加固钢板的宽度;

b_{sp}——U 形箍板的宽度;

h_{sp}——U 形箍板的单肢与梁侧面混凝土粘结的竖向高度。

3.6.4.3 斜截面加固计算

受弯构件加固后首先按照加固前的纯混凝土部分进行斜截面抗剪验算,当构件斜截面混凝土提供的受剪承载力不足时,可按图 3-30 所示方法粘结并联 U 形箍板或设置封闭箍。

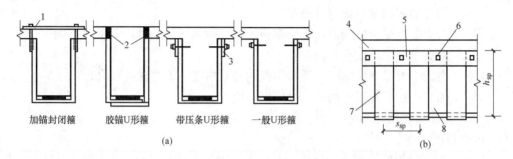

图 3-30 斜截面加固示意图

(a) 构造方式;(b) U 形箍加纵向钢板压条

1—扁钢;2—胶锚;3—粘贴钢板压条;4—板;5—钢板底面空鼓处应加垫钢板;
6—钢板压条附加锚栓锚固;7—U 形箍;8—梁

此时斜截面受剪承载力按下列公式计算:

$$V \leqslant V_{b0} + V_{b,sp} \qquad (3\text{-}53)$$

$$V_{b,sp} = \psi_{vb} f_{sp} A_{b,sp} h_{sp} / s_{sp} \qquad (3\text{-}54)$$

式中 V_{b0}——加固前梁的斜截面承载力,按现行《混凝土结构设计规范》GB 50010—2010(2015 年版)计算;

$V_{b,sp}$——粘贴钢板加固后,对梁斜截面承载力的提高值;

ψ_{vb}——与钢板粘贴方式及受力条件有关的抗剪强度折减系数,见表 3-15;

$A_{b,sp}$——配置在同一截面处箍板各肢的截面面积之和;

h_{sp}——U 形箍板的单肢与梁侧面混凝土粘结的竖向高度;

s_{sp}——箍板的间距。

抗剪强度折减系数 ψ_{vb} 值   表 3-15

	箍板构造	加锚封闭箍	胶锚或钢板锚 U 形箍	一般 U 形箍
受力条件	均布荷载或剪跨比≥3	1	0.92	0.85
	剪跨比≤1.5	0.68	0.63	0.58

注:当剪跨比为中间值时,按线性内插法确定。

3.6.4.4 粘结钢板的构造要求

由于粘结钢板加固结合面的粘结强度主要取决于混凝土强度,因此,被加固构件混凝土强度不能太低,混凝土实测强度等级不低于 C15,实测正拉粘结强度不得低于 1.5MPa。粘结钢板厚度主要根据结合面混凝土强度、钢板锚固长度及施工要求而定。钢板愈厚,所需锚固长度就愈长,钢板潜力难以充分发挥,而且很硬,不好粘贴;反之,钢板越薄，相对用胶量就越大，钢板防腐处理也较难。根据经验，粘钢加固钢板适宜的厚度为 2~5mm，通常取 4mm。混凝土强度高时取得厚一点。

对钢筋混凝土受弯构件进行正截面加固时，均应在钢板的端部（包括截断处）和集中荷载作用点的两侧，对梁设置 U 形钢箍板；对板应设置横向钢压条进行锚固。

水分、日光、大气（氧）、盐雾、温度及应力作用，会使胶层逐渐老化，使粘结强度逐渐降低，使钢板逐渐锈蚀。为延缓胶层老化，防止钢板锈蚀，钢板及其邻接的混凝土表面应进行密封、防水、防腐处理。简单有效的处理办法是用 M15 水泥砂浆或聚合物防水砂浆抹面，其厚度，对于梁不应小于 20mm，对于板不应小于 15mm。

3.6.5 碳纤维布加固法

碳纤维布加固修复混凝土结构技术是一项新型、高效的结构加固修补技术，较传统的结构加固方法具有明显的高强、高效、施工便捷、适用面广等优越性。它是利用浸渍树脂将碳纤维布粘贴于混凝土表面，共同工作，达到对混凝土结构构件加固补强。

碳纤维加固修复混凝土结构技术所用材料有碳纤维布及粘结材料两种。与碳纤维布配套施工用粘结材料有底层树脂（FP）、找平材料（FE）级浸渍树脂（FR）。

3.6.5.1 受弯加固

1. 破坏形态

根据试验结果，碳纤维片材加固受弯构件的破坏形态主要有以下几种：

(1) 受拉钢筋屈服后，在碳纤维未达极限强度前压区混凝土受压破坏；
(2) 受拉钢筋屈服后碳纤维片材拉断，而此时受压区混凝土尚未压坏；
(3) 受拉钢筋达到屈服前受压区混凝土压坏；
(4) 碳纤维片材与混凝土产生剥离破坏。

第（3）种破坏形态是由于加固量过大造成的，类似于钢筋混凝土超筋破坏，碳纤维强度未得到发挥，在实际设计中可通过控制加固量来避免。

第（4）种破坏形态，粘结面破坏后剥离无法继续传递力，构件则不能达到预期的承载力，应采取构造措施加以避免。为了避免碳纤维被拉断而发生脆性破坏，可采用碳纤维的允许极限拉伸应变 $[\varepsilon_{cf}]$ 进行限制。根据《混凝土结构设计规范》对于构件塑性变形控制的要求，可取为 $[\varepsilon_{cf}]=0.01$。对于 $[\varepsilon_{cf}]$ 的取值，日本有关设计规范取为 $[\varepsilon_{cf}]=2\varepsilon_{cf,u}/3$，$\varepsilon_{cf,u}$ 为碳纤维的实际拉伸应变。美国有关设计规范建议 $[\varepsilon_{cf}]$ 的取值与粘结纤维的厚度有关，越厚越易发生剥离。中国规范条文与美国规范类似。

2. 计算公式

由内力平衡条件可得：

$$\alpha_1 f_{c0}bx = f_{y0}A_{s0} + \psi_f f_f A_{fe} - f'_{y0}A'_{s0} \tag{3-55}$$

$$M \leqslant \alpha_1 f_{c0}bx\left(h-\frac{x}{2}\right) + f'_{y0}A'_{s0}(h-a') - f_{y0}A_{s0}(h-h_0) \tag{3-56}$$

$$\psi_f = \frac{0.8\varepsilon_{cu}h/x - \varepsilon_{cu} - \varepsilon_{sp,0}}{\varepsilon_f} \leqslant 1.0 \tag{3-57}$$

$$x \geqslant 2a' \tag{3-58}$$

式中 M——构件加固后弯矩设计值；

x——加固后所有混凝土的相对受压区高度;

b、h——矩形截面宽度和高度;

f_{y0}、f'_{y0}——原截面受拉钢筋和受压钢筋的抗拉、抗压强度设计值;

A_{s0}、A'_{s0}——原截面受拉、受压钢筋的截面积;

a'——纵向受压钢筋合力点至截面近边距离;

h_0——构件加固前的截面有效高度;

f_t——纤维复合材的抗拉强度设计值,可按照纤维复合材料的品种查表取值;

ψ_f——考虑纤维复合材料实际抗拉应变达不到设计值而引入的强度利用系数;

ε_{cu}——混凝土极限压应变,取 0.0033;

ε_f——纤维复合材拉应变设计值;

ε_{f0}——考虑二次受力影响时纤维复合材的滞后应变,若不考虑应取为 0。

将 M 设为已知量,联立求解上述方程,即可求得所需加固的碳纤维布截面 A_{cf} 及受压区高度 x。为了避免碳纤维布加固量过大,应使:

$$x \leqslant 0.85\xi_b h_0 \tag{3-59}$$

实际应粘贴的纤维复合材截面面积 A_f,应按下式计算:

$$A_f = A_{fe}/k_m \tag{3-60}$$

当采用预制成形板时,$k_m = 1.0$。

当采用多层粘贴的纤维织物时,k_m 值按下式计算:

$$k_m = 1.16 - \frac{n_f E_f t_f}{308000} \leqslant 0.9 \tag{3-61}$$

式中 E_f——纤维复合材弹性模量设计值;

n_f——纤维复合材层数;

t_f——纤维复合材的单层厚度。

此处的规范公式就是考虑了多层粘贴的纤维织物对强度降低的贡献,类似于美国规范的相关条文。

3. 计算延伸长度

碳纤维片材的切断位置距其充分利用截面的距离不应小于下列公式计算的延伸长度 L_1,并应延伸至不需要碳纤维片材截面之外不小于 200mm(图 3-31):

$$L_1 = \frac{f_t A_f}{f_{f,v} b_f} + 200 \tag{3-62}$$

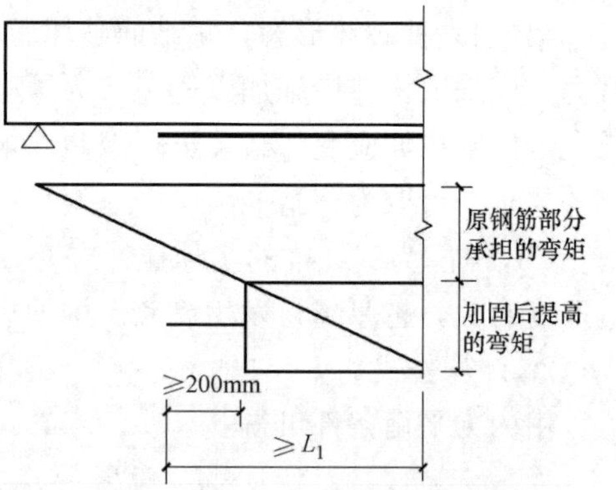

式中 L_1——纤维复合材料粘贴延伸长度;

b_f——对梁为受拉面粘贴的纤维复合材的总宽度,对板为 1000mm 板宽范围内范围内纤维复合材料总宽度;

f_f——纤维复合材抗拉强度设计值;

$f_{f,v}$——纤维与混凝土之间的粘结抗剪强度设计值,取为 0.4 倍混凝土抗拉强度设计值,当 $f_{f,v}$ 计算值低于 0.40MPa 时,取为 0.40MPa;当 $f_{f,v}$ 计算值高于

图 3-31 碳纤维片材的延伸长度

0.70MPa 时，取为 0.70MPa。

一般将碳纤维布沿梁底全长粘贴，两端加 U 形箍条，则可不必计算 L_1。

4. 构造措施

(1) 当对梁、板正弯矩进行受弯加固时，碳纤维片宜延伸至支座边缘。

(2) 当碳纤维片材延伸长度无法满足上述延伸长度的要求时，应采取附加锚固措施。对梁，在延伸长度范围内设置碳纤维片材 U 形箍条；对板，可设置垂直于受力碳纤维方向的压条。

(3) 在碳纤维片材延伸长度端部和集中荷载作用点两侧宜设置构造碳纤维片材 U 形箍或横向压条。

5. 施工技术要点

加固施工的主要程序为：①将待加固的梁底表面打磨平整；②涂刷一层界面剂，渗透于混凝土内，用于增强碳纤维布与混凝土间的粘结力；③待上一层界面剂触干，刮腻子一层，对混凝土表面进行找平；④涂刷粘结胶，粘贴碳纤维布；⑤重复步骤④，粘贴第二层布，直到贴完加固碳纤维层。

在上述施工过程中，尤其重要的是混凝土表面必须打磨平整并清理干净，这将直接影响碳纤维布与混凝土间的粘结力。在构件上粘贴 U 形箍条位置处的混凝土转角应打磨成光滑的圆弧形，以保证碳纤维布与混凝土的粘结效果及消除此处过大的应力集中现象。碳纤维布的搭接长度必须保证不小于 150mm。粘贴碳纤维布时，应用滚筒严密滚压，将空气挤出。

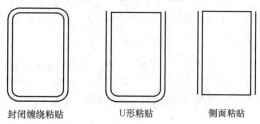

图 3-32　粘贴方式

3.6.5.2　受剪加固

1. 加固形式

采用碳纤维布受剪加固的主要粘贴方式有：全截面封闭粘贴、U 形粘贴和两侧面粘贴，如图 3-32 所示。其中封闭粘贴的加固效果最好，U 形粘贴次之，最后是侧面粘贴。

2. 加固计算公式

当使用条带构成的环形（封闭）箍或 U 形粘贴碳纤维加固后，钢筋混凝土构件斜截面受剪承载力可视为由两部分组成：原钢筋混凝土对抗剪承载力的贡献和复合材料的贡献。

此时斜截面受剪承载力按下列公式计算：

$$V \leqslant V_{b0} + V_{bf} \tag{3-63}$$

$$V_{bf} = \psi_{vb} f_f A_f h_f / s_f \tag{3-64}$$

式中　V_{b0}——加固前梁的斜截面承载力；

V_{bf}——粘贴条带加固后，对梁斜截面承载力的提高值；

ψ_{vb}——与条带加锚方式及受力条件有关的抗剪强度折减系数，按表 3-16 取值；

A_f——配置在同一截面处箍板各肢的截面面积之和；

f_f——受剪加固采用的纤维复合材抗拉强度设计值，应将规范中复合材料抗拉强度乘以调整系数 0.56；当为框架梁或悬挑构件时，调整系数改取 0.28；

h_f——梁侧面粘结的条带属相高度，对环形箍取为总高度；

s_f——纤维复合材条带的间距。

抗剪强度折减系数 ψ_{vb} 值　　　　　　表 3-16

条带加锚方式		环形箍及自锁式 U 形箍	胶锚或钢板锚 U 形箍	加织物压条的一般 U 形箍
受力条件	均布荷载或剪跨比≥3	1	0.92	0.85
	剪跨比≤1.5	0.68	0.63	0.58

注：当剪跨比为中间值时，按线性内插法确定。

3. 构造措施

（1）对于梁、U 形粘贴和侧面粘贴的粘贴高度适宜粘贴至板底；

（2）对于 U 形粘贴形式，宜在上端粘贴纵向碳纤维片材压条；对侧面粘贴形式，宜在上、下端粘贴纵向碳纤维片材压条，如图 3-33 所示；

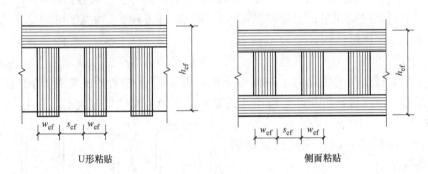

图 3-33　U 形粘贴和侧面粘贴加纵向压条

（3）也可采用机械锚固措施。

3.6.6　预应力加固

1. 预应力锚固方法

首先将钢套、钢板等锚固件与梁连接，然后将预应力筋与锚固件连接，连接的方法主要有两种，一种是焊接，一种是螺栓连接，如图 3-34 所示。

当然还有其他锚固方法，如用高强螺栓，预应力混凝土锚固等。

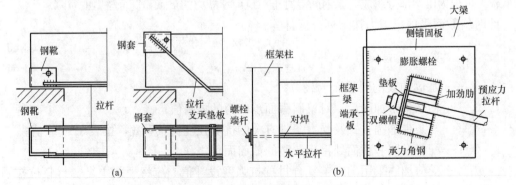

图 3-34　预应力筋端都锚固
(a) 焊接；(b) 螺栓连接

2. 预应力筋的张拉方法

张拉方法主要有：

(1) 用千斤顶在梁端直接张拉，如图 3-35 所示。

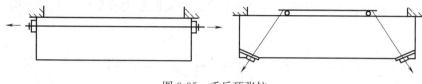

图 3-35 千斤顶张拉

(2) 用花篮螺栓在中间紧缩张拉，如图 3-36 所示。

(3) 将两端固定后，中间将预应力筋收紧（又分横向收紧和竖向收紧两种）张拉，如图 3-37、图 3-38 所示。

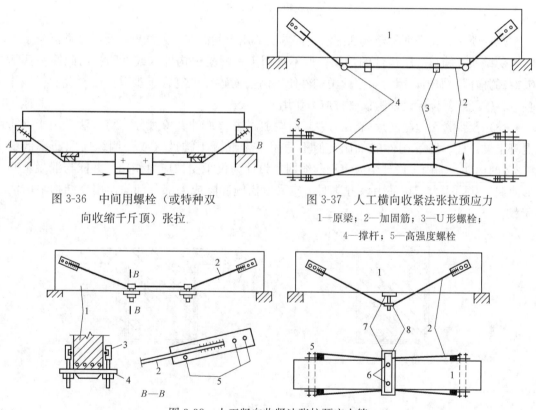

图 3-36 中间用螺栓（或特种双向收缩千斤顶）张拉

图 3-37 人工横向收紧法张拉预应力
1—原梁；2—加固筋；3—U 形螺栓；4—撑杆；5—高强度螺栓

图 3-38 人工竖向收紧法张拉预应力筋
1—原梁；2—加固筋；3—收紧螺栓；4—钢板；5—高强度螺栓；6—顶撑螺栓；7—上钢板；8—下钢板

(4) 电热法张拉等。

3.6.7 其他加固方法

建筑物破损的情况是各种各样的，加固方法也应根据具体情况的不同而采取不同的方法。混凝土结构的加固方法，除上面几节叙述的方法以外，还有其他一些方法，其主要原则是使结构荷重通过适当加固的或增加的构件传到基础上去。具体做法变化很多，下面举例简要说明。

(1) 增设支点法，如图 3-39 所示。该方法可广泛应用于梁、板、桁架等结构的加固，可以分为刚性支点加固法和弹性支点加固法两种。在设计支撑结构或构件时，应采用有预加力的方案，预加力的大小应以支点处被支顶构件表面不出现裂缝和不增设附加钢筋为限度。

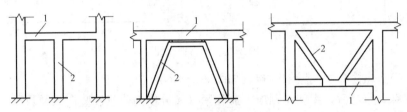

图 3-39　增设支点加固法
1—原结构；2—加固杆件

(2) 预应力碳纤维复合板加固法，该方法适用于截面偏小或配筋不足的钢筋混凝土受弯、受拉和大偏心受压构件的加固，但不适用于素混凝土构件（或一侧纵向配筋率低于0.2%的构件）加固，因为对于此类构件使用高强的碳纤维复合板难以控制裂缝发展，并且应将碳纤维复合板设计为仅受拉应力作用。

(3) 预张紧钢丝绳网片-聚合物砂浆面层加固法，如图 3-40 所示。该方法适用于钢筋混凝土梁、柱、墙等构件的加固，但不适用于素混凝土构件（或一侧纵向配筋率低于0.2%的构件）加固。设计中应将钢丝绳网片设计为仅承受拉应力作用，并能与混凝土变形协调，共同受力。在采用该方法时，应采取措施卸除或大部分卸除作用在结构上的活荷载。

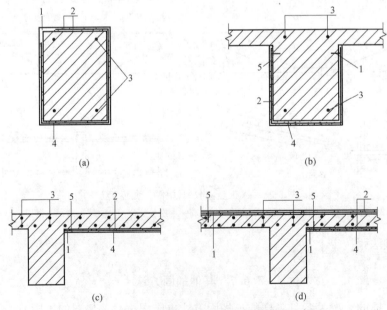

图 3-40　钢丝绳网片-聚合物砂浆面层构造示意图
(a) 四面围套面层；(b) 三面围套面层；(c) 单面层；(d) 双面层
1—固定板；2—钢丝绳网片；3—原钢筋；4—聚合物砂浆面层；5—胶粘型锚栓

3.6 混凝土构件的加固方法 147

(4) 绕丝加固法，如图 3-41 所示。该方法适用于提高钢筋混凝土柱的位移延性的加固。采用该方法时，需要现场检测结果推定的混凝土强度等级不低于 C10，也不得高于 C50。在符合规范规定的构造要求时，可以按照整体截面计算构件的承载力。

(5) 增加构件法，如图 3-42 所示。

(6) 悬挑构件加固。悬挑构件承载力不足或下垂变形过大时，可用下列方式加固：下加斜撑；上加吊杆；板底加厚；增加受力负筋；两边加墙或开槽加梁，如图 3-43～图 3-47 所示。

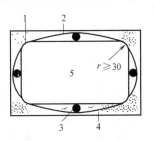

图 3-41 绕丝构造示意图
1—圆角；2—4mm 直径，间距 5～30mm 的钢丝；3—25mm 直径钢筋；4—细石混凝土或高强度等级水泥砂浆；5—原柱

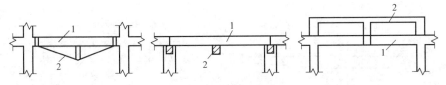

图 3-42 附加构件加固法
1—原结构；2—加固构件

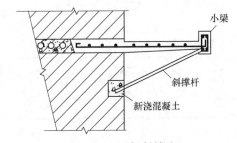

图 3-43 下加斜撑法

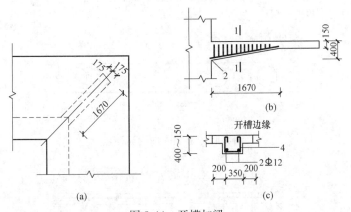

图 3-44 开槽加梁

(7) 预制板承载力不足加固

预制板承载力不足可采用圆孔内加筋并灌注混凝土（图 3-48），板缝内加筋并灌混凝土（图 3-49），增加钢丝网混凝土面层（图 3-50）。

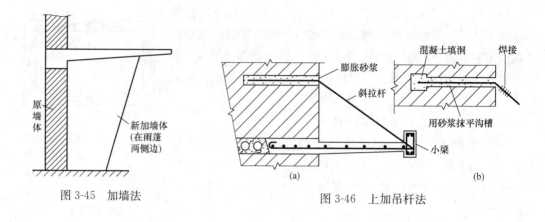

图 3-45 加墙法　　　　　图 3-46 上加吊杆法

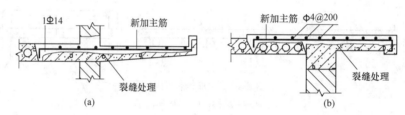

图 3-47 增加受力负钢筋

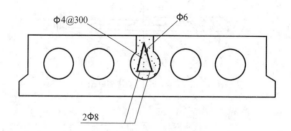

图 3-48 圆孔内加筋并灌注混凝土

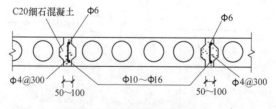

图 3-49 板缝内加钢筋补强

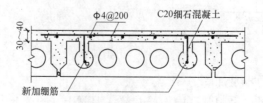

图 3-50 增加钢丝网混凝土面层

第4章 钢 结 构

4.1 钢结构的缺陷

钢结构因其受力可靠、强度大、截面小、重量轻等许多优点而广泛应用于单层工业厂房的承重骨架和吊车梁、大跨度建筑物的屋盖结构、大跨度桥梁、多层和高层结构、塔桅结构、板壳结构、可移动结构和轻型结构等领域。在长期应用实践中，人们在钢结构的材料性能、设计方法、制作安装工艺、防腐处理和维护加固等方面积累了丰富经验；同时，由于设计、制造、施工过程中可能产生的各种缺陷，加上超载、重复荷载、高温、低温、潮湿、腐蚀性介质和不善使用管理等外界因素的作用，钢结构也有可能遭受各种损坏，从而导致质量事故。质量事故造成的影响和损失有时是十分惊人的。

钢结构缺陷的产生，主要决定于钢材的性能和成型前已有的缺陷、钢结构的加工制作和安装工艺、钢结构的使用维护方法等因素。

4.1.1 钢材的性能及其可能的缺陷

1. 钢材的化学成分

目前，建筑结构用钢主要有低碳钢和低合金钢两种。

低碳钢中，铁约占99%，碳只占0.14%~0.22%，此外便是硅（Si）、锰（Mn）、铜（Cu，不经常有）等微量元素，还有在冶炼中不易除尽的有害元素，如硫（S）、磷（P）、氧（O）、氮（N）、氢（H）等。在低碳钢中添加用以改善钢材性能的某些合金元素，如锰（Mn）、钒（V）、镍（Ni）、铬（Cr）等，就可得到低合金钢。碳和这些元素虽然含量很小（总和仅占1%~2%），但却左右着钢材的强度、塑性、韧性、可焊性和耐腐蚀性，见表4-1。

所含元素对钢材性能的影响　　　　　　　　表4-1

元素名称	要求含量	对钢材性能的影响
碳(C)	≤0.22%	对钢材的强度、塑性、韧性和可焊性有决定作用。随着含碳量的增加，钢材的抗拉强度和屈服强度提高，但其塑性、冷弯性能和冲击韧性，特别是低温冲击韧性降低，可焊性变差
锰(Mn)	0.3%~0.8%（碳素钢）1.2%~1.6%（16Mn,15MnV）	锰是常用的脱氧剂，还能与硫在高温下化合成熔点比钢高的硫化锰（MnS,熔点为1620℃），使钢材加工时因硫产生裂纹的"热脆"现象减少。钢材中锰含量适当时显著改善钢的冷脆性能，提高其屈服强度和抗拉强度，而又不过多地降低塑性和冲击韧性；但锰含量过量会使钢材变脆且塑性降低
硅(Si)	≤0.3%（Q235）≤0.6%（16Mn,15MnV）	与钢液中的氧有较强的化合能力，且能使钢中纯铁体晶粒细小，分布均匀，是较好性能的镇静钢的一种常用脱氧剂。适量的硅可提高钢材的强度，而对其塑性、冷弯性能、冲击韧性和焊接性能无显著的不良影响；过量的硅将降低钢材的塑性和冲击韧性，恶化其抗锈蚀能力和焊接性能

续表

元素名称	要求含量	对钢材性能的影响
钒(V)	0.04%~0.12% (15MnV)	可提高钢材的强度,细化钢的晶粒;钒的化合物具有高温稳定性,使钢的高温硬度提高。建筑结构上用的15MnV钢就是近年在16Mn钢的基础上加入适量的钒(0.04%~0.12%)而得到的一种强度较高的低合金结构钢
铜(Cu)	≤0.15%~0.25%	当含量适当时,钢材对大气的抗腐蚀性增加,焊接性能几乎不变;但过量的铜会使钢材高温轧制时产生"热脆现象"。消除铜的热脆缺陷最有效的方法是再在这种钢中加入不少于铜含量一半的金属镍
硫(S)	≤0.035%~0.050%	钢材在高温下进行轧制、锻造、焊接、铆接等热加工时,会使钢内的硫化亚铁FeS熔化,形成微裂,使钢材变脆,即所谓的"热脆现象"。另外硫还会降低钢材的塑性、冲击韧性、疲劳强度和抗锈蚀性
磷(P)	≤0.035%~0.045%	磷的存在可提高钢的强度和抗锈蚀性,但会严重地降低其塑性、冲击韧性、冷弯性能和可焊性等;特别是在低温条件下,会使钢材变得很脆(低温冷脆)。另外,适量的磷和铜共存时可以提高强度,但最明显的还是提高钢的耐腐蚀性能
氧(O)	≤0.05%	氧使钢中的晶粒粗细不匀,而氧化铁又会形成杂质混在钢内,降低钢的机械性能,在轧制时易产生裂纹。从这点来讲,氧的有害作用如同硫且更甚
氮(N)	≤0.008%	氮使钢中的晶粒粗细不匀。铁素体的溶氮能力很低,钢材轧制冷却后没有析完的氮仍溶于铁素体中。但放置较长时间或加热到150~300℃时,氮将以氧化氮的形式析出,并使钢材变脆,这种现象称氮的时效,也称为"蓝脆现象"
氢(H)		溶解在钢中呈极不稳定的原子状态,出现在钢的结晶疏松区域、微孔或原子结构的空隙处。氢分子的聚集压力很大,会使钢产生开裂,是造成钢中白点(发裂)的主要原因,并且在低温下易使钢材呈脆性,即所谓"氢脆现象"

2. 钢材的物理力学性能

影响钢结构性能的钢材物理力学指标除常用的强度（屈服强度 f_y、抗拉强度 f_u）和塑性（伸长率 δ、截面收缩率 ψ）外，还有：

(1) 冷弯

冷弯性能是指钢材在常温下冷加工弯曲产生塑性变形时抵抗裂纹产生的一种能力。钢材的冷弯性能是通过冷弯试验测定的。即采用冷弯冲头加压，把试件弯至某一规定的角度 α 时（一般取 $180°$）检查试件弯曲部分，如无裂纹、断裂或分层等，则可认为被鉴定的钢材冷弯合格。

冷弯试验一方面可以检验钢材能否适应在构件制作加工中的冷作工艺，另一方面还可以暴露钢材的内部缺陷（如颗粒组织、结晶情况、夹杂物分布、夹层、内部微孔等），并可进一步鉴定钢材的塑性和可焊性。所以冷弯性能又是其他力学性能的互补指标，是评价钢材力学性能优劣的一项综合性指标。

(2) 冲击韧性

钢材的冲击韧性是钢材在塑性变形和断裂过程中吸收能量的能力，也即钢材抵抗冲击或振动荷载的能力。它是强度和塑性的综合体现，其与钢材的塑性有关却又不同于塑性。钢材的冲击韧性不但与钢材的质量、试件缺口状况和加载速度有关，而且受温度，特别是负温的影响较大。当温度低于某一负温时，冲击韧性将急剧降低。因此对于在低温下易发生脆性破坏（低温冷脆）的结构构件，其钢材必须有常温和低温下冲击韧性的保证。

(3) 可焊性

钢材的可焊性可分为施工上的可焊性和使用上的可焊性两种类型。

施工上的可焊性是指焊缝金属产生裂纹的敏感性,以及由于焊接加热的影响,近缝区母材的淬硬和产生裂纹的敏感性与焊接后的热影响区的大小。可焊性好指在一定的焊接工艺条件下,焊缝金属和近缝区钢材均不产生裂纹。

使用上的可焊性则指焊接接头和焊缝的缺口韧性(冲击韧性)和热影响区的延伸性(塑性)。要求焊接结构在施焊后的力学性能不低于母材的力学性能。

钢材的可焊性可以通过化学成分鉴定法或工艺试验法来测定。

(4) 疲劳

钢材的疲劳是指其在循环应力多次反复作用下,裂纹生成、扩展以致断裂破坏的现象。钢材疲劳破坏时,截面上的应力低于钢材的抗拉强度设计值,钢材在疲劳破坏之前,并不出现明显的变形或局部收缩;它和脆性断裂一样,是突然破坏的。

疲劳的机理是钢材内部及其外表总有杂质和损伤存在,在反复荷载作用下,这些薄弱点形成应力集中,开始产生塑性变形,继而应变硬化,于是在该处首先发生微观裂纹;由于反复应力长期地继续作用,使微观裂纹逐渐扩大连通,形成宏观裂纹;宏观裂纹发展、失稳扩展,最后导致断裂。

钢材的疲劳破坏除了与钢材的质量(包括其对裂纹的敏感性)、应力集中、残余应力和焊接缺陷等因素有关外,主要取决于荷载的循环次数和循环应力特征(应力谱、应力幅 $\sigma_{max} - \sigma_{min}$ 和应力比 $\sigma_{min}/\sigma_{max}$)。

(5) 冷脆

在常温下,钢材本是塑性和韧性较好的金属,但随着温度的降低,其塑性和韧性逐渐降低,即钢材逐渐变脆,这种现象称为钢材的"冷脆现象"。它通常是用钢材的低温冲击韧性 A_{kv} 来衡量的。图 4-1 给出了钢材冲击韧性随温度降低的示意。

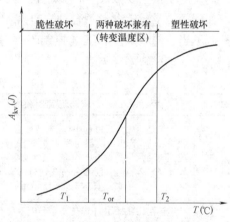

图 4-1 低温对钢材冲击韧性的影响

由图可见,温度 $T > T_2$ 和 $T < T_1$ 时钢材的冲击韧性 A_{kv} 的曲线较平坦,表示其值随温度的变化不很敏感;而 $T_1 < T < T_2$ 的中间部分曲线变化急剧,表示 A_{kv} 的值随温度的变化很大且实际试验值不稳定。区段 $T_1 \sim T_2$ 是钢材由塑性破坏向脆性破坏的转变温度区,其间曲线反弯点所对应的温度 T_{cr} 称为该钢材的脆性转变温度。

影响钢材冷脆的因素很多,低温仅是其中一个重要因素。板材的厚度和该钢材对裂纹的敏感性也是导致钢材变脆的关键性因素。所以在钢结构设计中,为了防止脆性破坏,选用钢材时应使其脆性转变温度区的下限 T_1 低于结构所处的工作环境温度,且钢材在工作环境下具有足够的冲击韧性值,并尽量控制构件板材的厚度。

(6) 腐蚀

钢材的腐蚀可分为:大气腐蚀、介质腐蚀和应力腐蚀。

根据国外挂片试验结果,不刷涂层的两面外露钢材在大气中的腐蚀速度约为 8~17 年 1mm。

钢材的介质腐蚀主要发生在化工车间、储罐、储槽、海洋结构等一些和腐蚀性介质接触的钢结构中，腐蚀速度和防腐措施取决于腐蚀性介质的作用情况。

钢材的应力腐蚀是指其在腐蚀性介质浸蚀和静应力长期作用下的材质脆化现象，如海洋钢结构在海水和静应力长期作用下的"静疲劳"。

（7）时效

钢材随时间的进展，其屈服强度和抗拉强度提高，塑性和冲击韧性降低的过程，称为时效（亦称时效硬化）。不同种类钢材的时效过程的时间长短不一，可从几小时到几十年，而且在交变荷载、振动荷载、重复荷载及温度变化等条件下，钢材时效的速度将加快。为测定钢材时效后的机械性能，常将试件进行人工时效后再试验测定。人工时效的方法是，先使钢材产生约10%的塑性变形，再加热至250℃左右，并保温一小时，然后在空气中冷却至室温。

（8）高温蠕变脆性

钢材在高温及长期应力作用下会出现蠕变变脆的现象称为钢材的高温蠕变脆性。钢材的高温蠕变脆性除受高温和应力影响外，还取决于钢材的微观晶状结构、原始强度、合金元素的作用以及微观裂纹的累积损伤等因素。

3. 钢材的缺陷

钢材的质量主要取决于冶炼、浇铸和轧制过程中的质量控制。如果某些环节出现问题，如碳等微量元素含量不合理、有害元素（成分）和杂质含量过高、钢锭冷却温度和时间控制不当、轧制温度和工艺控制不严等，将会使钢材质量下降并含有这样或那样的缺陷。常用的钢材缺陷详见表4-2。

钢材的缺陷 表4-2

缺陷名称	形成原因和特征	修复方法
发裂	主要是由热变形过程中（轧制或锻造）钢内的气泡及非金属夹杂物引起的。而钢材内部的发裂还可能由于钢锭浇铸冷却时的晶面收缩与轴向V形偏析所致。发裂经常呈现在轧件的纵长方向，纹如发丝，极易用锉刀锉掉，分布在钢材的表面和内部，一般纹长20～30mm以下，有时纹长达100～150mm	发裂的防止最好由冶金工艺解决
夹层	钢锭在轧制时，由于温度不高和压下量不够，钢锭中的气泡（有时气泡内还含杂质）没有焊接起来，它们就被压扁并延伸很长，这样就形成了钢材中的夹层。产生夹层的主要原因有：钢锭内有非金属杂质氢气的析出，含锰量太大（>1.3%），偏析严重，钢锭微孔未完全切除或凝固时部分金属流失等	
微孔	缩孔是由于轧制钢材之前没有将钢锭头部的空腔切除干净	轧制前将钢锭头部的空腔切除干净即可避免
白点	钢材的白点是因含氢量太大和组织内应力太大相互影响而形成的，它使钢材质地变松、变脆、丧失韧性、产生破裂	在炼钢时，避免氢气进入钢水中，且使钢锭均匀退火，轧前合理加热，轧后缓慢冷却
内部破裂	轧制钢材过程中，若其塑性较低，或轧制时压量过小，特别是上下轧辊的压力曲线不"相交"，则内外层的延伸量不等，引起钢材的内部破裂	可以用合适的轧制压缩比（钢锭直径与钢坯直径之比）来补救
氧化铁皮	轧制或已轧制完的金属表面的金属氧化物或其在轧制产品表面留下的凹坑等表面缺陷。多出现在厚度较薄的轧材上	

续表

缺陷名称	形成原因和特征	修复方法
斑疤	一种表面粗糙的缺陷,可能产生在各种轧材、型钢及钢板的表面,其宽和长可达几毫米,深度为 0.01~1.0mm 不等。斑疤会使薄钢板成型时的冲压性能变坏,甚至产生裂纹和破裂。对镀锡或镀锌板材,斑疤将消耗更多的有色金属且使该处镀层脱落和生锈	
夹渣、夹砂	由于金属表面上的非金属夹杂物与各种耐火材料引起的,如夹渣就是在金属表面分布很密且呈圆形的小夹杂物(又称麻点),一般出现在厚钢板或中厚钢板上,其深度约为 1~3mm	
划痕	划痕一般都产生在钢板的下表面上,主要是由轧钢设备的某些零件摩擦所致,其尺寸宽深刚可看出或 1~2mm,长度从几毫米到几米不等,有时可能贯穿轧件的全长	
切痕	切痕是薄板表面上常见的折叠得比较好的形似接缝的折皱,在屋面板与薄铁板的表面上尤为常见。切痕有时是顺轧制方向的,也有与轧制方向呈某一角度的,还有垂直于轧制方向的。如果将形成切痕的折皱展平,则钢板易在该处裂开	
过热	过热是指钢材加热到上临界点 AC3 后还继续升高温度时,其机械性能变差,如抗拉强度,特别是冲击韧性显著降低的现象,它是由于钢材晶粒在经过上临界点 AC3 后开始胀大所引起的	可用退火的方法使过热金属的结晶颗粒变细,恢复其机械性能
过烧	当金属的加热温度很高时,钢内杂质集中的晶粒边界开始氧化和部分熔化时发生过烧现象。由于熔化的结果,晶粒边界周围形式一层很小的非金属薄膜将晶粒隔开。因此过烧的金属经不起变形,在轧制或锻造过程中易产生裂纹和龟裂,有时甚至裂成碎块	过烧的金属为废品,只能回炉重炼,因为这种金属不论用什么热处理方法都不能挽回
脱碳	脱碳是指加热时金属表面氧化后,表面的含碳量比金属内层低的现象。为某些优质高碳钢、合金钢及低合金钢的缺陷,有时中碳钢也有此缺陷。钢材脱碳后淬火将使强度、硬度及耐磨性都降低	
机械性能不合格	钢材的机械性能一般要求抗拉强度、屈服强度、伸长率及截面收缩率四项指标得到保证,有时再加上冷弯;用在动力荷载和低温时还须要求冲击韧性(包括低温冲击韧性)	大部分指标不合格,只能报废;若个别达不到要求,可作等外品处理
化学成分不合格或严重偏析	将引起钢材可焊性下降,甚至无法焊接;机械性能也不会好	太差的只好报废,稍差的也只可作等外品使用

从表 4-2 中可以看出,钢材的缺陷很多,其中最为严重的是钢材中的各类裂纹。所以有必要讨论裂纹形成的主要原因,以便在设计、施工或冶炼、轧制、锻压时加以防范和避免。钢材中裂纹的产生原因可归纳为如下几类:

① 由于某种应力作用引起的开裂,主要是指钢锭冷却不均匀收缩产生的裂纹,以及钢构件加工制作工艺如冷加工、热处理、焊接等引起的裂纹;

② 由于钢中所含某一化学元素超过最大允许含量,对钢的组织结构、工艺性能或机械性能产生不良影响,从而导致其在加工或使用时开裂,如氢带来钢中的"白点",硫使钢在热加工时发生"热脆",磷使钢件产生"冷脆"等;

③ 由于其他缺陷如气泡或缩孔等产生的内部裂纹;

④ 由于熔炼与浇铸过程中非金属夹杂物进入钢液内;

⑤ 溶解在钢中的气体与非金属夹杂物在锻轧加工时所形成的细小裂纹;

⑥ 钢材折叠而形成的裂纹;

⑦ 钢材长期处于高温和压力下,由于碳氢的腐蚀使表面开裂;

⑧ 钢材突然遭到高频弹性波冲击时产生的振动裂纹。

4.1.2 钢结构加工制作中可能存在的缺陷

钢结构的加工制作全过程是由一系列工序组成的，钢结构的缺陷也就可能产生于各工种的加工工艺中。

1. 钢构件的加工制作及其可能产生的缺陷

钢构件的加工制作主要工艺大致如下：钢材和型钢的鉴定试验──→钢材的矫正（常温机械矫正或加热后矫正）──→钢材表面清洗和除锈──→放样和划线──→构件切割──→孔的加工──→构件的冷热弯曲加工等。

构件加工制作可能产生各种缺陷，归纳起来主要有：

(1) 选用钢材的性能不合格；
(2) 矫正时引起的冷热硬化；
(3) 放样尺寸和孔中心的偏差；
(4) 切割边未做加工或加工未达到要求；
(5) 孔径误差；
(6) 冲孔未做加工，存在有硬化区和微裂纹；
(7) 构件的冷加工引起的钢材硬化和微裂纹；
(8) 构件的热加工引起的残余应力等。

在上述缺陷中，关于钢材性能的质量、放样、切割、孔径的允许偏差参见钢构件制作分项工程质量标准评定要求（《建筑工程施工质量验收统一标准》GB 50300—2013）。

2. 钢结构的焊接及其可能产生的缺陷

焊接工艺中应注意的问题有：

(1) 在焊接前必须将焊缝处母材上的油污和杂质清除干净；
(2) 必须使用干的焊条，如遇湿焊条应在120~250℃下烘干后使用，但不准在火上直接烘烤；
(3) 焊条型号必须与母材匹配，并注意焊条的药皮的类型，如对直接承受动力荷载的重要结构和在低温条件下的结构必须采用低氢型药皮，这样所得的焊缝具有较好的塑性、韧性和抗裂性；对于自动焊或半自动焊的焊丝，也要注意与母材匹配；
(4) 拼接板必须与母材一致，并注意拼接板的焊缝布置和被拼接母材之间的间距，如"零间隙"易带来较大的应力集中，对结构在动载和低温下工作不利；
(5) 母材坡口形式：坡口的形式主要取决于板厚和焊接方法，常用的有Ⅰ形、V形、X形、单边V形、单边U形和K形等；并注意采用封底补焊和垫板；
(6) 不同宽度或厚度（相差4mm以上）构件的对接焊缝，应将较宽或较厚的板件加工成不大于1∶4的坡度，以保证平滑过渡；
(7) 必须满足焊缝的某些构造要求，如最大焊脚尺寸、最小焊脚尺寸、最小焊缝长度、焊缝间的最大和最小间距、角钢上焊缝和断续焊缝构造等；
(8) 避免焊缝过分集中或多方向焊缝相交于一点，如梁、柱拼接时，翼缘的拼接焊缝和腹板的拼接焊缝应该错开一定的间距；加劲肋、隔板焊接时内面必须切角等；
(9) 焊接顺序和方向：对较厚的板材（>8mm）的焊缝采用分层施焊，每层接头要错开30mm以上，并注意各焊层的尺寸比例和施焊次序和方向，宜采用分段退焊，并在焊下一层前，必须将上层焊渣清除干净；

（10）对接焊缝应在两端使用引弧板，特别是对在动载和低温条件下工作的焊缝；引弧板在焊毕后用气割切除，并将板边沿受力方向修磨平整；

（11）焊接时周围大气温度要求：我国《钢结构工程施工质量验收规范》GB 50205 规定，当普通碳素钢厚度大于 34mm，低合金钢厚度大于或等于 30mm 时，即使在环境温度不低于 0℃时也应进行预热，预热温度宜控制在 100～150℃，预热区应在焊接坡口两侧各 80～100mm 范围内；环境温度低于 0℃时，其所需的预热温度应按试验测定；普通碳素钢中的沸腾钢以及低温下工作的半沸腾钢应避免在负温下施焊；在 0～15℃环境下施焊时，应注意焊工的技术熟练程度和必要的消除残余应力应变的措施；

（12）在室外焊接时，特别是工地焊缝，必须有良好的防雨、防雪和防风等设备，而在四级风以上没有防风设备时禁止施焊；

（13）消除残余应力和应变：常用的方法有预热、后热、高温回火、反变形和轻敲击等；预热、后热和高温回火效果比较显著，但要考虑其费用和施行的可能性。

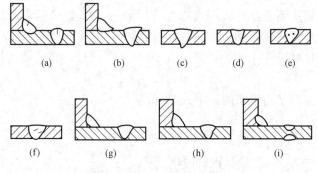

图 4-2 各种焊接缺陷示意图
(a) 裂纹；(b) 焊瘤；(c) 烧穿；(d) 弧坑；(e) 气孔；(f) 夹渣；(g) 咬边；(h) 未熔合；(i) 未焊透

由于焊接工艺给钢结构带来的缺陷主要有：

(1) 热影响区母材的塑性、韧性降低；钢材硬化、变脆和开裂；
(2) 焊接残余应力和残余应变；
(3) 各种焊接缺陷：如裂纹、气孔、夹渣、焊瘤、烧穿、弧坑、咬边、未熔合和未焊透等，见图 4-2；
(4) 焊接带来的应力集中等。

3. 钢结构的铆钉连接及其可能产生的缺陷

铆钉自 19 世纪 20 年代开始在钢结构连接中使用以来，曾在相当长时期内在钢结构连接中占统治地位，但由于劳动强度高、噪声污染大和耗钢量多的缺点，20 世纪 20 年代逐步被焊接连接所取代。20 世纪 40 年代末，由于焊接海船的冷脆破坏事故多次出现，一度曾认为铆接的疲劳性能优于焊接。此后由于焊接质量的提高和高强度螺栓连接的出现，铆接在工程上的运用也越来越少。目前只有在承受较繁重、动力荷载长期作用的桥梁结构和吊车梁中偶尔采用。但为了对过去建造的铆接结构进行评价、监测和加固维修，需对铆接工艺及其所带来的缺陷作简单了解。

铆接工艺中应注意的问题：

（1）铆钉孔的布置和构造：包括排列形式（并列、错列），顺受力方向和垂直受力方向的最小间距、最大间距、端距、边距，以及型钢上铆钉孔的线距要求等；

（2）构件拼装时，应尽量减小铆钉孔位置的偏差，错孔在0.5mm及其以下时可不限制；错孔在0.5～1.0mm者不得超过每组孔数的50%；错孔在1.0～1.5mm者不得超过每组孔数的10%；

（3）为保证很好地夹紧成叠钢材，铆接前的拼装应尽可能使用大直径拼装螺栓，其间距不得大于300mm，而且数量不得少于全部铆钉孔的25%～35%；

（4）铆钉加热和铆接过程中的温度控制：铆钉应在整个长度上均匀加热，不得有局部受热现象，加热时间应尽量缩短，以免产生过厚的氧化铁皮；低碳钢的铆合工作应在温度降到500～600℃以前结束，低合金钢的工作应在温度降到400～450℃以前结束；

（5）铆接机械压力要求：采用风动铆接时，压缩空气的压力不得少于$54N/cm^2$；机械铆接时，热铆钉锁紧头形成后，如Q235钢铆钉需继续承受机械压力4s以上；

（6）铆钉质量的检查：可用0.3kg的小锤，抬高20～25cm轻轻敲打铆钉头以确定铆钉紧密程度是否合格；对有怀疑的铆钉，可用较大力敲打，并用样板和肉眼作外观尺寸检查，遇铆钉松动和钉头不密贴时，不许捻塞或用氧气-乙炔烘烤后重新铆合，而应先割除有缺陷的铆钉，用新铆钉重新铆合，并注意割除时不应损坏构件钢材；

（7）各零件间的紧密度可用厚度为0.3mm的塞尺测量，塞尺插入接合表面的深度不得超过20mm。

铆钉连接可能给钢结构带来的缺陷主要有：

（1）铆钉孔引起构件截面削弱；

（2）铆合质量差，铆钉松动；

（3）铆合温度过高，引起局部钢材硬化；

（4）板件间紧密度不够等。

4. 钢结构的螺栓连接及其可能产生的缺陷

用于钢建筑结构连接的螺栓可分为普通螺栓和高强度螺栓，在普通螺栓中，通常采用的是C级普通螺栓，在高强度螺栓中通常采用摩擦型高强度螺栓。

普通螺栓按传力方式可分为：抗剪螺栓、抗拉螺栓和拉剪螺栓。其中抗剪普通螺栓的破坏形式有四种：①螺栓杆剪切破坏：当螺栓直径较细而被连接钢材较厚时；②螺栓孔挤压或承压破坏：当螺栓直径较粗而被连接钢材较薄时；③构件净截面强度破坏：当构件开口较多使截面削弱较大时；④螺栓杆弯曲破坏：当螺栓栓杆较长较细时。而抗拉螺栓的破坏主要是在螺母下螺纹削弱处被拉断。

摩擦型高强度螺栓连接在受剪设计时以外剪力达到板件接触面间由螺栓拧紧力所提供的可能最大摩擦力为极限状态，亦即应保证连接在整个使用期间外剪力不超过最大摩擦力，能由摩擦力完全承受。这样板件间不会发生相对滑移变形，因而其整体性和刚度好、变形小、受力可靠、耐疲劳。构件的接触面（摩擦面）通常需经过特殊处理（如喷砂、喷砂后生赤锈或涂无机富锌漆等），使其洁净并粗糙，以提高其抗滑移系数。

为提高螺栓连接的质量，应注意以下工艺要求：

（1）螺栓孔的布置和构造：包括排列形式（并列、错列），顺受力方向和垂直受力方向的最小间距、最大间距、端距、边距，以及型钢上螺栓孔的线距要求等；

(2) 受力螺栓的直径一般用大于等于 M16，对冷弯薄壁型钢结构可用大于等于 M12；

(3) 螺栓受拉时将在螺纹削弱处断裂，故螺栓受拉设计应按螺纹处的有效截面 A_e；

(4) 螺栓的受拉是通过设置于构件端部的端板、连接角钢或 T 形钢实现的，端板、连接角钢或 T 形钢等应有一定的厚度或设置加劲肋，以便受拉时有足够的强度和刚度；

(5) 高强度螺栓预应力施加方法为：先对全部螺栓做初拧和复拧，然后再用电动、风动或人工特制扳手拧紧螺母而产生预应力；预应力的控制常用扭矩法、转角法或采用扭剪型高强度螺栓；

(6) 高强度螺栓拧紧后，预应力经一段时间后会损失一部分（松弛），一般在一天以内的损失量为总损失的 90%；为补偿预应力松弛的影响，施工时一般将螺栓超张拉 5%～10%；

(7) 高强度螺栓施拧过程中，其施工预应力误差不应大于 10%，不许欠拧，否则摩擦力满足不了设计要求，在受力过程中可能产生较大的滑移变形；也不能超拧过大，否则会拧断螺栓，或暂时未断，但过后会出现螺栓脆断现象（延迟破断）；

(8) 高强度螺栓的最大长度对 M16、M18 和 M20 取 $8d$，对 M22 和 M24 取 $9d$（其中 d 为螺栓的公称直径）；其最小长度依被连接件的最小厚度的组合来确定，即为被连接件厚度加上一个螺母高度、两个垫圈厚和拧紧后露出三道螺纹的高度，并注意接头受剪面上不应有螺纹；

(9) 对螺栓较多的接头，已拧好的螺栓将受到它周围螺栓在施拧时的影响；为使受力均匀，施拧时至少分两次拧，并注意选择适当的施拧次序，应从节点中刚度大的部位向不受约束的边缘进行；大面积的节点中，应从节点中央沿杆件向外进行。

螺栓连接工艺给钢结构带来的主要缺陷有：

(1) 螺栓孔引起构件截面削弱；

(2) 普通螺栓连接在长期动荷载作用下的螺栓松动；

(3) 高强度螺栓连接预应力松弛引起的滑移变形；

(4) 螺栓及其附件钢材质量不符合设计要求。

5. 钢结构的防护涂层缺陷及其处理

所有钢结构在投入使用之前必须进行防腐处理。目前我国钢结构最主要的防腐措施是在其表面覆盖油漆类涂料，形成保护涂层。只有对一些特殊的钢结构，比如输电塔及在较强腐蚀性介质下工作的容器，才采用镀锌、喷铝等方法处理其表面。

涂层的缺陷多种多样，产生的原因各不相同，表 4-3 列举了各种缺陷产生的原因及其处理方法。

涂层缺陷及其处理方法　　　　　　　　　　　表 4-3

涂层缺陷	产生原因	处理方法
显刷纹	①涂料的流动性(展性)不足； ②油性调和漆容易发生	①使用高级刷子； ②少用合成树脂涂料
流挂	①涂层厚； ②稀释过分或使用缓干稀释剂过多	①涂层不要太厚； ②稀释剂使用要适当
皱纹	①厚涂层表面干燥时易发生； ②下层涂层未干而紧接涂上层涂料	①涂层不要太厚； ②下层涂层干燥后再涂上层涂料
失光 (变白)	①涂装后气温很快下降； ②大气中的水分凝聚于涂层表面上； ③冬天日落时涂刷易发生	①使用缓干稀释剂； ②温度高时不要涂装； ③要以到傍晚时用手指触摸已干燥为准来施工

续表

涂层缺陷	产生原因	处理方法
不沾	被涂面上油性成分多,有水分	清扫被涂面并用力涂刷
透色 (咬色)	①下层涂料中颜料析出; ②在未干的涂层上涂上层涂料溶剂不合适; ③下层涂料是沥青系列涂料	①使用不会离析的颜料; ②下层涂层干燥后再涂; ③涂一层银色涂料后再重新涂装
颜色不匀	①混合不充分; ②溶剂用的多; ③两种颜料粒子分散性能不同的颜料混合	①充分搅拌; ②不要涂太厚和流挂,不要加入太多的溶剂; ③注意涂料的配合
光泽不良	①基底吸收的多; ②涂层薄; ③发生失光的情况	①重新涂装; ②使用规定的涂料用量
回粘	使用焦油涂料	应使用上等胶粘剂的涂料
剥离	①涂料系列不同; ②涂层厚时产生大片剥离	①使用质量相同的涂料系统; ②注意基底的清除,以便可重叠涂装
变色褪色	①颜料的种类问题; ②受硫化氢气体的侵蚀; ③浅颜色中褪色的情况多	①选择好的颜料; ②根据所接触的侵蚀性气体来选择颜料; ③浅颜色时,要专门选择耐久性好的颜料
起泡	①水分侵入涂层,使水溶性物质溶化且膨胀; ②涂层下生锈,使涂层膨胀凸起	注意基底的清除
粉化	受到热、紫外线和风雨侵蚀,涂层老化而从表面粉化	选择耐粉化的涂料
龟裂	①涂层随时间逐渐失去柔软性,表面收缩; ②涂层下层软,上层硬	①下层涂层充分干燥后再涂上层涂料; ②上、下层涂层硬度应相适应
不盖底	涂料稀释过度,透过上层涂层可见下层颜色	不要稀释过度

4.1.3 钢结构的运输、安装和使用维护中可能存在的缺陷

钢结构的运输、安装和使用维护过程中可能遇到的缺陷有:
(1) 运输过程中引起结构或其构件产生的较大变形和损伤;
(2) 吊装过程中引起结构或其构件的较大变形和局部失稳;
(3) 安装过程中没有足够的临时支撑或锚固,导致结构或其构件产生较大的变形、丧失稳定性,甚至倾覆等;
(4) 施工连接(焊缝、螺栓连接)的质量不满足设计要求;
(5) 使用期间由于地基不均匀沉降等原因造成的结构损坏;
(6) 没有定期维护使结构出现较重腐蚀,影响结构的可靠性能。

4.2 钢结构的事故及其影响因素

4.2.1 钢结构事故的破坏形式

钢结构的事故按破坏形式大致可分为如下几类,即钢结构强度和刚度的失效、钢结构的失稳、钢结构的疲劳、钢结构的脆性断裂和钢结构的腐蚀等。同时钢结构的各种破坏形式又是相互联系和相关影响的,在一个事故实例中有可能发现几种形式的破坏,而且导致各种形式破坏的原因也具有一定的共性。

1. 钢结构承载力和刚度的失效

钢结构承载力失效主要指：正常使用状态下结构构件或连接因材料强度被超过而导致破坏，其主要原因大致可归纳为：

(1) 钢材的强度指标不合格

在钢结构的设计中，有两个重要的强度指标：屈服强度 f_y 和抗拉强度 f_u。另外当结构构件承受较大剪力或扭矩时，钢材的抗剪强度 f_v 也是一个重要的强度指标。

(2) 连接强度不满足要求

钢结构焊接连接的强度主要取决于焊接材料的强度及其与母材的匹配、焊接工艺、焊缝质量和缺陷及其检查和控制、焊接对母材热影响区强度的影响等。螺栓连接强度的影响因素有：螺栓及其附件材料的质量以及热处理效果（高强度螺栓）、螺栓连接的施工技术工艺的控制，特别是高强度螺栓预应力控制和摩擦面的处理、螺栓孔引起被连接构件截面的削弱和应力集中等。

(3) 使用荷载和条件的改变

主要包括：计算荷载的超载、部分构件退出工作引起的其他构件荷载的增加、温度荷载、基础不均匀沉降引起的附加荷载、意外的冲击荷载、结构加固过程中引起计算简图的改变等。

钢结构刚度失效主要指：结构构件产生影响其继续承载或正常使用的塑性变形或振动，其主要原因为：

(1) 结构或构件的刚度不满足设计要求

在钢结构构件设计中，轴心受压构件不满足允许长细比的要求；受弯构件（梁）应不满足允许挠度的要求；压弯构件不满足长细比和挠度的要求等。

(2) 结构支撑体系不够

在钢结构中，支撑体系是保证结构整体刚度的重要组成部分，它不仅对抵制水平荷载和抗震有利，而且会直接影响结构的正常使用。比如有吊车梁的工业厂房，当整体刚度较弱时，在吊车梁运行过程中会产生振动和摇晃。

2. 钢结构的失稳

钢结构构件由于材料强度高，所用截面相对较小，也就最容易产生失稳。钢结构的失稳主要发生在其最基本的轴心受压构件、压弯构件和受弯构件，因此在钢结构设计中保证其构件不丧失稳定性极为重要。

钢结构构件的失稳分两类：丧失整体稳定性和丧失局部稳定性。两类失稳形式都将影响结构或构件的正常承载和使用或引发结构的其他形式破坏。

影响结构构件整体稳定的主要原因有：

(1) 构件设计的整体稳定不满足

影响构件整体稳定最主要的参量为长细比 λ，$\lambda=l/i$，其中 l 为构件的计算长度，i 为截面的回转半径。构件计算长度 l 注意截面两个主轴方向的计算长度可能有所不同，构件两端实际支承情况与采用的理想支承情况间的差别。

(2) 构件的各类初始缺陷

在构件的稳定分析中，各类初始缺陷对其极限承载力的影响比较显著。这些初始缺陷主要包括：初弯曲、初偏心（轴压构件）、热轧和冷加工产生的残余应力和残余变形及其分布、焊接残余应力和残余变形等。

(3) 构件受力条件的改变

钢结构使用荷载和使用条件的改变，如超载、节点的破坏、温度的变化、基础的不均匀沉降、意外的冲击荷载、结构加固过程中计算简图的改变等，引起受压构件应力增加，或使受拉构件转变为受压构件，从而导致构件整体失稳。

(4) 施工临时支撑体系不够

在结构的安装过程中，由于结构并未完全形成一个设计要求的受力整体或其整体刚度较弱，因而需要设置一些临时支撑体系来维持结构或构件的整体稳定。若临时支撑体系不完善，轻则会使部分构件丧失整体稳定，重则造成整个结构的倒塌或倾覆。

导致钢结构构件局部失稳的主要原因有：

(1) 构件局部稳定的不满足

在钢结构构件，特别是组合截面构件的设计中，当规范规定的板件局部稳定的要求不满足时，如工形、槽形等截面翼缘的宽厚比和腹板的高厚比大于限值等，易发生局部失稳。而对其腹板从节约钢材的角度出发，应尽量取薄一点，并通过设置加劲肋的方法加强其局部稳定。加劲肋的布置和构造应合理、经济。

(2) 局部受力部位加劲构造措施不合理

当在构件的局部受力部位，如支座、较大集中荷载作用点，没有设支承加劲肋，使外力直接传给较薄的腹板而产生局部失稳。构件运输单元的两端以及较长构件的中间如没有设置横隔，截面的几何形状不变难以保证且易丧失局部稳定性。

(3) 吊装时吊点位置选择不当

在吊装过程中，由于吊点位置选择不当会造成构件局部较大的压应力，从而导致局部失稳。所以钢结构在设计图纸上应详细说明正确的起吊方法和吊点位置。

3. 钢结构的疲劳破坏

钢结构的疲劳破坏往往是在循环应力反复作用下发生的。在钢结构的疲劳分析中，习惯当循环次数 $N<10^5$ 称为低周疲劳，而把 $N>10^5$ 称为高周疲劳。经常承受动力荷载的钢结构，如吊车梁、桥梁、近海结构等在其工作期限内所经历的循环应力次数远超过 10^5 级。如果钢结构构件的实际循环应力特征和实际循环次数超过设计时所采取的参数，就很可能发生疲劳破坏。

此外，钢结构疲劳破坏的影响因素还有：

(1) 所用钢材的抗疲劳性能差；

(2) 结构或构件中的较大应力集中；《钢结构设计标准》GB 50017 中有关疲劳计算的 8 类结构形式或多或少多含有一定程度的应力集中；

(3) 钢结构或构件加工制作缺陷，其中裂纹型缺陷，如焊缝及其热影响区的细裂纹、冲孔和剪切边硬化区的微裂纹等，对钢材的疲劳强度的影响比较大，另外钢材的冷热加工、焊接工艺所产生的残余应力和残余变形等对钢材的疲劳强度也产生较大的影响。

4. 钢结构的脆性断裂

钢结构的脆性破坏是其极限状态中最危险的破坏形式之一。它的发生往往很突然，没有明显的塑性变形，而破坏时构件的名义应力很低，一般低于钢材的抗拉强度设计值，有时只有钢材屈服强度的 0.2 倍。影响钢结构脆性破坏的因素很多，归纳起来主要有：

(1) 所用钢材的抗脆断性能差

钢材的塑性、韧性以及对裂纹的敏感性等都将影响其抗脆性断裂的性能，其中冲击韧性起着决定作用。选择钢材时，应根据钢材类型和工作环境具有不同温度条件下冲击韧性的保证。低合金钢材的抗脆断性能比普通碳素钢优越；普通碳素钢系列中，镇静钢、半镇静钢和沸腾钢的抗脆断性能依次降低。另外钢材中某些微量元素的含量，如碳、磷和氮，对钢材抗脆断性能的影响也十分显著。

(2) 构件的加工制作缺陷

这类缺陷主要包括：结构构造和工艺缺陷、焊接的残余应力和残余变形、焊缝及其热影响区的裂纹、冷作与变形硬化及其裂纹、构件的热应力等。这些缺陷将严重影响构件局部的塑性和韧性，限制其塑性变形，从而导致结构的脆性断裂。

(3) 构件的应力集中和应力状态

构件的高应力集中会使构件在局部产生复杂应力状态，如三向或双向受拉、平面应变状态等。这些复杂的应力状态，严重影响构件局部的塑性和韧性，限制其塑性变形，从而提高了构件产生脆性断裂的可能性。

(4) 构件的尺寸

这里构件的尺寸主要是指构件板材的厚度。较薄的构件一般呈现平面应力状态，而在平面应力状态下，除非应力集中系数特别高（达17~19，即正常钢结构构件可能应力集中系数的3~5倍），一般不会发生脆性破坏；随着构件的厚度增大，应力状态逐渐向平面应变过渡。而在平面应变状态下，构件应力集中区材料处于三向受拉状态，其塑性发展受到限制，极易发生脆性破坏。

因此在选择结构钢材时，对可能发生脆性破坏的结构和构件，如焊接结构和低温下工作的结构，应尽量采用较小厚度的钢板。

(5) 低温和动载

低温对钢材及其构件的主要力学指标的影响见图4-3。其中，随着温度的降低，钢材的屈服强度 f_y 和抗拉强度 f_u 升高，钢材的塑性指标截面收缩率 ψ 降低，屈强比 f_y/f_u 增加。也就是说，钢材本身变脆。钢构件材料的破坏强度 f_p 随着温度的降低也逐渐

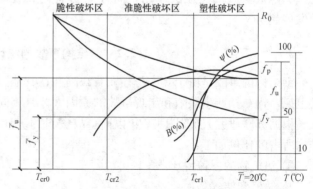

图4-3 低温对钢材及其构件主要力学指标的影响

降低。通常把 f_p 等于钢材常温下 f_y 的温度称为第二临界转变温度 T_{cr2}（从准脆性破坏向脆性破坏转变），而把构件 ψ 值约为钢材常温下10%时的温度称为第一临界转变温度 T_{cr1}（从塑性破坏向准脆性破坏转变）。在钢结构的设计中应避免结构或构件的工作环境温度低于 T_{cr2}，而对在 $T_{cr2} \sim T_{cr1}$ 之间工作的结构和构件应进行抗脆性破坏设计。通常把钢结构或构件在低温下的脆性破坏称之为"低温冷脆现象"。

动载对钢结构脆性破坏的影响可以解释为：钢材在循环应力的反复作用下生成疲劳裂纹，而裂纹的扩展直至整个截面的破坏往往是很突然的，没有明显的塑性变形。也就是

说，疲劳裂纹的扩展破坏呈现脆性破坏的特征。

5. 钢结构的腐蚀破坏

由于普通钢材的抗腐蚀能力比较差，所以钢结构的腐蚀一直是工程上关注的重要问题。据统计全世界每年约有年产量30%～40%的钢铁因腐蚀而失效，除废料回收外，净损失约10%。钢结构腐蚀结果不单是经济上和资源上的损失，腐蚀使钢结构杆件净截面减损，降低了结构承载能力和可靠度，同时腐蚀形成的"锈坑"使钢结构产生脆性破坏的可能性增大，尤其是抗冷脆性能下降。据统计，有相当比例结构和建筑物的损坏和事故是由于钢材的腐蚀而引起的，因此防腐蚀对节约钢材和防止工程事故有重大意义。

钢结构在使用过程中要定期检查，如发现基本金属有锈蚀，要采用测量工具或测厚仪器查明构件断面削弱程度，通过计算确定是否要采用更换或加固措施。一般来说，钢结构下列部位易发生锈蚀，检查中应予以重视：

(1) 埋入地下的地面附近部位，如柱脚等；
(2) 可能存在积水或遭受水蒸气侵蚀部位；
(3) 经常干湿交替又未包混凝土的构件；
(4) 易积灰又湿度大的构件部位；
(5) 组合截面净空小于12mm，难于涂刷油漆的部位；
(6) 屋盖结构、柱与屋架节点、吊车梁与柱节点部位等。

过去用油漆等涂料来保护钢结构，后来也有以镀锌、喷铝等方法来抗腐蚀的。这种消极地把钢材与大气隔绝的方法不仅增加成本和保养费用，而且效果也不是很理想。近年来人们寻求一种积极的提高钢材本身抗腐蚀性能的方法。通常可在低碳钢冶炼时加入适量的磷、铜、铬和镍等合金元素，使之和钢材表面外的大气化合成致密的防锈层，起隔离大气的覆盖层作用，而且不易老化和脱落。这是目前国外金属抗腐蚀研究的发展趋势。

4.2.2 钢结构事故的统计分析

钢结构的事故是由于其本身存在着缺陷并在其他因素作用下发展而形成的。从这种意义上说，钢结构产生缺陷和出现事故的原因大体是相同的，缺陷往往是事故的前兆。

根据苏联研究人员对1970年以前事故资料的统计，在金属结构的重大事故中，各类结构所占的比例如下：

① 建筑物的屋盖占37%；
② 储槽和储气罐占20%；
③ 高炉和热风炉壳占22%；
④ 无线电塔和输电线塔占14%；
⑤ 栈桥和通廊占7%。

可见屋盖结构的破坏事故所占的比例较高。同时，统计结果还表明，在这些事故中：

① 安装阶段出现的占27%；
② 试验阶段出现的占10%；
③ 使用阶段出现的占63%。

钢结构工程事故原因可按三个阶段进行划分，见表4-4。

结构工程事故原因阶段分类 表 4-4

设计阶段	制作和安装阶段	使用维护阶段
1. 结构设计方案不合理； 2. 计算简图不当； 3. 结构计算错误； 4. 对结构荷载和受力情况估计不足； 5. 材料选择不宜（性能要求不满足）； 6. 结构节点不完整； 7. 未考虑施工和使用阶段工艺特点； 8. 防腐蚀、高温和冷脆措施不足； 9. 没有按结构设计规程执行； 10. 没有相应的结构规程规定。	1. 没有按图纸要求制作； 2. 制作尺寸偏差，质量低劣； 3. 制作用材和防腐措施不适当； 4. 安装施工程序不正确，操作错误； 5. 支撑和结构刚度不足； 6. 安装偏差引起变形； 7. 安装连接不正确，质量差； 8. 吊装、定位和矫正方法不正确； 9. 制作和安装设备工具不完善； 10. 制作和安装检验制度不严格； 11. 缺乏熟练技术人员和工人。	1. 违反使用规定（超载、乱开洞） 2. 建筑物地基下沉； 3. 使用条件恶化，材性改变（老化、腐蚀、高温、低温、疲劳等）； 4. 采用了不恰当方法改造和加固； 5. 操作不当，使结构构件损伤或破坏，不及时维修； 6. 结构定期检查制度没有执行； 7. 特殊作用，如地震、辐射等。

不同类型的钢结构所发生的事故还具有不同的特征：

(1) 板式结构

在板式结构事故中，各种原因所导致事故的比例如下：

① 板厚选择不当者占 8%；

② 采用钢材的冷脆性能低于标准者占 31%；

③ 制造质量低劣者占 8%；

④ 安装质量不合要求并违反试验工艺占 31%；

⑤ 违反使用条例（未定期检查结构的现状和防腐措施）者占 22%。

冶金企业的板式结构由于长期受周期性变化的动力和热作用以及灰尘和水分积聚的腐蚀作用，最容易发生损坏性事故。而由钢板焊接成的各种有压和无压容器发生事故的最主要原因往往是焊接缺陷。

(2) 杆式结构

杆式结构是最常用的结构形式。这类结构的事故多出现在屋架和托架中，而且在安装前即发生损坏的约占 45%。通过对 26 榀屋架的重大事故进行分析[14]，可知产生事故的基本原因是：

① 计算简图和节点构造选用不当的占 17%；

② 采用钢材易冷脆破坏的占 22%；

③ 制造和安装质量不合要求的分别占 17% 和 22%；

④ 使用条件与计算简图和荷载有出入的占 22%。

杆式结构主要发生强度和稳定方面的事故，由于杆式结构的连接往往是结构体系中的薄弱环节，相当一部分的事故就发生在其连接节点上。

(3) 柱结构

柱子的承载能力有很大的储备，因为它是按最不利的荷载组合设计的，但这样组合荷载出现的可能性极少。因此，在正常使用条件下柱子的应力远小于设计应力，所以基本上不存在柱子发出现重大事故的情况。

黑色冶金企业车间的柱子有时会因高温作用产生局部挠曲。在腐蚀介质中使用的金属结构柱会由于积灰、潮湿、与土壤接触或没有采用防大气作用的措施而腐蚀损坏。最严重的腐蚀损坏常发生在格构式柱的水平构件上、加劲肋和柱脚节点等处。另外，重物抛落和冲击、不适当地利用柱子提升重物、在柱子上悬吊管线或凿孔等也会使柱子受损。

(4) 吊车梁

吊车梁是工业建筑中最常用的结构形式之一。吊车的周期性反复作用，往往使吊车梁很快出现裂纹状的破坏（疲劳）。重级和特重级工作制车间的吊车梁使用3~5年就不得不报废。

根据对17个冶金厂重级工作制车间的调查结果可知[14]，使用6~10年后吊车梁最典型的破坏表现为：

① 吊车轨道固定件破坏者占80%；
② 吊车轨道有几何偏差者占70%；
③ 吊车梁及制动结构与柱子连接件破坏者占50%；
④ 吊车梁有裂纹的占30%；
⑤ 制动结构有裂纹的占25%；
⑥ 吊车轨道出现不容许偏心的占20%。

吊车梁裂纹破坏主要发生在支座区域、加劲肋附近及上翼缘和腹板连接处。而且不连续（简支）吊车梁比连续吊车梁的破坏机率高，支座区比跨中区破坏严重。吊车梁各部位裂纹出现的频率如下：

简支：支座区75.5%，中间区71.9%，跨中区65.1%；
连续：支座区35.5%，中间区42.2%，跨中区23.4%。

制动结构以及吊车梁与柱子连接的支撑节点处于繁重使用状态，其主要破坏具有疲劳特征。应当指出，铆接吊车梁不同于焊接吊车梁。铆接吊车梁中无残余焊接应力、铆接连接有较大的韧性，而且翼缘角钢上部加厚，使其工作条件变得有利。铆接吊车梁与焊接吊车梁相比破坏得较迟，累积破坏出现较缓慢。

(5) 工作平台钢结构

冶金工业平炉、电炉、转炉车间及其他类似车间工作平台钢结构在装料机械、铁路车辆动力、机动荷载和高温的作用下损坏得很快。典型损坏常为上翼缘焊缝、腹板及上翼缘附近的裂缝、腹板的局部弯曲；腹板被切割处、辅助梁与主梁间固定螺栓的松动等。

(6) 塔桅结构

这类结构由于外形窄而高，一般受水平荷载（包括风荷载和地震作用）的影响比较大，同时对基础的要求比较高。事故形式多表现为整体的倾覆或倾斜，事故的主要原因为：

① 设计错误，占29%；
② 结构材料质量低劣（钢材抗冷脆及疲劳破坏的性能差），占43%；
③ 制造和安装的质量不合要求，占14%。

表4-5列出钢结构事故中各种破坏类型所占的比例。从统计结果来看，钢结构的冷脆、疲劳、失稳、连接破坏所占的比例较大，有必要深入开展这些方面的研究。

钢结构各破坏类型在工程事故中所占的百分比（%）　　　　表 4-5

破坏类型		1951～1977年 59起事故	1951～1959年 69起事故	1950～1975年 100起事故
整体或局部失稳		22	44	41
母材破坏	塑性破坏	6	—	8
	冷脆破坏	27	17	14
钢材的疲劳破坏		16	5	3（考虑焊缝）
焊接连接的破坏		15	26	24
螺栓连接的破坏		4	—	3
其他类型破坏		10	8	7

钢结构的连接形式有三种：焊缝连接、螺栓连接和铆钉连接，其中焊缝连接是现代钢结构最主要的连接方式。正如前面所述，由于焊接钢结构受材料性质、焊接工艺等各方面因素限制，不可避免地存在各种缺陷，加之使用条件的不利作用（如超载、低温、动载等），使焊缝连接成为最易出现缺陷和事故的连接形式。而在焊接钢结构的事故中，脆性破坏所占的比例在75%以上。

早在1971年国际焊接协会（International Institute of Welding）曾对60个焊接钢结构脆性破坏的实例进行了统计分析，并根据所占比例的大小总结出17个最主要的影响因素（见表4-6）。应当指出，每个脆性破坏的实例并不是由某一个因素引起的，而是多个因素共同作用的结果，所以表中列举的实例总数不是60个，而是126个。

国际焊接协会对焊接钢结构脆性破坏的实例统计分析结果　　　　表 4-6

序号	影响因素	破坏实例数	所占百分比
1	钢材对裂纹的敏感性	26	20.6
2	结构构造缺陷	18	14.3
3	构件的焊接残余应力	17	13.5
4	钢材的冷作与变形硬化	14	11.1
5	疲劳裂纹	9	7.2
6	其他焊缝缺陷	9	7.2
7	结构工艺缺陷	9	7.2
8	结构超载	8	6.3
9	构件的热应力	6	4.8
10	焊接热影响区的裂纹	3	2.4
11	钢材的热处理	3	2.4
12	焊缝的裂纹	2	1.6
13	钢材的冷加工	1	0.7
14	腐蚀裂纹	1	0.7
	总　　计	126	100.00

苏联新西伯利亚建工学院曾对苏联地区223个工程项目中350个钢结构脆性破坏实例进行了统计研究分析。分析表明，钢结构的脆性破坏并不是由单一因素引起的，而是多个

因素综合作用的结果。在这些因素中，低温、高应力集中、焊接缺陷的作用显得十分明显和不可缺少。除此之外，其他比较突出的因素组合为：

① 超载-焊接硬化-焊接热影响区的裂纹占 60%；
② 疲劳裂纹-冷作与变形硬化-焊接热影响区的裂纹占 22.93%；
③ 焊缝裂纹-焊接硬化-焊接热影响区的裂纹占 7.32%。

针对各主要影响因素，还得出以下结论：

(1) 低温的影响

破坏实例中 57% 发生在 -30℃ 以上，在这个温度范围内，规范（苏联）允许采用各种脱氧形式的低碳钢 C235（相当于我国的 Q235）；90% 的破坏实例发生在 -40℃ 以上，即规范规定可以采用低碳钢 C235 的各种焊接结构的温度范围内。

(2) 材料性质的影响

低碳钢 C235 的脱氧形式对其脆性破坏影响较大。对镇静钢、半镇静钢和沸腾钢来说，其抗冷脆性能依次降低（临界转变温度相差 0～20℃）。

低碳钢的抗冷脆性能明显不如低合金钢，二者的临界转变温度相差 40～50℃，但低合金钢对裂纹的敏感性强。

(3) 结构形式的影响

破坏实例中 34% 发生在板结构；48% 发生在格构式结构（桁架）；只有 18% 发生在实腹式结构上。

(4) 应力水平的影响

许多情况下构件的破坏应力很低。大约 35% 的破坏实例发生时，实际受力在 0.2 倍计算值以下。图 4-4 给出各应力水平上脆性破坏的机率 n%，其中 σ_n 为实际名义应力，R_u 为钢材的设计强度。

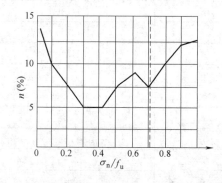

图 4-4 脆性破坏机率与应力水平的关系

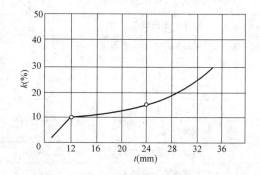

图 4-5 脆性破坏机率与构件厚度的关系

(5) 构件厚度的影响

构件的规模（尺寸）对钢结构脆性破坏的影响主要体现在构件的厚度 t 上。而与厚度相比，构件的其他尺寸（长度、跨度）的影响并不明显。脆性破坏的机率 k% 随构件厚度的增加而上升，图 4-5 给出这种变化的规律。

(6) 使用期限的影响

从钢结构的脆性破坏与使用期限的关系看，23% 的破坏实例发生在安装阶段；9% 产生在试验期间；5% 发生在结构修理期间；63% 发生在使用阶段。使用阶段的破坏实例中

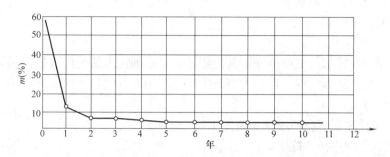

图 4-6 脆性破坏的几率 $m\%$ 与使用期限的关系

有 90%发生在投入运行的 6 年以内，图 4-6 给出脆性破坏的机率 $m\%$ 与使用期限的关系。

4.3 钢结构事故的实例分析

4.3.1 钢屋架结构事故

钢屋架是钢结构，特别是早期钢结构屋盖系统最常用的结构形式。钢屋架结构屋盖系统具有如下特点：

① 钢屋架承重构件由壁薄、细长杆件组成，截面形状多样，连接节点构造复杂，节点应力集中又有偏心。

② 钢屋架结构的计算荷载和计算简图与实际值较接近，屋架经常在接近计算极限状态条件下工作，屋盖系统承载能力安全储备最小，所以屋盖承重构件对超载、温度和腐蚀作用十分敏感，容易因偶然因素而失稳或破坏。

③ 制造、安装和使用中出现各种缺陷，使钢屋架结构成为钢结构中破坏最严重的构件之一，损坏事故较多。

④ 设计中多采用标准图集，设计人员往往忽略结构本身计算，特别是荷载和建筑构造与标准图集所规定的不相符合时。

苏联统计了 20 个冶金厂 66 个车间的全部钢结构，调查结果证明钢屋架破坏严重。926 榀屋架中的 770 榀有不同程度的破坏，占 83.2%；屋架和托架在安装前即发现损坏的约占 45%；转炉车间的屋架在使用 10～30 年期间平均腐蚀损坏速度为每年 0.10～0.16mm。

我国曾对 220 例各类房屋倒塌事故进行分析，由屋架、梁、板等水平结构破坏引起的倒塌有 96 例，占 43.7%，其中由钢屋架破坏引起的倒塌事故有 38 例，占 220 例的 17.3%。所以对于屋盖事故的严重后果也应给予足够重视。

1. 钢屋架事故类型
(1) 屋架倒塌。
(2) 桁架杆件断裂（包括与节点板连接断开）。
(3) 屋架挠曲超标准。
(4) 杆件弯曲（上弦出现较少，因其断面较大且有屋面板、支撑连接）。

(5) 桥梁节点板弯曲或开裂。
(6) 屋架支撑屈曲。

2. 钢屋架事故原因

屋盖中屋架和托架是主要构件，其薄弱环节是长细比大的受压腹杆、屋架与柱连接节点、屋架书点板、端部受拉斜撑和天窗斜撑。钢屋盖事故的具体原因分析如下：

(1) 设计方面原因

① 结构设计方案不合理或计算简图不符合实际。
② 结构构件和连接计算错误。
③ 对结构荷载和受力情况估计不足。
④ 材料选择不宜或材料性能不满足实际使用要求。
⑤ 结构节点构造不合理。
⑥ 防腐蚀、高温和冷脆措施不足。
⑦ 设计图纸出错等。

(2) 制作和安装中原因

① 构件几何尺寸超过允许偏差，由于矫正不够、焊接变形、运输安装中受弯，使杆件有初弯曲，引起杆件内力变化。
② 屋架或托架节点构造处理不当，形成应力集中；檩条错位或节点偏心。
③ 腹杆端部与弦杆距离不符合要求，使节点板工作恶化出现裂缝。
④ 桁架杆件尤其是受压杆件漏放连接垫板，造成杆件过早丧失稳定。
⑤ 桁架拼接节点质量低劣、焊缝不足，安装焊接不符合质量要求。
⑥ 任意改变钢材要求，使用强度低的钢材或减小杆件设计截面。
⑦ 桁架支座固定不正确，与计算简图不符，引起杆件附加应力。
⑧ 违反屋面板安装顺序，屋面板搁置面积不够、漏焊。
⑨ 忽视屋盖支撑系统作用，支撑薄弱，部分支撑弯曲。
⑩ 屋面施工违反设计要求，任意增加面层厚度使屋盖重量增加。

(3) 使用中原因

① 屋面超载，尤其是某些工厂不定期清扫屋面积灰，使屋面超载，发生事故。
② 改变结构的使用功能，而没有对结构进行鉴定复核，造成荷载明显增加。
③ 未经预先设计而悬挂管道、提升重物等，固定在非节点处，引起杆力变化。
④ 使用过程中高温、低温和腐蚀作用影响屋盖承载能力。
⑤ 重级工作制吊车运行频繁，对屋架的周期性作用造成屋盖损伤破坏。
⑥ 使用中切割或去掉屋盖中杆件，使局部杆件应力急剧变化。
⑦ 结构出现损伤和破坏而没有进行加固和修复等。

需要指出的是，钢屋盖的事故往往不是上述所列单一原因引起的，而是众多原因综合影响所致，这些原因牵涉到结构的设计、加工制作、安装、使用和管理各个环节。

【例4-1】 D市某厂四楼接层钢屋架倒塌事故

1. 工程及事故概况

1990年2月16日下午4时20分许，D市某厂四楼接层会议室屋顶棚五榀梭形轻型屋架连同屋面突然倒塌。当时305人正在屋内开会，造成42人死亡，179人受伤的特大事故。经济损失 430 多万,其中直接经济损失 230 多万。

该接层会议室南北宽 14.4m,东西长 21.6m,建筑面积 $324m^2$。采用砖墙承重、梭形轻型钢屋架、预制空心屋面板和卷材防水屋面。图 4-7 给出该接层会议室的建筑剖面图及屋架示意图。

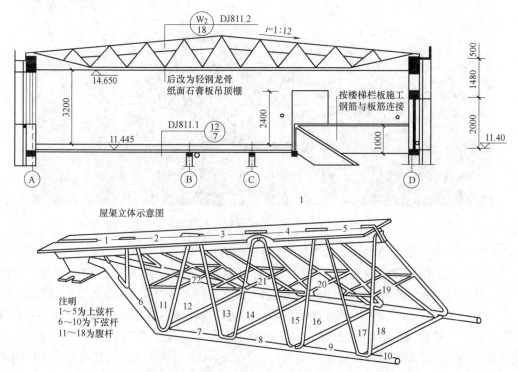

图 4-7 某厂四楼接层会议室剖面图及屋架示意图

会议室由该厂基建处设计室(丙级证书单位)自行设计,D 市某建筑工程公司施工。1987 年 3 月 5 日开工,同年 5 月 22 日竣工并交付使用,经常举行二三百人的中型会议。事故发生时,会议室顶棚先后发出"嘎嘎嘎、唰拉、唰拉"的响声,顶棚中部偏北方向出现锅底形下凸,几秒钟后屋顶全部倒塌。会场除少数靠窗边坐的人外,其余大部分被压在预制空心板底下。图 4-8 给出清理后的事故现场复原情况,其中破坏屋架是按原位摆放的。

事故发生后,厂方当夜成立事故分析组,该市也成立了调查组。此后的 4 个月时间里,厂方经过现场观察,验算分析,屋架结构试验并根据市调查组现场勘查报告和有关原始资料,提交了事故分析报告。

2. 事故原因分析

根据事故分析报告,该四楼接层会议室屋顶倒塌是由第三榀屋架北端 14 号腹杆首先失稳造成的。导致这次事故的原因是多方面的,涉及设计、施工和管理各阶段,归纳起来主要有:设计计算的差错、屋面错误施工、焊接质量低劣和施工管理混乱等四个方面。

(1) 设计计算的差错

该楼原为三层,接成四层,为了不使基础荷重增加过多,选用轻钢屋架并采用不上人不保温屋面做法。梭形屋架是广泛使用的一种轻型屋架,它节约钢材,屋面坡度较缓,便

图 4-8 事故现场清理后复原情况

于和相邻部分的平屋顶协调，其选型是正确而合理的。

梭形屋架参照中国建筑科学研究院建筑标准设计研究所编写的《轻钢结构设计资料集》设计。该图集要求屋面做法为二毡三油，20mm 厚找平层，100mm 厚泡沫混凝土，槽形板或加气混凝土板。由于该地区材料供应问题，设计者用空心板代替槽形板，并修改了屋面做法，如取消保温层而增加了 100mm 厚的海藻草，变二毡三油为三毡四油等。经核算设计图纸的屋面恒载（简称图纸荷载）为 309kg/m²。而按图集中原屋面做法算得屋面恒载为 242kg/m²（简称许用荷载），故图纸荷载与许用荷载相比超出 67kg/m²。

原设计者在用空心板代替槽形板后所做的计算书中有 4 处计算错误：

1) 屋面荷载取值偏大

原设计计算书取计算荷载（简称计算书荷载）为 458kg/m²，既不合实际，又不合规范，比核算出来的图纸荷载大 48%。因而累加出来的 458kg/m² 的计算书荷载虽然对结构的安全有利，但不能作为分析事故的依据。

2) 屋架上弦第 4 杆计算时单位换算错误，所取许用应力偏大

在验算上弦杆强度时，误将第二项中的 0.256t·m 换算成 256kg·cm（应为 25600kg·cm），而得上弦杆应力值为：$\sigma = 37800/24.61 \pm 0.9(256/64.71) = 1539.6$kg/cm² $< [\sigma] = 1700$kg/cm²。实际上算得的上弦杆压应力为 1891.9kg/cm²。据《轻钢结构设计资料集》，上式许用应力 $[\sigma]$ 也应取 1615kg/cm²，而不应为 1700kg/cm²。

当屋面荷载取值正确时，结构计算分析表明，上弦杆在承载力上符合规范要求，此错误不会导致屋架破坏。

3) 屋架下弦杆许用应力偏大

在计算下弦杆截面时：$A = 38000/2400 = 15.83$cm²，选用 2Φ32，式中分母中的 2400kg/cm² 为下弦杆许用应力。而根据《轻钢结构设计资料集》，下弦杆的许用应力 $[\sigma]$ 应取 1445kg/cm²。

现场观察表明，下弦杆并未屈服，此错误也与事故无关。

4) 屋架腹杆 12 计算中，误将截面系数 W 当成回转半径 r

在腹杆 12 的稳定计算中：$\lambda = \mu l / r$，式中本应取 $r = 0.625$cm，却误将 $W = 1.54$cm^3 代入。

计算后并未将参考图上的 $\Phi 25$ 的 12 号腹杆直径减小，故此计算错误未产生不良后果。

从以上分析可见，本事故主要不是由于这些设计计算错误产生的，如果说设计计算有错误的话，则是以空心板代替槽形板后，在屋面超载 67kg/m^2 的情况下，没有对受压腹杆进行全面的稳定性验算。

根据屋架试验报告，腹杆失稳的临界荷载为 516kg/m^2，与施工图的屋面恒载 309kg/m^2 相比还有 1.67 的安全裕度，说明设计计算的差错并不是事故发生的唯一因素。

(2) 屋面错误施工

根据事故调查组现场勘察检测，发现屋面很多地方没有按照图纸和施工规范施工，主要包括：

1) 图纸中规定屋面找平层为 20mm 厚的 1:3 水泥砂浆，重 40kg/m^2；而施工中错误地将找平层做成 57.3mm 厚，按勘察组报告，砂浆密度为 2120kg/m^3，则找平层重 121.5kg/m^2；比设计值增大了 81.5kg/m^2。

2) 图纸中屋面不设保温层，而施工中屋面上错误地上了 102.7mm 厚的炉渣保温层。按炉渣密度 1050kg/m^3 计算，荷载比设计值加大 107.8kg/m^2。

3) 三毡四油防水层应重 35kg/m^2，而实重为 14.04kg/m^2。此项比设计值减少了 20.96kg/m^2。

4) 施工时没按设计要求放置 100mm 厚海藻草，此项使屋面重量减轻 4.5kg/m^2。

市事故调查组鉴定核实时，根据规范按一般钢屋架查出梭形钢屋架重 27.4kg/m^2，轻钢龙骨和石膏板吊顶的荷载取 25kg/m^2，则屋顶塌落时的荷载（简称竣工荷载）总和为 495.7kg/m^2。

我们按实际构件称重和计算，梭形钢屋架重 16.5kg/m^2，轻钢龙骨和石膏板吊顶的荷载取 13kg/m^2，则屋顶塌落时的实际荷载为 473kg/m^2，这个数值作为竣工荷载比 495.7kg/m^2 更符合塌落的实际情况。它比设计的图纸荷载（309.0kg/m^2）超载 164kg/m^2，相当于在 324m^2 的屋面上超重 53.1t。

屋面的总超载为竣工荷载减去许用荷载，即 $473 - 242 = 231$kg/m^2。前述的设计超载为 67.0kg/m^2，占屋面总超载的 29%；而施工超载为 164kg/m^2，占屋面总超载 71%。可见，从荷载的角度看，事故的主要原因是施工超载，而不是设计计算差错引起的设计超载。

(3) 焊接质量低劣

经市调查组现场勘测，屋架的焊接质量极差，存在大量的气孔、夹渣、未焊透、未熔合现象。从断口可看出油漆都渗到里面去了，甚至整条焊缝漏焊，如第五榀中间顶部节点板东北面长达 250mm 的焊缝整条漏焊。90% 焊缝药皮没打掉，说明焊缝的质量没有经过检查。

1) 焊接质量不合规范

按照《钢结构工程施工及验收规范》GBJ 205—83（该屋架建造时适用的规范）的三

级标准焊缝的要求检查所有焊缝,发现不合格率如下:第一榀为 29.2%,第二榀为 31.1%,第三榀为 45.2%,第四榀为 30.1%,第五榀为 39.6%。特别是对腹杆稳定起关键作用的矩形箍和腹杆接头焊缝的质量更差。矩形箍焊缝不合格率第一榀为 37.5%,第二榀为 35.9%,第三榀为 56.2%,第四榀为 45.3%,第五榀为 59.3%,其中焊缝脱开 20 处。总之,五榀屋架,榀榀不合格;32 个矩形箍,个个有质量问题。

梭形屋架是焊接构件,焊接质量如此低劣,必然严重影响其承载性能。

2) 矩形箍脱焊导致并加速腹杆的失稳

如上所述,矩形箍和腹杆间焊缝质量最差,不合格率最高。仅焊缝脱开就有 20 处,其中第三榀屋架北段矩形箍共 32 个焊点,脱开 8 处,占 25%。矩形箍脱焊,腹杆失去了中间支承点,理论上其长度系数 μ 由 0.5 增大到 1.0,而承载力则降低到 1/4。

在 409-2 型光弹仪上将矩形箍和腹杆焊接接头做成模型进行光弹试验;在 SUN-3 工作站上用 I-DEA 进行计算;以及梭形屋架结构试验时在接头处贴电阻片进行电测。结果都说明,矩形箍接头处存在着应力集中,并有和腹杆相同数量级的应力,其大小和焊接质量有关。而按照通常的桁架理论,矩形箍是零杆,不受力。

屋架结构试验表明,当腹杆有矩形箍支撑时,腹杆失稳荷载为 516.7kg/m^2,腹杆失稳后的变形类似"S"形,没有矩形箍支撑(即矩形箍与腹杆接头焊缝裂开时)腹杆失稳荷载降低到 249.6kg/m^2,腹杆失稳后的变形类似"C"形。

另外腹杆两端的成型也不符合图纸要求,图纸要求的是直的折线形,实际却弯成大圆弧形。这也明显加大了腹杆的压力偏心量,显著降低了腹杆的稳定性能。同时腹杆两端与上、下弦焊缝的长度和高度不足,使端部固定作用减弱,自然也会降低腹杆的稳定性能,使梭形屋架的承载力降低。

3) 第三榀屋架 14 号腹杆的失稳是屋架塌落的事故源

屋面荷载中活载最大的情况发生在 1987 年施工的时候,雪载最大的情况发生在 1990 年 1 月 23 日积雪达 30kg/m^2 的时候。但是屋架在这两种情况下都没有失稳,而是在活载、雪载都没有的 2 月 16 日破坏。据试验,屋架失稳荷载为 516.7kg/m^2,为何实际屋架在低得多的 473kg/m^2 荷载下失稳呢?

如前所述,矩形箍焊接质量低劣,应力集中严重,在因屋架两端焊死而产生的长期波动的温度应力反复作用下,有缺陷的焊缝难以承受。2 月 16 日时,积雪全部熔化使屋面荷载骤降,屋架回弹,矩形箍接头产生又一次应力大波动,使个别焊缝因裂缝扩展而断开。该腹杆失去中间支承,稳定性能骤降,因而在屋面荷载减小后反而失稳破坏。

据事故现场观察,在第三榀屋架北端两根 14 号腹杆间,矩形箍西侧焊缝断开,从断口可看出焊缝缺陷严重,焊肉不连续。经测定,焊缝面积只有理论值的 52.7%。14 号腹杆失稳后弯曲成"C"形,说明该杆大变形弯曲时,矩形箍已不起支撑作用,即失稳是由于矩形箍焊缝断裂后失去中间支撑而引起的。

第三榀屋架 14 号腹杆一失稳,引起内应力重新分配而导致连锁失稳,该榀屋架首先塌下,进而带动其他各榀屋架相继塌落。许多焊接质量低劣的矩形箍接头在失稳过程中断裂,又加速了连锁失稳的进程,导致整个屋架瞬时塌落,这是事故发展的全过程。

可见,第三榀屋架北端两个 14 号腹杆间矩形箍焊缝断裂导致腹杆失稳是屋架塌落的事故源。

(4) 施工管理混乱

在检查该工程施工记录和验收文件时,发现施工管理相当混乱,有以下情况:

1) 隐蔽工程记录失真

主要包括以下几个方面:

① 施工图中屋面无保温层,而施工单位错误地加上了炉渣保温层。对此,施工单位从工长和工区质检员到建设单位甲方代表都没有认真检查,就在隐蔽工程记录上签字。

② 施工图中屋面找平层为20mm厚水泥砂浆,事故现场勘察结果为57.3mm厚,加厚到原设计的286.5%,但隐蔽工程记录为"屋面按图施工"。

③ 施工图87-计-接-4说明第五条为"钢屋架在完成两榀成品后,要进行一次现场荷载试验,对整体结构制作做鉴定后再行安装使用",施工单位在进行安全技术交底时,也明确要进行试压。但没有任何关于钢屋架试验记录、试验报告和吊装指令。而1987年4月25日隐蔽工程记录为"钢屋架按图施工"。

2) 工程竣工验收违反管理规定

① 《单位工程质量评定》填写于1987年5月25日,该表只有工区盖章,没有建设单位签字盖章,也没有市质检站的核验意见。

② 《单位工程竣工报告》填写于1987年5月22日,该表只有建设单位基建处盖章,没有施工单位签字盖章。《工程竣工验收交接(报告)证书》填写日期为1987年,没有月份日期,没有建设单位和施工单位签字盖章。而建设单位予以接收并决算付款。

综上所述,这次事故的直接原因是设计计算差错、屋面错误施工和焊接质量低劣,间接原因是施工管理混乱。而屋面错误施工和焊接质量低劣则是导致事故的主要原因。

3. 结论及教训

厂方作为建设单位认真反思并从中吸取了以下教训:

(1) 基本建设任务过重,工作量较大,土建设计缺乏质量保证。

(2) 甲方代表责任心不强,工程质量监督不力。

(3) 没有认真地按基本建设的管理程序,对施工单位的工程进行全面检查验收。

另外,也相应采取了一些措施,如对近期厂基建设计室自行设计的基建项目进行自查和质量鉴定,对其中的危房进行整改和加固,以杜绝事故隐患。

【例4-2】 厂房改变用途引起的倒塌事故

1. 工程及事故概况

1984年1月,某公司附属水泥厂破碎机房,屋面结构全部倒塌,80%的柱受到不同程度的破坏。此次事故使该厂停产15天,造成较大的经济损失。

该厂房是轻型钢结构,跨度12m,柱距6m,全长78m,焊接格构钢柱柱顶标高6m,半敞开式围护结构,屋面是波形石棉瓦,屋面支撑布置:在厂房两端第一个柱间各设置一道上弦横向水平支撑,无垂直支撑,并以檩条代替水平系杆。屋架上弦为组合式三角形斜梁,屋架下弦为ϕ32mm的圆钢用拉钩连接(见图4-9),设计要求圆钢拉钩在下弦拉紧之后点焊。

该厂房于1976年建成使用,原设计为材料备品仓库,1981年以后,作水泥厂破碎机房兼散状材料库。据记载发生事故当天,室外气温-4℃,无风,连续6个小时下中雪。事故后调查时发现,倒塌最先发生在破碎机房那一端的第四榀屋架,其他各跨均是在该榀

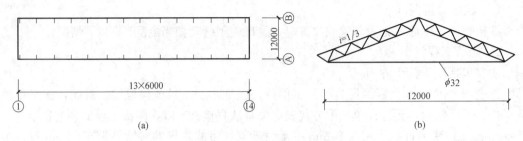

图 4-9 厂房屋架布置及结构示图

屋架坍落后而被拉扯下来,因此各榀屋架的倒塌方向都是向第四榀架压过来。支承屋架的④号排架柱向外倾斜;柱与屋架的连接螺栓一边被拉断,另一边则严重弯曲变形;屋架下弦直径 32mm 的圆钢弯钩被拉直;上弦组合三角斜梁的两个连接螺栓拉断,其中有一个螺杆断裂处有颈缩;两根斜梁一根梁头触地,另一头离地 300mm。其他屋架有些是上弦连接板处脱焊,有的是螺栓拉断。B 列中 12、13、14 柱从基础处拉脱,并向内发生位移 100~500 mm,整栋厂房坍塌成一片平地。

2. 事故原因分析

事故发生后,我们对该厂房的设计、施工、使用情况进行了调查,对破坏现场和实物进行了分析。

(1) 厂房的使用用途的改变是发生事故的主要原因。该厂房设计为材料备品库,后改为水泥厂破碎机房,由于厂房的使用条件改变,屋面的计算荷载亦发生改变。如原厂房不考虑积灰荷载,其屋面总荷载的 $876N/m^2$,弦拉杆承受的拉力 94.8kN,采用 $\phi 32$ 的圆钢,应力值为 117.8MPa,当该房屋改为水泥厂破碎厂房,则应考虑积灰荷载($750N/m^2$),屋面总荷载为 $1626N/m^2$ 下弦杆的拉应力值为 218.4MPa,超过了容许应力值的 28.5%。因此,在改变厂房使用条件的情况下,未进行必要的荷载校核,也没有采取相应的加固措施,是房屋倒塌的直接因素。

(2) 该屋架采用的是有拉杆的三铰拱,它为一几何不变体系,且无多余约束,所以是静定结构,标准设计中可以找到类似的结构。但将承受拉力的下弦杆件设计成带弯钩的圆钢,却是不可取的。因为弯钩在受力时易拉直,据调查,现场拼装时,拉杆难以张紧,这就使屋架从几何不变体系变为瞬变体系,致使下弦拉杆处于更为不利的情况。

(3) 设计要求下弦杆在安装完成时将弯钩开口处焊死,从施工验收资料看弯钩全部加焊,但从事故现场看,第四榀屋架被拉直的下弦杆弯钩没有焊过的痕迹,可以肯定是漏焊了。事故就是由该榀屋架引起而危害到其他屋架。

(4) 建筑物的维护管理不善。厂房改为水泥厂破碎机房之后,在使用过程中,没有建立清灰制度,定期清扫屋面积灰,以减轻屋面荷载,每年建筑物隐患检查都忽视了屋架的安全问题,这次事故必然有从量变到质变的过程,开始有微小变形没有发现,以后变形会逐步增大,在突然增大的超荷载作用下倒塌。

3. 结论及教训

从这次事故中我们应该吸取的教训是,建(构)建筑改变使用用途,特别是荷载明显增加时,一定要对原结构鉴定复核后才能使用,必要时应请具有鉴定资格的专门机构,对建筑物进行全面检查、评价，以保证安全使用。

【例 4-3】 支撑设置不合理引起的屋盖垮塌事故分析

1. 工程及事故概况

某棉纺织品厂西车间位于山东聊城，厂房由施工队自行设计施工，现场鉴定时未提供完整的设计图纸。该工程为单层砖混结构厂房，屋面采用轻钢屋架，圆木檩条，上铺两层苇箔，一层草帘，泥土找平，上铺红色黏土瓦。基础为砖条形基础，埋深 1.2m，上部砌体采用 M5.0 混合砂浆与 MU7.5 机制砖砌筑。该工程于 2009 年建造，2010 年竣工。2012 年 7 月 25 号房屋北侧 14 间屋面发生倒塌。如图 4-10 所示为该工程屋架立面图，图 4-11 为钢屋架及水平支撑扭曲变形现场图，图 4-12 为该工程圈梁脱落现场图。

由于委托方不能提供完整的图纸，现场对该房屋进行测绘，该工程有 4 道横墙，20 榀轻钢屋架，共 23 个开间，南边 20 个开间尺寸均为 3800mm，北边 3 个开间尺寸为 3970mm，钢屋架跨度为 20.0m，每个开间设 25 根直径 130~160mm 的檩条，檩条端头放置在屋架上弦上，采用钢钉与焊在上弦的角钢相连。每两根檩条间设 18 根木椽子采用钢钉固定。屋架采用芬克式轻钢屋架，屋架跨度 20.0m，高度为 2800mm，下弦杆采用 2L50×5 角钢，上弦杆采用 2L75×5 角钢，腹杆采用 2L50×5 角钢和 L40×4 角钢。屋架设置上弦杆三道、下弦杆两道通长的水平支撑将屋架与屋架或山墙相连，水平支撑采用 L40×4 角钢。

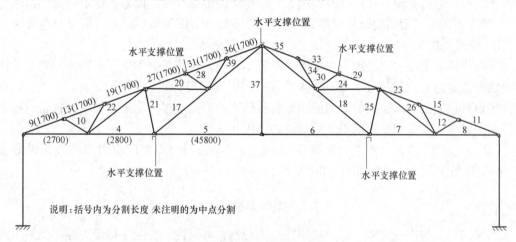

图 4-10 屋架立面图

图 4-11 钢屋架及水平支撑扭曲变形

图 4-12 圈梁脱落

2. 事故原因分析

(1) 屋面结构构造分析

经现场检查檩条端头放置在屋架上弦上,采用钢钉与焊在上弦的角钢相连,檩条与屋架上弦连接薄弱,不对上弦杆的平面外稳定起到约束作用。屋面水平支撑采用L40×4角钢,其最小回转半径为0.79cm,在3.8m的开间内,其长细比为481,在3.97开间内其长细比为502,均不满足《钢结构设计规范》GB 50017—2003 第5.3.9条受拉杆件长细比不宜超过400的规定,不能对钢屋架上弦杆平面外提供有效的支撑。屋架水平支撑较少,间距过大,上弦的平外面最大计算长度为6800mm,其平面外回转半径为3.29mm,其长细比为207,不满足《钢结构设计规范》GB 50017—2003 第5.3.8条长细比不宜超过150的规定。

(2) 验算分析

根据验算结果可知,即使仅考虑支撑L40×4,且只考虑恒载作用时,钢屋架的上弦杆件平面外的稳定应力比仍达到2.96,严重不满足恒载作用下的稳定要求。经过调查分析,事实上屋面坍塌时下着雨,有部分活载的产生,而且屋面水平支撑的长细比不满足《钢结构设计规范》GB 50017—2003 的要求,支撑作用不足。因此,该工程屋面坍塌是因为水平支撑设置不合理,在荷载的作用下,钢屋架的上弦杆件平面外的稳定应力比远超过1.0,严重不满足《钢结构设计规范》GB 50017—2003 对钢屋架平面外稳定要求造成的。

3. 结论及教训

该工程屋面坍塌主要是因为水平支撑设置不合理,在荷载的作用下,钢屋架的上弦杆件平面外稳定应力比远超过1.0,严重不满足《钢结构设计规范》GB 50017—2003 对钢屋架平面外稳定的要求造成的;屋面倒塌前曾经下雨,雨水渗入黏土瓦等屋面材料,增加了屋面的重量,这是引发屋面钢结构倒塌的诱因。

[例4-4] 参考文献:牟强,孔淑臻,绳钦柱. 某公司钢屋架厂房坍塌事故原因分析[J]. 工程质量,2014,32(5):49-52.

4.3.2 钢网架结构事故

网架结构(含网壳结构)以其适用性、美观性、可靠性、安全性和经济性而受到国内外建筑界的极大重视和迅速推广使用。特别是网架结构在我国的应用无论是规模上还是数量上都居世界的首位。同时随着网架结构的大量应用,也发生了一些大大小小的工程事故。本书对网架质量事故实例及原因进行了分析,将网架工程事故分成风灾事故、火灾事故和责任事故等三类。表4-7给出各种因素造成的网架工程责任事故的实例统计。

各种原因造成网架责任事故的实例统计 表4-7

名称	尺寸(m)	网架受损情况	事故主要原因
某车间折板型网架	25×54	铺设屋面板过程中,60%多腹杆弯曲	网架为几何可变体系
某候车厅正放四角锥网架	21×66	铺设屋面板过程中,部分杆件弯曲	电算操作失误,支座构造为二向约束,计算取三向
某仓库正放四角锥螺栓球节点网架	48×72	网架整体倒塌	计算方法与实际结构不符,腹杆失稳,螺栓假拧紧

续表

名　称	尺寸(m)	网架受损情况	事故主要原因
某展厅四角锥螺栓球节点网架	21.9×27.7	网架整体倒塌	屋面排水不畅,大雨时严重积水超载
某厂房两向正交正放网架	48×72	网架在滑移过程中,一些杆件掉落,焊缝断裂	在20号钢管中混入了一些40Mn2钢管
某大厦大厅两向正交正放网架	29.7×33.88	铺设屋面板过程中,大量腹杆弯曲,一端柱拉裂	屋面板超重,计算假定与实际不符,压杆长细比过大
某厂房正放抽空四角锥网架	柱网18×18,约10000m²	网架整体倒塌	部分支座处漏焊,造成受力不对称
某展厅正放四角锥螺栓球节点网架	45×45	施工时网架下沉6cm,严重损坏	焊接质量太差,三根下弦杆钢管与锥头连接处焊缝断裂
某体育馆两向正交斜放网架	46×52	部分杆件弯曲	支座中心偏移较大,采用强迫就位方法
某车间正放四角锥网架	24×42	部分杆件弯曲	部分杆件尺寸不准,安装顺序不当,积累误差较大
某车间正放四角锥网架	20×36	暴雨后网架突然塌落	屋面超载,误用几根40Mn钢管,部分焊缝质量差,未与设计商讨,在网架上设置重物
某厂房正放抽空四角锥网架	柱网18×18,约10000m²	有5个支座钢立柱的焊缝开裂,局部失稳	支座立柱构造复杂,加工及焊缝有严重缺陷,温度应力影响
某筒仓正放四角锥网架	直径30	网架整体倒塌,楼板被砸开数个洞	土法吊装,未做施工验算,钢丝绳断裂
某车间正放四角锥网架	48×72	整体提升时,网架坠落	绞盘主轴扭断,刹车失灵
某体育馆斜放四角锥网架	50×50	网架挠度过大	高空散装施工,脚手架刚度不够

网架工程事故产生的原因总体来说分设计失误、制作中的失误和拼装和吊装中的失误三类,在每一类中又有诸多影响因素。

1. 设计失误
(1) 荷载低算或漏算,荷载组合不当。
(2) 力学模型、计算简图与实际不符。
(3) 结构形式或结构体系选择不合理。
(4) 计算方法或计算条件运用不正确。
(5) 材料(包括钢材、焊条等)选择不合理。
(6) 杆件截面匹配不合理,下料尺寸计算不准确。
(7) 节点形式及构造错误。
(8) 设计中未考虑吊装荷载。
(9) 设计图纸要求不严格等。

2. 制作中的失误
(1) 材料验收及管理混乱。
(2) 杆件下料尺寸不准确。
(3) 焊接空心球节点质量或焊接施工质量不满足要求。

(4) 螺栓球节点质量或施工质量不满足要求。
(5) 焊接板节点和支座节点施工质量不满足要求。
(6) 焊接质量得不到保证,存在各种焊接缺陷等。

3. 拼装和吊装中的失误

(1) 胎具或拼装平台不合规格,导致网架单元体偏差和整体积累误差。
(2) 有偏差的杆件、单元体或整体网架强行就位或安装,导致杆件弯曲或次应力。
(3) 焊接工艺或顺序错误,造成杆件或整体网架变形或残余应力。
(4) 同一节点杆件的焊接顺序或方法错误,导致杆件交汇积累误差。
(5) 施工方案选择不合理或不正确。
(6) 对施工阶段的吊点反力、杆件应力、变形的验算和监测不到位。
(7) 下部支承的柱子或圈梁的位置、尺寸和标高偏差较大。
(8) 采用多台起重机或扒杆吊装时,同步协调较差,造成部分杆件弯曲等。

当然网架工程事故的发生,可能是上述某一种因素引起的,也可能是多种因素共同导致的。

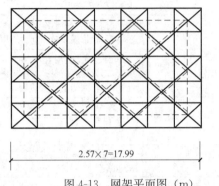

图 4-13 网架平面图 (m)

【例 4-4】 某通信楼工程网架坍落事故分析

1. 工程及事故概况

某通信楼工程网架类型为焊接空心球节点的棋盘形四角锥网架。其平面尺寸为 13.2m×17.99m,网格数为 5×7,网格尺寸为 2.64m×2.57m,网架高为 1.0m。网架的支承方式为上弦周边支承,详见图 4-13。

网架设计者称,这个网架是采用假想弯矩法进行内力分析的。取上弦均布荷载为 $3kN/m^2$;杆件及空心球节点的材料均采用Ⅰ级钢(A3)。网架杆件钢管上弦杆为 $\phi73×4$;下弦杆为 $\phi89×4.5$;腹杆为 $\phi38×3$,空心球节点规格为 $\phi200×6$。图纸上注明网架杆件与节点的连接焊缝为贴角焊缝。焊缝厚 7.5mm。焊条规定为 T42 型。网架设计从 1984 年 7 月开始,同年 12 月完成。

网架结构制作于 1987 年 5 月 11 日开始,5 月 25 日完成,历时 15 天。

同年 5 月 27 日进行网架吊架。网架制作是在该通信楼工程的屋顶进行的,组装完成后用塔式起重机整体吊装平移就位。

1987 年 9 月 10~11 日铺设钢筋混凝土屋面板,屋面板共 35 块,这次只铺完 29 块,网架中部 6 块屋面板因尺寸有误,需重新预制,故使铺设屋面板工作拖至 1988 年 4 月 15 日才完成。

1988 年 6 月 2~4 日施工屋面板上的蛭石保温层和找平层。同时网架下弦也在架设吊顶龙骨。这期间 5~7 日太原地区连降中雨和大雨。

1988 年 6 月 7 日凌晨四时许网架坍落,并伴有巨响,惊醒了熟睡中的人们,附近居民误以为是雷声。

网架由短跨的一端塌下,另一端尚挂在圈梁上。从破坏现场看,网架上、下弦变形不凸出，但由于腹杆弯折，上、下弦杆已叠合在一起。腹杆大量出现S形弯曲。

在破坏现场还发现，杆件与空心球节点的连接焊缝破坏方式，除部分是在焊缝热影响区部位钢管拉断外，也发现几处焊缝破坏是因未焊透或母材根本未熔，钢管由焊缝中拔出。

2. 事故原因分析

经过现场调查和对设计资料的分析，认为网架破坏和塌落的原因如下。

(1) 设计原因

网架的计算有误，整个网架的全部杆件包括上弦、下弦和腹杆的截面面积均不足。致使在网架屋面施工过程中，实际荷载仅为设计荷载的 2/3 时，网架就遭到破坏。可以认为，网架的塌落是由于受压腹杆失稳造成的，当受压腹杆失稳退出工作后，整个网架迅速失稳而塌落。网架破坏呈瞬时倒塌的"脆性"破坏形态。

为什么说是失稳破坏而不是强度破坏呢？

1) 对网架破坏时的实际负荷进行分析，破坏时屋面荷载为 $2kN/m^2$ 左右。用空间桁架位移法进行内力分析，得出下弦杆最大轴向拉力为 105kN，其最大拉应力为：

$$\sigma = N/F = 105/11.95 = 87.8 MPa$$

受拉腹杆的最大轴向拉力为 53.4kN，其最大柱应力为：

$$\sigma = 53.4/3.30 = 161.8 MPa$$

计算结果表明，破坏时网架的下弦扦及受拉腹杆均未超过其承载能力，截面尚有多余。破坏时上弦杆的最大轴向压力为 1106kN，其截面计算如下：

上弦杆计算长度，根据《网架结构设计与施工规定》$l_0 = 0.9 \times 2.572 = 2.31m$，$\lambda = 231/2.99 = 77.7$；查得 $\phi = 0.73$。

$$\sigma = 110.6/(0.73 \times 8.67) = 174.8 MPa (仍属许可范围)$$

2) 受压腹杆在破坏时最大轴向压力为 53.4kN，其截面计算如下：根据《网架结构设计与施工规定》$l_0 = 0.75 \times 2.096 = 1.57m$，$\lambda = 157/1.24 = 126.7$，查得 $\phi = 0.42$。

$$\sigma = 53.4/(0.42 \times 3.3) = 385.2 MPa > 2[\sigma]$$

用欧拉公式验算腹杆的临界荷载如下：

$$N_k = 2EI/l^2 = 24.05 kN$$

腹杆的临界荷载只有 24kN，但在破坏时，其最大轴向压力已达到 53.4kN 左右，也超过两倍多。为什么受压腹杆在实际轴向压力已超过其承载能力两倍多才失稳破坏呢？笔者认为是由于网架空心球节点对腹杆变形的约束能力较强，从失稳后的腹杆变形情况就可看出。多数腹杆的端部均有较长的直线段，其形如一，从这里也证明了我国《网架结构设计与施工规定》中规定焊接空心球节点网架的受压腹杆计算长度系数为 0.75 是可行的，而且是偏于安全的。

根据上述计算，网架的塌落破坏是由于受压腹杆失稳造成的这一结论，应该成立。

(2) 施工原因

从现场调查的结果表明，促成网架破坏的施工因素也是不容忽视的。

1) 网架的焊缝质量问题，在破坏现场发现，钢管与空心球的连接焊缝破坏有多处是未焊透或母材未熔，使钢管由焊缝中拔出。这种焊缝本应是对接焊缝，呈V形坡口焊接。虽然施工图中不正确地选用了贴角焊缝，但是，对贴角焊缝母材未熔也是不能允许的。

2) 网架上弦节点上为形成排水坡而设置的小立柱，本是中间高两边低，而施工中竟做成中间低两边高，致使屋面积水，发现问题后，不返工重做，反而将中间保温层加厚用以形成排水坡。既浪费材料又加大厂屋面荷载。

3) 网架支柱的预埋件不按图纸设计位置放，预埋钢板下的锚固钢筋竟错误地置于圈梁保护层内，塌落时锚固钢筋自保护层中剥落。

3. 结论及教训

(1) 近年来网架结构在国内逐渐推广，人们盲目认为网架是高次超静定结构，安全度高，从而忽视了网架结构的重要性和复杂性。致使近两年来各地不断出现网架质量事故。这种现象应引起有关部门的高度重视。

网架结构无论在计算理论还是施工工艺方面都有一定难度，要求设计人员和焊接工人的素质较高。太原塌落的网架，竟是一位没有受过完整的专业教育、没有技术职称的工人设计的，事故发生后拿不出计算书。这种现象应当杜绝。

(2) 施工中的质量问题，都是在网架塌落后暴露出来的。施工单位的领导事前根本没有发觉。网架结构的施工工艺及技术条件，对焊接质量要求较严。一般建筑队伍中的焊工，无论是基本素质还是实践经验方面都难以胜任网架的焊接工作。本应认真对焊工进行培训和进行专业知识教育，但目前各网架施工队伍都忙于完成任务，忽视对焊工的培养和考核，致使大量未取得合格证的焊工参加网架的焊接工作，有关质检部门应立即采取措施，制止这种忽视施工质量的现象。为我国大跨度及更大跨度空间结构的发展提供制作和安装方面的保证。

【例 4-5】 某原煤上仓栈桥钢网架事故分析

1. 工程概况

某原煤上仓带式输送栈桥由钢筋混凝土排架、高强度螺栓球网架结构、钢筋混凝土楼板、塑钢窗、彩板围护结构组成。网架总长度 107.5m，跨度 24.39m，宽 3m，倾角 17°。该工程 2005 年 12 月开工，2006 年 9 月竣工。2008 年 10 月，原煤上仓带式输送钢网架栈桥突然塌落图 4-14，未造成人员伤亡，直接经济损失 140 万元。

图 4-14 原煤上仓带式输送栈桥图

图 4-15 高强度螺栓图

2. 事故原因分析

(1) 高强度螺栓断裂是造成网架塌落的直接原因。

现场勘察取证发现：包括 M39 的高强度螺栓在内的少数高强度螺栓横断面锈蚀严重，

在网架塌落前已完全断裂（图 4-15）。部分高强螺栓存在不同程度裂缝，其裂缝锈蚀面积占横断面的 1/5～3/5 不等。螺栓球和杆件等其他构件保持完整。因为高强度螺栓断裂和裂缝，钢网架结构被破坏，承载力下降导致整垮钢网架塌落。

（2）钢网架设计安全储备偏小是事故的重要原因。

事故发生后，对钢网架设计复验和审查，发现个别杆件的应力值（213kN）接近设计最大允许值（215kN），整体设计过于经济，安全储备偏小；建设单位和施工单位对该工程其他未垮塌的两跨钢网架进行检查，发现网架有倾斜变形现象，并且杆件的套筒与螺栓球间出现了不同程度的裂缝，网架的安全可靠性已经严重不足。

（3）建设、设计、施工、监理等单位职责不到位是事故发生的重要原因。

1）建设单位在展开施工前，应会同监理单位组织设计、施工单位进行设计交底及图纸会审，充分讨论施工的难点和关键点以及应采取的应对措施。但在施工中建设单位未严格按照要求对图纸进行会审和设计交底工作，并且图纸会审记录填写不规范，内容也不完整。

2）经核查施工技术资料，施工单位违反规定将不合格的高强度螺栓用于工程；螺栓球与套筒、椎板之间未按施工图要求用油腻子封堵；并未按国家强制性条文要求对网架结构挠度值进行实测检查并记录；施工的钢筋混凝土槽形板断面尺寸和楼面水泥砂浆面层均超出施工偏差，增加了钢网架的静荷载。以上均是施工单位未严格按施工图纸和操作规程进行施工，而且违反强制性条文，严重影响工程质量。

3）监理单位应对拟进场工程材料、构配件和设备的工程材料、构配件、设备报审表及其质量证明资料进行审核，并对进场实物按照委托合同约定或有关质量管理规定的比例采用平行检验或见证取样方式进行抽检。

对未经监理验收或验收不合格的工程材料、构配件、设备拒签，并应签发监理工程师通知单，书面通知承包单位限期将不合格的工程材料、构配件、设备撤出现场。

监理单位应对关键部位或关键工序施工过程进行现场监督。本工程中监理单位未履行旁站监理，对不良质量行为未能及时纠正，很显然，监理单位未履行应该履行的职责。

4）设计单位违法分包，对网架的荷载安全系数考虑偏小。

5）建设单位在生产的过程中皮带输送机周围有比较严重的堆煤现象，并且在使用的过程中随意用水冲刷皮带廊中的煤泥，增加了钢网架的荷载并使钢网架长期处于潮湿状态，属于使用不当。

3. 几点经验与教训

（1）参加建设的各责任主体都必须从各自的角度对工程质量引起高度重视。要想提高工程的施工质量和效果，除需施工单位在施工中注意上述事项外，还要加强专业施工队伍的资质管理，提高施工人员的技术水平，健全和完善质量保证体系及工序检查制度，制定科学可行的施工措施，方能确保工程质量。充分发挥业主、监理、政府监督机构的质量管理职能和责任。

（2）高强度螺栓网架施工材料进厂验收是确保工程质量的关键。对所有进场的材料均要求进行检验和试验，材料合格后方准在工程中使用，不合格的材料督促立即退场。本工程就是因为使用了不合格的高强度螺栓才造成了网架塌落事故。

(3) 施工中质量控制重点为网架的安装质量。网架安装杆件同螺栓球的连接主要是通过高强度螺栓，要保证高强度螺栓丝扣拧紧适度，确保网架在同一水平面环形闭合。网架在拼装的过程中应随时检查基准轴线、标高以及垂直偏差，有问题的应及时纠正。

(4) 网架结构所用钢管及球件除锈、刷漆对工程耐久性十分重要。除锈后，应经检验人员检查合格方可涂刷底漆。管件出厂前应完成二度底漆，一度面漆，现场安装完成最后一度面漆。焊缝应在清除焊渣后涂刷防锈漆。

[例 4-5] 参考文献：陈华，郭纯．某原煤上仓栈桥钢网架结构塌落事故分析 [J]．山西建筑，2013，39（14）：27-29．

【例 4-6】 某车间屋面网架倒塌事故分析

1. 工程概况

某厂机修车间于 1982 年 8 月前后投入使用。该车间由某厂设计部门自行设计，车间主体承重结构形式为排架结构，柱基为钢筋混凝土独立基础，内墙基础为毛石基础，屋面为混凝土屋面板。上部采用焊接球网架结构，网架选型为正放四角锥。自投入使用后一直发挥着巨大作用，由于维护工作不够完善，网架周边杆件和节点有明显锈蚀痕迹。2013 年 8 月 21 日，机修厂机修车间在没有任何征兆和外力影响的情况下，该车间屋面钢网架结构全部塌落；主体混凝土排架结构损坏较小，排架柱顶处损坏较大；墙体、连梁、行车梁、支撑等构件损坏较小。厂房各层墙体、圈梁、吊车梁均存在不同程度的裂缝、剥落、腐蚀、风化等现象。事故现场网架和节点图分别如图 4-16、图 4-17 所示。

图 4-16 事故现场网架图

图 4-17 事故现场节点图

2. 事故原因分析

结合本次事故的现场情况分析，网架倒塌事故的主要原因有以下几个方面：

(1) 腐蚀引起的网架结构失稳。事故网架在使用过程中维护不当，网架杆件和钢球锈蚀严重，杆件有效截面减小，承载力不足，导致网架坍塌。

(2) 网架使用的钢材质量问题。

(3) 由设计方面原因造成，该网架已使用 30 多年，随着行业规范的更新和发展，旧的设计规范被淘汰。网架事故由原设计规范中的一些条款存在不安全因素导致。

(4) 网架的施工质量不合格，建成后的网架在存有安全隐患的情况下投入使用，导致网架在正常使用中坍塌。

(5) 钢网架在使用过程中结构的维护不及时或使用不规范都会出现使用荷载超过设计

荷载的状况,造成网架坍塌。

[例4-6] 参考文献:葛娈. 某焊接空心球网架车间坍塌事故分析 [D]. 太原理工大学,2014.

4.3.3 多层钢结构事故

【例4-7】 某在建钢结构民房倒塌事故分析

1. 工程概况

该房屋倒塌前为7层在建钢框架房屋,建筑面积约2300m²。根据委托方提供的当事人询问笔录资料及现场调查,该房屋是在2011年1月20日14时30分左右在往楼上吊运预制板时突然整体向西倒塌,如图4-18、图4-19所示。

图4-18 房屋倒塌后现场

图4-19 东西方向梁柱节点连接

事故分析时未发现该房屋的任何设计资料及施工资料,施工队也不具备专业的施工资质,无专业技术人员,无建筑材料的相关资料,房屋在建设过程中也未进行工程地质勘察。

该房屋坐北朝南,东西方向长约16.5m,柱间距3.3m;南北方向宽约20.4m,柱间距10.2m。钢框架结构采用预制空心板楼板。房屋为钢柱下独立基础,基础埋深约4m,基础上埋置6个螺栓。经现场调查没有发现基础出现明显的变形。

2. 事故原因分析

为了分析房屋倒塌的原因,采用现场检测、取样检验的方法完成了以下检测项目:

(1) 建筑平面

房屋层高约为3.0m,各层平面布置和结构布置基本相同,预制空心板楼板,钢框架承重体系。

(2) 地基基础

根据询问笔录及现场检查,该房屋采用钢柱下混凝土独立基础,混凝土中有钢筋笼(依据笔录),基础埋深约4m,基础上埋置6个螺栓。经现场调查没有发现基础出现明显的变形。

(3) 钢材力学性能

采用现场随机取样,室内试验的方法检验型钢的力学性能,共抽取一组工字钢进行检验,力学性能符合GB/T 1591—2008的要求。

(4) 房屋倒塌现状

经现场调查该房屋整体向西倒塌，一层柱沿东西方向发生失稳破坏。东西方向梁柱节点发生撕裂破坏。

该房屋梁柱节点均采用10.9S高强度螺栓连接，梁柱之间均未进行焊接。东西方向梁200mm×100mm×6mm×5mm工字钢相对400mm×200mm×10mm×6mm工字钢柱截面较小，且两者之间仅靠两条10.9S高强螺栓连接，未进行焊接，这样的连接方式为非刚性连接，致使整个结构体系抵抗侧向变形能力差。由于整个结构体系抵抗侧向变形能力差，在侧向力的扰动下钢柱沿东西方向发生侧向失稳破坏，导致整个房屋向西倒塌。

3. 事故经验教训

民房倒塌的主要原因是由于梁柱节点采用不当的连接方式，整个结构体系抵抗侧向变形能力较差，在侧向力的扰动下钢柱沿东西方向发生侧向失稳破坏，导致整个房屋向西倒塌。

由于缺乏相关的技术知识，没有相关明确的管理制度对其进行约束，在经济利益的驱使下，个人对民房改造既没有进行建设前的技术准备工作，也没有请正规的施工队伍进行施工。整个施工改造过程达到了盲目甚至触目惊心的程度，这都为房屋的倒塌埋下了隐患。

为了防止类似的悲剧再次发生，相关部门应加大对城中村盲目建设的管理力度，明确相关管理部门的职责，使整个建设过程都有明确的管理依据。

［例4-7］ 参考文献：靳子君，孙高杰. 某在建钢结构民房倒塌原因分析与启示 ［J］. 河南建材，2015（5）：93-94.

【例4-8】 某多层钢框架局部倒塌事故分析

1. 工程概况

图4-20 物流中心四层发生局部坍塌

四川某新建工程项目，包含已建成的4层物流中心（局部电梯间5层）和尚未建成的2层工业厂房。前期设计为了节约钢材对第一版图纸优化过度，改小了部分梁柱截面尺寸，采用桁架主梁替代原有工字形主梁。物流中心在浇筑顶层压型钢板混凝土时发生局部坍塌，如图4-20所示。

2. 事故原因分析

与设计方、施工方协调时发现，在前期设计中，为节约钢材设计人员对第一版图纸优化过度，后一版本改小了部分梁柱截面尺寸，采用桁架主梁替代原有工字形主梁。直接导致物流中心在浇筑顶层压型钢板混凝土时发生局部坍塌。

存在的主要问题为：

(1) 对所有构件进行不考虑抗震的恒载、活载静力验算后发现：大多数杆件应力比超限，钢柱稳定性不满足要求。

(2) 连接节点太弱。原设计单位对梁柱节点连接并未给出设计方案的详图，施工方对节点连接没有采取基本的等强度连接，仅仅采用两块三角板拼焊在一起，而在混凝土养护时期，楼面荷载逐渐增大，该节点构造不能满足承载要求，三角板被拉断，从而桁架梁坍塌。桁架梁的上槽钢三角形节点板在主梁坍塌时发生剪断，说明该节点形式尚未达到等强连接，承载力明显不够，也不符合强节点弱构件的设计理念。

3. 加固方案及处理

本工程采用加固方式是：桁架梁上、下槽钢增焊节点板（图4-21），两侧增焊槽钢或角钢；工字形柱在四周增焊角钢（图4-22）。

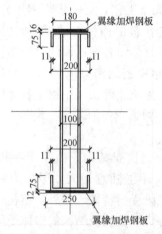

图 4-21 桁架梁加固剖面

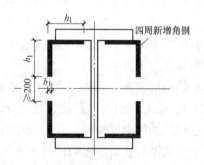

图 4-22 柱加固截面示意

4. 加固结论

(1) 加固设计中，尽量减少对原结构的建筑效果和使用功能的影响，在不破坏原结构的情况下进行。同时和施工单位密切配合，随时解决施工中存在的具体问题。

(2) 加固中，除特殊要求外，采用的方法应该对原结构的受力途径、受力体系影响小。对厂房应主要采用钢构件加固的方式，对钢桁架梁，上下弦杆增加钢板能有效改善其应力水平。而增加腹杆能有效减小梁的竖向挠度。

(3) 对整体结构的加固，部分不加固的项目，可以将不加固部分建入模型，可较为准确地计算出结构整体受力情况以及局部加固对整体的影响。

[例 4-8] 参考文献：张宁，曹宇龙，王元清，等. 局部倒塌后某多层钢框架的复核计算与设计 [J]. 四川建筑科学研究，2015，41 (2)：79-82.

4.3.4 轻钢结构事故

从广义上讲，轻型房屋钢结构（下简称"轻钢结构"）的种类很多，主要包括：焊接门式刚架结构体系、冷弯薄壁型钢结构体系、多层框架结构体系、薄壁拱形屋面体系和部分空间和张拉结构体系等。目前在我国主要运用较多的为焊接门式刚架结构体系和薄壁拱形屋面体系。

1. 焊接门式刚架结构体系及事故综述

门式刚架轻型钢结构是单层工业厂房中一种常见的结构形式。特别是近几年来，随着我国经济建设的迅速发展，由于生产的需要，这类结构以其用钢量少、重量轻、造价低、适用范围广等优点而获得广泛的应用。我国于2015年公布了《门式刚架轻型房屋钢结构技术规范》GB 51022—2015。

轻钢结构在国外已经有几十年的应用经验，但是由于我国相关的规范及质量验收体系尚不健全，很大一部分工程的设计均由承包施工单位完成。而承包施工单位从自身的经济利益出发片面追求低用钢量，使工程的安全度一味降低，往往造成工程事故。

2. 拱形波纹钢屋盖结构体系及事故综述

拱形波纹钢屋盖结构是用彩色镀锌钢带现场滚压成型的冷弯薄壁型钢结构体系。将成卷的彩色镀锌钢带压制成圆弧拱形槽板，需经过两道成型工艺：第一步将钢板轧成U形或梯形截面直槽板，第二步通过在直槽板下部轧出横向小波纹而将直槽板轧成拱形槽板。拱形槽板的曲率大小就是靠板上横向小波纹的深浅来调整的。若干这样的拱形槽板经过锁边连接并吊装就位后便形成整个屋盖结构。拱形波纹钢屋盖结构集承重与围护功能于一体，是一种板架合一的高效率结构，具有防水性能好、施工速度快、用钢量省等优点，因此这种结构于1990年代初在我国出现后，普及推广非常快，目前每年新增这种结构的建筑面积达百万平方米。

从结构形式看，拱形波纹钢屋盖结构是一种薄壁钢拱壳结构，由于所用钢板很薄（0.6~1.5mm），结构的截面高度受成型设备的限制又不能随意加大，因此当跨度较大时，这种结构的刚度较低，在荷载作用下明显表现出二阶受力特征。另外，结构组成板件上因结构成型需要而压出的横向小波纹，对板件的局部力学性能及结构的整体受力性能都有很大的影响。再有，作为薄壁结构对各种缺陷所特有的敏感性，也大大影响着这种结构的极限承载力。

目前，我国于2004年颁布了《拱形波纹钢屋盖结构技术规程》CECS 167：2004，在规程颁布实施前国内外均没有这种结构的统一设计方法。国内很多设计及施工单位对这种结构设计和施工中存在的问题认识不足：有些单位简单忽略了结构的二阶效应及小波纹的影响非常简单地把这种结构当成一般地拱结构进行设计；有些单位在设计时虽然考虑了结构的二阶效应，但忽略了小波纹的影响，不符合实际的力学模型及设计方法必然导致不合理的设计结果，因此出现工程事故也就不足为奇了。至今有大量拱形波纹钢屋盖结构在使用过程中塌落（表4-8列出了部分事故工程），这不仅给国家和人民的生命财产造成巨大损失，也为这种结构的进一步普及推广造成了极不利影响。

部分拱形波纹钢屋盖结构工程事故　　　　　　表4-8

序号	工程名称	地点	事故时间	备注
1	某铁路罩棚	乌鲁木齐	2000.1	与大雪有关
2	某农贸市场	沈阳	2001.1	
3	某外贸公司仓库	大连	2002.12	
4	中储粮曹县罩棚	曹县	2004.12	
5	中储粮郑州罩棚	郑州	2006.1	
6	中储粮阜阳罩棚	阜阳	2006.1	
7	广东湛江国储库罩棚	湛江	2003.7	与台风有关

对于如何在设计中考虑小波纹的力学性能，如何考虑结构的二阶效应，《拱形波纹钢

屋盖结构技术规程》提出了一套简化设计方法。下面就运用该方法分析两起工程事故，从中可以找出事故的主要原因。

【例 4-9】 暴雪后门式刚架损坏实例

1. 工程概况

沈阳市某集团维修车间轻钢主厂房，建筑面积为 10700m²，建筑总高度为 13.4m，轻钢部分采用单层多跨双坡焊接工形截面门式刚架钢结构承重的结构体系，平面尺寸为 147m×72m，共有 7 跨，8 个柱距，每跨为 21m，柱距 9m；屋面采用薄壁型钢 C 形檩条上铺双层压型钢板保温屋面，坡度为 3％。需要特别指出的是，该厂房设置高 1.4m 的女儿墙，厂方南侧紧靠在高于厂房较多的混凝土附房上。

结构局部损坏，部分承重构件发生严重变形。该厂房建筑物的边跨屋面变形明显（图 4-23a），特别有三处屋面塌陷。檩条屈曲（图 4-23b），钢柱上部弯曲破坏（图 4-23c）。山墙产生明显的侧弯变形（图 4-23d）。其余部分建筑物在雪荷载作用下，各承重结构构件发生了不同程度的变形，但未观察到由于基础不均匀沉降以及由此引起的明显结构变形。实际上，其中大部分的结构变形是雪灾后清理积雪过程中产生的。

图 4-23 结构破坏情况
(a) 屋面塌陷变形；(b) 檩条屈曲丧失承载力；(c) 钢柱弯曲破坏；(d) 外山墙侧向弯曲变形

2. 事故原因分析

检测的结果说明，该工程在设计和施工方面并没有问题，结论定为自然灾害引起的破坏。然而，这种自然灾害造成的事故中必然存在着人为的影响，而这种影响，正是我们所关心的。基于此，该工程事故的原因绝不仅仅在于降雪量，而是下面几点的共同作用：

(1) 50 年一遇的暴雪荷载（0.5kN/m²）已经超出当时设计规范的要求（0.4kN/m²）。这一点在现有规范中已经得到了解决，设计荷载值已经有所提高。

(2) 由于本工程高女儿墙与附房形成的高低屋面（北方地区的南侧附房具有明显的堆雪作用），使雪荷载分布完全变化，堆雪荷载已被严重放大。局部荷载甚至已放大了 3 倍，分布系数达到了 4.0，远远超出了规范中的规定（规范规定的积雪分布系数在 1～2 范围内)。这一点必须要引起我们足够的重视。

(3) 清理积雪时，一开始组织不当，全民动员毫无顾忌地来到屋面上清雪，包括一些器械。这样，就突然增大了屋面的荷载值。尽管轻钢结构屋面在设计时考虑了检修人员荷载，但实际每根檩条承受的荷载只相当于一个人。因此，众多工作人员不能做到分散站位，无组织的集中站在某些位置，必然增加了未考虑在内的集中荷载，造成屋面局部人员和设备的超载。

同时，清雪工序不当，按先屋脊后屋檐的顺序清雪，形成连续梁的隔跨影响，进一步加大了屋面结构的变形。当然，经设计纠正，后来采用了合理有序的方法进行清雪处理。

(4) 清雪过程中采用一些设备来进行融雪处理，被融化的雪水从屋脊向屋檐方向流动，由于屋面天沟冻结，排水孔也尚未解冻，造成排水不畅，水不能快速排走。结果是，水融入屋檐处的积雪，使雪的重度显著增大（数据表明：天然雪的重度为 1500~2000N/m^3，而融水后重度达到 5000~7000N/m^3）。局部雪荷载在融雪过程中的增大，进一步加大了屋面结构的变形，如果不进行处理，就势必影响相邻结构的安全。

后经过设计协调，在下陷严重的西南角和东南角局部将屋面开孔，用高压水枪将融雪和积水排出，这种方法非常行之有效。

3. 事故经验教训及建议

(1) 建筑外形。对于中国北方轻钢结构，女儿墙应考虑得更为全面一些，如：放置溢流孔；将女儿墙下面做成百叶窗式可以排风减少积重；把女儿墙做得很弱，当遇到暴风雪时，会被直接吹倒以达到卸荷的目的；把女儿墙尽量做得矮一些；尽可能在迎风区不做女儿墙，直接避免积雪。其次，在设计屋面时要尽可能考虑减少因高低跨造成的堆雪作用。另外，针对北方多北风的气象特征，在设计时尽量避免南侧附房的存在，相反，北侧附房则会相对有利。

(2) 天沟。天沟冻结排水不畅会造成雪重度急剧增加。因此设计时要采取相应的措施，如：对于采暖建筑，在内天沟处设较薄的保温材料（相对于屋面其他部分），从而使室内热量加速天沟内冰雪的融化；或天沟不设保温，在天沟上涂防冷凝涂料；或在内天沟内设置加热片或加热管。

(3) 结构设计。刚架的破坏时常是屋面檩条破坏后拖拽刚架而造成的，并非刚架自身强度不够。屋面板和檩条是保证刚架面外稳定的重要体系。因此，对于轻钢结构厂房，要严格保证屋面体系的安全稳定，例如对可能积雪的区域做加强设计（檩条加密、加强等）（尽管规范中没有这方面的规定）。条件允许的话可采用避雪的新工艺，如特殊喷涂不沾雪的钢板等，以减少堆雪。

(4) 规范。规范在堆雪荷载方面考虑得并不够全面。笔者认为，规范中北方地区的轻钢结构雪荷载计算应对堆雪荷载做特别的处理。例如：较大幅度提高高低跨屋面形式（特别是针对南向高屋面）的不均匀积雪分布系数，如可能堆雪区域，根据本工程，数值要达到 2~4，甚至更高；对于高女儿墙，规范中也应作出类似其他结构形式的积雪分布说明，提出相应的分布系数。

(5) 雪后处理。清雪过程要合理，屋面上的清雪人员要有组织地分散站位。融雪时要保证排水孔的绝对通畅（可以人为疏通排水孔），使雪水能迅速排走。可采用融雪的新设备，如温水喷洒装置等，提高融雪效率及质量。对此，我们要引起足够的重视，要积极开展屋面清雪的技术学习，做好现场监督，做到科学清雪。

[例 4-9] 参考文献：胡宗文，王元清，石永久，等. 暴雪后门式刚架轻型房屋钢结构厂房的事故分析与处理 [J]. 工业建筑，2009，39（7）：120-123.

【例 4-10】 某轻钢厂房整体坍塌事故分析

1. 工程概况

某大型钢结构厂房，主体结构为双坡门式刚架轻钢结构。该工程建筑面积超过 9000m²，安全等级为二级，耐火等级为二级，设计有效使用年限为 50 年，抗震设防烈度为 6 度。设计的双坡门式刚架轻钢结构为纵向 18 榀，横向 4 跨，采用高低跨，高跨高度为 23.836m，低跨高 5.0m；基础采用柱下独立基础，基础混凝土强度等级为 C25；钢梁、钢柱及连接板钢材采用 Q345，檩条及柱间支撑钢材采用 Q235。屋面采用彩色压型钢板作为维护结构，以焊接 H 形变截面钢梁作为承力框架，屋面系统采用 C 形钢檩条及十字交叉圆钢组成的屋面横向水平支撑，柱截面采用 H 形焊接实腹柱，如图 4-24 所示。工程在施工安装过程中于 2005 年 10 月 20 日中午，刚架结构发生了突然性整体坍塌。事故现场如图 4-25 所示。

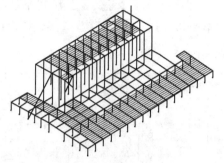

图 4-24　整体坍前刚架安装情况

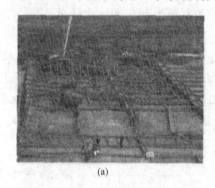 

图 4-25　事故现场图
（a）整体坍塌平面图；（b）钢柱的破坏

2. 事故原因分析

规范规程规定，刚架在制作安装前，应先编制工艺流程和安装的施工组织设计，在制作安装过程中应严格按各工序检验，经检验合格后方能进行下道工序。

工程施工文件核查和坍塌现场查勘检测结果表明，该钢结构厂房的安装未编制经有关部门审批通过的安装施工组织设计；该厂房建筑面积较大，共有 18 榀四跨刚架，在坍塌前有 17 榀刚架已基本安装到位，但安装施工中未及时安装支撑系统；同时未见到各工序是否合格的检验资料。

钢结构厂房的支撑是保证结构的整体刚性、形成稳定空间体系的重要组成部分。该厂房设计，纵向有 5 列共 49 道柱间支撑，屋盖横向有 5 列水平支撑。由于该厂房在施工过程中：首先未安装柱间支撑和屋盖横向水平支撑；其次檩条和系杆也只安装了约 2/3；加上柱底板和基础顶面之间的空隙未进行二次浇灌混凝土,刚度构件在安装过程中又未及时采取临时固定措施,使坍塌前的刚架结构基本上是一个几何可变体系,其结构稳定性无任何措施保证。

一个不稳定的体系随时发生坍塌是不可避免的。坍塌前已安装刚架在自重加该地区当日实际风压组合作用下,轴14交轴G柱脚锚栓的整体稳定承载力已丧失,从而导致已安装刚架整体倾斜坍塌破坏。刚架施工中未及时安装支撑,所有已安装柱底板和基础顶面之间的间隙未加垫片以及未及时进行二次浇灌混凝土是该厂房发生整体坍塌的主要原因。

[例 4-10] 参考文献:汤建平,舒兴平,邹银生,等. 某轻钢结构厂房整体坍塌的事故分析 [J]. 建筑结构,2006 (s1):404-406.

【例 4-11】 某单层轻钢厂房构件及节点加固分析

1. 工程概况

某制药厂单层门式刚架轻钢结构厂房(图 4-26),建筑面积 2427.25m², 长 66m,宽 36m,厂房檐口高度 5.150m,柱间距 8.250m,跨度方向为 2×18m 连跨,双坡屋面,原设计为库房,且主体刚架和屋面及墙面维护结构已施工完成。甲方要求将库房改为制药生产车间,由于此车间为洁净厂房,原设计未考虑制药生产车间刚架梁上的悬挂

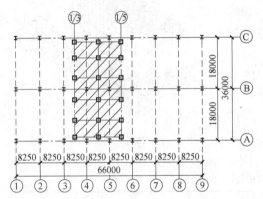

图 4-26 厂房平面(阴影部分为钢框架范围)

荷载,其中包括吊顶、空调管道、消防管道、消声器、高效过滤器、防火管道及防火阀等设备。经计算,部分构件及梁柱节点域应力超过钢材强度设计值,需要对刚架进行加固。

原厂房结构形式为门式刚架结构,边柱柱脚为铰接形式,中柱为摇摆柱。构件的拼接连接采用 10.9 级摩擦型高强度螺栓,摩擦系数为 0.45,刚架采用 Q235B 钢,梁柱均为焊接 H 形钢。

2. 加固方法

(1) 刚架梁加固

刚架梁 4 采用加大构件截面,对中跨梁上、下翼缘焊接 4 块 10mm 厚 80mm 宽钢板,对边跨梁下翼缘焊接 1 块 8mm 厚 200mm 宽钢板,如图 4-27 所示。

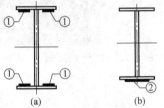

图 4-27 梁加固剖面
(a) 中跨;(b) 边跨

(2) 节点域加固(图 4-28、图 4-29)

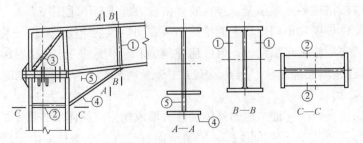

图 4-28 边柱节点域加固节点

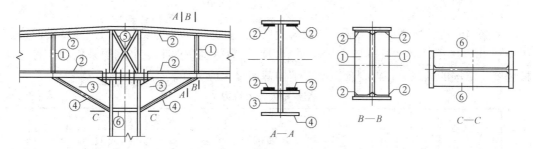

图 4-29 中柱节点域加固节点

原刚架梁柱连接采用端板横放形式,刚架梁柱的节点加固分为边柱和中柱节点两种形式。加固采用节点加腋及节点域增设加劲肋。板件①~⑤为加固板件。

3. 加固结论

(1) 采用焊接方式加大原结构构件截面及节点域增设加劲肋方式具有费用低、施工周期短等优点,但现场焊接工作量大,对焊缝的质量要求较高。

(2) 由于原厂房的维护结构已施工完成,考虑现场焊接的可实施性,对两端跨及中间跨的加固可采取不同增加截面的形式。

(3) 钢结构加固设计应与实际施工方法紧密结合,并应采取有效措施,保证新增截面、构件和部件与原结构连接可靠,形成整体共同工作。

(4) 加固前后的节点的受力状态有所不同,故在加固时,补强节点和梁的同时还要注意验算刚架柱的强度。

[例 4-11] 参考文献:张涛,王元清,石永久,等. 单层轻钢厂房刚架梁和节点域的加固设计与分析 [J]. 四川建筑科学研究,2006,32 (3):49-52.

【例 4-12】 鞍山某饲料集团仓库

1. 工程及事故概况

鞍山某饲料集团仓库跨度 30m,拱形波纹钢屋盖矢高 6.6m,采用 1.25mm 厚的彩色镀锌钢板,钢板屈服强度不小于 280MPa,抗拉强度不小于 370MPa。屋盖支承在 4.5m 高的钢筋混凝土柱子上。工程于 1994 年 6 月份建成并投入使用,1997 年 1 月在一场大雪后屋盖塌落,如图 4-30 所示。

图 4-30 现场图

2. 事故原因分析

根据当时设计所遵循的《建筑结构荷载规范》GBJ 9—87 的规定，鞍山地区的基本雪压为 $0.40kN/m^2$，基本风压 $0.55kN/m^2$。以此荷载分别按照上一个例题采用的四种方法核算屋盖结构的承载力，得到各工况下结构截面最大应力如表 4-9 所示。

结构截面最大应力　　　　　　　　　　　表 4-9

序号	工况	截面最大应力(MPa)			
		Method1	Method2	Method3	Method4
1	恒荷载+全跨均布雪/活荷载	74.0	43.7	67.2	41.1
2	恒荷载+风荷载	194.5	115.3	195.3	115.6
3	恒荷载+半跨雪荷载	444.1	216.8	271.1	160.7
4	恒荷载+全跨均布雪/活荷载+风荷载	120.9	40.1	66.7	37.7
5	恒荷载+半跨雪荷载+风荷载	463.0	228.8	297.1	174.2

从表中同样可以看出小波纹对结构的力学性能的巨大影响及在半跨荷载作用下结构所表现出的显著的二阶效应。该工程在不考虑小波纹的影响但考虑结构的二阶效应及既不考虑小波纹影响又不考虑结构的二阶效应两种方法下，得到的截面最大应力均小于设计强度。按照规程提供的方法，此结构在最不利工况作用下的截面最大应力超过材料屈服强度 65%，表明结构承载力不足。此工程建成后使用了两年，于 1997 年 1 月在一场大雪后屋盖塌落。根据气象部门提供的资料，那次降雪平均雪压为 $0.521kN/m^2$，超过当地设计标准雪荷载 ($0.40kN/m^2$) 约 30%。因降雪伴有 5～6 级风，使拱形屋盖的迎风面积雪较少，背风面积雪很厚，在半跨积雪荷载及风荷载的作用下，屋盖整体失稳塌落。事故后有关方面在现场做了足尺模型试验（图 4-31），得到半跨均布荷载下结构的

图 4-31 试验图

承载力约为 $0.56kN/m^2$，和屋盖塌落时的半跨积雪荷载基本一致。因此结构承载力不足也是该结构出现塌落事故的主要原因。

4.3.5 吊车梁结构事故

吊车梁系统是工业厂房钢结构的重要组成部分，吊车梁系统包括吊车梁本身、吊车梁制动结构、吊车轨道和它们之间的连接；吊车梁有实腹式和桥梁式两大类，吊车梁主要是焊接结构（以前有铆接）和焊缝、高强度螺栓的栓焊结构；制动结构也有实腹锚板式和制动桁架式两类。

吊车梁系统施工阶段破坏事故是罕闻的，但在使用过程中吊车梁系统又是最多出现局部破坏以至整体破坏的部分，这是由吊车梁系统设计时荷载性质决定的，吊车梁受力极其复杂，吊车的垂直力和侧向力都具有动力特征、冲击和疲劳作用，使吊车梁系统比起屋盖

系统、柱子和楼板平台梁等来说，计算与实际情况差异更大、不定性较多，其结构可靠性和耐久性最差；由于吊车梁系统损坏多产生在使用阶段，故在生产中要定期检查，及时维修，避免事故发生。

日本钢结构协会在有关吊车梁疲劳损伤的调查报告中对52个冶金工厂的调研结果进行了总结。在吊车梁疲劳损坏较多的工厂中，炼钢厂约占40%，初轧工厂约占30%。吊车梁发生损伤按使用吊车分类：脱锭与脱模吊车约占30%，一般桥式吊车占20%，铁水包吊车占14%。特别是现代的冶金重型化、高速化和重级工作制的吊车，在四五年中受到超过200万次重复荷载的构件较多，疲劳损坏的可能性增大。吊车梁在5年内发生疲劳损伤的数量占吊车梁损伤总数的8%，其中有40个月就产生重大裂缝的例子；10年以内损伤的数量占40%，15年以内的占70%，可见大部分此类构件是在15年内发生某种程度损伤的。吊车梁发现损伤时的总运行次数在50万次以下的占全部损伤吊车梁的15%，损坏的原因大多是梁的支座螺栓松弛或断裂，水平支撑出现裂纹等；运行次数在200万次以下的，占全部损伤吊车梁的50%，这说明现代吊车梁的使用频率是非常高的。

再如我国鞍钢，一铸钢车间吊车梁上翼缘破坏；原料跨的吊车梁角钢纵向开裂；二炼钢铸锭跨的吊车梁盖板裂缝；初轧、大型厂、中型厂等吊车梁上翼缘盖板、角钢及腹板开裂，如图4-32所示。焊接吊车梁的破坏如：初轧厂板坯跨梁上翼缘焊缝纵向开裂；一、二、三炼钢，脱锭车间及初轧厂均热炉跨桥式吊车的工字形主梁上翼缘焊缝开裂等。破坏情况很普遍，而且有的破坏程度相当严重。如初轧厂一根铆接吊车梁的上翼缘板共发生裂纹23条，其中一条使盖板断裂为两部分。

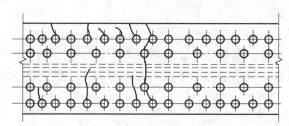

图4-32 鞍钢初轧厂吊车梁上翼缘盖板裂缝全貌

吊车梁出现裂纹及早期破坏除与吊车梁的制作质量、吊车轨道的偏移、吊车啃轨等因素有关外，吊车繁重的工作制是一个最根本原因。在炼钢厂中以原料跨和脱模车间的吊车最为繁重；在轧钢厂中以均热炉跨、钢坯跨、成品跨的吊车最为繁重，所以这些地方的吊车梁发生疲劳破坏较多。而炼钢厂中的炉子跨、冷轧跨由于吊车不太繁忙，虽按同一标准设计，使用至今40多年，吊车梁没有发现裂缝。

实践证明：在重级工作制厂房中，若在梁的下翼缘焊上一些构件，就会大大降低梁的疲劳强度，极易引起梁的开裂。如有些工厂由于某种需要增设管道，在吊车梁下翼缘随意打火、点火，留下焊疤、弧坑等，致使吊车梁的下翼缘开裂。

1. 吊车梁系统事故类型

国内外对工厂使用中吊车梁系统进行了大量调查，调查资料表明吊车梁系统大部分破坏发生在下列部位。

(1) 实腹式吊车梁：实腹式吊车梁上翼缘与腹板焊缝和上翼缘与加劲肋间焊缝是最常见的损坏部位，然后带连腹板或翼缘板开裂，这些裂缝有明显疲劳特征。

(2) 桁架式吊车梁：桁架式吊车梁过去常用铆接和焊接，损坏比实腹式吊车梁严重，上弦有严重应力集中和扭矩作用导致疲劳裂缝开展。

(3) 制动梁（制动桁架）：制动结构实际工作状态极复杂，与计算简图不符，故损坏严重，损坏部位如下：

① 制动梁板与吊车梁连接焊缝开裂。
② 制动梁上板开裂。
③ 制动桁架节点板裂缝、断裂，节点板连接开裂。
④ 垂直支撑斜杆裂缝、断裂。
⑤ 制动桁架杆件扭曲或裂缝。
⑥ 辅助桁架腹杆开裂、断裂。

(4) 吊车梁系统与柱连接处，吊车梁系统与柱连接处的开裂或松动有以下几种：

① 制动结构与柱连接焊缝开裂或螺栓松动。
② 吊车梁与柱水平连接板焊缝开裂或螺栓松动。
③ 吊车梁与柱垂直连接板焊缝开裂或螺栓松动。
④ 垂直连接板（隔板）开裂。
⑤ 吊车梁与吊车梁、吊车梁与柱连接螺栓松动。

其中第①种损坏是最常见的破坏。

(5) 吊车轨道及车挡，常见损坏有以下几种：

① 轨道顶面和侧面磨损。
② 轨道接头处损坏。
③ 轨道腹板处裂缝，通常在接头和孔附近。
④ 采用弯钩螺栓连接轨道和吊车梁最易损坏，弯钩螺栓自行伸直拉出，使轨道位移。
⑤ 采用双螺栓压板连接轨道和吊车梁，基本可靠，少数车间会连接松动、轨道横向位移。
⑥ 车挡固定连接松动。

吊车梁系统破损严重情况，国外调查资料（冶金企业吊车梁，使用 6～10 年），损坏统计如下：

吊车梁有裂缝占 30%；
制动结构有裂缝占 25%；
吊车梁系统与柱子连接破坏占 50%；
吊车轨道固定连接件破坏占 80%；
吊车轨道出现不容许偏心的占 20%，而有几何偏差的占 70%。

国内对某些钢厂吊车梁调查中也发现吊车梁系统破损严重。

2. 吊车梁系统事故原因

(1) 设计原因

① 设计荷载及其作用特点考虑不全。

吊车荷载以集中轮压形式作用在吊车梁长度方向任意点，轮压大小与许多因素有关。吊车荷载总是偏心地作用于吊车梁上，使吊车梁除承受一组轮压荷载外，还有其产生的动集中扭矩；吊车行驶中产生纵向、横向水平力，尚有卡轨产生的卡轨力，卡轨力在数值上大大超过横向制动力,这类卡轨力很难计算其值。吊车梁中应力状态实际上十分复杂,而在现行《钢结构设计标准》中仅考虑了 σ_x(弯曲应力)、τ_{xy}(剪应力)和 σ_c(局部挤压应力),而对其他应力没有涉及。吊车梁荷载另一特点是反复的作用使钢材疲劳,形成疲劳特征的损坏,疲劳是细微裂纹扩展的过程,目前疲劳强度验算尚较粗糙。

② 吊车梁系统构造与计算简图不全一致。

设计时大多数吊车梁是按实腹简支梁或静定桁架梁计算,但实际上吊车梁与吊车梁,在上翼缘及腹板处用连接板连接,上面尚有连续铺设的钢轨,使简支吊车梁成为一定程度连续梁;吊车梁与制动系统的连接,使吊车梁与制动系统共同工作,带来计算中未考虑因素;吊车梁与柱子的连接,使梁与柱形成不同程度嵌固作用,限制了支座处自由转动,使吊车梁支座处产生负弯矩导致此处节点破坏。

(2) 施工原因

① 制作和安装偏差。

吊车梁系统位置相对偏移、轨道安装偏心、轨道不平和弯曲,这些使吊车梁带来复杂应力,易使吊车梁疲劳损伤。

② 焊缝缺陷。

在焊缝和热影响区金属母材存在微小裂纹;焊缝中有夹渣、气孔、凹槽,咬肉及焊缝厚度不足,这些缺陷是裂纹源,在重复荷载下扩展,导致吊车梁系统疲劳破坏。

对于铆接结构,铆钉填孔不实,在孔处产生应力集中,易导致裂缝。

③ 在吊车梁上随便切割缺口和乱焊吊其他部件,使在切口处和焊物处应力集中,在重复荷载下加速疲劳裂缝形成和发展。

(3) 使用管理方面

① 吊车超载运行或吊车改换大吨位,使吊车梁超载工作。

② 没有定时检查,及时维修,如轨道偏心、连接螺栓松动、吊车行驶幌动、冲击、卡轨等没有及时纠正。

【例 4-13】 上海汽轮机厂 100t 重级工作制吊车梁裂纹

1. 建筑物及事故概况

1960 年上海汽轮机厂新建大型汽轮机车间的大件和转子加工工段,为 36m 和 30m 并联等高双跨,柱距 12m,总长 180m,轨高 14m。在 36m 跨中设有 100/20t 及 75/20t 桥式吊车各一台,在 30m 跨中设有 75/20t 及 50/20t 桥式吊车各一台,并全部采用全焊接实腹式吊车梁。由于当年钢材供应紧张,由上海汽轮机厂铸钢车间自己生产的电炉钢锭送上钢三厂代为加工,轧成设计所需的厚薄的钢板以制作这批吊车梁。因此这批钢材的化学成分和物理性能均优于同类平炉镇静钢。例如其含碳量为 0.21%,而硫、磷含量均小于 0.04%,强度、冷弯、延性均好,冲击韧性特佳,常温试验数据均在 245N·cm/cm² 以上。

在"大跃进"年代,速度是首要的。从炼钢始至吊车梁现场安装完毕共用三个月时间。遗憾的是在 1961 年检查时,这批优质电炉钢制成的吊车梁到处发现裂纹。图 4-31 给出具有代表性的吊车梁裂纹的分布情况。在图 4-33 所示梁的上翼缘板纵向有一二十条横向微裂,而在下翼缘也有这种形状的裂纹,数量也大致相仿,腹板的情况稍好一些。这些裂纹都在表面上,一般深 1~2mm,大于 3mm 的很少。裂纹宽度也很小,一般为

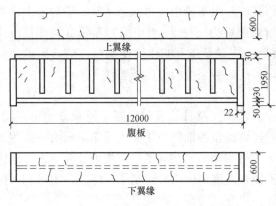

图 4-33 上海汽轮机厂具有代表性的吊车梁裂纹的分布

0.07mm以下，长度多为200～300mm，最长的有600mm，且其倾斜度也很不一致，部位也不集中在中央轴线上，而在上、下翼缘板与腹板的纵长焊缝的两侧附近却未发现有什么裂纹。但母材上裂纹普遍存在，整根吊车梁的上、下、左、右几乎都有。至于两端22mm的主肋板与腹板两侧的12mm加劲肋却没有裂纹。这种重型吊车梁，有如此之多的微裂纹存在，可谓全国之首，国际文献上也未见到。

2. 事故原因分析

钢材的裂纹产生的原因很多，诸如应力集中、焊接热应力、钢材含硫或氢量过高、低温冷脆、强度被超过、疲劳等。但上海汽轮机厂大汽轮机车间100t和75t吊车梁所存在的裂纹均与上述因素无关。因为它们尚未使用，更谈不上疲劳；钢材用电炉冶炼，有害夹杂物远低于规范指标；上海地区的气温大都在零度以上；在上、下翼缘板的外侧和腹板的中央等远离焊接热影响区的部位也出现不少裂纹，即也不是由焊接热应力引起的。

专家们走访了上钢三厂和华东钢结构加工厂后才了解裂纹产生的真正原因。通常炼钢厂需等钢锭冷至200℃以下才准拆模清理，等冷却至常温后再检查有无表面裂纹和斑疤夹杂物。如有夹杂物，必须先清理干净，才可放进加热炉升温到1200～1300℃，轧制成材。轧成后又要在钢厂检查，规格合格且表面光洁才可供用户使用。而1960年正好是打破常规的时期，为了盲目追求速度，上海汽轮机厂铸钢车间刚浇好的高温钢锭仅冷却至400～500℃就被命拆模，既不检查，又不清理，当即送至上钢三厂立刻投进加热炉升温，轧钢。没等钢板冷却到300℃以下就送到华东钢结构厂气割下料，等钢板冷却至50℃左右就拼装焊接。当时已发现不少微裂，但厂家对设计单位的劝阻置之不理，认为这是小问题，即刻涂好红丹，送往上海汽轮机厂工地吊装就位。当钢锭外表温度下降到400～500℃时，其中心温度还要高些，此时理应保温，马上拆模会使钢锭表面温度急剧下降。而且运输路较远，造成内外温差更大，从而导致钢材表面存在大量微裂，而且是顺板长方向分布的。虽然加热轧压，但微裂仍不能闭合。由于钢锭是多边形，轧制后的则为平板，所以钢板上、下两面的微裂就往往整张都有，在钢结构加工厂下料时无法避开，于是在焊成的吊车梁上到处都有微裂。所需的30mm板和大部分14mm板由上海汽轮机厂自己炼钢供料，至于22mm的端板、12mm的加劲肋和部分14mm的腹板均是外购的，所以未发现有裂纹。

3. 加固处理方法

经过三个月的检查和研究后，认为这种微裂不是钢材的内在质量问题，也不是焊接热应力引起的，且纹深很浅，全部分布在钢吊车梁的表面。当然，让它们继续留在吊车梁上将是个大隐患，必须进行清理，即用小圆头风凿将微裂雕去。由于微裂很浅，上、下翼缘的厚度在局部减薄约1mm，经复核，不会影响梁的刚度，挠度也不会因此而增大。由于圆头风凿的曲率半径较为平坦，可以消除原微裂所引起的应力集中。因此对纹深小于1mm的微裂只要雕去即可，也可用小砂轮轻轻磨去，不留痕迹，也不必补强；但对于纹深大于 2~3mm 的微裂，雕去后将会留下 3~4mm 左右痕迹，这对强度和刚度有明显的影响，所以还需用焊缝补强。具体做法如下：

(1) 对无裂纹的吊车梁不予加固和处理。

(2) 对大多数有微裂的吊车梁，先按上述的方法将微裂雕去，有的还需补焊。鉴于已有微裂纹的板材可能存在更小的或不为肉眼所发现的超细微裂，一时无法查明，为确保安全，在这类吊车梁的下翼缘中央部位加焊一条约 9m、宽为 200mm、厚为 20mm 的加强板。该板两端不焊，且呈梭形，止于两边第一加劲肋处。

(3) 对 3 根上、下翼缘板和腹板都有较多微裂的吊车梁，先采用第（2）步的办法处理，再在上翼缘板和腹板之间增设斜撑板，在每个肋板之间都设。这样上翼缘板和腹板两侧的斜撑板组成一个倒三角形封闭断面，它不仅减少腹板的计算高度，也减少上翼缘板的外伸宽度。同时因断面面积增加使中和轴上升，从而降低上翼缘板的压应力。

这批钢吊车梁经过上述方法加固处理后，使用至今仍完好无损。该加固方案仅用 17t 钢，挽救了 500t 优质钢。

【例 4-14】 某钢坯库吊车梁的疲劳破坏

钢坯库建于 20 世纪 50 年代末，是我国新中国成立后较早建造的钢结构厂房，由苏联国立冶金设计院列宁格勒分院和列宁格勒工业建筑设计院设计，国内进行详图设计和制作安装，用于储存加工连铸和初轧钢坯，供应轧钢生产。钢坯库厂房宽 90m，长 396m，建筑面积约 3.6 万 m^2，共有三跨，跨度均为 30m，基本柱距为 12m，部分柱距为 24m。厂房 261~311 线区域分阶段建于 1960 年，其中 261~291 线区域 12m 跨度的吊车梁为焊接吊车梁，24m 跨度的为铆接吊车梁；291~311 线区域均为铆接吊车梁。为了生产的需要，1972 年沿用原设计图扩建了 253~261 线和 311~319 线两个区域，吊车梁均为焊接吊车梁。

厂房内共有吊车 12 台，包括 75/20t 中级工作制普通吊车 1 台、20t 重级工作制磁式吊车 6 台和 15t 重级工作制耙式吊车 5 台。其中耙式吊车为硬钩吊车，虽然起重量较小，但自重和轮压都很大，是对吊车梁的静力和疲劳强度验算起控制作用的吊车。吊车梁平面布置如图 4-34 所示。

吊车梁系统的制动结构原为制动桁架，后来由于出现断裂损伤，在部分制动桁架上铺设钢板进行加固，形成制动板。但由于是在生产期间施工，加固质量较差。轨道连接也曾出现破坏，进行过改造，连接方式有弯钩、压板等多种。

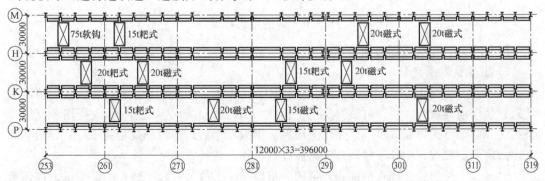

图 4-34 吊车梁平面布置

2003年4月对钢坯库厂房结构进行了现场详细检查，发现吊车梁系统构件和连接存在较为严重的裂缝和其他损伤情况。

(1) 吊车梁上翼缘连接处的裂缝和铆钉脱落（图4-35）

吊车梁上翼缘连接处出现的裂缝主要有两种，一种出现在腹板与上翼缘的连接焊缝处；另一种出现在横向加劲肋顶端与上翼缘连接焊缝处。

(2) 其他损坏情况（图4-36）

图4-35　腹板与上翼缘连接处的裂缝　　　　图4-36　辅助桁架与柱连接板开裂

除上述在吊车梁上出现的裂缝和铆钉脱落外，制动结构、辅助桁架、下翼缘水平支撑、垂直支撑以及相互之间的连接也都存在不同程度的损坏。制动结构的损坏包括制动桁架杆件断裂、制动板与柱子连接处出裂缝、制动板与吊车梁上翼缘连接的高强度螺栓松动等。辅助桁架的损坏发生在与柱子的连接处，节点板断裂。下翼缘水平支撑和垂直支撑存在杆件断裂和螺栓松动等。在吊车梁与柱子的连接处，存在断裂、铆钉和螺栓脱落等损坏。

有重级工作制硬钩吊车的厂房，吊车梁系统较易出现疲劳破坏，吊车梁上的疲劳裂缝多发生在上翼缘与腹板连接处。对此处的疲劳破坏，目前尚无有效的验算方法从设计计算上加以避免。为保证安全，应在使用过程中进行检查，发现问题及时处理。

［例4-14］　参考文献：常好诵，杨建平，赵英杰，等. 某钢坯库吊车梁系统的疲劳破坏及处理［C］//钢结构工程研究. 2004.

4.3.6　钢桥结构事故

【例4-15】　重庆綦江虹桥垮塌

1. 事故及工程概况

1999年1月4日傍晚6时50分，位于重庆市区89km的重庆市綦江县城古南镇，一座跨越綦江河的人行大桥"虹桥"发生了整体垮塌，致使40人死亡，14人受伤，直接经济损失600余万元。血的事故，令世人震惊。事故发生后，建设部及相关单位领导亲临綦江事故现场，检查、指导事故调查和善后处理工作。

经过3个月的紧张调查取证和专家的分析鉴定，事故的原因已经查明，系重大责任事故。目前，有关管理、建设、总承包、施工、材料生产销售和质量监督等单位的责任人因犯有玩忽职守罪、受贿罪、工程重大安全事故罪、生产销售不符合安全标准的产品罪被依法严惩。血的事故令人深思，痛定思痛，教训深刻。

綦江虹桥是一座中承式钢管混凝土提篮人行拱桥，全长 140m，其中主拱净跨 120m，桥宽 6m，拱轴线采用抛物线，桥面设计人群荷载 $3.5kN/m^2$。该工程由綦江县重点建设办公室组织建设，重庆华庆设计公司（以设计为龙头的二级总承包公司）总承包，重庆市政工程质量监督站监督。于 1994 年 11 月 5 日开工，1996 年 2 月竣工投入使用。

该项目从审批立项到组织实施，严重违背建设规律，脱离建设管理，长官意志代替民主科学决策，行政决定代替了管理部门的有效监督管理。因而项目建设的组织管理混乱，私人设计、转包挂靠，带来工程设计质量、材料加工质量及施工质量低劣等诸多问题。低劣的工程质量给质量安全埋下了祸根，该桥自建成之日起，便是一座危桥。建成使用后又养管极差，因此是一座必垮的危桥。

2. 事故原因分析

(1) 直接原因

专家鉴定组技术鉴定表明，事故发生的直接原因是工程施工存在十分严重的危及结构安全的质量问题；工程设计也存在一定程度的质量问题。主要有：

1) 吊索锁锚方法错误，不能保证钢绞线有效锁定及均匀受力，以致钢绞线部分或全部滑出，使吊杆锚固失效。

2) 主拱钢管加工厂对焊接头质量低劣，焊缝普遍存在裂纹、未焊透、未熔合，存在气孔、夹渣及陈旧性裂纹等严重缺陷，质量达不到施工及验收规范二级焊缝检验标准。

3) 主拱钢管内混凝土强度达不到设计要求，局部有漏灌及空洞，在主拱肋板处甚至出现 1m 多长的缝隙。吊索的锚定及灌浆防护等存在严重质量问题。

4) 设计粗糙，更改随意，构造也有不当之处。对主拱钢结构的材料、焊接质量、接头位置及锁锚质量均无明确要求。在成桥增设花台等荷载后，主拱承载力不能满足相应规范要求。

(2) 间接原因

根据调查组调查取证，综合分析认定，事故的间接原因是严重违反基建程序，不执行国家建筑市场管理规定和办法，违法建设，管理混乱。主要有：

1) 建设过程严重违反基本建设程序

① 未办理立项及计划审批手续。

② 未办理规划、国土手续。

③ 未进行设计审查。

④ 未进行施工招标投标。

⑤ 未办理建设施工许可手续。

⑥ 未委托监理。

⑦ 未核验质量等级，未进行工程竣工验收。

2) 总承包、设计、施工主体资格不合法

① 越级承包。重庆华庆设计工程超越其二级总承包资质，承揽虹桥总承包。

② 私人设计，非法出图。设计由赵国勋个人邀集人员设计，盗用重庆市市政勘查设计研究院的图签出图。

③ 施工主体不合法。重庆桥梁工程总公司川东南公司无独立承包工程的资格，擅自承接工程。

④ 挂靠承包，严重违规。重庆桥梁工程总公司川东南公司擅自同意停薪留职人员费上利挂靠，由费上利邀集人员承包施工。

(3) 管理混乱

① 个别县领导行政干预过多，擅自决断，缺乏约束监督。

② 建设业主与县建设行政管理部门职责混淆，责任不落实，管理严重失职。

③ 工程总分包关系混乱，总承包单位未有效履行总承包管理职责，严重失职。

④ 施工管理混乱，设计变更随意，手续不全；技术管理薄弱，责任不落实，关键工序及重要部位的施工质量无人把关。

⑤ 材料及构配件进场管理失控，试验检测不按规定办理，外协加工单位对主拱钢管焊接质量未经检测合格就交付使用。

⑥ 质量临督站在未严格审查项目建设条件下，就受理质量监督，虽制订了监督大纲，委派了监督员，但未认真履行职责，对项目未验收就交付使用未有效制止。

⑦ 工程档案资料管理混乱，无专人管理；档案资料内容严重不齐，各种施工记录签字手续不全，竣工图编制不符合有关规定。

⑧ 未经验收，强行使用。对已经发现的质量问题未进行整改，没有进行荷载试验，没有对工程进行质量等级核定，没有进行项目竣工验收即强行投入使用；投入使用后又未对大桥进行认真的监督和维护，特别是在使用过程中多次发生异常现象后仍然未引起高度重视，未采取有效措施消除质量隐患。

3. 应该吸取的教训

(1) 落实责任制是确保工程质量的前提。

(2) 严格按规定程序组织建设是确保工程质量的关键。

(3) 建立规范有序的建筑市场是遏制腐败，保证质量的有效途径。

(4) 依法管理，严格执法。

(5) 遵循价值规律，倡导合理价格。

【例 4-16】 韩国汉城大桥疲劳破坏

1. 工程及事故概况

1994 年 10 月 21 日韩国汉城汉江圣水大桥中段 50m 长的桥体像刀切一样地坠入江中。当时正值交通繁忙时间，多架车辆掉进河里，其中包括一辆满载乘客的巴士，造成多人死亡。

圣水大桥是横跨汉江的十七座桥梁之一，桥长 1000 多米，宽 19.9m，由韩国最大的建筑公司之一的东亚建设产业公司于 1979 年建成。

2. 事故原因分析

事故原因调查团经过 5 个多月的各种试验和研究，于次年 4 月 2 日提交了事故报告。

用相同材料进行疲劳试验表明，圣水大桥支撑材料的疲劳寿命仅为 12 年，即在 12 年后就会因疲劳而断裂。大型汽车在类似桥上反复行驶的试验结果也表明，这些支撑材料约在 8.5 年后开始损坏。而用这些材料制成的圣水大桥，加上施工缺陷的影响，在建成后 6~9 年就有坍塌的可能。

实际上,圣水大桥的倒塌发生在建成后 15 年,而不是以上所说的 12 年或 8.5 年,一方面是由于桥墩上的覆盖物起着抗疲劳的作用,另一方面是由于桥墩里的 6 个支撑架并没有全部断裂,因此大桥的倒塌时间才得以推迟。

根据分析结果,事故原因主要有以下两个方面:

(1) 东亚建筑公司没有按图纸施工,在施工中偷工减料,采用疲劳性能很差的劣质钢材。这是事故的直接原因。

(2) 当时韩国"缩短工期第一"的政治、经济和社会环境以及汉城市政当局在交通管理上的疏漏,也是导致大桥倒塌的重要原因。圣水大桥设计负载限量为 32t,建成后随着交通流量的逐年增加,经常超负荷运行,倒塌时负载为 43.2t。

【例 4-17】 钢桥脆性断裂事故

我国哈尔滨的滨洲线松花江大钢桥,77m 跨的有八孔,33.5m 跨的有十一孔,是铆接结构。1901 年由俄国建造,1914 年发现裂纹。1927 年由苏联和中方试验研究证明,该桥钢材化学成分为:碳 $0.04\%\sim0.13\%$,锰 $0.14\%\sim0.80\%$,磷 $0.04\%\sim0.14\%$,硫 $0.01\%\sim0.07\%$。板材厚为 $10\sim14mm$,屈服强度为 $294N/mm^2$,极限强度为 $392.4N/mm^2$,$\delta=21\%$。这批钢材是俄国从比利时买进的,为马丁炉钢,脱氧不够。由于 FeO 及 S 增加脆性,特别是金相颗粒不均匀,所以不适于低温加工,其冷脆临界温度为 $0℃$;母材冷弯试验在 $90°$时已开裂,到 $180°$时已有断的,且钢材边缘发现夹层。裂纹大部分在钢板的边缘或铆钉孔周围呈辐射状。

这批钢材冷脆临界温度为 $0℃$,而使用时最低气温为 $-40℃$,这是造成裂缝的主要原因。当时得出的结论有四点:①该桥的实际负荷不大;②大部分裂纹不在受力处;③钢材的金相分析后材质不均匀;④各部分构件受力情况较好,所以钢桥可以继续使用。

1950 年检查发现各桥端节点有裂缝,大多在铆钉孔处,于是进行缝端钻孔以阻止裂缝发展,并且继续观察使用。1962 年把主跨八孔 77m 跨的大钢桥全部换下,其余十一孔 33.5m 跨的钢桥至 1970 年才换下。复查换下的这十一孔钢桥,共计裂纹 2000 多条,其中最大的为 110m 长,$0.1\sim0.2mm$ 宽,大于 50mm 长的裂纹有 150 多处。

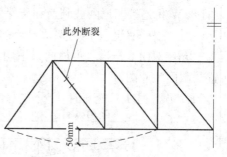

图 4-37 太子河桥斜拉杆断裂示意图

我国沈大铁路线上辽阳附近的太子河桥,跨度 33m,1973 年初大桥桁架的第一根斜拉杆断裂,因此桥架的第二节间下挠达 50mm,如图 4-37 所示。奇怪的是此拉杆断裂后竟然还前后通过 10 次列车而未发生事故。其后立即抢修加固并于 1974 年换了新桥。

此外还有其他大桥因疲劳破坏发生脆性断裂的例子。

第二次世界大战前夕,比利时的阿尔贝尔特(Albert)运河上建造了约 50 座空腹桁架维伦地尔型(Vierendeel Truss)桥梁,采用比利时 St42 转炉钢,为焊接结构。其中卡里莱(Kaulille)大桥,跨度 48.78m,在 $-14℃$ 时脆断下塌。哈塞尔特(Has-selt)大桥,跨度 74.4m,使用 14 个月后于 1938 年 3 月当一辆电车及几个行人通过时,突然断裂。该桥在第一条裂缝展开后发生巨响,6 分钟后掉进河中,断裂时气温为 $-20℃$。亥伦脱尔-

奥兰（Herenthals-Oolen）大桥，跨度60.98m，于1940年1月19日破坏，当时气温为-14℃。其中一条裂缝长达2.1m，宽25mm。但大桥并未倒塌，开裂后5小时一列火车居然平安通过。

据统计，1938~1950年期间比利时共有14座大桥断裂，其中6座是在负温下冷脆断裂的，它们大部分在下弦与桥墩支座的连接处断裂，且应力处于流限状态。由于设计时未考虑应力集中与流限的出现，再加上焊缝质量不好，所以近破坏处有许多发裂。虽然这些桥梁的材料的机械性能符合当时的规范要求，但板材较厚，达35~40mm，焊接后的冲击韧性很差。归纳起来这些大桥断裂的原因主要有：应力集中、残余应力、低温和钢材的冲击韧性A_{kv}值太小等。

加拿大魁北克市的Duplessis大桥建于1947年，是全焊接结构。其中六跨的跨度为54.88m，两跨的跨度为45.73m。在使用27个月后，发现桥的东端有裂纹，于是用新钢板焊补。1951年1月31日在-35℃的低温下彻底断裂坠入河中。经检测，钢材含碳量为0.23%~0.4%，含硫量为0.04%~0.116%，屈服强度为191.3N/mm^2，极限强度为402.2N/mm^2，冲击韧性很低，夹杂物很多。

澳大利亚墨尔本的Kings大桥为焊接腰板多跨结构。大部分为30.49m跨、1.52m高的梁。在使用15个月后，于1962年7月当一辆载重为45t的大卡车驶过其中一跨时，突然破坏，下挠达300mm。后来还是由钢筋混凝土桥面阻止了它的继续破坏。裂缝是由加劲肋与下翼缘的接头处以及下翼缘的盖板母材上开始的，仍是脆性断裂。且裂缝是起始于热影响区，顺着应力集中区和构件厚度突变处展开，横向发展。

【例4-18】 美国桥梁倒塌

1. 明尼苏达州I-35W桥

I-35W桥连接明尼阿波利斯和圣保罗两座城市，建成于1967年。全桥共14跨，总长581m。主桥为三跨连续钢桁架桥，跨越密西西比河，跨径分布为(93+139+93)m。桥面宽32m，双向8车道，但横向只采用了2片主桁。如图4-38所示为I-35W桥主桥立面布置及截面尺寸图。

2007年8月1日晚6时05分左右，在没有任何征兆的情况下桥梁突然垮塌，导致13

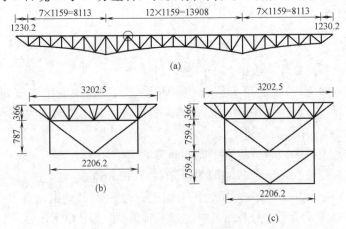

图4-38 I-35W桥主桥立面布置及截面尺寸（cm）
(a) 立面；(b) 跨中截面；(c) 支点处截面

人死亡、145人受伤，事故引起了世界范围内的广泛关注。据录像显示，垮塌最先发生在主桥的中跨，随后边跨向河岸方向倾倒。

事故后的调查认为，垮塌是从中跨10号上节点板断裂开始。资料显示，本桥在1977年和1998年经历了2次大修，混凝土面板平均厚度增加了5cm，桥面护栏的尺寸也有所增加。多个节点板的尺寸在当初设计制造中有严重的误差，厚度只有设计要求的一半左右，大大降低了其承载能力。经过多年运营，杆件的腐蚀情况较严重。事故发生时，桥梁正处于一次维修状态，大型施工机械设备都已就位，而下班高峰期的拥挤车辆将剩余的车道排满，造成严重偏载。综合以上的多种因素，最终导致悲剧的发生。

2. 麦克阿瑟梅兹立交

麦克阿瑟梅兹立交是加利福尼亚州奥克兰一个非常大的立交桥群，连接奥克兰、伯克利和旧金山的5条高速公路在这里交汇，是当地重要的交通节点。其中南向的I-880州际公路从东向的I-580下穿行。

2007年4月29日凌晨4时左右，一辆行驶在I-880上的汽油运输车在变道时翻车，汽油外漏并引发大火，而事故地点就在I-880与I-580相交处。大火导致I-580高架桥的钢盖梁受高温软化并垮塌，进一步导致上部结构2跨倒塌，桥梁倒塌状况如图4-39所示。

图4-39 麦克阿瑟梅兹立交大火后的桥梁倒塌状况

I-880修建于1998年，主梁为预应力混凝土箱梁；I-580建于1955年，主梁为钢-混叠合梁，桥墩盖梁也采用了钢结构。事故后的调查表明，I-880虽然是事故发生地，并且经历上部梁体坍落时的冲击，却损坏不严重。通过进行一些简单的修复和在梁底加支撑，约8天后即恢复了交通。2004年3月25日，在康涅狄格州布里奇波特也发生了一起因油罐车起火而引发桥梁倒塌的事故。在该事故中，桥面板下的钢主梁在高温下软化，导致桥梁严重下挠。

3. 其他美国钢桥垮塌事故

位于美国威斯康星州密尔沃基的霍安（Hoan）桥为三跨连续梁，主梁为钢-混凝土叠合梁。2000年12月13日，桥梁出现66m边跨的3根钢主梁中的2根脆断，导致桥梁下挠的情况。经查，其倒塌原因为寒冷天气下钢材脆断。

位于美国俄克拉荷马州韦伯斯福尔斯的I-40阿肯色（Arkan-sas）河桥为钢-混凝土叠合梁结构，2002年5月26日，因为驳船偏航，撞击非通航孔的桥墩，致使三跨梁垮塌。

位于美国康涅狄格州布里奇波特的I-95霍华德（Howard）街跨线桥主梁为钢梁，2004年3月25日，因为追尾事故导致油罐车撞上防护栏，燃油泄漏并引发大火。大火烧至1800～2000℃，钢梁软化。

位于美国科罗拉多州戈尔登的科罗拉多州R470跨线桥为钢-混凝土叠合梁结构，2004年5月15日在跨线桥拓宽施工过程中，用于拓宽桥梁的钢梁因临时支撑构件失效，导致坍塌。

位于美国华盛顿州奥克维尔的哈普（Harp）路桥为21m简支梁，主梁为钢-混凝土叠合梁，2007年8月15日因82t的重型挖掘机过桥，导致桥梁直接倒塌。

［例4-18］ 参考文献：孙莉，刘钊. 2000～2008年美国桥梁倒塌案例分析与启示［J］. 世界桥梁，2009（3）：46-49.

4.3.7 板式结构事故

【例4-19】 储罐失稳事故

1. 我国东北某煤气罐失稳

我国东北某地，建一座5000m³的升降式煤气罐。建成后按规定要求验收试气，检查其密封性。试验时，用压缩空气进气，气罐活动部分逐渐上升，满载后停留若干小时检查，并未发现漏气，验收通过。然后放气，让气罐活动部分下落，结果因泄压过速致使气罐失稳下塌，整个工程报废。事故的主要原因是：检查不漏气合格后，疏忽大意，结果放气速度过快，使罐内形成小的真空负压。罐壁很薄，受张力本无问题，但在外压、内负压的工况下不能承受，于是失稳塌落。

图4-40 储罐失稳凹瘪情况

2. 某圆筒固定拱顶储罐失稳

大型立式圆柱拱顶常压储罐在石油化工行业中应用十分广泛，其直径和高度尺寸均较大，设计压力较低，壁厚较薄。因此在使用过程中，罐体被压扁、吸瘪或出现波纹的失稳现象是大型立式圆柱拱顶常压储罐常见的破坏形式。

某公司无机化工产品罐区共有大小储罐15台，5dam³（1dam³=1000m³）烧碱金属储罐共有4台，其中1台发生失稳变形。该罐为平底、圆柱形罐身和自支撑式球拱顶结构，设备总高为21.63m，其中直筒体高为18.81m，罐体内直径为18.8m，罐壁由下而上采用逐步减薄的阶梯形变截面形式，材质为S30408，2013年9月14日下雷雨（雨量达124mm，风力达到9级以上），其中1台5dam³碱罐的罐体上部发生局部失稳变形，如图4-40所示，其中A处最大凹陷为329mm，B处最大凹陷为127mm，C处最大凹陷为406mm。

碱罐发生失稳变形时，碱罐内液位仅为10%，出罐碱流量为130m³/h，罐内碱液温度为71.5℃。气温骤降时，热效应引起的储罐吸气量非常之大，它与储罐内气相空间和温度变化率成正比。由于气温变化（包括骤降大雨造成的罐内气相温度下降）引起的吸气量为1027.4m³/h暴雨引起罐内补气跟不上造成罐内真空倾向，而大风直接作用在迎风面罐体外壁使罐体承受外压，且风压大小与高度成正比。二者叠加的结果使部分罐壁承受的外压超过了罐体承受外压的临界压力，导致局部罐壁产生失稳凹瘪现象。

［例4-19］ 参考文献：杜旭华. 5dam³圆筒固定拱顶储罐失稳分析和修复［J］. 炼油技术与工程，2014，44（11）：50-53.

【例4-20】 各国容器的脆性破坏实例

1979年12月，我国吉林某液化气罐发生爆炸。该罐直径9m，钢板厚15mm，内储5

个大气压的液化气。该液化气罐于 1977 年制成并使用。由于对接焊缝局部未焊透，有一微裂缝，使用近 3 年过程中逐渐扩展，终于在气温约-20℃时发生低温脆断。

1989 年 1 月，内蒙古某糖厂交工使用不久的废蜜储罐在气温－11.9℃时发生爆裂事故，也是由于一些焊缝严重未焊透和质量差引起裂纹严重扩展，导致突发性低温脆断。该罐直径 20m，高 15.76m，罐身共上、下 10 层，由 6～18mm 钢板焊成，容量 5600t，当时实存 4300t，应力尚低。破坏时整个罐体爆裂为五大部分，其中上部 7 层和盖帽甩出后，将相距 25.3m 处糖库的西墙及西南角墙（连续长约 27m 范围）砸倒，废蜜冲击力将相距 4m 处的 6.5m×6.5m 二层废蜜泵房夷为平地，楼板等被推出原址约 21.4m。

截至 1952 年，美国建造的容积大于 8750m³ 的油柜共约 6000 余个，一般直径约 30.5m，高约 12.2m。其中 32 个破坏，有 12 个是全部破坏，其余为局部破坏。

1947 年 10 月，苏联的一个 4500m³ 的油柜在－43℃时破坏。该油柜是用 3 号钢焊成的，裂缝出现在油柜的支座处。油柜的 4 个支柱处应力集中，残余应力太大。经分析，油柜破坏的原因有低温冷脆和应力集中两个方面。

英国福莱（Fawly）市有一个全焊接的大油柜，直径 42.5m，高 16.4m，在 1952 年试水试验时完全破裂。油柜的侧壁由 9 圈不同厚度的钢板围成，底圈厚 28mm，顶圈厚 6mm，侧壁内侧平齐。建成后在底部第一、二两圈对接焊缝上取样检查合格，然后将取样缺口妥善焊补。当油柜加满水时，该取样缺口补焊处出现垂直裂缝，向上延伸 380mm，向下延伸 230mm。于是立刻放水，并在裂缝的上、下两端各钻一个小孔。24 小时后，将裂缝部位全部割除，并重新补焊。待 12 天后再加水试验，当水位升到 14.5m 时，该油柜即刻爆裂，此时气温为 4.5℃。裂缝仍是从原取样补焊处开始，同时垂直向上、下发展，直至整个侧壁全部撕裂，而其最下圈钢板则从油柜底部丁字形焊缝处沿波形曲线撕开。最后，该侧壁整个倒下，摊平在地上。

铆接的钢柜也有不少因脆断而破坏的事例。据统计，1886～1937 年之间约有 13 个铆接钢柜破坏，其中大部分是储油或储水的。如 1919 年 1 月美国波士顿市（Boston）的一个储糖蜜的铆接钢柜破坏，其直径 27.44m，高 15.24m，破坏发生时储存了约 200 万加仑的蜜糖。断裂是突然发生的，好多碎片被抛出相当远的距离，造成生命与财产的巨大损失。

4.3.8 海洋平台事故

石油工业常用的海洋石油平台，由于受恶劣的海洋气候条件影响及受海浪及风荷载的重复作用，加上大多采用力学性能比较差的管节点，海洋石油平台钢结构破坏最常见的形式为疲劳、脆性断裂和整体倾覆等。

【例 4-21】 "海宝"号海洋钻井平台断裂破坏

北海油田所用的"海宝"号海洋钻机台由长 75m、宽 27.5m、高 3.95m 的矩形浮船构成，安装有钻机、井架、减速箱和调节装置。1965 年 12 月 27 日，在气温为 3℃时发生井架倒塌和下沉。当时船上有 32 人，其中 19 人丧生。到事故发生时为止，"海宝"号海洋钻机已运转了约 1345 小时。调查发现，事故由连接杆的脆性破坏引起，该杆破坏时的实际应力低于所用钢材的屈服强度。连接杆的上部圆角半径很小，应力集中系数达 7.0，同时钢材的 Charpy-V 形试件的缺口冲击韧性很低，在 0℃仅为 10.8～31J，并有粗大的晶粒，所有这些因素导致了连接杆的低温脆性断裂。当一根或几根连接杆发生这种脆性断裂后，就会产生动荷载，从而导致整个结构的倒塌。

【例 4-22】 各国海洋钻井平台疲劳

现代海洋钢结构如移动式钻井平台，特别是固定式桩基平台，在恶劣的海洋环境中受风浪和海流的长期反复作用和冲击振动；在严寒海域长期受冰载及流冰随海潮对平台的冲击碰撞；另外低温作用以及海水腐蚀介质的作用等都给钢结构平台带来极为不利的影响。突出问题就是海洋钢结构的脆性断裂和疲劳破坏。其中，疲劳破坏仍是长期未能解决的严重问题，危害着海洋钢结构的安全使用。此外，还有由于海水的侵蚀和静应力长期作用材质脆化而产生的应力腐蚀，即所谓的"静疲劳"。更为严重的是随机荷载下的腐蚀疲劳，高应力集中的钢管节点更是海洋钢结构的薄弱环节。自海洋平台结构兴起的短短几十年来，管节点的疲劳破坏事故已发生多起。如 1965 年 12 月 27 日海宝石号（Sea Gem.）正值准备移位之际，突然发生破坏而倾覆沉没，13 人丧生。事后检验证明主要是由平台支柱贴角焊缝疲劳开裂所致。1966~1967 年间赛德柯（Sedco）型三角形半潜式钻井平台 135-B、-C、-E、-F 都在尾部 $\phi 2.75m$ 的水平撑杆节点发生不同程度的疲劳断裂。海探险号（Sea Quest）在欧洲北海仅经过 89 天的作业就发现了长达 700mm 的疲劳裂纹，其破坏也是始于节点焊缝附近高应力集中造成的裂纹源。又如墨西哥湾的一座固定平台节点焊缝疲劳断裂是由于过多的海生物附着于构件表面，使其直径增大至 600mm，加大了波阻压力，促使疲劳破坏。

1980 年 3 月 27 日 6 时许，英国北海爱科菲斯科油田的 A.L. 基儿兰德号平台突然从水下深部传来一次振动，紧接着一声巨响，平台立即倾斜，短时间内翻于海中，虽经多方抢救，仅生还 89 人，其余 123 人丧生。事后调查分析弄清事故是由于撑杆中水声器支座中疲劳裂纹萌生、扩展、致使撑杆迅速断裂。

由于撑杆断裂致使相邻 5 个支杆因过载而破坏，接着所支撑的承重腿柱破坏，整个平台失去平衡，20 分钟内平台全部倾覆，造成巨大经济损失。

4.4 钢结构的加固

钢结构存在着严重缺陷和损伤或改变其使用条件，经检查和验算结构的强度、刚度及稳定性不能满足要求时，则应对钢结构进行加固或修复。

1. 钢结构的加固

引起加固的原因一般有下列几种：

(1) 由于设计考虑不周或设计错误，以及由于施工质量事故造成的各种缺陷。如桁架节点板设计时未考虑施工拼装误差，造成侧焊缝长度不足；或由于设计漏算荷载，制作中桁架杆件不交汇于一点所产生的附加弯矩引起杆件强度不足；或焊缝厚度不够等。

(2) 使用的钢材质量不符合要求。

(3) 工艺操作的改变引起建筑结构的布置和受力状况发生变化，原有结构不能适应。

(4) 荷载的增加（如屋面增设保温层、厂房内吊车起重量加大、无吊车厂房增设吊车、屋面积灰等）。

(5) 使用过程中的磨损，严重锈蚀和生产事故造成的损害。

(6) 由于地基基础的下沉，引起结构变形和损伤。

(7) 意外损害，如战争破坏，自然灾害（如地震）引起的损害。

2. 钢结构的修复

当结构物的使用条件不变，仅仅由于遭受意外事故，或由于使用不当使结构损坏而需要恢复结构的功能者，称为结构的修复。

修复工作包括：

(1) 钢材和构件裂纹的修复。

(2) 构件与连接损伤和缺陷的修复。

(3) 结构变形的修复等。

进行结构的修复工作前，根据结构构件的重要性和受力状况，应对不做处理的各种缺陷规定许可的限制值。

4.4.1　钢结构加固的基本要求

钢结构加固的一般规定：

(1) 钢结构的加固应根据可靠性鉴定所评定的可靠性等级和结论进行。经鉴定评定其承载能力（包括强度、稳定性、疲劳等）、变形、几何偏差等，不满足或严重不满足现行钢结构设计规范的规定时，则必须进行加固方可继续使用。

(2) 加固后的钢结构的安全等级应根据结构破坏后果的严重程度、结构的重要性（等级）和加固后建筑物功能是否改变，结构使用年限确定。

(3) 钢结构加固设计应与实际施工方法密切结合，并应采取有效措施保证新增截面、构件和部件与原结构和构件连接可靠、形成整体共同工作。

(4) 对于高温、腐蚀、冷脆、振动、地基不均匀沉降等原因造成的结构损坏，提出其相应的处理对策后再进行加固。

(5) 对于可能出现倾斜、失稳或倒塌等不安全因素的钢结构，在加固之前，应采取相应的临时安全措施，以防止事故的发生。

(6) 钢结构在加固施工过程中，若发现原结构或相关工程隐蔽部位有未预及损伤或严重缺陷时，应立即停止施工，会同加固设计者采取有效措施进行处理后方能继续施工。

1. 钢结构加固的计算原则

(1) 在钢结构加固前应对其作用荷载进行实地调查，其荷载取值应符合下列规定：

1) 根据使用的实际情况，对符合现行国家规范《建筑结构荷载规范》的荷载，应按此规定取值。

2) 对不符合《建筑结构荷载规范》规定或未作规定的永久荷载，可根据实际情况进行抽样实测确定。抽样数不得少于 5 个，取其平均值并乘以 1.2 的系数。

(2) 加固钢结构可根据下列原则进行结构承载力和正常使用极限状态的验算：

1) 结构计算简图，应根据结构上的实际荷载、构件的支承情况、边界条件、受力状况和传力途径等确定，并应适当考虑结构实际工作中的有利因素，如结构的空间作用、新结构与原结构的共同工作等。

2) 结构的验算截面，应考虑结构的损伤、缺陷、裂缝和锈蚀等不利影响，按结构的实际有效截面进行验算。计算中尚应考虑加固部分与原构件协同工作的程度、加固部分可能的应变滞后的情况（即新材料的应变值小于原构件的应变值）等，对其总的承载能力予以适当折减。

3) 在对结构承载能力进行验算时，应充分考虑结构实际工作中的荷载偏心、结构变形和局部损伤、施工偏差以及温度作用等不利因素使结构产生的附加内力。

4) 如加固后使结构重量增加或改变原结构传力路径时，除应验算上部结构的承载能力外，尚应对建筑物的基础进行验算。

5) 对于焊接结构，加固时原有构件或连接的强度设计值应小于 $(0.6\sim0.8)f$；不得考虑加固构件的塑性变形发展。当现有结构的强度设计值大于 $0.8f$ 时，则不得在负荷状态下进行加固。

(3) 结构加固中最常用的计算公式如下，遇到其他情况时，可根据上述加固计算的基本原则，参照现行《钢结构设计标准》GB 50017—2017 的有关条件进行计算。

1) 卸荷下的补强加固

在原位置上使构件完全卸荷，或将构件拆下进行补强加固时，构件承载能力按补强或加固后的截面进行计算。其计算方法与新结构相同。

2) 在负荷状态下补强或加固时，应先根据加固时的实际荷载设计值，按强度和稳定验算原构件承载力，仅当承载力富余 20% 或以上时，才允许在负荷状态下进行加固。加固计算分别按下列两种情况进行。

第一种情况：补强加固后，对承受静荷载（或间接承受动荷载），且整体和局部稳定有可靠保证的构件，可按原有构件和加固零部件之间产生塑性内力重分布的原则进行计算。其广义表达式可写成：

$$S/a \leqslant kf\phi \tag{4-1}$$

式中　S——考虑荷载分项系数后的荷载效应；
　　　a——加固后构件截面的几何特性；
　　　ϕ——加固后按整个截面计算的构件稳定系数，当强度计算时 $\phi=1$；
　　　f——钢材的强度设计值；
　　　k——加固折减系数。

第二种情况：补强加固后，对直接承受动荷载，或不符合式 (4-1) 要求的构件，应按弹性阶段进行计算，其广义表达式为：

$$S_1/a_1 + \Delta s/a \leqslant f\phi \tag{4-2}$$

式中　S_1——加固时，作用在原有结构上实际荷载所产生的荷载效应设计值；
　　　a_1——加固时，原有构件的截面几何特性；
　　　Δs——加固后增加的荷载效应，考虑荷载分项系数；
　　　a——加固后构件整个截面的几何特性；
　　　ϕ——加固后按整个截面计算的构件稳定系数，当强度计算时 $\phi=1$。

2. 钢结构加固的设计与施工

钢结构加固的基本程序为：

分析加固依据和资料→加固方案选择→加固设计→加固施工→加固工程验收。

(1) 结构加固设计应具备的基本资料

1) 原有结构的竣工图和施工记录。当缺乏这些资料时，应具有结构现状的测绘资料。

测绘时应注意并详细记录杆件和节点的偏心情况。

2) 原有结构的计算书。

3) 原有结构的损坏、缺陷和锈蚀等情况及其原因分析。

4) 原有结构的建造历史和使用情况。

5) 原有结构钢材的力学性能和化学成分。若缺乏原始资料时，应在原有结构上取样检验。

6) 实际荷载情况，应进行称量和实测。

7) 施工能力等。

(2) 加固方案的选择

钢结构加固的主要方法如下：

1) 改变结构计算图形。

2) 加大原结构构件截面。

3) 连接的加固。

4) 阻止裂纹扩展等。

钢结构采用的连接方法有焊缝连接、铆钉连接、普通螺栓连接和高强度螺栓连接等。钢结合加固一般采用焊接连接和高强度螺栓连接，有依据时亦可采用焊缝和高强度螺栓的混合连接。

1) 对铆接结构一般采用摩擦型高强度螺栓代替铆钉进行加固。当施工确有困难时，亦可用适宜的 B 级普通螺栓来代替铆钉。在任何情况下不允许用 C 级普通螺栓作为加固时的抗剪紧固件。

2) 焊接结构的加固以采用焊接连接为主，但应尽可能避免仰焊。仅当施焊困难，且零件的接触面较紧贴时，才采用摩擦型高强度螺栓作为紧固件。

3) 对轻钢结构杆件，因其截面过小，在负荷状态下不得采用电焊加固。

4) 在受拉构件中，加固焊缝的方向应与构件中拉应力的方向一致。

(3) 加固的设计

钢结构加固的主要设计方法：

1) 减轻荷载，改用轻质材料及其他减少荷载的方法。

2) 改变结构的静力计算图形；采取措施使结构发生符合设计意图的内力重分布，以调整原有结构中的应力，改善被加固构件的受力情况。这样可以减少加固的工作量。

3) 对原结构的均件截面和连接进行补强。

同时应注意以下事项：

1) 钢结构的加固工作是相当复杂的，它不仅要有在技术上合理的加固方案，而且方案的实施尚需生产、施工，必要时还需要科研单位配合。一个好的加固方案不仅技术先进、经济合理、加固效果良好，还要尽可能不影响生产，方便施工。尤其是当前加固工作多出现在改扩建工程中，不影响生产往往成为方案中的一个主要因素。

2) 加固设计应遵守现行《钢结构设计标准》GB 50017—2017，但对具体工程应分别情况灵活处理，如仅是构造上没有满足规范的要求，而使用中并未发生问题，强度足够的，一般均可不必加固。

3) 为尽量减少加固工作量，可采取措施充分发挥原有结构的潜力。尽量不损伤原结构，并保留具有利用价值的结构构件，以避免不必要的拆除或更换。

4) 在负荷状态下加固时，首先应尽量减轻施工荷载，减轻或卸掉活荷载，以减小原有结构构件中的应力。

(4) 钢结构加固的施工

钢结构加固的施工方法有：

1) 卸荷加固：结构损坏较严重或构件及接头的应力很高，或者补强施工不得不临时削弱承受很大内力的杆件及连接时，需要暂时减轻其负荷时采用。对某些主要承受移动荷载的结构（如吊车梁等），可限制移动荷载，这就相当于大部分卸荷了。

2) 从结构上拆下需加固或更新的构件和零件：当结构损坏严重，或原结构的构件、杆件的承载能力过小，无法用补强来达到加固的目的时，需拆下和更新。此时结构的加固工作宜在地面进行，或采取措施使结构、构件完全卸荷，同时应注意当被换的构件、杆件拆下后整个结构的安全。

3) 在负荷状态下加固：这是加固工作量最小、最方便亦较经济的方法。但是在负荷状态下加固时，对原有结构和连接在加固施工时的应力（或承载能力）应有所要求，以保证加固的安全。对结构构件在负荷状态下的加固，要求原有结构构件的承载力富余20%或以上；在负荷状态下加大角焊缝厚度时，原有焊缝在扣除焊接热影响区长度后的承载能力，应不小于外荷载产生的内力，并且构件应没有严重的损坏（破损、变形、挠曲等）。

同时应该注意以下事项：

1) 加固时，必须保证结构的稳定，应事先检查各连接点是否牢固。必要时可先加固连接点或增设临时支撑。

2) 加固时，必须清除原有结构表面的灰尘，刮除油漆、锈迹，以利施工。加固完毕后，应重新涂刷油漆。

3) 对结构上的缺陷、损伤（如位移、变形、挠曲等）一般应首先予以修复，然后再进行加固。加固时，应先装配好全部加固零件。如用焊接连接，则应先两端后中间以点焊固定。

4) 在负荷状态下用焊接连接加固时。应注意：

① 慎重选择焊接参数（如电流、电压、焊条直径、焊接速度等），尽可能减小焊接时输入的热能量，避免由于焊接输入的热量过大，而使结构构件丧失过多的承载能力。

② 确定合理的焊接顺序，以使焊接应力尽可能减小，并能促使构件卸荷。如在实腹梁中宜先加固下翼缘，然后再加固上翼缘；在桁架结构中先加固下弦后加固上弦等。

③ 先加固最薄弱的部位和应力较高的杆件。

④ 凡能立即起到补强作用，并对原构件强度影响较小的部位先施焊，如加固桁架的腹杆时，应先焊好杆件两端节点的焊缝，然后再焊中段焊缝，并且在腹杆的悬出肢（应力较小处）上施焊；如加大角焊缝的厚度时，必须从焊缝受力较低的部位开始施焊；对节点板上腹杆焊缝加固时，应首先加焊端焊缝。

⑤ 采用焊接加固的环境温度应在0℃以上，最好在大于或等于10℃的环境下施焊。

4.4.2 钢结构的加固方法

1. 结构的卸荷方法

结构的卸荷方法要求传力明确、措施合理、确保安全，主要方法有：

(1) 梁式结构，例如工业厂房的屋架可用在下弦增设临时支柱（图4-41a），或组成撑杆式结构（图4-41b）的方法来卸荷。当厂房内桥式吊车有足够强度时，也可支承在桥式吊车上（图4-41c）。由于屋架从两个支点变为多支点，所以需进行验算，特别应注意应力符号改变的杆件。当个别杆件（如中间斜杆）由于临时支点反力的作用，其承载能力不能满足要求时，应在卸荷之前予以加固。验算时可将临时支座的反力作为外力作用在屋架上，然后对屋架进行内力分析。临时支座反力可近似地按支座的负荷面积求得，并在施工时通过千斤顶的读数加以控制，使其符合计算中采用的数值。临时支承节点处的局部受力情况也应进行核算，该处的构造处理应注意不要妨碍加固施工。施工时尚应根据下弦支撑的布置情况，采取临时措施防止支承点在平面外失稳。

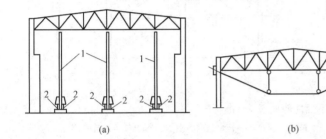 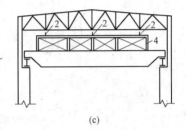

图4-41 屋架卸载示意图
(a) 用临时支柱卸载；(b) 用撑杆式构架卸载；(c) 利用吊车卸载
1—临时支柱；2—千斤顶；3—拉杆；4—支架

(2) 托架的卸荷可以采用屋架的卸荷方法，也可利用吊车梁作为支点使托架卸荷。当吊车梁制动系统中辅助桁架的强度较大时，可在其上设临时支座来支托托架。利用杠杆原理，以吊车梁作为支点，外加配重使托架卸荷的方法也是一种可取的方法，如图4-42所示。通过控制吊重Q，可以较精确地计算出托架卸荷的数量。利用吊车梁和辅助桁架卸荷时，应验算其强度。尤其应注意当利用杠杆原理卸荷时，作为支点的吊车梁所受的荷载除外加吊重Q外，尚应叠加上托架被卸掉的荷载。

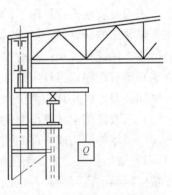

图4-42 托架卸载示意图

(3) 柱子一般采用设置临时支柱卸去屋架和吊车梁的荷载，如图4-43（a）所示。临时支柱也可立于厂房外面，这样可以不影响厂房内的生产（图4-43b），当仅需加固上段柱时，也可利用吊车桥架支

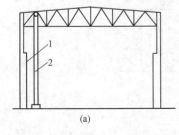 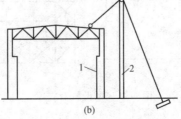 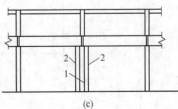

图4-43 柱子卸载示意图
1—被加固柱；2—临时支柱

托屋架使上段柱卸荷。

当下段柱需要加固甚至截断拆换时,一般采用"托梁换柱"的方法,如图 4-44 所示。"托梁换柱"的方法也可用于整根柱子的更换。当需要加固柱子基础时,可采用"托柱换基"的方法。

(4) 工作平台因其高度不高,一般都采用临时支柱进行卸荷。

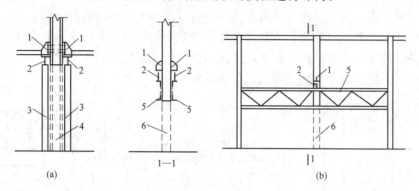

图 4-44 下部柱的加固及截断拆除

1—牛腿;2—千斤顶;3—临时支柱;4—柱子被加固部分;5—永久性特制桁架;6—柱子被拆除部分

2. 改变结构计算图形的加固

改变结构计算图形的加固方法是指采用荷载分布状态、传力路径、支座或节点性质,增设附加杆件和支撑,施加预应力,考虑空间协同工作等措施,对结构进行加固的方法。

采用改变结构计算图形的加固方法时,除应对被直接加固结构进行承载能力和正常使用极限状态的计算外,尚应对相关结构进行必要的补充验算,并采取切实可行的合理的构造措施,保证其安全;同时设计应与施工紧密配合,且未经设计许可,不得擅自修改施工方法和施工程序。另外应在加固设计中规定调整内力(应力)值或位移(应变)值的允许幅度和偏差,以及其检测位置和检验方法。

采用改变结构计算图形的加固方法主要措施有:

(1) 增加结构或构件的刚度

1) 增加屋盖支撑以加强结构的空间刚度,或考虑围护结构的蒙皮作用,以使结构可以按空间结构进行验算,挖掘结构潜力,如图 4-45 所示。

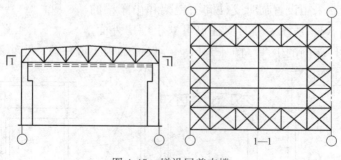

图 4-45 增设屋盖支撑

2) 加设支撑以增加刚度,或调整结构的自振频率等以提高结构承载力和改善结构的动力特性,如图 4-46 所示。

3) 增设支撑或辅助构件以减小构件的长细、以增强构件刚度和提高其稳定,如图 4-47 所示。

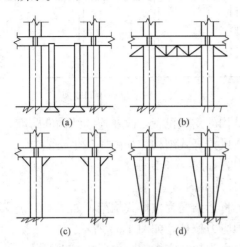
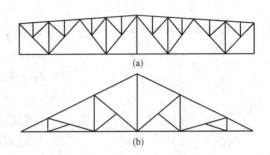

图 4-46 增设支撑构件
(a) 增设梁支柱;(b) 增设梁撑杆;
(c) 梁下加角撑;(d) 梁下加斜立柱

图 4-47 加固杆件提高稳定性
(a) 上弦加固(平面内稳定性);
(b) 斜腹杆加固(平面内稳定性)

4) 在平面框架中集中加强某一列柱的刚度,以承受大部分水平剪力,减轻其他列柱的负荷,如图 4-48 所示。

5) 在塔架等结构中设置拉杆或拉索以加强结构的刚度,减小振动(图 4-49)。

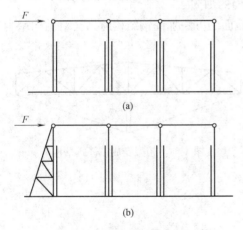
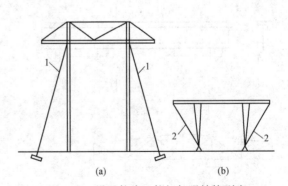

图 4-48 集中加强-列柱的刚度
(a) 加固前;(b) 加固后

图 4-49 设置拉索、拉杆加强结构刚度
(a) 加强输电线支架的刚度;(b) 减少悬臂端的颤动
1—拉索;2—拉杆

(2) 改变构件的弯矩图形

1) 变更荷重的分布情况,例如将一个集中荷载分为几个集中荷载。

2) 变更构件端部支座的固定情况,例如将铰接变为刚接,如图 4-50 所示。

3) 增设中间支座,或将两简支构件的端部连接起来使之成为连续结构,如图 4-51 所示。

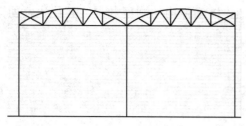

图 4-50　支座由铰接变为刚接　　　　图 4-51　增设中间支座

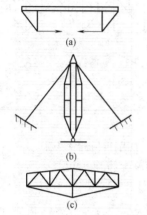

图 4-52　改造成撑杆式结构
(a) 简支梁下设撑杆；
(b) 立柱横向设撑杆；
(c) 屋架下设撑杆

4）调整连续结构的支座位置，改变连续结构的跨度。
5）将构件改变成撑杆式结构，如图 4-52 所示。
6）施加预应力，如图 4-53 所示。

(3) 改变桁架杆件的内力
1）增设撑杆，将桁架变为撑杆式构架，如图 4-54 所示。
2）加设施加预应力拉杆，如图 4-55 所示。
3）将静定桁架变为超静定桁架，如图 4-56 所示。

(4) 与其他结构共同工作形成混合结构改善受力情况
1）增加传递剪力的零件，使钢梁和其上的钢筋混凝土平台板共同工作形成组合梁结构。
2）加强节点和增加支撑，可以使钢屋架与其上的天窗架共同工作，如图 4-57 所示。

3. 加大构件截面的加固

采用加大构件截面的方法加固钢结构时，会对结构基本

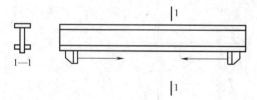

图 4-53　施加预应力

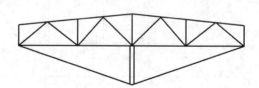

图 4-54　桁架变成撑杆式结构

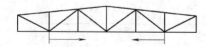

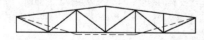

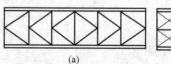 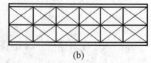

(a)　　　　　　(b)

图 4-56　静定桁架变成超静定桁架
(a) 加固前；(b) 加固后

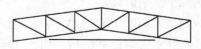

图 4-55　加设预应力拉杆

单元——构件甚至结构的受力工作性能产生较大的影响，因而应根据构件缺陷、损伤状况、加固要求，考虑施工可能，经过设计比较选择最有利的截面形式。同时加固可能是在负荷、部分卸荷或全部卸荷状况下进行，加固前后结构几何特性和受力状况会有很大不同，因而需要根据结构加固期间及前后，分阶段考虑结构的截面几何特性、损伤状况、支承条件和作用其上的荷载及其不利组合，确定计算简图，进行受力分析，以期找出结构的可能最不利受力位置，设计截面加固，以确保安全可靠。

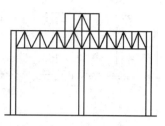

图 4-57　使钢屋架与天窗架共同工作

考虑到钢材硬化、韧性降低、疲劳和断裂的可能，钢结构应根据其所受荷载性质（静力、动力或多次反复）、环境状况（温度、湿度）和结构的连接方法（焊接或螺栓、铆钉连接），即结构的设计工作条件，选择截面以控制其最大名义应变范围（弹性、部分塑性或塑性发展），以保证结构的耐久、安全和节约，并依此划分了结构的工作类别（Ⅰ、Ⅱ、Ⅳ和Ⅴ）。对每类构件加固后强度、刚度、稳定性以及疲劳的计算，具体参见相关文献。这里仅对与加大构件截面加固方法相关的单体构件截面的补强措施作简单介绍。

单体构件截面的补强是钢结构加固中常用的方法。因为这个方法涉及面窄，施工较为简便。尤其是在满足一定的前提条件下可在负荷状态下补强，这对结构使用功能影响较小。有的构件如吊车桁架其主要的加固方法就是加强原构件截面。

选择单体构件截面补强方法时，应注意下列因素：

1）注意加固时的净空限制，要使补强零件不与其他杆件或者构件相碰。

2）采用的补强方法应能适应原有构件的几何形状或已发生的变形情况，以利于施工。

3）应尽量减少补强施工工作量。不论原有结构是铆接结构或是焊接结构，只要其钢材具有良好的可焊性，根据具体情况尽可能采用焊接方法补强。当采用焊接补强时，应尽量减少焊接工作量和注意合理的焊接顺序，以降低焊接应力，并竭力避免仰焊。对铆接结构应以少动原有铆钉为原则。

4）应尽可能使被补强构件的重心轴位置不变，以减少偏心所产生的弯矩。当偏心较大时，应按压弯或拉弯构件复核补强后的截面。

5）补强方法应考虑补强后的构件便于油漆和维护，避免形成易于积聚灰尘的坑槽而引起锈蚀。

6）焊接补强时应采取措施尽量减小焊接变形。

7）当受压构件或受弯构件的受压翼缘破损和变形严重时，为避免矫正变形或拆除受损部分，可在杆件周围包以钢筋混凝土，形成劲性钢筋混凝土的组合结构。为了保证二者的共同工作，应在外包钢筋混凝土的部位上焊接能传递剪力的零件。

（1）型钢梁的补强（图 4-58）

1）从加固效果看，宜上、下翼缘均补强，但当加固上翼缘有困难时（如就地加固两侧有铺板的梁），亦可仅对下翼缘补强，如图 4-58（c）、（d）、（f）、（h）所示。

2）就地加固时更要注意方便施工，有利于保证焊缝质量，尽量避免仰焊。如图 4-58（a）、（h）施焊比较方便，图 4-58（k）、（l）、（m）易于保证焊缝质量。

3）当仅需要在弯矩较大区间补强时，补强零件可不伸到支座处。

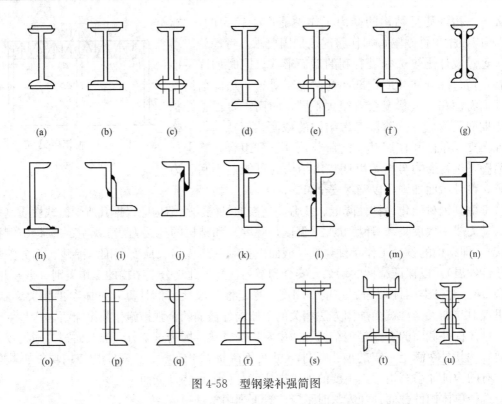

图 4-58 型钢梁补强简图

4）当不允许加大梁高或避免影响其他构件时可采取图 4-58（g）、（u）的方法，但图 4-58（u）的加固效果较差，仅在不得已的情况下采用。

5）图 4-58（n）用于增强梁的整体稳定，图 4-58（t）的上翼缘易积灰、积水，不宜用于室外。

（2）组合梁的补强（图 4-59）

组合梁补强的基本原则与型钢梁相同。其中图 4-59（b）、（c）、（d）、（o）、（p）的补强方法可以不增加梁所占据的净空。但是图 4-59（b）、（c）、（o）所示的方法将翼缘变成了封闭截面，如果在封闭截面的翼缘上需用螺栓连接时，则构造比较复杂，将给施工造成困难，而且为了让补强零件通过，还需要切断梁的横向加劲肋。

图 4-59（d）、（i）所示的补强方法的优点在于可在原位置上施工，但补强效果稍差，而且还要加设新的短加劲肋来代替原有的横向加劲肋，可用于梁的强度相差不太多的情况。

图 4-59（f）可采用高强度螺栓或铆钉来对焊接梁补强，主要用于原有构件钢材焊接性能差，焊缝质量不能保证的情况。

图 4-59（h）所示的对铆接梁的补强方法有较大的缺点，由于要铆上补强的水平翼缘板，需将原翼缘板上的铆钉全部铲除，这样就使原有构件的翼缘板退出工作，势必要求卸去大部分荷载才能进行补强施工，显然这是相当麻烦的。为克服上述缺点，可采用图 4-59（k）所示的补强方法。由于将所补强的水平翼缘板分成两块板，可以先铲除一边的铆钉，铆上一块补强翼缘板。再铲除另一侧铆钉，铆上另一块补强翼缘板，然后将两块补强翼缘板用不焊透焊缝（焊缝深度 4～6mm）对接焊上。为了使补强零件与原构件铆钉孔眼

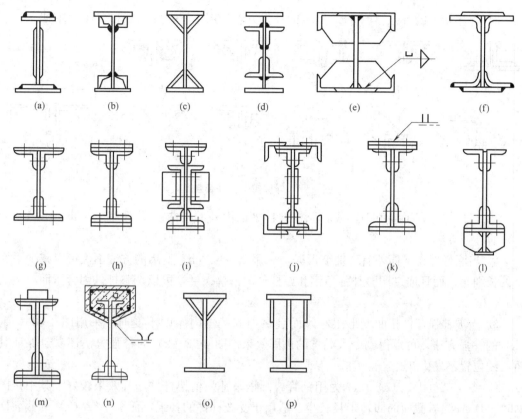

图 4-59 组合梁补强简图

能对准，补强零件上的钉孔宜在现场扩钻成设计孔径，当梁的上翼缘有平台铺板无法对上翼缘补强时，可仅对下翼缘或在梁截面中部补强以改善梁的受力性能（图 4-59d、e、l），当梁腹板抗剪强度不足时，可采用竖板补强腹板的方法（图 4-59a、j），此时补强的竖板应延伸至梁的支座处；当腹板稳定性不够时，则可增设加劲肋来补强；图 4-59（p）适用于吊车梁的补强；图 4-59（n）是在受压翼缘已发生变形且难以矫正时，用钢筋混凝土对上翼缘进行补强。

（3）铆接和焊接桁架的补强

1）铆接桁架采用铆钉或高强度螺栓补强（图 4-60）：当铆接桁架的钢材可焊性差，无法用焊接来补强时，可用铆钉或高强度螺栓来作补强用的紧固件。

2）铆接桁架的焊接补强（图 4-61）：当铆接桁架的钢材有较好可焊性时，采用焊接作为补强的连接手段可以大大地方便施工。

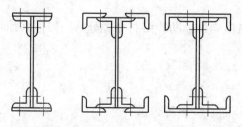

图 4-60 铆接桁架铆钉或高强度螺栓补强

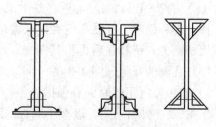

图 4-61 铆接桁架的焊接补强

3) 焊接桁架的补强：图 4-62 所示的补强方法适用于屋架的弦杆和腹杆的补强。

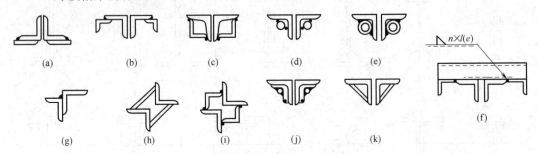

图 4-62　焊接桁架杆件补强

① 当杆件上有拼接角钢，或者原杆件在平面内外的扭曲变形不大时，可采用图 4-62 (a) 的补强方法。

② 当原杆件在平面外有弯曲变形时，采用图 4-62 (b) 所示的方法不仅可以减少平面外的长细比，而且通过调整补强角钢和原杆件的搭接长度，可以调整杆件因旁弯而产生的偏心。

③ 当被补强杆件扭曲变形很小，而且在加固范围内厚度不变时，采用图 4-62 (c)、(k) 的补强方法，可以得到令人满意的加固效果。图 4-62 (k) 的补强方法还易于保证其重心线位置不发生变化。

④ 图 4-62 (d)、(e) 所示为用钢管或圆钢来补强桁架杆件，其效果较好。其中按图 4-62 (d) 补强后截面的回转半径较小，适用于受拉杆件的补强，而图 4-62 (e) 的截面回转半径较大，故亦可用于补强受压杆件。

⑤ 图 4-62 (f) 适用于桁架上弦杆的补强。

⑥ 图 4-62 (g)、(h)、(i)、(j) 主要用于补强腹杆。

(4) 铆接和焊接吊车桁架的补强

吊车桁架的下弦常采用水平板进行加强；其上弦由于既承受轴向力又承受局部弯矩，所以补强时应既要增加杆件截面面积，又要增加其抗弯刚度。当用竖向板来补强时，竖向腹板的外伸长度如果大于 15 倍厚度，必须增设镶边角钢或钢板，并将其与节点板相连接。如果上弦杆原有竖向腹板不满足这一要求，亦应补强。

(5) 柱子的加固（图 4-63）。

图 4-63 (d)、(i)、(n) 所示的补强形式由于形成了封闭空间，不易维护。为防止锈蚀，应在端部用堵板封闭，或用混凝土填塞。图 4-63 (j) 的补强方式由于要将原有翼缘板的铆钉铲除才能铆上补强钢板，因此原有翼缘板将暂时退出工作，故柱子需要卸荷。图 4-63 (k) 的补强形式对轴心受压柱效果较好。

柱截面补强时，补强零件在柱长度范围内与横向加劲肋或缀材相碰处，一般应将加劲肋或缀材割去，待补强后再将其恢复。

(6) 柱脚的补强（图 4-64）

1) 底板厚度不够时的补强措施：

① 添设柱脚加劲肋，以减小底板的跨度，从而减少底板弯矩。

② 当增设加劲肋有困难时，也可在柱脚空间灌以强度等级不低于 C15 的混凝土直达

柱脚顶面。为了增加柱脚与混凝土之间的粘结力,应将柱脚范围内钢材表面的油漆和铁锈除净,并焊上间距150mm左右、直径16～20mm的锚筋。若粘结力仍不足以传递底板反力,则可在紧靠柱脚的柱肢上焊以刚性横梁,然后再在柱脚和刚性横梁间用混凝土填塞,使刚性横梁作为混凝土块体的支托(图4-64a)。

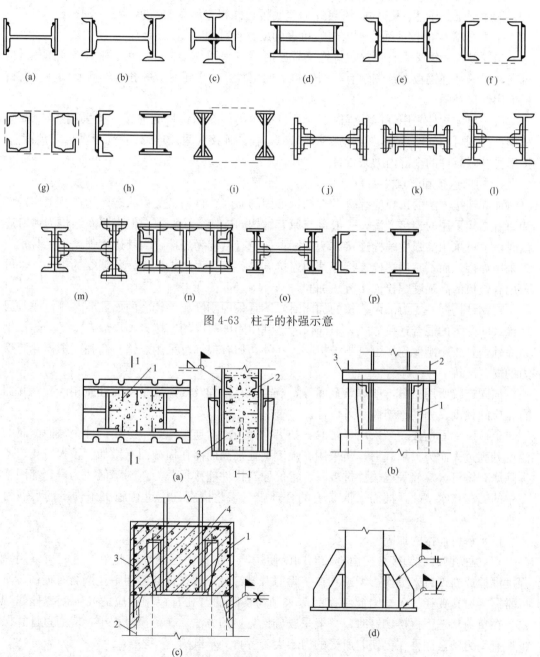

图4-64 柱脚补强示意

2) 柱脚锚栓强度不够时的补强:

① 当柱脚下的钢筋混凝土基础较宽时,可在基础上钻孔,用环氧砂浆埋设附加螺栓。

新增锚栓的拉力通过特制的刚性挑梁传递给柱脚的原有靴梁上（图4-64b）。选择附加柱脚锚栓的截面时，偏安全考虑一般不计入原有锚栓的作用。

② 将整个柱脚包以钢筋混凝土。新加的竖向钢筋均要钻孔用环氧砂浆锚固于原有基础中，并要处理好新旧混凝土的结合面，使新浇的混凝土与基础成为一个整体（图4-64c）。

③ 柱脚底板面积不够时，可对焊加宽底板，并相应加宽加劲肋（图4-64d）。

④ 柱脚靴梁的抗剪强度不够时，可设辅助钢板补强（图4-64e）。

当原结构为铆接，且钢材可焊性又较好时，可采用焊接补强。为了避免铲除旧铆钉，可在新增的补强钢板上预先钻有与旧铆钉头的位置、大小相对应的孔，然后紧贴在原有钢板上用焊接补强。

(7) 单体构件采用焊接补强时，对梁、柱等构件新旧钢材的连接一般采用连续焊缝；桁架杆件则可用间断焊缝，但补强零件与节点板的连接应采用连续焊缝，且焊缝的强度应按承受补强零件的全部内力来设计。

4. 构件连接和节点的加固

加固连接方法的选择应综合考虑结构加固的原因、目的、受力状态、构造及工作条件和原有结构采用的连接方法，一般可与原有结构的连接方法一致。但当原有结构为铆钉连接时，也可采用高强度螺栓连接方法加固；如原有结构为焊接，当其连接强度不足时，应该采用焊接，而不宜用螺栓连接等其他连接方法；但当为防止板件疲劳裂纹的扩展，也可采用有盖板的高强度螺栓连接方法加固。

在钢结构同一受力部位连接的加固时，不宜采用刚度相差较大的如焊缝与铆钉或普通螺栓共同受力的混合连接方式，但当仅考虑其中刚度较大的连接（如焊缝）承受全部作用力除外，且较小刚度连接也可不予拆除。此外，如有根据可采用焊缝与高强度螺栓共同受力的混合连接。

加固连接所用材料，如焊条金属等，应与原有结构及其连接材料的性质相匹配，并拥有相应的强度、韧性、塑性和可焊性。

负荷下加固连接，当采用焊接时，如沿构件横截面连续施焊，会使构件全截面金属的温度升高过大而失去承载力；当采用高强度螺栓加固而需在横截面上增加、扩大钉孔，或拆除原有铆钉、螺栓等连接件过多时，常使原有构件连接承载力急剧降低。为避免加固施工中的工程技术事故，都需采取必要的合理施工工艺措施且应进行施工条件下的承载力核算。

(1) 铆钉连接的加固

1) 更换铆钉：铆接结构由于长时间的使用，有的铆钉已松动或脱落，这时可以用高强度螺栓或新铆钉来更换。考虑到在铲除原有铆钉时，或在长期使用中孔壁会有损伤，所以常需将钉孔孔径扩大；因此替换时应采用与实际的钉孔直径相适应的高强度螺栓或铆钉。在负荷状态下更换铆钉时，一般采取分批更换的方法。在更换过程中，应通过计算保证所有受力的紧固件在更换时所受的力不大于各自的承载力。

2) 当连接中铆钉所受之力超过其承载力时，应钻孔增加新铆钉或高强度螺栓。补强后的高强度螺栓之间，或高强度螺栓与原有铆钉之间的间距不得小于$3d$；新加铆钉与原有铆钉之间的间距不得小于$2.5d$（d为较大的高强度螺栓或铆钉的直径）。

3) 铆接连接的焊接加固应按铆钉不参加工作，连接所承受的力全部由焊缝承担的原则来设计焊缝,如果按此原则计算出的焊缝过长,或焊缝过厚,则可以假定原有铆钉只承担原有结构的永久荷载,而由焊缝承受由于改、扩建所增加的永久荷载和全部可变荷载产生的内力。

4)无论是在卸荷状态或在负荷状态下,铆接连接用高强度螺栓或用铆钉加固时,可考虑高强度螺栓或新加铆钉和原有铆钉共同工作。加固后连接的承载能力按下列公式计算。

① 用高强度螺栓加固时:

$$N = N_{0r} + N_{nb} \tag{4-3}$$

式中 N——连接的总承载力;

N_{0r}——原有铆钉的承载力;

N_{nb}——新加的高强度螺栓的承载力,且不应低于其相应铆钉承载力的 1.1 倍。

② 用铆钉加固时:

$$N = N_{0r} + 0.65 N_{nr} \tag{4-4}$$

式中 N_{nr}——新加铆钉的承载力。

当用式 (4-4) 求得的总承载力 N 小于 $0.9 N_{nr}$ 时,则取 $N=0.9 N_{nr}$(式中 0.9 为高空铆钉的承载力折减系数)。

(2) 高强度螺栓连接的加固

1) 用增加新的同类型高强度螺栓来加固时,应遵守螺栓连接的构造要求。加固后连接的承载能力按下式计算:

$$N = N_{0b} + N_{nb} \tag{4-5}$$

式中 N_{0b}——原有高强度螺栓的承载力。

2) 摩擦型高强度螺栓连接亦可采用侧面角焊缝加固。记新加焊缝的承载力 N_w 与原有高强度螺栓的承载力 N_b 的比值为 $\beta(=N_w/N_b)$,摩擦型高强度螺栓与侧焊缝并用连接的承载力可按下列公式计算:

当 $\beta < 0.5$ 时, $\quad N = N_w \tag{4-6}$

当 $0.5 \leqslant \beta < 0.8$ 时, $\quad N = 0.75 N_w + N_b \tag{4-7}$

当 $0.8 \leqslant \beta < 2.0$ 时, $\quad N = 0.9 N_w + 0.8 N_b \tag{4-8}$

当 $2 \leqslant \beta < 3$ 时, $\quad N = N_w + 0.75 N_b \tag{4-9}$

当 $\beta > 3$ 时, $\quad N = N_b \tag{4-10}$

式中 N——连接的总承载力;

N_w——焊缝的承载力;

N_b——高强度螺栓的承载力。

高强度螺栓连接的板件连接接触面处理应按设计要求和《钢结构设计标准》及《钢结构工程施工质量验收规范》的规定进行,当不能满足要求时,应进行摩擦面的抗滑移系数试验。

(3) 焊接连接的加固

1) 角焊缝可采用增加焊缝长度(包括增加正面焊缝)和加大焊脚尺寸 h_f 的方法来补强。

2) 焊接连接可以在卸荷状态下或负荷状态下用电焊进行补强。加长原有角焊缝的方

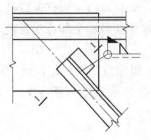

图 4-65 加焊短向板

法可以通过加大节点板或加焊短斜板，来加长焊缝（见图 4-65）。当加焊短斜板时，短斜板与节点板连接焊缝的强度应为短斜板与腹杆连接焊缝强度的 1.5 倍。当在完全卸荷状态下补强，焊缝的强度计算与新设计时相同；而在负荷状态下用焊接补强时，其承载力的计算如下：

① 在负荷状态下加长焊缝时，其承载力按下式计算：

$$N = A_{0w}f_{wf} + \beta \Delta A_w(f_{wf} - 0.5\tau_f) \tag{4-11}$$

式中 N——连接的总承载力；
A_{0w}——补强前原有焊缝的计算面积；
f_{wf}——角焊缝的强度设计值；
β——应力分布系数。当补强前连接仅为侧面焊缝时，$\beta=1$；当补强前连接既有侧面焊缝又有正面焊缝时，$\beta=0.7$；
ΔA_w——补强后增加的角焊缝的计算面积；
τ_f——补强时连接中焊缝的计算剪向力。

② 当仅加焊正面焊缝时：

$$N = A_{0w}f_{wf} + 0.9\Delta A_w f_{wf} \tag{4-12}$$

③ 当采用加大角焊缝焊脚尺寸的方法来补强时，应按下述的两种情况来验算：

a. 在加厚施焊中按式（4-13）验算焊缝在补强阶段的承载力：

$$N_c \leqslant h_{0e}(l_w - C)f_{wf} \tag{4-13}$$

式中 N_c——在补强阶段连接中的内力；
h_{0e}——补强前角焊缝原有的有效厚度；
l_w——角焊缝的计算长度；
C——补强时，由于焊接加热而退出工作的焊缝长度，其值可根据被焊接的金属总厚度和被补强焊缝的焊脚尺寸由图 4-66 查得。

b. 补强后焊缝的承载能力按下式计算：

$$N = 0.8h_{ne}l_w f_{wf} \tag{4-14}$$

式中 h_{ne}——补强后角焊缝的有效厚度；

0.8 为带负荷补强的折减系数，该系数已考虑高空焊接施工条件较差的影响。

3）焊接连接亦可用摩擦型高强度螺栓进行补强，此时宜采用较大直径的高强度螺栓，而且值 $\beta(=N_w/N_b)$ 宜大于 0.5。补强后连接的承载力可按式（4-15）计算：

$$N = N_{0w} + 0.5N_{nb} \tag{4-15}$$

式中 N_{0w}——原有焊缝的承载力；
N_{nb}——新加高强度螺栓的抗滑移承载力。

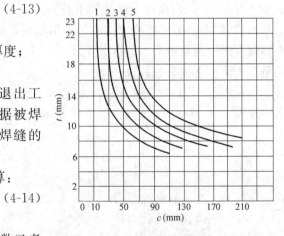

图 4-66 焊接加热而退出工作的焊缝长度表
$1-h_c^0=4$；$2-h_c^0=6$；$3-h_c^0=8$；
$4-h_c^0=10$；$5-h_c^0=12$

4) 焊接连接补强的构造和施工要求

① 焊缝连接加固时,新增焊缝应尽可能地布置在应力集中最小、远离原构件的变截面以及缺口、加劲肋的截面处;应该力求使焊缝对称于作用力,并避免使之交叉;新增的对接焊缝与原构件加劲肋、角焊缝、变截面等之间的距离不宜小于100mm;各焊缝之间的距离不应小于被加固板件厚度的4.5倍。

② 对双角钢与节点板连接的焊缝加固时,宜先从一个角钢一端受力较小的肢尖焊缝加固施焊,再施焊此角钢另一端的肢尖焊缝,然后依次施焊其两端的肢背焊缝和另一角钢的焊缝。

③ 用盖板加固受有较繁重动力荷载作用的构件时,盖板与构件连接宜平缓地过度(参见图4-67),以减少应力集中和焊接残余应力。

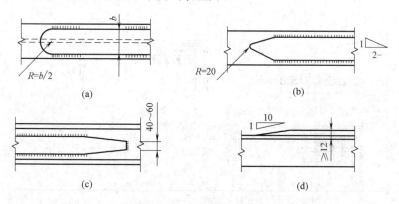

图4-67 加固盖板的端部构造

(a) 半圆形端板的加固盖板;(b) 角形端板的加固盖板;(c) 梁腹板的三角形端的加固盖板;(d) 盖板端的厚度改变

④ 结构的焊接加固,必须由有较高焊接技术级别的焊工施焊,施焊镇静钢板的厚度不大于30mm时,环境空气温度不应低于-15℃,当厚度大于30mm时,温度不应低于0℃,当施焊沸腾钢板时,温度应高于5℃。

⑤ 当采用加长焊缝来补强时,宜选用低氢型焊条。焊条直径不得大于4mm,焊接电流不得大于220A。每一道焊缝的焊脚尺寸应不超过6mm。当焊脚尺寸超过6mm时,应分多道进行焊接,且其层间温度应低于100℃。

⑥ 当采用加厚用焊缝焊脚尺寸的方法来补强时,除应遵守上述对焊条的规定外,其焊接电流一般遵守下述规定:

平焊:电流值为160~200A;

立焊:电流值为120~160A;

仰焊:电流值为110~150A。

加厚焊脚尺寸时,每一道焊缝的焊脚尺寸的增高量应不超过2mm。当超过2mm时,应分多道补焊,其层间温度亦应低于100℃。

(4) 节点板和连接的加固

在桁架中,当腹杆内力增加时,除应考虑杆件、连接的加固外,还应对节点板的强度和稳定性进行验算。苦不能满足要求时,宜加大节点板,或采取其他措施,以减少腹杆传给节点板的内力。当节点板自由边长度大于$912t_p\sqrt{f_y}$时(t_p为节点板厚度),应补焊加劲肋加强(图4-68e)。

图 4-68 列出连接加固的示例均为国内加固工程中常用的一些典型做法。

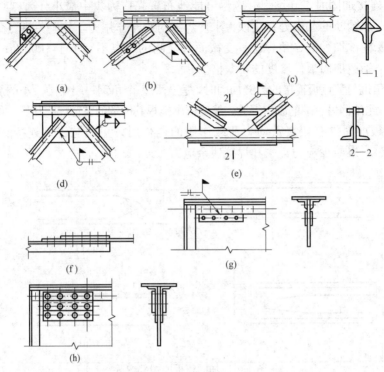

图 4-68 连接加固示意图

图 4-68 (a) 为铆接连接中增加附加短角钢,以增设铆钉;图 4-68 (b)、(d) 均为加大节点板以增加铆钉或加长焊缝;图 4-68 (c) 为加焊短斜板以加长焊缝;图 4-68 (e) 节点板自由边长度太大 ($912t_p \sqrt{f_y}$) 时,用加焊加劲肋予以加强;图 4-68 (f) 为把单剪铆钉变成双剪铆钉,以增加连接强度;图 4-68 (g)、(h) 为梁翼缘铆钉的加固方法。

4.4.3 负荷状态下钢构件加固的计算

1. 一般规定

(1) 对被加固的钢构件来说,其设计工作条件可分为 Ⅰ、Ⅱ、Ⅲ 和 Ⅳ 类,见表 4-10。

被加固的钢构件设计工作条件分类 表 4-10

类别	使 用 条 件
Ⅰ	特繁重动力荷载作用下的焊接结构
Ⅱ	除Ⅰ外直接承受动力荷载或振动荷载的结构
Ⅲ	除Ⅳ外仅承受静力荷载或间接动力荷载作用的结构
Ⅳ	受有静力荷载并允许按塑性设计的结构

(2) 负荷下焊接加固钢构件,加固时的初始最大名义应力 σ_{0max} 应按以上结构类别予以限制:对于 Ⅰ、Ⅱ 类结构分别为 $|\sigma_{0max}| \leqslant 0.2 f_y$ 和 $|\sigma_{0max}| \leqslant 0.4 f_y$;而对于 Ⅲ、Ⅳ 类结构分别为 $|\sigma_{0max}| \leqslant 0.65 f_y$ 和 $|\sigma_{0max}| \leqslant 0.8 f_y$。

(3) 在进行加固构件整体稳定计算时，钢材强度设计值采用换算强度设计值 f^*，f^* 的取值如下：

当 $f_0 \leqslant f_s \leqslant 1.15 f_0$ 时，取 $f^* = f_0$；

当 $f_s > 1.15 f_0$ 时，取 $f^* = \sqrt{K_A K_i f_0}$；

式中　$K_A = (A_s f_s + A_0 f_0) / [(A_s + A_0) f_0]$；$K_i = (I_s f_s + I_0 f_0) / [(I_s + I_0) f_0]$

　　f_0、f_s——分别为构件原用钢材和加固用钢材设计值；

　　A_0、A_s——分别为加固构件原有截面和加固的截面面积；

　　I_0、I_s——分别为加固构件原有截面和加固截面对加固后截面形心主轴的惯性矩。

(4) 补强后的受弯构件和压弯构件，不宜考虑截面的塑性发展系数。另外钢构件补强后，应注意截面形心的偏移，计算时应将偏心的影响包括在加固后增加的荷载效应内，但当形心的偏移值小于5%截面高度时，可忽略其影响。

(5) 对加固后的Ⅰ、Ⅱ类钢构件，必要时应对其剩余疲劳寿命进行专门研究。

2. 轴心受力构件

(1) 强度计算

$$N/A_n \leqslant \eta_n f \quad (4-16)$$

式中　N——加固后构件的总轴力；

　　A_n——加固后构件的净截面积；

　　f——截面中最低强度级别钢材的强度设计值；

　　η_n——轴心受力加固构件的强度修正系数，对双侧加固，按表4-11取值；对表4-11系数的0.9倍取值。

η_n 系数取值　　　　表 4-11

类别 方法	Ⅰ、Ⅱ类结构		其他结构				
	轴心受拉	轴心受压	轴心受拉	轴心受压			
				$\sigma_{0max}/f \leqslant 0.2$	$0.2 < \sigma_{0max}/f \leqslant 0.4$	$0.4 < \sigma_{0max}/f \leqslant 0.65$	$\sigma_{0max}/f > 0.65$
焊接加固	0.85	0.70	0.90	0.80	0.75	0.70	—
螺栓连接、铆钉连接加固	0.85	0.85	0.90	0.90	0.85	0.80	0.75

(2) 稳定验算

$$N/\phi A \leqslant \eta_n f^* \quad (4-17)$$

式中　A——构件加固后的截面面积；

　　ϕ——轴心受压构件整体稳定系数，按现行国家标准《钢结构设计标准》GB 50017—2017 相应屈服强度钢材的C类截面系数表格查取。

3. 拉弯和压弯构件

(1) 强度计算

$$N/A_n \pm (M_x + N\omega T_x)/\gamma_x W_{nx} \pm (M_y + N\omega T_y)/\gamma_y W_{ny} \leqslant \eta_{EM} f \quad (4-18)$$

式中　N、M_x、M_y——分别为构件承受的总轴力、绕x轴和y轴的总最大弯矩；

　　A_n、W_{nx}、W_{ny}——分别为计算截面净截面面积、对x轴和y轴的净截面抵抗矩；

　　ωT_x、ωT_y——构件对x轴和y轴的总挠度；

γ_x、γ_y——塑性发展系数,对Ⅰ、Ⅱ、Ⅲ类结构构件,取 $\gamma_x=\gamma_y=1.0$;对Ⅳ类结构构件按现行国家标准《钢结构设计标准》GB 50017—2017 的规定采用;

η_{EM}——拉弯或压弯加固构件的强度修正系数,对于双侧加固,按表 4-12 取值;对于单侧加固,按表 4-12 系数的 0.9 倍取值。

η_{EM} 系数取值   表 4-12

方法\类别	Ⅰ、Ⅱ类结构	其他结构				
		$N/A_n \leqslant 0.55f_y$				$N/A_n > 0.55f_y$
		$\sigma_{0max}/f \leqslant 0.2$	$0.2 < \sigma_{0max}/f \leqslant 0.4$	$0.4 < \sigma_{0max}/f \leqslant 0.65$	$\sigma_{0max}/f > 0.65$	
焊接加固	0.80	0.85	0.80	0.75	—	按 η_n 取值
螺栓连接、铆钉连接加固	0.80	0.90	0.85	0.80	0.75	按 η_n 取值

(2) 稳定验算

1) 压弯构件弯矩作用平面内稳定

$$N/\phi_x A + (\beta_{mx}M_x + N\omega_x)/[\gamma_x W_{1x}(1-0.8N/N_{Ex})] \leqslant \eta_{EM} f^* \quad (4-19)$$

式中 ϕ_x——弯矩作用平面内的轴心受压构件的整体稳定系数,按现行国家标准《钢结构设计标准》GB 50017—2017 相应屈服强度钢材的 C 类截面系数表格查取;

N_{Ex}——欧拉临界力;$N_{Ex}=\pi^2 EA/\lambda_x^2$;

λ_x——长细比;

γ_x、γ_y——塑性发展系数,对Ⅰ、Ⅱ类结构构件,取 $\gamma_x=\gamma_y=1.0$;对Ⅲ、Ⅳ类结构构件按现行国家标准《钢结构设计标准》GB 50017—2017 的规定选用;

ω_x——构件对 x 轴的初始挠度 ω_{0x} 及焊接加固残余挠度 ω_w 之和,参见式(4-28);

W_{1x}——弯矩作用平面内较大受压纤维的毛截面抵抗矩;

β_{mx}——等效弯矩系数,按现行国家标准《钢结构设计标准》GB 50017—2017 的规定采用。

对轧制或组合成的 T 形和槽形单轴对称截面,当弯矩作用在对称轴平面且使较大受压翼缘受压时,除应按公式(3-19)验算外,尚应按下式验算:

$$|N/A - (\beta_{mx}M_x + N\omega_x)/[\gamma_x W_{2x}(1-1.25N/N_{Ex})]| \leqslant \eta_{EM} f^* \quad (4-20)$$

2) 压弯构件弯矩作用平面外稳定

$$N/\phi_y A + \eta(\beta_{tx}M_x + N\omega_x)/\phi_b W_{1x} \leqslant \eta_{EM} f^* \quad (4-21)$$

式中 ϕ_y——弯矩作用平面外的轴心受压构件的整体稳定系数,按现行国家标准《钢结构设计标准》GB 50017—2017 相应屈服强度钢材的 C 类截面系数表格查取;

η——截面影响系数,闭口截面 $\eta=0.7$,其他截面 $\eta=1.0$;

ϕ_b——均匀受弯曲的受弯构件整体稳定系数,按现行国家标准《钢结构设计标准》GB 50017—2017 的规定计算(计算时取 $f_y=1.1f^*$),对箱形截面 $\phi_b=1.4$;

β_{tx}——等效弯矩系数,按现行国家标准《钢结构设计标准》GB 50017—2017 的规定采用。

3) 弯矩作用在两个主平面内时的稳定

$$N/\phi_x A +(\beta_{mx}M_x+N\omega_x)/[\gamma_x W_{1x}(1-0.8N/N_{Ex})]+\eta(\beta_{ty}M_y+N\omega_y)/\phi_{by}W_{1y} \leqslant \eta_{EM}f^* \quad (4\text{-}22)$$

$$N/\phi_y A +(\beta_{my}M_y+N\omega_y)/[\gamma_y W_{1y}(1-0.8N/N_{Ey})]+\eta(\beta_{tx}M_x+N\omega_x)/\phi_{bx}W_{1x} \leqslant \eta_{EM}f^* \quad (4\text{-}23)$$

式中　　　　ϕ_{bx}、ϕ_{by}——均匀弯曲受弯构件的整体稳定系数；对闭口截面取 $\phi_{bx}=\phi_{by}=1.0$；对工字形截面，取 $\phi_{by}=1.0$；ϕ_{by} 可按现行国家标准《钢结构设计标准》GB 50017—2017 的规定计算，计算时取 $f_y=1.1f^*$；

　　　　　　　N_{Ey}——欧拉临界力；$N_{Ey}=\pi^2 EA/\lambda_y^2$；

　　　　　　　λ_y——长细比；

　　　　　　　ω_x——构件对 x 轴的初始挠度 ω_{0x} 与焊接残余挠度 ω_{Wx} 之和；

　　　　　　　ω_y——构件对 x 轴的初始挠度 ω_{0y} 与焊接残余挠度 ω_{Wy} 之和；

　　　　W_{1x}、W_{1y}——分别为弯矩作用平面内外的毛截面抵抗矩；

β_{mx}、β_{my}、β_{tx}、β_{ty}——等效弯矩系数，按现行国家标准《钢结构设计标准》GB 50017—2017 的规定采用。

（3）格构式拉弯和压弯构件的计算

1）弯矩绕虚轴（x 轴）时的平面内稳定

$$N/\phi_x A +(\beta_{mx}M_x+N\omega_x)/[\gamma_x W_{1x}(1-0.8N/N_{Ex})] \leqslant \eta_{EM}f^* \quad (4\text{-}24)$$

式中，ϕ_x、N_{Ex} 由换算长细比确定；而 $W_{1x}=I_x/y_0$，I_x 为加固后截面对 x 轴的毛截面惯性矩，y_0 为由 x 轴到压力较大分肢的轴线距离或者到压力较大分肢的腹板边缘的距离，二者取较大者。

此时，弯矩作用平面外的稳定可不计算，但应计算分肢的稳定性。

2）弯矩作用在两个主平面内稳定性计算

① 按整体计算：

$$N/\phi_x A +(\beta_{mx}M_x+N\omega_x)/[\gamma_x W_{1x}(1-0.8N/N_{Ex})]+(\beta_{ty}M_y+N\omega_y)/\phi_{by}W_{1y} \leqslant \eta_{EM}f^* \quad (4\text{-}25)$$

式中，ϕ_x、N_{Ex} 由换算长细比确定，其余符号意义同前。

② 按分肢计算

在 N 和 M_y 作用下，将分肢作为桁架弦杆计算其轴心力，M_y 可下式分配给两肢，然后按实腹式压弯构件分别验算其稳定性：

分肢 1：　　　　　$M_{y1}=(I_1/y_1)M_y/(I_1/y_1+I_2/y_2)$ 　　　　　（4-26）

分肢 2：　　　　　$M_{y2}=(I_2/y_2)M_y/(I_1/y_1+I_2/y_2)$ 　　　　　（4-27）

式中　I_1、I_2——分肢 1、分肢 2 对 y 轴（实轴）的惯性矩；

　　　y_1、y_2——M_y 作用的主轴平面至分肢 1、分肢 2 轴线的距离。

4. 受弯构件

（1）强度计算

$$M_x/\gamma_x W_{nx} \pm M_y/\gamma_y W_{ny} \leqslant \eta_m f \quad (4\text{-}28)$$

式中　M_x、M_y——分别为加固后构件承受绕 x 轴和 y 轴的总最大弯矩；

　　　W_{nx}、W_{ny}——分别为加固后计算截面对 x 轴和 y 轴的净截面抵抗矩；

γ_x、γ_y——塑性发展系数，对Ⅰ、Ⅱ类结构构件，取 $\gamma_x = \gamma_y = 1.0$；对Ⅲ、Ⅳ类结构构件按现行《钢结构设计标准》GB 50017—2017 的规定采用；

η_m——受弯加固构件的强度修正系数，对双侧加固，按表 4-13 取值；对单侧加固，按表 4-13 系数的 0.9 倍取值。

η_m 系数取值　　　　　　　　　　　表 4-13

方法\类别	Ⅰ、Ⅱ类结构	其他类结构			
		$\sigma_{0max}/f \leq 0.2$	$0.2 < \sigma_{0max}/f \leq 0.4$	$0.4 < \sigma_{0max}/f \leq 0.65$	$\sigma_{0max}/f > 0.65$
焊接加固	0.85	0.90	0.85	0.80	—
螺栓连接、铆钉连接加固	0.85	0.95	0.90	0.85	0.80

(2) 稳定验算

1) 单向弯曲稳定

$$M_x / \phi_b W_{nx} \leq \eta_m f^* \quad (4-29)$$

式中　ϕ_b——均匀受弯曲的受弯构件整体稳定系数，按现行国家标准《钢结构设计标准》GB 50017—2017 的规定计算（计算时取 $f_y = 1.1 f^*$），对箱形截面 $\phi_b = 1.4$。

2) 双向弯曲稳定

$$M_x / \phi_b W_{nx} + M_y / W_{ny} \leq \eta_m f^* \quad (4-30)$$

5. 加固后挠度的计算

(1) 当结构在卸载状态下加固时，其挠度的计算方法与新结构一样；

(2) 当结构在负载下加固时，其总挠度 ω_T 可用下式确定：

$$\omega_T = \omega_0 + \omega_w + \Delta\omega \quad (4-31)$$

式中　ω_0——初始挠度，按实测资料或由加固时荷载和加固前截面特性计算确定；

$\Delta\omega$——挠度增量，按加固后增加荷载标准值和已加固截面特征计算确定；

ω_w——焊接加固时的焊接残余挠度，其值可由下式计算：

$$\omega_w = \delta h_f^2 L_s (2L_0 - L_s) \sum n_j y_j / 200 I_0 \quad (4-32)$$

式中　δ——考虑加固件间断焊缝连续性的系数，按 $\delta = \sum L_{wj}/L_s$ 确定，当为连续焊缝时，取 $\delta = 1.0$，而 L_{wj} 为加固焊缝实际施焊段的长度；

h_f——焊脚尺寸；

L_s——加固件焊缝延续的总长度；

L_0——受弯构件在弯曲平面内的计算长度，简支单跨梁时取梁的跨度；

I_0——原构件截面的惯性矩；

y_j——第 j 条加固焊缝至构件截面形心的距离坐标（自身带正负号）；

n_j——系数，$n_j = 1 - \mu \ln(1-\zeta_j)/\ln 2$，其中 $\zeta_j = \sigma_{0j}/f_y$ 为构件截面 j 条加固焊缝处的初始应力水平系数；μ 为与加固焊缝受力有关的系数，当截面拉、压区有对称加固焊缝时取 $\mu = 1.0$；仅受拉区有焊缝时取 $\mu = 1.5$；仅受压区有焊缝时取 $\mu = 0.7$（计算稳定性时取 $\mu = 0.5$）。

4.4.4　钢构件加固的新技术

近年来，随着钢铁产量的提高、钢材材性的不断改进、钢结构设计理论的发展进步和对于大跨、高层、超高层建筑需求的增加，钢结构的发展和应用突飞猛进。然而，伴随着钢结构建筑数量的增长，钢结构建筑的许多安全问题也逐渐暴露出来。在诸多工程实践中，形成了多种新型钢构件加固技术，以下就几种典型技术作简要介绍。

1. 粘贴钢板加固法

粘钢加固技术是在钢结构表面用特制的建筑结构胶粘贴钢板，依靠结构胶使之粘结形成整体共同工作，以提高结构承载力的一种加固方法，属于一类特殊的增大截面加固法，示意图如图 4-69 所示。该技术施工过程不使用明火，不影响结构外形，所要求工作面小。目前，国内部分学者对粘钢加固技术从试验研究、理论分析和数值模拟等角度开展了研究。卢亦焱等进行了 11 根圆形截面薄壁钢管粘钢加固试验，发现无论是在线弹性阶段还是非弹性阶段，外粘钢板与薄壁钢管能很好地协调工作；同时认为薄壁钢管外粘钢后，其结构形式由原来的单层壳变为由内管-胶层-外粘钢组成的组合结构，从而应用三层轻夹心壳理论计算了粘钢后截面的折合刚度。隋炳强等开展了粘钢法全长加固钢管柱极限承载力研究，提出了粘钢加固轴压杆的计算方法。这些研究成果为粘钢加固的推广应用提供了有效参考。但是，由于加固件与被加固件连接界面的受力复杂，易发生层间开裂，且加固效果很大程度上取决于结构胶层是否能长期正常发挥作用，该类加固方法在一定程度上受到了工程界的质疑。因此，如何保证粘钢加固法在实际工程中应用的安全性，成为重点研究的问题。基于目前的研究成果，在应用时应有两点认识：一是由于利用薄钢板进行粘钢加固的可靠性相对较高，宜对加固板件的厚度进行限制；二是应借鉴传统增大截面加固法的设计思路，通过对粘钢加固法赋予合理的强度折减系数进行加固后的截面设计。

2. 粘贴纤维增强复合材料加固法

纤维增强复合材料（FRP）具有优异的物理、力学性能，如比强度和比刚度高、抗疲劳性能和耐腐蚀性能好、现场可操作性强、施工周期短、不损伤原结构等，目前已广泛用于混凝土结构和砌体结构的加固之中，其中常用的 FRP 有三种，即碳纤维增强复合材料（CFRP）、玻璃纤维增强复合材料（GFRP）和芳纶纤维增强复合材料（AFRP）。对于 FRP 加固钢结构，国内外研究起步较晚，案例较少，主要案例多为输电塔钢结构的抗屈曲加固。由于钢结构的强度和刚度高，因此采用强度和弹性模量相对较高的 CFRP 较为合适，而且除对钢管柱采用 FRP 布进行环向加固之外，宜采用板材对钢构件进行加固。

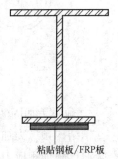

图 4-69 粘贴钢板/FRP 板加固示意图

迄今为止，国内外学者对 FRP 加固钢结构已开展了大量研究工作。其中，国外的研究主要集中于改善受弯构件承载性能及疲劳加固方面；在国内，以国家工业建筑诊断与改造工程技术研究中心等为代表的科研机构，针对 FRP 加固受弯构件和受拉构件进行了较为系统的试验研究，近年来又开展了大量 FRP 抗屈曲加固钢构件的研究工作。对于 FRP 加固钢结构，需要着重关注 FRP 和钢结构之间的粘结性能，国内外学者对多种结构胶粘结的盖板搭接节点进行了试验研究，并对钢与 FRP 界面的受力机制进行了研究，得到了碳纤维布拉伸应变、粘结剪应力和有效粘结长度的计算公式。合肥工业大学完海鹰等还开展了 CFRP 布加固圆钢管和方钢管柱的静力试验和数值分析，为钢管构件的 FRP 加固设计提供了参考。这些研究成果将为形成粘贴纤维增强复合材料加固法设计公式提供科学支撑，以获得加固后截面的强度折减系数。此外，针对胶层对应力集中效应和温度的敏感性，应注意对 FRP 板端等应力集中位置采取合理的构造措施，并控制加固构件的服役环境温度不宜过高。

3. 组合加固法

目前用于钢结构的组合加固法主要包括两种：内填混凝土加固法（图 4-70a）和外包混凝土加固法（图 4-70b）。内填混凝土加固法主要用于钢管构件，通常宜采取措施卸除或大部分卸除作用在结构上的荷载，但是在许多情况下初始荷载难以卸除，此时考虑初应力水平对加固构件承载力的影响。武汉大学杜新喜等开展了一批内填混凝土加固偏压钢管构件的试验研究，为提出相应的设计方法提供了丰富的数据支持；采用外包混凝土加固法时，往往是由于钢构件的负载水平较高，其他增大截面法已不适用。由于原构件较高的负载水平，外包混凝土相对于原钢构件而言存在应力滞后现象，导致加固后构件与普通的劲性混凝土柱的受力性能存在差异，因此考虑高负载水平的加固后截面承载力设计方法需要重点研究。清华大学等院校开展了负载下外包混凝土加固钢构件的试验研究和数值分析工作，考察了初应力水平对加固后构件承载能力的影响。为便于设计人员使用，两种组合加固法仍宜采用强度折减系数的概念，建立强度折减系数与初应力水平的量化关系，从而对加固后截面的承载能力进行折减。

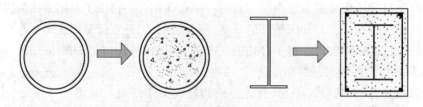

图 4-70 组合加固钢构件法
(a) 内填混凝土加固示意；(b) 外包混凝土加固示意

4. 预应力加固法

钢结构预应力加固法是采用加预应力钢绞线对钢结构整体或构件进行加固的方法，特点是通过施加预应力改变原钢结构内力分布并降低原钢结构应力水平，后加部分与原结构能较好地共同工作，钢结构的总体承载能力可显著提高。预应力加固法对原有钢结构具有加固、卸荷、改变原有结构内力的三重效果，适用于较大跨度的钢结构加固，以及采用一般方法无法加固或加固效果不理想的较高应力应变状态下的大型钢结构加固，同时还具有施工方便、经济可靠、预应力筋（束）可以单独防腐甚至可以更换等特点。

对于钢结构构件，预应力加固目前主要应用于梁式结构（包括实腹式梁和桁架梁等）。加固后使得原梁式构件成为类张弦梁构件，有效地防止梁面外失稳的发生。对于柱构件，同样可以采用增设撑杆和拉索的方式进行加固，减小柱计算长度，提高刚度和稳定性，但相比于梁构件而言，预应力构件在柱构件中的应用较少，如图 4-71 所示。规范编制时应注意收录常见的构件预应力加固方案，并给出相应的设计方法。

预应力加固法还可以用于整体结构层面的加固，通过改变结构计算图形或者改善结构边界条件的方式，提高某些典型结构（包括单跨刚架、拱架及某些桥跨结构等）的刚度和稳定性，如图 4-72 所示。此外，预应力加固法在施工过程中的关键技术问题，包括预应力筋张拉程度、在典型钢结构构件和节点中的锚固方式等，宜在新版规范中予以说明。

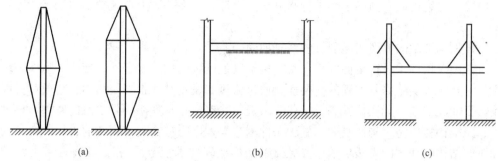

图 4-71 钢构件典型预应力加固方案示意图
(a) 预应力钢索加撑杆加固法；(b) 梁（桁架）预应力钢索加固法；
(c) 梁（桁架）预应力拉杆吊挂加固法

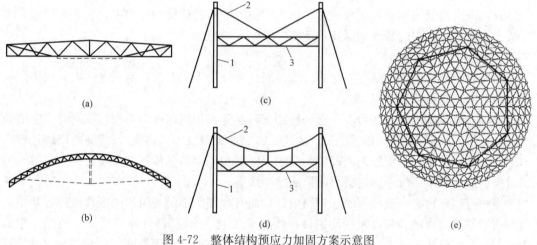

图 4-72 整体结构预应力加固方案示意图
(a) 预应力钢索加固；(c) 预应力钢索斜拉加固；(b) 预应力钢索+撑杆加固；
(d) 预应力悬索吊挂加固；(e) 空间网络结构预应力钢索加固

4.5 钢结构的修复

4.5.1 裂纹的修复

当结构因荷载反复作用及材料选择、构造、加工制造、施工安装不当等产生具有扩展性或脆断倾向性的裂纹损伤时，应设法修复加固。修复加固一般按照下列步骤进行：

(1) 分析产生裂纹的原因及其影响的严重性，对不宜采用修复加固的构件，应予拆除更换；对需要进行修复加固的带裂纹的构件，应采用临时性应急措施，以防止裂纹的进一步扩展。

(2) 对带裂纹的构件进行验算，对疲劳裂纹应按《钢结构设计标准》GB 50017—2017 中的规定验算，必要时应进行剩余疲劳寿命的专门研究；对脆性裂纹的验算需专门研究。

(3) 进行裂纹的可扩展性评估，评估的方法需专门研究，以了解裂纹的稳定性情况。

(4) 针对裂纹的不同稳定性进行修复加固设计，并在基础上拟定裂纹的修复加固具体方案。

(5) 根据拟定的方案实施裂纹的修复加固。

对带裂纹构件需进行全面验算，验算包括其强度、刚度、稳定性、疲劳、脆性破坏各个方面，并检查实施修复加固的必要性。通过验算如发现某些带裂纹的构件是通过一般的裂纹修复加固措施，无法使其满足承载能力极限状态或正常使用极限状态的要求，如裂纹过大、原结构材质差、构造复杂、施工条件困难等，则需更换此带裂纹的构件。构件的更换和对原结构的加固的方法要求可参见《钢结构加固技术规范》。相反如发现带裂纹的构件可以通过修复加固使其满足承载能力极限状态或正常使用极限状态要求的，则需进行修复加固。

裂纹修复加固的具体技术措施视裂纹的种类而异，对钢材自身裂纹主要是从冶金的观点出发，探索修复加固的可能性并采取相应的措施；而对钢结构构件中的裂纹则应根据实际情况选择简单合理的修复加固技术措施。

1. 钢材自身裂纹的修复

钢材自身裂纹产生大都与钢材的冶炼、浇注和轧制工艺有关，是钢材的先天缺陷。最主要的避免措施是慎重选材。

钢材自身裂纹中，有些力求在选材和加工时避免，如钢锭冷却不均匀收缩时产生的裂纹；过量氢带来钢中的"白点"；过量硫使钢在热加工时发生"热脆"；熔炼与浇铸过程中由于非金属夹杂物进入钢液内而产生的裂纹；溶解在钢中的气体与非金属夹杂物在锻轧加工时所形成的细小裂纹；钢材折叠而形成的裂纹等。

当然有些钢材自身裂纹深藏在钢材内部，而有些裂纹是随着时间的推移或外界环境的改变逐渐暴露出来的，如过量磷使钢材在低温下产生"冷脆"；气泡或缩孔等缺陷产生的内部裂纹；钢材长期处于高温和压力下，由于碳氢的腐蚀使表面开裂等；对这类裂纹的存在着修复加固问题。

(1) 超期使用后更换

钢材自身裂纹一般情况下具有尺寸小、深度浅和分布密度大等特点，而且对结构构件的影响破坏性远没有钢结构构件中裂纹那样显著。因此在某些条件下，经过合理的论证和研究，部分构件或结构可以带裂纹工作一段时间，即裂纹不需专门修复或稍加处理；同时裂纹分布密度过大，给修复工作带来一定的困难。随着使用时间的延长，新裂纹不断涌现，等裂纹大量出现到影响结构的承载能力或正常使用时，更换带裂纹的这部分构件或结构。这种方法在工程实践中经常会遇到，而且经验证明是可行的。如我国哈尔滨的滨洲线上松花江大铁桥就是采用这种方法，参见事故实例 [实例 3-17]。

(2) 裂纹的雕补法修复

当裂纹尺寸和深度比较大，如不及时修复将影响构件或结构的使用或酿成事故，还有对动载或低温下工作的钢结构，钢材任何尺寸和深度的裂纹都是将来引起结构破坏疲劳裂纹或脆断裂纹的源生地。所以在上述情况下钢材自身的裂纹必须进行修复。对于构件中裂纹尺寸和深度过大，影响其承载力或正常实用时，应予以更换。

钢材自身裂纹修复常用雕补法，该方法的要点是：

① 清洗裂纹范围内板面油污和涂层至洁净的金属面；

② 对深度小于1mm的微裂，用小圆头风凿雕去并磨光其表面，也可用小砂纸轻轻磨去；

③ 对深度大于2～3mm的裂纹，在裂纹雕去后会留下3～4mm的痕迹，这对强度和刚度均有明显的影响，需补焊增厚，并采用小直径低氢型焊条的手工焊；

④ 对裂纹比较集中的板件，采用上述方法修补后有时会影响构件的承载力，必须采用适当的补强措施，如增设撑板、加盖板等。

上海汽轮机厂1960年建的大型汽轮机车间吊车梁，由于采用劣质钢材在使用一年后出现大量裂纹。采用上述方法修复后，使用至今仍完好无损，仅此挽救了500t优质钢的损失，参见事故实例［实例3-13］。

2. 钢结构构件中裂纹的修复加固

(1) 裂纹的临时止裂措施

当在钢结构构件上发现裂纹时，为防止其进一步扩展，必须采取临时止裂措施，常用的是在裂纹端外顺其可能的扩展方向 $0.5t$～$1.0t$ 处钻孔（t 为构件的板厚），孔的直径约取 $1.0t$（如图4-73所示）。

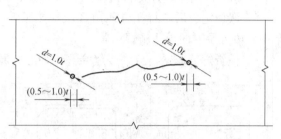

图 4-73 裂纹的临时钻孔止裂

这样使裂纹端部的应力集中大为减弱，缓解裂纹继续扩展的趋势。这对于可扩展性裂纹是必不可少的。因为从构件上发现裂纹到实施修复加固需要一段时间，有时甚至相当长时间，如不采取临时止裂措施，裂纹有可能在实施修复加固前，已经发展到整个截面，发生较大损失的工程事故。

对裂纹采用临时止裂措施后，再进一步研究和观测其扩展性质，以决定其修复或加固的适宜方案。不宜直接补焊，以免恶化金属的品质，增添附加焊接应力及产生新的有害裂纹。

钢结构中裂纹的修复加固方法大体可分：焊补法修复、嵌板法修复和带裂纹构件的加固。

(2) 裂纹的焊补法修复

这是裂纹修复加固时应优先考虑的方法，它一般针对单个裂纹或相距较远互不相交的裂纹群，可按下列顺序进行：

① 清洗裂纹两边各80mm以上范围内板面油污至洁净的金属面。

② 用碳弧气刨或风铲将裂纹边缘加工出坡口，直达裂纹端部的临时止裂钻孔。坡口的形式应根据板厚和施工条件按现行《气焊、手工电弧焊及气体保护焊焊缝坡口的基本形式和尺寸》的要求选用。

③ 将裂纹两侧及端部金属预热至100～150℃，并在焊接修复过程中保持此温度。

④ 采用与母材相匹配的低氢型焊条或超低氢型焊条施焊。

⑤ 尽可能用小直径焊条以分层逆向焊施焊，每一焊道焊完后宜即进行锤击。

⑥ 按设计和《钢结构工程施工质量验收规范》GB 50205的要求验收焊缝质量。

⑦ 对承受动力荷载的构件，焊补后其表面应磨光，使之与原构件表面齐平，磨削痕

迹线应大体与裂纹切线方向垂直。

⑧ 对重要结构或厚板构件，焊补后应立即进行退火处理。

(3) 裂纹的嵌板法修复

该方法针对网状、分叉裂纹区和有破裂、过烧或烧穿等缺陷的梁、柱腹板部位等。一般按下列顺序进行：

① 检查确定缺陷的范围。

② 将缺陷部位切除，宜切成带圆角的矩形孔，切除部分的尺寸均应比缺陷范围的尺寸大100mm（见图4-74）。

③ 用等厚同材质的嵌板嵌入切除部位，钳板的长宽边缘与切除孔两个方向的边应留有2~4mm的间隙，并将其边缘加工成对接焊缝要求的坡口形式。

④ 嵌板定位后，将孔口四角区域预热至100~150℃，并按图4-74（b）所示的顺序采用分段分层逆向焊法施焊。

⑤ 检查焊缝质量，打磨焊缝余高，使之与原构件表面齐平。

(4) 带裂纹构件的盖板加固法

对某些受力关键部分的裂纹和裂纹较为集中但又不宜采用嵌板法修复的部位，可用附加盖板加固。一般宜采用双层盖板且宜与原板等厚，并设法将加固盖板压紧，此时裂纹两端仍需钻孔止裂，暂时阻止裂纹扩展。

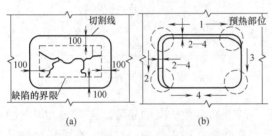

图 4-74 裂纹的嵌板法修复示意
(a) 缺陷部位的切除；(b) 预热部位及施焊顺序

当盖板用焊接连接时，采用周边连续较焊缝，焊脚尺寸宜取等于板厚，盖板的尺寸和施焊顺序可参照图4-74执行。

当盖板用高强度螺栓连接时，在裂纹两侧采用双排螺栓，盖板宽度以能布置螺栓为宜，盖板的长度应超出裂纹端部150mm为宜。

4.5.2 构件与连接损伤和缺陷的修复

1. 钢材缺陷的修复

从表4-2可以看出，钢材中有些缺陷是可以通过工艺方法进行修复的，有些缺陷只能通过冶金手段解决，另一些则只能作废品处理。

2. 构件上孔洞的修复

在实腹梁、柱的翼缘板，或桁架杆件中发现由于种种原因母材受损形成孔洞时，应及时处理。处理方法首先用气割将孔洞周围受损坏的金属全部切除。割成圆形、椭圆形或者矩形（矩形割口的四角应有圆弧）孔洞后，再覆以盖板用焊接或铆接（或高强度螺栓）加固。当用焊接加固时（图4-75），应采取适当的焊接顺序

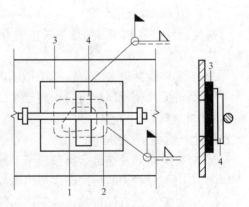

图 4-75 孔洞的焊接修补
1—损坏部分；2—割除部分；
3—加固钢板；4—卡具

以减少盖板的变形。新加盖板的厚度应与母材相同,焊缝的焊角尺寸应等于板厚。如孔洞要保留,应用环板焊上加固。

3. 焊缝缺陷的修复

焊缝缺陷包括焊缝尺寸不足、裂纹、气孔、夹渣、焊瘤、烧穿、弧坑、咬边、未熔合和未焊透等。除裂纹有可能在使用阶段产生扩展外,其他缺陷都是制作施焊时留下的。

(1) 焊缝实际尺寸不足的处理:经过计算,实际焊缝超应力,应在原有焊缝上堆焊辅助焊缝。具体处理步骤是先仔细清除焊缝附近的焊药和杂质,在原焊缝上堆焊 2~4mm 厚新焊缝;堆焊新焊缝应在原焊缝冷却后才能进行。对于未完全卸荷的连接焊缝应采用间断堆焊缝。

(2) 焊缝裂纹的处理:焊缝检查出有裂纹应做出标记,分析裂纹出现的原因,属使用阶段出现的裂纹,要根据原因综合治理;对于焊缝裂纹,原则上要刨掉重焊(用碳弧气刨或风铲),并做防腐处理。对承受静态荷载的结构,当焊缝中或焊缝的热影响区有裂纹时,必须及时修补。承受静态荷载的实腹梁,若腹板与翼缘的连接焊缝有裂纹时,除用碳弧气刨清除有裂纹的焊缝再补焊外,尚可采用补焊短斜板的方法进行加固,斜板的长度应超出裂纹范围以外,超出的距离应不小于斜板的宽度。此时焊缝的裂纹可不清除,但应在裂纹两端钻止裂孔,以防裂纹进一步扩展。

(3) 焊缝气孔、夹渣、焊瘤和咬边的处理:如结构系统承受静载,又处在常温条件下使用且无裂纹,使用中又无异常现象,一般不做处理;对承受动态荷载的结构这些缺陷应予以消除。轻微的咬边可采用钢锉或砂轮打磨,将边缘加工为平缓过渡即可;较严重的咬边应打磨后补焊磨平;焊瘤采用铲、磨、锉等手工或机械方法,将多余金属堆积物去掉、磨平;对于焊缝内部的夹渣、气孔等超过规定的缺陷,应用碳弧气刨或风铲将有缺陷焊缝清除,然后以相同焊条补焊,要注意补焊的焊缝至少 40mm 长。

4. 铆接和螺栓连接缺陷的修复

(1) 铆钉的更换:对松动、掉头、剪断或漏铆的铆钉均需及时更换或补铆。不得采用焊补、加热再铆合方法处理有缺陷的铆钉。修复时可采用高强度螺栓来代替铆钉,其直径可按等强度换算决定。

更换铆钉时,应首先更换损坏严重的铆钉。在局部更换铆钉时,为避免风铲的振动削弱邻近的铆钉,宜用气割来割掉铆钉头。当然此时应注意不能烧伤主体金属。取出钉杆后应清理钉孔,并仔细检查钉孔的情况。若发现有错孔、椭圆孔、孔壁倾斜等情况时,应根据修复所采用的紧固件的种类分别加以处理。当用高强度螺栓来替换铆钉时,只要钉孔缺陷不妨碍螺栓顺利插入,且能保证螺栓头、螺帽能和钢板表面紧密贴合,则可不处理钉孔。仅当孔壁倾斜度超过 5°,螺栓头和螺帽不能与被连板束的表面紧贴时,才需要扩钻钉孔或者采用楔形垫圈,当采用补铆铆钉的方法,或者用凡 B 级普通螺栓来替换铆钉时,对上述的钉孔缺陷应予消除。然后将钉孔直径扩钻一级,用较大直径的铆钉补铆,而 A、B 级螺栓的直径则应根据清孔(或扩孔)后的孔径来选用。

在厂房结构的检查过程中,一组铆钉在锤击下有 10% 及以上的铆钉感到跳动(但并未松动)时,应将所有感到跳动的铆钉换掉。当感到跳动的铆钉数小于 10% 时,可不予处理。所谓一组铆钉系指:

① 在节点范围内固定单根杆件的铆钉(如节点板与弦杆或斜杆连接的铆钉)。

② 桁架的杆件为用铆钉连接的组合截面时，一组铆钉系指节点之间的铆钉。

③ 在拼接处的铆钉。通用接头处为半个拼接板长度上的铆钉，阶梯形接头处为每个节头间的铆钉。

④ 受弯构件翼缘每一半长度内的翼缘铆钉。

更换铆钉时，原有钉孔均需清理。当需扩孔时，如按扩大后的铆钉直径计算的间距、行距和边距能满足设计规范的要求，则扩孔的数量不受限制；否则应将扩孔数量控制在50%范围以内。

(2) 铆接连接缺陷的常用处理方法：

① 埋头铆钉的埋头部分不平时，则应采用砂轮将其磨平。

② 铆合的板束如因板束间不密贴而生锈膨胀时，应采用环氧树脂一类材料灌缝，以进行保护。

③ 对施工中有其他缺陷的铆钉，应根据具体情况分别处理。

(3) 高强度螺栓连接缺陷的处理：高强螺栓连接损坏主要是螺栓断裂、摩擦型螺栓连接滑移和连接处盖板及母材裂断三种形式；螺栓断裂可发生在施工拧紧过程，也可发生在拧紧后一段时间内，拧紧过程中螺栓断裂往往是施加扭矩太大，使栓杆拉断，也有的是材质差造成，如系个别断裂，一般仅作个别替换处理，并加强检查；如螺栓断裂发生在拧紧后一段时期后，则断裂与材质密切有关，称高强度螺栓延迟（滞后）断裂，这类断裂是材质问题，应拆换同一批号全部螺栓；拆换螺栓要严格遵守单个拆换和对重要受力部位按先加固（或卸荷）后拆换原则进行。

高强度螺栓连接处一旦产生滑移，螺杆与孔壁抵触，使螺杆受剪，由于高强度螺栓抗剪能力很大，连接在滑移后仍能继续承载，只要板材和螺栓本身无异常现象，整个连接并不危险，但从摩擦型高强度螺栓设计计算而言，连接已"破坏"，应进行处理，对于承受静载结构，如连接滑移是因螺栓漏拧或扭紧不足造成，可采用补拧并在盖板周边加焊来处理；对于承受动载结构，应使连接卸荷状态下更换接头板和全部高强度螺栓，原母材连接处表面重做接触面处理。

4.5.3 结构构件变形的修复

钢结构在制作加工、运输、吊装和使用过程，都会因受力或温度变化作用而产生变形，尤其是焊接钢结构变形更是通病。

钢结构变形可概括为两大类：总体变形和局部变形（见图4-76）。

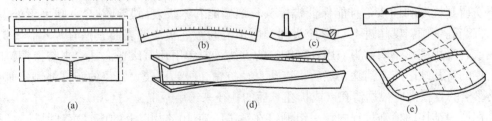

图4-76 结构的总体变形和局部变形

总体变形指整个结构的尺寸和外形发生变化，例如结构构件长度缩短、宽度变窄，构件弯曲，构件断面畸变和扭曲。

局部变形指结构构件局部区域内出现变形，例如板件凹凸变形、断面的角变位、板边的折皱波浪形变形等。

实际结构中往往是几种变形组合出现，变形后会使构件拼接不紧，给组装和连接带来困难，影响力的传递，降低构件刚度和稳定性，也会产生附加应力，降低构件承载能力，变形也会影响使用。

1. 钢结构变形原因

(1) 钢材原材料变形

钢厂出来的材料少数可能受不平衡热过程作用或其他人为因素存在一些变形，所以制作结构构件前应认真检查材料，矫正变形，不允许超出材料规定的变形范围。

(2) 冷加工产生变形

剪切钢板产生变形，一般为弯扭变形，窄板和厚板变形会大一点；刨削以后产生弯曲变形，薄板和窄板变形大一点。

(3) 制作、组装带来变形

制作操作台不平，加工工艺不当，组装场地不平，支撑不当，组装方法不正确，是钢结构制作中变形主要原因；组装引起的变形有弯曲、扭曲和畸变。

(4) 焊接、火焰切割产生变形

电焊参数选择不当、焊接顺序不当和焊接遍数有误是产生焊接变形的主要原因；焊接变形有弯曲变形、扭曲变形、畸变、折皱和凹凸变形。

(5) 运输、堆放和安装中产生变形

吊点位置不当，堆放场地不平和堆放方法错误，安装就位后临时支撑不足，尤其是强迫安装，均会使结构构件变形明显。

(6) 使用过程中产生变形

常期高温的使用环境、使用荷载过大（超载），操作不当使结构遭到碰撞、冲击，都会导致结构构件变形。

2. 钢结构变形处理方法

下面介绍的变形处理方法，对大部分变形是有效的，但对某些特殊变形可能矫正不完善。

(1) 冷加工法矫正变形

冷加工法是用人力或机械力矫正变形，适用于尺寸较小或变形较小的构件。

①手工矫正：采用大锤和平台为工具，适合于尺寸较小的零件局部变形矫正，也作为机械矫正和热矫正的辅助矫正方法；手工矫正是用锤击使金属延伸达到矫正变形目的。

②机械矫正法：采用简单弓架、千斤顶和各种机械来矫正变形。

冷加工矫正方法必须杆件和板件无裂纹、缺口等损伤，机械使力逐渐增加，变形消失后应使压力保持一段时间。

现代轻型房屋钢结构中的焊接组合截面构件，由于构件的钢板均比较薄（通常不大于30mm），对于翼缘和腹板间的焊接变形，通常在专用的翼缘矫正机上进行矫正。

常用结构构件的冷加工矫正和修整参见图4-77。

当槽形或工字形截面的翼缘和龟钢肢有不大的局部弯曲时，可采用扳钳校正（图4-77a）。当型钢有不大且不长的局部弯曲时，可用弓架矫直（图4-77b）。

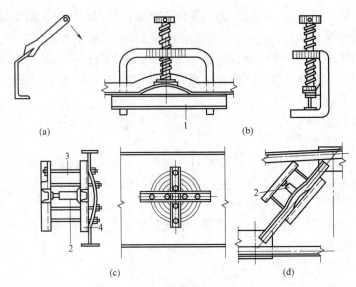

图 4-77 局部变形的矫正
1—刚性垫梁；2—千斤顶；3—拉杆；4—压垫梁

钢板的凸凹不大时，可以通过一个平垫块用大锤捶击矫正；当变形较大时，可用千斤顶及压垫梁矫正（图 4-77c）。

桁架杆件的局部变形也可以用千斤顶矫正（图 4-77d），变形很大的桁架杆件，则应予以更换。

屋盖结构中的支撑如有松弛下挠的，应予以拉紧。

(2) 热加工法矫正变形

热加工法我国目前采用乙炔气和氧气混合燃烧火焰为热源，对变形结构构件加热使其产生新的变形，来抵消原有变形；正确使用火焰和温度是关键；加热方式有点状加热、线状加热（有直线、曲线、环线、平行线和网线加热）和三角形加热之分。

热矫正方法要根据实际情况首先了解变形情况，分析变形原因、测量变形大小，做到心中有数；其次确定矫正顺序，原则上是先整体变形矫正，后局部变形矫正，角变形往往先矫正，而凹凸变形又往往放在后矫正；再确定加热部位和方法，由几名工人同时加热效果较佳，有些变形单靠热矫正有困难，可以借助工具外力对适当部位进行拉、压、撑、顶、打等，加热位置应尽量避开关键部位，避免同一位置反复多次加热；最后选择合适的火焰和加热温度；矫正后要对构件进行修整和检查。

当构件的变形不大时，可以在部分卸荷的情况下予以修整。杆件的修整一般采用冷加工（如用压力机压直等）。若用热加工修复，其加热温度一般为 500~700℃。但必须采取措施，确保结构构件在修复时具有必要的承载力。

当构件变形较大而又很难校正时，则应按变形的实际情况进行强度验算。必要时需采取加固措施，或者更换新的构件。

3. 构件弯曲变形的处理

经调查，约有 80% 的屋架存在腹杆的弯曲变形，而这种变形约有 80% 发生在屋架平面外，其处理方法如下。

(1) 压杆

对弯曲的压杆，其变形难以校正时，应以杆件的最大内力和实际的弯曲尺寸，按偏心受压杆件验算。杆件段范围内的最大弯矩 Nf，f 为弯曲杆件的矢高。若杆件的承载力不能满足要求时，则应加固。一般可根据杆件弯曲变形的程度乘以表 4-14 所列的承载力折减系数进行验算。

受压杆件弯曲变形的承载力折减系数　　　表 4-14

杆件的弯曲矢高	$\leqslant l/450$	$l/350$	$l/300$	$l/250$	$l/200$
承载力折减系数	1.0	0.9	0.8	0.7	0.5

(2) 拉杆

承受静态荷载的拉杆的弯曲，对杆件本身来说并不危险，但弯曲变形过大时，从感观角度亦应修复。但应注意弯曲杆件的矫直会使整个系统发生较大变形。当拉杆弯曲的矢高 $f \leqslant l/100$（l 为杆件长度）时，可不修直。当 $f > l/100$ 时，就应予以矫直或采取其他加固措施。当 $f > l/30$ 时，应考虑由于杆件矫直会使节点之间的距离加大而引起整个系统内力变化的影响。

4. 腹板局部凹凸的处理

当梁、柱的腹板有局部凹凸时，应进行承载力验算。验算时，在梁、柱截面中，应扣除腹板凹凸部分的面积。若承载力不足时，应对截面的受压区进行加固处理；若位于受拉区的凹凸部分没有裂缝时，则可不予处理。一般来说，当凹凸部分对腹板截面的削弱大于 25% 时，就应进行修复。修复方法常用冷加工法（机械矫正法），若仍难以校平时，亦可采用火焰校平法。对腹板凹凸部分也可采用加劲加固的方法来处理。此时应使加劲肋与腹板相连的一边的形状与腹板变形的轮廓一致。

5. 节点板弯折的处理

对于在弯折处没有裂缝的节点板，可根据弯折角 θ 的大小分别进行处理（图 4-78）。

当弯折角的 $\tan\theta \leqslant 0.1$，或 $\tan\theta \leqslant 0.2$ 且与该节点板相连的压杆中的应力小于钢材强度设计值的 50% 时，节点板可不校平，但仍应用加劲肋加固，以防止弯折继续加大。

当弯折角超过上述范围时，节点板必须校平，然后再用加劲肋加固。亦可采用应力调整措施，使受损伤的节点板卸荷后，再用加劲肋加固弯折的节点板。

若节点板弯折处有裂缝存在，应根据节点板的受力情况和裂缝的部位采取不同的修复措施。一般情况下均应更新节点板或拆换整个节点。仅当受力很小的节长板，而施工又有可能时，才允许用堵焊办法修补。

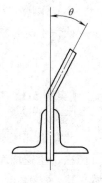

图 4-78　节点板的弯折

第5章 其他类型结构

5.1 木结构事故

5.1.1 概　　述

木结构在我国的应用有着悠久的历史，但由于木材资源不丰富，使木结构的应用受到了限制。目前农村的建筑中仍有一部分用木材作主要的承重结构，如木屋架、木檩条、木柱等。其中木屋架出事故较多，其主要原因有以下几个方面。

(1) 选材不当。将有疵病（如节疤、裂缝、翘曲等）的木材选作承重构件；木材干燥不够时便制作屋架；选用劣质木材作承重构件。

(2) 节点制作不合格。木屋架的节点制作质量对木屋架的承载力有重要影响。尤其是屋架端节点因受剪切作用而易于撕裂，有些承压槽齿承压面不够或接触不紧密，均易引起事故。螺栓连接排在一条线上未交错。易造成顺纹开裂而破坏。

(3) 木屋架断面过小。有些农村用木屋架未经严格设计，凭经验选用截面尺寸，往往偏小。目前因农村经济发展，农村礼堂、影剧院建筑增多，这些建筑跨度较大，有些地方仍凭老经验办事，用料过细，致使强度不足，引起事故。

(4) 木屋架安装偏差，支撑设置不当等也是引起事故的原因之一。农村建筑队对支撑作用认识不足，特别是对空旷房屋少用或不用支撑，致使屋盖整体刚度不足而引发事故。

5.1.2 事　故　实　例

【实例 5-1】　某养殖地木屋盖坍塌事故

［事故概况］

北京市郊区某养殖地房屋 2004 年 10 月 31 日凌晨 1 点左右发生屋盖坍塌，并造成人员伤亡。屋盖坍塌房屋位于北京市某郊区，据房主陈述，此房屋于 2004 年 10 月 20 日开始兴建，2004 年 10 月 28 日上屋架，2004 年 10 月 30 日屋面上瓦。房屋在施工前未办理任何手续（包括建设用地规划许可证、建设工程规划许可证、建设工程施工许可证），施工过程中没有设计图纸，没有监理人员，施工后也未经过质监部门的验收。据房主陈述，房屋所用 2 榀木桁架为旧货市场采买。2004 年 10 月 31 日凌晨 1 点左右，屋盖突然坍塌下来。屋盖坍塌后，南侧带门窗洞口的墙体上端向外倾斜，两片山墙的顶部砌体部分塌落，现场如图 5-1 所示。

［原因分析］

该屋盖结构在建造过程中，没有经过专业设计人员的设计；施工过程中，使用的屋架为材质已劣化的旧木桁架；而在屋架的安装过程中，施工人员操作不规范，屋架在砖墙上的支撑长度不够，且屋架支座与墙体的连接不牢固。木桁架支座节点的上弦轴线、支座反力的作用线、下弦净截面的中心线没有交汇于一点，致使木桁架下弦受力形式发生改变，受力构件同时承受拉力、弯矩和剪力的作用。上述原因导致该屋架在屋盖施工完成后发生无预兆脆性破坏。屋架发生破坏后，屋架下弦退出工作，屋架上弦因无下弦约束而由两端产生向外的推力。南侧墙体门窗洞口面积较大，抗侧力薄弱，因此，该墙体上端被外推以至向外倾斜。在其中一榀屋架倒塌后，原倒塌屋架上屋面荷载完全由相邻屋架承担，并在相邻屋架产生平面外弯矩，增大了相邻屋架的负荷；同时南侧墙体向外倾斜致使房屋跨度增大，导致相邻屋架的倒塌，最终引起整个屋盖的连续坍塌。

图 5-1 木屋架坍塌事故现场

［实例 5-1］ 参考文献：周阿娜，左勇志．木屋架坍塌事故的鉴定［J］．建筑技术开发，2006（7）：14-15.

【实例 5-2】 某电影院木屋架倒塌事故

［事故概况］

某市简易电影院采用木屋架，跨度 9m，矢高为跨度 1/4，即 2.25m。木屋架间距 3.5m，影院建筑面积约 500m²，有舞台、观众厅和放映室。屋架为三角形圆木豪式屋架，其上架檩条再铺小青瓦。屋架支于墙砌体上，外墙体下部为 400mm 的毛石墙，高 3m，以上为 190mm 的混凝土空心砌块墙体，支承屋架的檐口标高处有圈梁一道。

1987 年 6 月 29 日晚，300 多名观众正在影院中看电影时，屋盖突然塌落，拉掉部分圈梁及墙体，当场砸死 8 人，重伤 14 人，轻伤 121 人。

该工程是由一位给水排水专业的人员设计，先后由 3 个当地包工队施工，工程于 1987 年 6 月 5 日竣工验收，仅放映过 9 场电影便倒塌，造成重大伤亡事故。

［原因分析］

从事故调查结果看，屋架是由靠舞台处的第一榀屋架塌落引起的。事故的直接原因是施工队严重偷工减料，粗制滥造，使屋架承载力严重不足造成的。具体问题如下：

（1）屋架上弦杆尺寸太小，承载力不足。设计要求屋架的上、下弦圆木梢径不小于 140mm。但多数屋架弦木梢径只有 100～120mm，首先破坏的屋架上弦梢径仅 94mm，其截面面积只有设计要求面积的 45%。强度

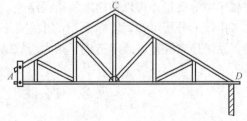

图 5-2 某电影院木屋架

严重不足。对上弦 AC、CD 杆的强度复核计算如下：

由恒载及屋面活载计算可知屋架节点荷载：

p=8.43kN，上弦杆受均匀荷载 3.75kN/m，由结力计算可知：

AC 杆受轴力：N= 29.92kN，弯矩 2.37kN·m。

CD 杆受轴力：N=18.88kN，弯矩 2.37kN·m。

圆木为杉木，抗压强度 f_c=10N/mm²，弯曲抗压强度 f_m=11N/mm²。圆木梢径 94mm 每一节间长 252m，梢径向上。这样，按跨中平均直径计算时：

AC 杆中间直径 d=130mm，CD 杆中间直径 d=105mm。

AC 杆截面验算：

直径 d=130mm；截面积 $A=\dfrac{\pi d^2}{4}=13273\text{mm}^2$

截面抵抗矩 $A=\dfrac{\pi d^2}{32}=215690\text{mm}^3$

$$\lambda=\frac{l_0}{d/4}=\frac{4\times 2422}{130}=77.5<[\lambda]=120 \quad [可以]$$

强度验算：
$$\frac{N}{A_n}+\frac{Mf_c}{Wf_m}=\frac{29.92\times 10^3}{13273}+\frac{2.02\times 10^6}{201100}\times\frac{10}{11}$$
$$=12.22>f_c=10\text{N/mm}^2$$

可见强度不足。

CD 杆：

直径 d=105mm；截面积 $A=\dfrac{\pi d^2}{4}=8659\text{mm}^2$

截面抵抗矩：$W=\dfrac{\pi d^2}{32}=113644\text{mm}^3$

$$\lambda=\frac{l_0}{d/4}=\frac{4\times 2422}{105}=92.26<[\lambda]=120 \quad [可以]$$

强度验算：
$$\frac{N}{A_n}+\frac{Mf_c}{Wf_m}=\frac{29.92\times 10^3}{13273}+\frac{2.02\times 10^6}{201100}\times\frac{10}{11}$$
$$=12.22>f_c=10\text{N/mm}^2$$

可见强度严重不足。

(2) 除偷工减料外，施工制作也粗糙。节点处刻槽不用锯割，用斧头砍劈，刻槽过深，截面受到严重削弱，使承载力进一步降低。此外，木料选择平直度不好，含水量偏高，纹理扭曲，水节多，这些都不符合规范要求，对木材的强度造成不利的影响。

(3) 对屋架的支撑，设计上未作交代，施工时未设支撑，屋盖系统空间刚度极差。

(4) 工程验收工作非常马虎，明知包工头偷工减料，验收时仍写上"观众厅圈梁及屋架属于中等质量，可以使用"的错误结论。

由以上分析可知，实际采用的木屋架构件截面小、材质差不满足要求，加之施工粗糙，系统稳定性差，终于造成了重大事故。

5.2 钢-混凝土组合屋架事故

钢与混凝土组合屋架是上弦用混凝土弦杆，下弦用钢构件，腹杆用混凝土构件或钢构件。下弦与腹杆的连接往往用焊接，如焊接质量不好，则易造成质量事故。

【实例 5-3】 某 15m 组合屋架的事故

[事故概况]

某单位的饭厅兼礼堂于 1971 年 7 月建成。屋架采用组合屋架，跨度 15m，见图 5-3（a）。屋面采用钢筋混凝土挂瓦板，上铺小青瓦，交付使用后已经一冬一春，当年冬天还下了一场较大的雪，并未发现反常现象，也未发现有过大的变形。1972 年 8 月，因发现屋面有几处渗水，上屋面察看，见到屋面不平，局部有较大下垂。根据这一现象，立即仔细检查，发现端间一根屋架下弦节点已破坏，下弦挠度很大，上弦裂缝严重。整个屋盖共有 4 根屋架，其余 3 根屋架节点虽未达破坏，但也不同程度地存在裂缝，其位置及破坏形态也与破坏的屋架相同。于是决定停止使用，进行分析加固，因而未造成更大的恶性事故。

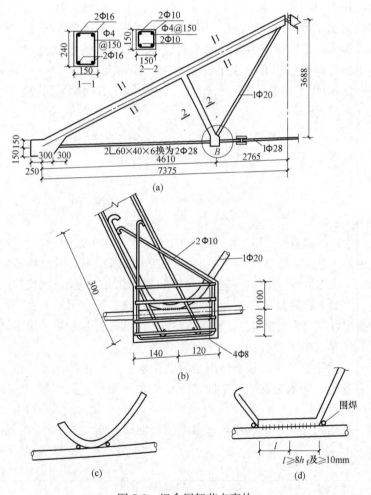

图 5-3 组合屋架节点事故

由图 5-3 可知，组合屋架两端拉杆为 2Φ28，伸过节点与中间的 1Φ28 拉杆绑条对接焊相连接，斜腹杆为混凝土柱，斜拉杆为 1Φ20。斜拉杆上、下锚入混凝土中，在下弦节点处弯一圆弧与水平受拉钢筋焊牢。在节点破坏处，斜拉杆已从下弦节点处拉出，焊缝撕断。下弦节点处在水平钢筋以上的混凝土被斜拉杆拉裂破碎而抛出。由于斜拉杆拉脱，节点急剧下垂达 220mm，上弦严重裂缝，全屋架已经破坏，处于倒塌的边缘。

[事故原因分析]

主要是下弦节点设计不合理。斜拉杆弯入斜压腹杆，本意为保证锚固长度，实际上因斜拉杆的受力方向与受压腹杆的轴线不相一致，斜拉杆在节点中能起锚固作用的距离很短，靠锚固传力极不可靠。斜拉杆与水平钢筋焊接为圆弧与直线相切，只能起定位作用。若由焊接传递拉力，经计算可知需要 150mm 长的焊缝，而圆弧与直线段相切所接触的长度很短，可见焊缝完全不能满足传递拉力的要求。在荷载作用下，焊缝首先拉脱，进而节点处混凝土拉碎抛出，造成节点失效，使屋架破坏。

应吸取的教训是：要改进下弦节点构造。原设计锚固无伸展余地，靠锚固传力不可靠，应由焊接完全承担斜拉杆传来的拉力。为保证焊接所需长度，建议斜拉杆下端有一水平段与水平拉杆相连接，如图 5-3 (d) 所示，焊缝长度应由计算确定。

与这一事故情况相类似，在轻钢屋架中，有一些腹杆弯成多折与弦杆相连接，因弯折处与弦杆接触段很短，常因承载力不足造成破坏。为此，有关规范规定，除按计算外，连续弯折的圆钢腹杆与弦杆应有一水平长度相接，其长度不小于 10~15mm 且应不小于 $8h_f$，并要求采用围焊焊牢，参见图 5-3 (d)。因贪图加工方便而采用圆弧相切于弦杆的点焊连接应该禁止，见图 5-3 (c)。

5.3 特种结构事故

5.3.1 概　述

在建筑工程中常把水池、水塔、贮罐、烟囱、管道支架以及电厂特种结构等构筑物称为特种结构。特种结构也是常用结构，但与房屋结构常用的梁、板、柱结构不大相同，施工方法也比较专门化，故称为特种结构。特种结构如果发生事故，也会导致极其严重的后果，造成人民生命和财产安全的重大损失，"11·24 丰城电厂施工平台倒塌事故"便是其中最典型的案例。特种结构事故按所用材料分，有砌体结构、混凝土结构和钢结构事故等。

在特种结构中常见的事故有：

(1) 开裂，以致不能使用。如水池有裂缝会渗水，贮气罐有裂缝会漏气等。

(2) 错位、变形。如水池在施工中因地下水作用而上浮；贮气罐试气、放气时先稳；烟囱偏斜等。

(3) 倒塌。如结构强度不够、积灰过多而引起倒塌。施工工序不当，质量不好，也会引起塌落事故。

5.3.2 事故实例

【实例 5-4】 烟囱在施工过程中倒塌事故

[事故概况]

江苏省某电厂一座高 120m 的钢筋混凝土烟囱，采用无井架液压滑模方法施工，滑升时间在 1979 年秋末冬初。滑模平台固定在 18 榀支承架上，共设 30 台千斤顶，按 1、2、

2 的方式循环布置，内外模板高度分别为 1.4m 和 1.6m。为控制滑升时的烟囱位置、尺寸，在底部设激光射到滑模平台上进行测偏。1979 年 11 月当混凝土浇至标高 67.50m 时，发生了烟囱滑模平台从高空倾覆坠落的事故。

事故调查发现，在事故发生时并无大风、暴雨等异常气象。材料检查无不合格现象。混凝土配合比为水泥∶砂子∶石子＝1∶2.75∶5.12，另外加 0.5% 的 JN 减水剂，2.5%～5% 的水玻璃早强剂。水泥为 500 号矿渣水泥。调查还发现，滑模倾覆坠落前，混凝土的出模强度大于 $0.5N/mm^2$。出模时，筒壁混凝土有局部脱落，烟囱中心偏差 76.3mm，滑模平台扭转 439mm，最后竟达 2.3m，支承杆倾斜 10°54′35″。倾覆时，烟囱壁的内侧先塌，随之外侧也坍落，平台坠落朝北略偏东方向。坠落后检查可见，模板上下支承杆均有失稳弯折现象。烟囱壁塌落部分高度达 4.55m。塌落断口混凝土的强度大于 $0.8N/mm^2$。

[事故原因分析]

由上调查，并经分析研究，可以确定造成事故的主要原因是支承杆失稳。因模板滑升速度太快，气温偏低，混凝土强度增长不够理想。具体说来，事故原因有：

(1) 支承杆失稳。模板下支承杆首先失稳是造成平台倒塌的最主要原因，参见图 5-4。由残存在烟囱筒壁和掉下的支承杆可以看出，模板下段的支承杆有失稳弯曲现象。在模板滑升过程中，各支承杆处于极限状态，只要有一根支承杆失稳，就会引起其他支承杆的失稳。从现场施工人员的反映也可知，烟囱倾覆前几分钟，筒壁混凝土脱落，且越来越严重，最后导致平台坠落。经校核，这只有在支承杆失稳后，才能出现这种现象；如支承杆不失稳，则只要混凝土强度达到 $0.5N/mm^2$ 时，即可保证筒壁混凝土不脱落。支承杆失稳首先从北面开始，北面温度更偏低一些，混凝土强度增长更慢。

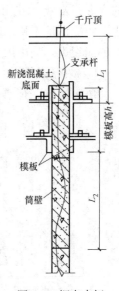

图 5-4 烟囱支杆失稳情况

(2) 混凝土强度增长跟不上滑模速度的需要。虽然滑升时混凝土的脱模强度已大于 $0.5N/mm^2$，这已达到《液压滑升模板设计与施工规定》中的要求。但从倾倒后的断口看出，混凝土对支承杆的嵌固作用要到 $0.7N/mm^2$ 以上才比较可靠。施工时气温偏低，南向、北向还有一定差异，混凝土强度增长缓慢，有些部位混凝土强度不足，起不到应有的嵌固作用，如这一部位的支承杆失稳，则会引起连锁反应，导致平台坠落。此外，选用水玻璃作早强剂要慎重。因掺有水玻璃的混凝土有假凝现象，这易造成对混凝土早期强度的误判，估计值往往偏高。

(3) 滑模平台的倾角和扭转过大。有关资料建议，平台倾斜应控制在 1‰ 以内，扭转值不得超过 250mm。本平台在施工过程中扭转已达 439mm，理应及早采取措施。因未及时处理，加速了支承杆的失稳，从而导致塌落。

(4) 还有一些其他的失误，如有的支承绑条漏焊，有 75kg 的氧气瓶置于平台上而设计平台时未予计入，这一偏心荷重对平台倾斜是非常不利的。

【实例 5-5】 大型钢筋混凝土水池崩裂事故

[事故概况]

某矿井水调节干化水池，总长 150m，宽 30m，净深 6m；长向分三格，每格长 65m、

20m、65m，容积分别为：10925m³、3420m³、10925m³，池壁厚度均为600mm，底板厚500mm，混凝土强度等级均为C30；底板以下用级配砂石换填至老土，换填深度1.6m，水池的平面尺寸、变形缝位置、回填土标高见图5-5，水池剖面图见图5-6。本工程于2013年1月完工。2013年8月水池进行注水试验，水深5.700m。水池注满水后出现了如下问题：

（1）池壁变形缝处漏水：其位置见图5-5中"■"形标记处，水流从缝中喷射而出，自上而下形成三角形水幕，接近池底处水幕最宽，约为10cm，图5-7为现场照片。

（2）水池注满水后，图5-5中西侧水池"▲"形标记处池壁顶端变形过大，向外偏移15mm，放水后复位。

（3）图5-5中"●"形标记的底板变形缝处涌水：水压较大，底板凿开约1m×0.8m的方形积水坑，并用潜水泵抽水，两台水泵（功率75kW，管径100mm）24h不间断抽水，才能保证不积水，据此估算涌水量约60m³/h。另外，在本格水池注满水后，听到咔咔的崩裂声，响声洪亮，由变形缝处发出。

[事故原因分析]

（1）池壁变形缝漏水的原因为变形缝没有按照设计要求施工。原设计的变形缝宽

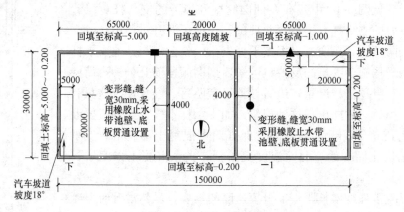

图5-5 水池平面布置图

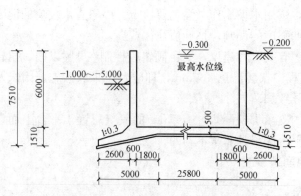

图5-6 水池剖面图（1-1剖面图）

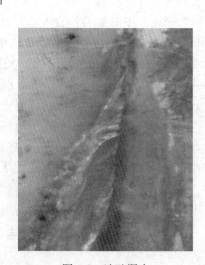

图5-7 池壁漏水

30mm，中间设橡胶止水带，嵌缝材料为：聚乙烯棒背衬，遇水膨胀止水条，聚氨酯或聚硫密封膏。该水池的变形缝，缝宽约2mm（现场量测），中间埋设500mm宽的橡胶止水带，施工过程及嵌缝材料不详。如图5-7所示为在变形缝边上凿开的孔，未见嵌缝及密封材料。而且施工不规范以及变形缝两侧池壁变形不均匀都会造成橡胶止水带断裂，从而漏水。此缝用化学灌浆法处理，由专业的防水堵漏公司完成。

（2）池壁顶端位移来源于两个方面：①受力构件自身的变形；②地基的变形造成结构（构件）的位移。现取1m宽的池壁，按悬臂构件计算池壁顶端的变形。工况：水深5.7m，水荷载按三角形分布（池外填土荷载属于有利工况，不考虑）；悬臂梁在三角形分布荷载作用下梁端挠度计算公式：

$$f_A = ql^4/30EI$$

根据上式得到池壁顶端的变形值范围为3.9~4.5mm（混凝土弹性模量E_c取2.55~3GPa），计算结果远小于池顶的实际位移15mm，由此推断：池顶位移主要由地基变形产生。另据现场情况，此水池结构对称，排水后池壁变形恢复，而东边的水池注满水后顶部却未出现明显位移。以上分析表明西侧水池池壁顶部变形主要来自地基的不均匀弹性变形。对此，采取增设扶壁梁柱和斜撑的方法，将池壁水的侧压力扩散到周边土体。

（3）变形缝处涌水，表明池底板在地下水位线以下，地基含水率高。水池注满水后，一方面，地基受力变大，局部甚至达到极限荷载；另一方面，水池南边东西两侧靠池壁各设了长约20m，宽约5m，坡度18°的机械作业坡道，坡道为毛石混凝土砌筑，高度0~6m，坡道荷载达到4000kN，加剧了地基不均匀变形的程度；再者，水池底板为一块59.64m×25.74m×0.5m的混凝土大板，底板施工时未留设后浇带，造成地基的初始变形得不到调整和释放从而在结构中积累、加剧；不均匀变形造成变形缝处底板错位，崩裂橡胶止水带，因此听到咔咔的崩断声（排空后检查水池未发现有混凝土损伤痕迹）。水池已施工完成，再进行地基处理的难度高，故先考虑降水，在水池周边明挖排水，降水完成后，原变形缝用密封材料封堵，池内对变形缝两侧底板加厚补强，高配变形缝止水带，并处理好新旧混凝土结合面，以防渗水。池外埋设反滤排水管，然后回填（回填土必须满足压实度要求），用反滤排水管排出水池附近的地下水，从而减小地下水对水池底板的影响。

参考文献：徐恩祥，丁贤锋. 大型钢筋混凝土水池崩裂事故分析处理［J］. 山西建筑，2016，42（29）：85-87.

【实例5-6】 某发电厂电除尘器坍塌事故

［事故概况］

池州某发电有限公司一期工程2号炉A列电除尘器钢结构支架工程，电除尘器共设有4个电场8个灰斗，钢支架为底层框架支撑结构，二层为带支撑的摇摆柱"柔性结构"。电除尘器和钢支架结构由福建某环保股份有限公司（以下简称"某环保公司"）设计，如图5-8所示。2006年3月14日，该工程在发电试运行期间因灰斗积灰严重，2号炉A列电除尘器发生整体坍塌，倒塌的电除尘器单元平面图如图5-9所示。

图 5-8　完好的 1 号炉和 2 号炉 B 列电除尘器　　图 5-9　倒塌的 2 号炉 A 列电除尘器

[事故原因分析]

经事后某环保公司从该电除尘器 IPC 控制系统调出 2006 年 2 月 15 日起记录的档案数据分析：至 3 月 13 日，A 列电除尘器第 1、2 电场灰斗平均堵灰达到 21.5 天，第 3、4 电场灰斗平均堵灰达到 7.5 天。经电厂、该环保和电建三方确认的现场清灰总数为 1716 车，实际积灰重量达到 3776t，恒载与积灰总重超过钢支架结构的设计承载能力，达到设计荷载标准值的 205.2%。该工程有 1 号和 2 号炉共 4 列电除尘器，型号和结构完全相同，使用条件也相同，1 号炉和 2 号炉 B 列仍然完好。从 2 号炉 A 列电除尘器坍塌的现场和二层钢柱下端平面外失稳破坏形式分析，该电除尘器坍塌的主要原因为过载引起钢支架结构角柱失稳，从而使电除尘器倾倒和坍塌。

为准确评判电除尘器钢支架结构设计的安全可靠性和钢支架结构的承载能力，利用有限元软件对电除尘器钢支架结构的设计情况进行复核和论证，并对结构的工作性能进行模拟分析，图 5-10 为电除尘器的有限元模型。

经过分析后，得到了以下结论：

(1) 从计算结果可知，某环保股份有限公司所设计的钢支架结构在设计荷载作用下，侧向位移很小，结构的变形主要以竖向轴向位移为主，表明电除尘器钢支架结构具有很好的抗侧移刚度。

(2) 在某环保公司所提供的荷载取值和组合条件下，即在考虑灰斗积灰达到灰斗上口面 1m 高，总计 1130t 附加灰载，活荷载组合系数取 1.4，并且考虑风荷载效应的极不利组合情况下，电除尘器钢支架结构的所有构件（底层框架梁柱、二层柱、支撑等构件）均满足设计要求。

(3) 从有限元模型分析结果可知，某环保公司所设计的钢支架结构，在满足设计要求条件下，安全可靠性有保证，不仅能够安全承担设计荷载，完成设计

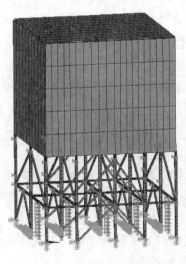

图 5-10　电除尘器有限元模型

预定功能，而且其理论极限承载能力可达到 5522.7t，是设计标准荷载的 2.449 倍，表明该结构的稳定承载能力和应力重分配能力均较强，是一种可靠和稳定的结构体系。

（4）该结构在恒载与积灰总重达到设计荷载标准值的 205.2% 才坍塌的事实从另一方面说明该结构具有良好的承载性能和有限元分析结果的正确性和可靠性。在设计荷载下，电除尘器钢支架结构是安全可靠的。

（5）从以上计算和分析结果中也可知，本工程所讨论钢支架结构和构造特殊，进行简化计算时会造成一定的误差。因此，对类似本工程的结构形式，不建议采用手算，而宜整体建模进行分析计算。

参考文献：张一舟，王元清，高轩能，等．大型电除尘器钢结构支架承载性能的非线性有限元分析 [J]．煤矿机械，2006，27（12）：58-60．

5.4 结构安装工程事故

5.4.1 概 述

结构安装过程是指将预制构件在建筑现场安装就位，形成完整的结构体系。装配式厂房、多层预制框架等结构常在预制构件厂将构件预制好，或者在工地现场就地预制，然后吊装、就位并连接成结构。结构安装工程常要使用各种机械，构件安装又常有高空作业，构件重量大，体积也不小，工作面一般较窄，工序又较多，哪一环节有疏忽都易发生事故。另外，构件在运输起吊工程中，因吊点或支点不妥，或临时加固措施不力，或发生意外碰撞等也会形成质量事故。又因构件就位后到未连接成整体结构前，体系常常不够稳定，如技术措施跟不上，也易发生事故。

结构安装过程中常见的质量事故有：

（1）构件在运输、堆放过程中发生裂纹或断裂；
（2）构件节点拼装错位，构件拼装时扭转；
（3）预应力后张构件张拉时构件裂缝；
（4）柱子安装后实际轴线偏离设计轴线；
（5）屋架或大梁与柱子连接处焊缝不符合要求；
（6）屋架吊装顺序不对或临时稳定措施不足引起屋架倒塌；
（7）刚吊装完屋面或楼面上临时堆放料具或预制构件超重，引起事故；
（8）结构未连接成整体结构时未采取临时稳定措施或虽有而不够，在风或其他干扰力作用下引起失稳倒塌；
（9）机具使用前未认真检查，引起事故，如吊车倾倒、吊索断裂等。

5.4.2 事 故 实 例

【实例 5-7】 厂房柱因吊点失误造成开裂事故

[事故概况]

某厂机修车间采用钢筋混凝土柱，柱子形状及尺寸如图 5-11（a）所示。安装时设计吊点位置在牛腿下面。安装起吊时，施工单位为加快进度擅自将吊点改为牛腿上面，即上柱根部。施工人员以为吊点移动不大，不会影响安装质量。不料在起吊后，柱子刚离地面，吊点处绑扎绳套突然滑动，由上柱根部滑向上柱顶部。这时吊车司机立刻刹车。经检查，发现上柱根部已经开裂，拉区裂缝贯通全部柱宽，裂缝宽度达 5mm，长度达 360mm，主筋已达流限，压区混凝土已出现压碎现象，柱顶已向一侧偏斜 80mm，只好停止安装工作，讨论如何加固。

[事故原因分析]

当吊索套扣改在牛腿上面以后，绳套的固定主要靠绳子与柱子间的摩擦力。而吊车停靠位置离柱子稍远，起吊翻身时，绳套受到斜拉力较大，当斜拉力超过摩擦力后，绳套即向上滑移，直到柱顶放大头处。绳套移到柱顶后，起吊时柱子形成两端简支架的受力状态，在上柱根部截面小而弯矩较大，除柱子自重外，还考虑吊车急刹车的动力作用产生的动荷载。经计算复核，上柱根部弯矩可达 95kN·m，钢筋为 3Φ16（16锰钢），其应力可达 468N/mm²，大大超过 16 锰钢的屈服应力，因而使钢筋产生较大的塑性变形，引起拉区开裂，受压区混凝土压碎，柱顶产生偏移。

上柱开裂偏斜不仅自身承载力丧失，而且影响到屋架屋面的安装，必须处理加固。并且因工程进度紧迫，要求加固方法快速简便。

加固方法：沿上柱角贴置 4 根∟80×8 角钢①。角钢①上端与 500mm×250mm×10mm 的钢板②焊牢，钢板②与柱内预埋钢板③焊接。角钢①下端用三根 φ25 螺栓穿过腹板拧紧。两角钢间各用∟50×6 的缀条④焊连成一整体。吊装时仍将吊点置于牛腿下面。

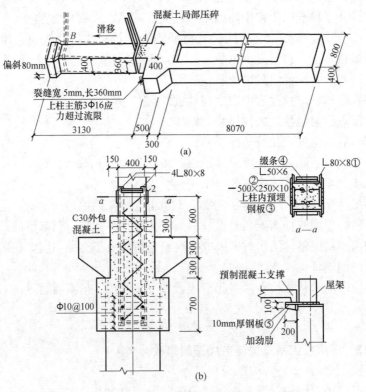

图 5-11　某机修车间厂房柱
(a) 柱子吊装图；(b) 柱子加固图

待柱子定位灌缝固定以后，再在牛腿上下用φ10@100的钢箍包在角钢外边，然后支模浇筑强度等级为C30的混凝土，使角钢与柱结合成一整体。这样，即使上柱中主筋失效也可达到要求的承载力。加固简图见图5-11（b）。

另外，因柱顶向侧面偏移80mm，难以恢复原位，影响屋盖安装。为此，在柱顶加焊钢板⑤，厚10mm，外挑200mm，宽与柱宽同，钢板下用五块100mm×200mm×10mm的加劲肋加强，形成一钢牛腿，以便连接预制混凝土撑杆。屋架安装则在不影响屋面板安装的条件下，适当调整。

【实例5-8】 安装中楼板超载而折断

[事故概况]

重庆市某宿舍工程为砖混结构，即砖砌体承重墙，预制预应力空心楼板为主要承重结构。其中局部平面如图5-12所示。预应力空心板为西南地区标准图，板长3280mm，宽490mm，厚110mm，主筋为6根冷拔低碳钢丝，即$6\phi^b4$。

施工采用井架拔杆安装预制空心板。安装到三楼楼板时，因井架拔杆被缆风绳阻隔，不能将板一次吊装就位，于是将空心板临时堆放在已安装好的楼板上。当堆好最后一块楼板后，有一施工人员站到这块板上，而另两名施工人员站在被搁置空心板的楼板上。这时，放垫木的两块二层楼板突然断裂，接着其余四块板也被压塌，将二层楼板砸断，并直砸到素土里，当场死亡两人，重伤一人。

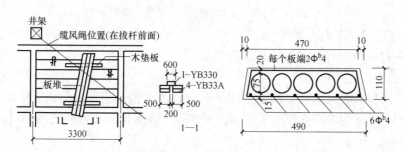

图5-12 楼板超载

[事故原因分析]

初步断定为施工时，将空心板堆放在楼板上，因超载而引起倒塌。下面是复核计算，可供参考。

按当时实施的《混凝土结构设计规范》GB 50010承载力要求计算。荷载按施工时实际荷载计算。空心板自重：2.5kN，板长3.28m，则均布自重为0.762kN/m。

施工荷载：首先断裂板上有五块空心板，共重2.5×5=12.5kN，压在两块板上，垫木将荷载散开，宽1.2m，因而可看作在1.2m宽度上的均布荷载，因堆置板上有1人，二层楼板上有两人，今计入1人，设重60kg（≈0.6kN），为简化计算均入1.2m长的分布荷载中，于是

$$\left(\frac{1}{2}\times 2.5\times 5+0.6\right)/1.2=5.7\text{kN/m}$$

板的计算跨度取1.05×净跨，即

$$l=1.05\times(3.3-0.24)=3.21\text{m}$$

板的支座支反力：

$$R_A = R_B = \frac{1}{2} \times (0.762 \times 3.21 + 5.71 \div 1.2) = 4.65 \text{kN}$$

跨中最大弯矩：

$$M = 4.65 \times \frac{1}{2} \times 3.21 - \frac{1}{2} \times 3.21 \times 0.762 \times \frac{1}{4} \times 3.21$$

$$-5.71 \times 0.6 \times 0.3 = 5.45 \text{kN} \cdot \text{m}$$

空心板钢筋 6Φ4，$A_p = 754 \text{mm}^2$

取标准强度复核，甲级 I 组冷拔低碳钢丝 $f_{pyk} = 700 \text{N/mm}^2$

混凝土 C28，标准强度 $f_{pmk} = 20.6 \text{N/mm}^2$

保护层 10mm，取 $a_s = 15 \text{mm}$，$h_0 = 110 - 15 = 95 \text{mm}$

受压区高度：

可取 $b = 470 \text{mm}$ 的单筋矩形截面计算。

由

$$A_p f_{pyk} = b \cdot x \cdot f_{cmk}$$

得

$$x = \frac{A_p f_{pyk}}{b \times f_{cmk}} = \frac{75.4 \times 700}{470 \times 20.6} = 5.45 \text{mm} < 20 \text{mm}$$

$$M_d = A_p f_{pyk} \left(h_0 - \frac{x}{2} \right) = 75.4 \times 700 \left(95 - \frac{5.45}{2} \right)$$

$$= 4878274 \text{N} \approx 4.87 \text{kN} \cdot \text{m} < 5.45 \text{kN} \cdot \text{m}$$

可见，楼板因承载力不足而引起断裂。

【实例 5-9】 10 层预制装配式框架倒塌

[事故概况]

某 10 层预制装配式大楼，楼层平面见图 5-13。大楼总高 41m，长 56.6m，宽 21m，开间为 6.1m，框架为三跨 6.55m+6.4m+6.55m。该结构于 4 月间突然倒塌，造成多人伤亡的恶性事故。

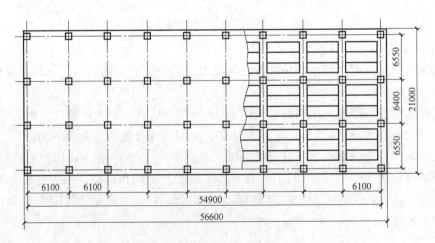

图 5-13 10 层大楼的标准平面

建筑物倒塌时，基础工程已全部完工，地下室墙壁接近完工，只有部分基础坑空隙尚未完全填实。地下室基础回填土工程尚未全面进行，十层钢筋混凝土骨架的安装已经全部就位。柱接头只完成一部分，全部连接板的焊接只完成50%。倒塌现场检查横梁接头发现有大量漏焊，梁柱接头的灌浆工作大体进行到二层。骨架沿纵向倒塌，倒塌后骨架成了一片散堆，柱子断离基础。

[事故原因分析]

检查后认定，引起倒塌的原因是，结构在安装中处于很不稳定的状态，未形成结构而近乎瞬变体系，因而在自重（只有设计荷载的25%左右）以及主要是在施工中可能产生的不太大的水平力作用下，结构沿纵向丧失稳定而倒塌。具体说来有以下几点：

(1) 设计要求吊装一层，固定一层，即焊接、浇筑节点一层，逐层往上安装。但施工中为赶进度，没有按设计要求去做。10层均未浇筑节点混凝土，有几层节点尚未焊接。

(2) 在施工中未采取必要的稳定措施，如增加临时垂直支撑、加强拉结等措施，施工人员理论知识缺乏，不知安装过程中保证体系稳定的必要性，也不知保证稳定的方法。

(3) 管理混乱。负责吊装的单位与负责节点施工（焊接、浇筑节点混凝土）的单位分工明确而合作不好，联系不及时，各顾各施工，造成了结构处于不稳定状态。

【实例5-10】 多层升板倒塌事故

[事故概况]

上海某工业厂房加工车间为5层升板结构，如图5-14所示。该工程采用天然地基、片筏基础，预制柱插入杯口深1.25m，柱网5.5m×5.5m，柱断面400mm×400mm，三层以下混凝土强度等级相当于C28，配4Φ25主筋，四层以上为接长的现浇钢筋混凝土柱，混凝土强度等级相当于C18，配筋4Φ16。底层层高为5.5m，二层以上各层为4.5m，主体建筑总高23.5m，建筑面积2348m²。楼板采用钢筋混凝土平板，板厚180mm，就地浇筑，逐层提升。

提升设备采用爬升式蜗轮蜗杆电动提升机，电动机功率为3kW，丝杆长度为2m，提升速度为1.8m/h，提升机自重500kg，每台提升能力为30t。

该工程于1973年12月开始施工，1974年5月10日吊装完下面三层预制柱，6月25日将屋面板升至预制柱顶，7月7日浇筑完四、五层柱子，7月12日开始在现浇柱上升板。倒塌前，二、三层楼板已经就位，搁置在承重销上，其他各层楼板分别支承在12.7m、16.0m、19.0m标高的休息孔的钢销上（见图5-15）。所有柱帽均未开始施工，柱与板之间也无其他连接措施。7月20日上午提升机正在空车下降丝杆，准备把第三层板从19.0m处提升到20.5m处，整个结构发生摇晃、倾倒，数秒钟之内升板结构全部倒塌。倒塌后，除二层楼板朝南位移4.55m外，其余全朝北位移。倒塌时造成15人死亡，多人受伤。

[事故原因分析]

事故后对设计计算、施工工艺和工程质量进行了全面的调查复核。认定事故的主要原因是设计计算假定与施工实际情况不符，施工中采取的稳定措施不力，致使群柱整体失稳，造成倒塌。

首先是设计时未考虑施工的实际情况。计算时将5层柱子分两段验算其强度与稳定性，第一段为下面3层预制柱，假定下端固定，上端为弹性铰支；第二段计算上边2层柱子，假定柱子下端（即四层楼面处）为固定，上端为铰支，如图5-16（a）所示，而实际施工中，各楼层仅搁置在承重销上，并未做柱帽，也无其他连系措施与临时支撑。因此施

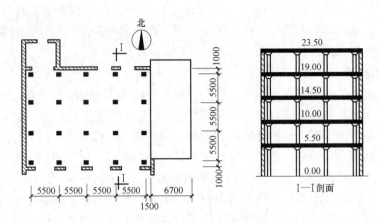

图 5-14 车间平面及剖面图

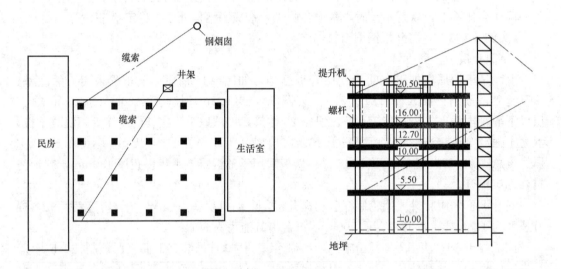

图 5-15 倒塌前安装情况示意图

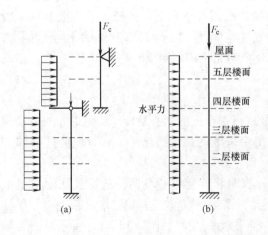

图 5-16 验算柱长度和稳定性

工中柱子的受力状态为一根根独立的、长细比很大的悬臂柱。这一状态与设计时取的计算简图有很大差别。按实际受力状态（图 5-16b 的长悬臂柱）复核计算，施工荷载已经超出柱子的临界荷载，因而会引起失稳破坏。

发生事故时，我国还没有升板结构的技术规程。在 1990 年我国制定并颁布了国家标准《钢筋混凝土升板结构技术规范》GBJ 130—90。按照这一规定，升板结构在提升阶段应对提升单元进行群柱稳定性验算。具体的验算公式为：

$$\eta = \cfrac{1}{1 - \cfrac{\gamma_F F_c}{10\alpha_n \xi E_c^b I_c^b} l_0^2} \tag{5-1}$$

要求 $0<\eta<3$。当 η 为负值或大于 3 时,应改变提升工艺,保证升板柱的稳定。

式中　F_c——提升单元等代悬臂柱总的折算垂直荷载,可按下式计算:

$$F_c = G_{01}\gamma_1 + \sum_{i=1}^{n-1} G_{0i}\beta_i + G_{0C} + G_{01} \tag{5-2}$$

G_{01}——正在提升的一层板上所承受的重力设计值;

γ_1——提升折减系数;

G_{0i}——临时搁置的第 i 层板所承受的重力设计值;

β_i——搁置系数;

G_{0C}——柱子自重折算值;

G_0——提升单元内每个枝上的设备自重;

l_0——柱的计算长度,按实际固定情况取为悬臂柱,$l_0=2.0l$;

α_n——升板结构实际工作状态系数,由柱受力相对偏心距(e_0/h)确定;

ξ——等代悬臂柱刚度修正系数,预制柱取 $\xi=1.0$;

E_c^b——混凝土的弹性模量;

I_c^b——等代柱的截面惯性矩,它等于提升单元下所有柱的惯性矩之和。

按这一公式验算,若按设计设想,在提升三层时完全固定好,则可得 $\eta=2.3$,可以满足要求。但按本例实际施工情况验算,则取 $\eta=1.74$,为负值,可见本例的提升工艺是错误的。

从施工安装过程分析,施工管理不善,工程质量差也是引起倒塌的重要原因。施工中两个牵线在同一方向,且交角不大,有一根又系于本身刚度也不很大的井架上,这对结构整体稳定性的保证不够,尤其是向北倒塌时,缆索很难起作用。设计要求三层固定后再向上提升两层,而施工单位未予重视。事后检查,上面两层预制混凝土浇筑质量差。在施工过程中,已有事故预兆,但未引起警觉。例如事故前一天,已发现提升环与柱的空隙很不均匀。事故前半小时,提升屋面板发现找平后又倾斜,再找平还倾斜,连续四次找平,这说明结构倾斜已达临界状态。但施工单位还未引起重视并及时处理,终于造成重大事故。

5.5　结构耐久性事故

5.5.1　概　述

一般说来,建筑物的使用时间越长,则剩余寿命就越短,使用的安全风险率就越大,实际可靠度指标将会降低。但到目前为止,还不能准确预判这类房屋在哪一天必定会倒塌。但对判别是否是危房,我国已经制订了一些标准。

从世界上经济发达国家的建筑历史进程可以看出,发达国家建筑大体上都经历了三个阶段,即大规模新建、新建与维修改建并重、重点转向旧建筑的维修改造。在欧美等发达国家,其新建工程尤其是普通工程建设项目已经寥寥无几,大部分研究课题和工程项目都转向工程维修及耐久性问题。从我国目前状态看，在20世纪50年代、60年代甚至70年代建造的房屋，逐渐转向老龄。而大规模建设工程又正在展开，所以，我们一方面有很多建筑工程在新建，而大批旧房、危房需要改建、加固。近年来，因耐久性不足而出现的事故也不少。研究表明，对各种类型的结构，出现耐久性事故的主要原因也不尽相同。

对钢结构的耐久性问题，主要是锈蚀、有效断面缩小而导致承载力下降；在反复荷载作用下的疲劳破坏；因裂缝扩展、损伤积累而引起构件断裂；在腐蚀性介质中，钢材被腐蚀而破坏；连接（铆钉、螺栓、焊缝）发生疲劳断裂等。

对木结构，因木材是有机材料，其破坏主要原因为木材逐渐腐朽。此外虫蛀、蚁患、菌腐、鼠咬等生物破坏也是引起事故的重要原因。接头的松动也是引起事故的主要原因。

对钢筋混凝土结构其耐久性事故可从钢筋及混凝土两个方面讨论。

对钢筋来讲主要是锈蚀。埋设在混凝土中的钢筋，在正常情况下处于高碱性（pH≥12）介质中，表面生成一层钝化膜。钝化膜有效地抑制了钢筋的腐蚀。若钝化膜遭破坏，则钢筋会锈蚀，形成疏松的、体积胀大的铁锈，使保护层剥落，有效断面减小而引起事故。

在实际工程中，钢筋表面钝化膜的破坏通常有以下两个原因：一是游离氯离子Cl^-的侵入。Cl^-离子可能来自于海洋环境、有Cl^-的工业废水，在拌合混凝土时采用盐作外加剂等。游离氯离子侵入后与钢筋表面钝化膜发生置换反应，生成氯化物使钝化膜发生破坏。另一个原因是混凝土的中性化，或称为碳化。钝化膜破坏后，钢筋在一定条件下产生电化学腐蚀。钝化膜破坏区钢筋表面成为阳极，处于活化状态，形成铁离子Fe^{3+}，而钝化膜未破坏区成为阴极，当量电子e^-沿钢筋流向阴极与氧（O_2）和水（H_2O）发生反应形成负离子$(OH)^-$。氢氧根离子流向阳极与铁离子Fe^{3+}结合生成氢氧化亚铁$[Fe(OH)_2]$，氢氧化亚铁进一步氧化生成三氧化二铁Fe_2O_3，即钢筋腐蚀为铁锈。

混凝土方面的破坏主要来自于表面碳化、有害介质的侵蚀、混凝土冻融破坏、碱骨料反应等，下面分别说明。

(1) 混凝土碳化。这主要是指大气中的二氧化碳（CO_2）与混凝土中的氢氧化钙发生反应而产生碳酸钙。在工业区中，其他酸性气体如二氧化硫（SO_2），硫化氢（H_2S）等也会使混凝土"碳化"（实际上是中性化）。碳化的结果，混凝土的胶凝孔隙和部分毛细管可能被碳化产物（如$CaCO_3$）堵塞，混凝土的密实性和强度会有所增强，但是由于碳化降低了混凝土孔隙体中的pH值，碳化一旦达到钢筋表面，就会因其表面的钝化膜遭到破坏而产生锈蚀。一般认为混凝土的碳化深度大致与碳化时间的平方根成反比，即

$$d=k\sqrt{t} \tag{5-3}$$

式中 d——混凝土碳化深度（mm）；

k——常数，取决于构件及其所处环境；

t——碳化持续时间。

(2) 有害介质的腐蚀。其中有一类腐蚀产生于能够溶解水泥石组分的液体介质，如溶解有CO_2、SO_2、腐殖酸、氢硫酸（H_2S）等水溶液，这些物质可以与水泥石中的$Ca(OH)_2$发生反应而形成白色沉积物（方解石为主）而逐步破坏。另一类更主要的腐蚀是来自与酸碱等溶液的化学反应。以氯离子（Cl^-）为例，它存在于一些早强剂及抗冻剂中，也可来自于外界环境，如海水或某些化工车间的气、雾中。它具有很强的穿透能力，

使难溶的氢氧化铁薄膜变为易溶的氯化铁，致使保护钢筋的表面钝化膜破坏，从而导致钢筋锈蚀。其他如硫酸、硝酸等无机酸及醋酸、乳酸等有机酸对混凝土也有腐蚀作用，它们都能与混凝土中的碱性物质（羟钙石）发生反应产生盐和水，造成水泥石破坏。

（3）冻融破坏。在水饱和或潮湿状态下，由于温度正负变化，混凝土内部孔隙中的水结冰冻胀又融化松弛，使硬化了的混凝土产生疲劳应力，造成混凝土由表及里的逐渐剥落与破坏。这在我国寒冷地区是经常发生的。

（4）碱-骨料反应。碱-骨料反应是指水泥中的碱和骨料中的活性氧化硅发生反应而生成碱-硅酸盐凝胶并吸水膨胀，已硬化的混凝土受不了此膨胀力而产生开裂及破坏，如：

$$2Na_2O + SiO_2 \xrightarrow{H_2O} Na_2O \cdot SiO_2 + H_2O$$

具有活性氧化硅的骨料称为活性骨料。这类骨料与水泥中的碱发生反应产生凝胶的同时体积可膨胀 3 倍左右。因而这种活性骨料含量只要达 1‰，就有相当危险。这种反应很慢，有的要 3~5 年甚至更长时间才能被人发现，因碱—骨料反应而引起的事故在世界各地均有发现，因而值得引起重视。

5.5.2 事故实例

【实例 5-11】 上海某悬索结构屋顶塌落事故

[事故概况]

上海市某研究所食堂，屋盖为双层圆形悬索屋盖，直径 17.5m，支承在砖墙加扶壁的砌体结构上。屋盖内环由型钢组成，直径 3m，高 4.5m，外环为钢筋混凝土环梁，核心截面 720mm×600mm，内外环由 90 根直径为 7.5mm 的钢绞索组成，上铺钢筋混凝土扇形板，板内填注豆石混凝土，上铺二毡三油防水层，板底平顶粉刷。建筑目的主要是为探索建造直径 106m 的大跨悬索结构的可行性，以便在设计及施工过程中研究问题，积累经验。工程于 1960 年施工完毕，并交给研究所作为食堂使用。结构平、剖面示意图如图 5-17 所示。该工程于 1983 年 9 月晚间突然整体塌落，因事故发生在晚间，幸未造成人员伤亡。

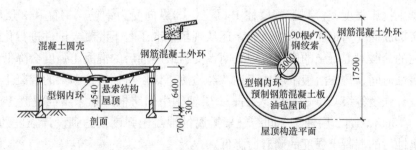

图 5-17 屋盖平、剖面示意图

[事故原因分析]

事故后查看现场，发现 90 根钢索全部沿周边折断。因本工程于 1960 年建成，本为试验性建筑，应该长期观测。但使用单位于 1965 年迁移外地，停止了专门观察。20 世纪 70 年代末迁回原址后，仅因屋面局部渗漏做了修补，悬索部分因为上有油毡下有粉刷层，如不专门去查看,一般不会发现锈蚀情况,而实际上已锈蚀严重。经专家们讨论分析,一致确认是:由于钢绞线长期被锈蚀。断面减少,承载力不足而引起塌落。

【实例 5-12】 某厂房框架梁柱腐蚀开裂事故

[事故概况]

某厂房为 3 层 3 跨现浇钢筋混凝土框架结构,平面尺寸 16m×24m(图 5-18),高 9.3m,采用 C25 混凝土,未采取防腐蚀措施。工程于 1995 年底竣工,1999 年 1 月起生产食品香料,主要产品为甲基环戊烯醇酮(俗称 MCP),其主要原料有:甲醇、甲醛、二甲基呋喃、食品级盐酸和烧碱。可见,该厂混凝土结构处于有氯化物存在的工业环境之中。2004 年 7 月该厂所在地域安监局在安全生产大检查中发现其框架柱、梁出现较大裂缝,故委托珠海市房屋安全鉴定所对其进行鉴定。

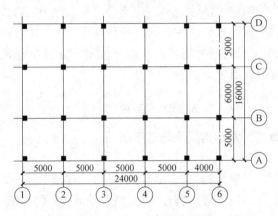

图 5-18 ±0.000 柱网平面布置

[事故原因分析]

现场检查发现,厂房的部分框架柱和梁出现了不同程度的裂损,裂缝宽度大多超过 1mm;轻轻敲击,保护层就会大面积剥落;裂损部位的主要受力钢筋和钢箍有明显锈斑,该处混凝土呈紫褐色。其中 1 层柱 C-③一个边角的纵向受力钢筋和钢箍几乎已整段锈蚀。

为评估该厂房混凝土结构累积损伤的原因及其危害,采用钻芯法检测了 11 根柱和 2 根梁的混凝土抗压强度,检测了首层柱 B-③、C-③纵向受力钢筋、钢箍和 2 层轴④中间跨框架梁底部纵向受力钢筋的力学性能,还从现场抽取了若干混凝土试件进行化学试验。

已研究的盐酸对混凝土的腐蚀机理表明,受盐酸腐蚀后的混凝土强度会降低,其强度损失率与腐蚀时间、盐酸溶液浓度成正比。经检测,该厂房抽检柱和梁的混凝土强度换算值大多为设计强度等级 C25 的 60% 左右;2 层轴④中间跨框架梁未腐蚀混凝土强度达到设计强度的 156%,而 3 层轴④中间跨框架梁腐蚀混凝土强度仅达到设计强度的 77.6%,表明盐酸腐蚀后的混凝土强度的确有所降低。

经检测,顺筋开裂严重柱的纵向受力钢筋及钢箍、梁底部纵向受力钢筋和楼板钢筋均已严重锈蚀。已有研究表明,pH<11.5 时,混凝土中钢筋的钝化膜已不稳定;pH<9.88 时,钢筋的钝化膜已逐渐破坏;而 pH<9 时,钢筋的钝化膜已被破坏。抽检构件混凝土的 pH 值为 7.06~10.87。这表明受盐酸侵蚀构件混凝土中的钢筋表面的钝化膜已不稳定、已被逐渐破坏或已被破坏。现场检查发现,用于该厂香料生产的反应釜钢内筒外壁

已被盐酸溶液等腐蚀性介质严重腐蚀，局部已锈穿，说明该厂生产装置的密封措施不能完全防止腐蚀性溶液泄漏。泄漏的腐蚀性溶液除会残留在支承反应釜的梁、板表面外，亦会沿反应釜与楼板孔洞之间的空隙等通道滴漏到其下的板、梁、柱。日积月累，这些腐蚀性介质就会从这些构件表面的微细裂缝和孔隙逐渐侵入到构件中，并与混凝土水泥石中的氢氧化钙等水化物产生下列化学反应：

$$Ca(OH)_2 + 2HCl \longrightarrow CaCl_2 + 2H_2O$$

$$3CaO \cdot 2SiO_2 \cdot 3H_2O + 6HCl \longrightarrow 3CaCl_2 + 2SiO_2 \cdot nH_2O$$

$$3CaO \cdot Al_2O_3 \cdot 6H_2O + 6HCl \longrightarrow 3CaCl_2 + Al_2O_3 \cdot nH_2O$$

$$CaO \cdot Fe_2O_3 \cdot H_2O + 2HCl \longrightarrow CaCl_2 + Fe_2O_3 \cdot nH_2O$$

$$Fe_2O_3 \cdot nH_2O + 6HCl \longrightarrow 2FeCl_3 + mH_2O$$

$$3CaO \cdot Al_2O_3 \cdot CaSO_4 \cdot 6H_2O + 6HCl \longrightarrow 3CaCl_2 + Al_2O_3 + nH_2O + CaSO_4$$

上述反应所生成的硫酸钙还会与混凝土中的铝酸四钙起反应，产生更多结晶水的大分子产物——水化三硫铝酸钙（钙矾石），体积将增加 1.5 倍以上。易溶于水和易潮的氯化钙可随水渗入混凝土内部的毛细孔内，当水分蒸发时，钙就可能会结晶，使钙离子 Ca^{2+} 流失，混凝土的水化物稳定性就会下降；钙结晶生长过程中体积还会膨胀，从而使混凝土保护层胀裂、粉化、剥落。这是一个极其复杂的多相物理化学作用。

综上，因该厂房混凝土框架结构处于有盐酸溶液等腐蚀性介质的工业环境中，而设计并未采取必要的防腐蚀措施，即使其框架柱纵筋、梁的钢箍保护层平均厚度大多大于 30mm 和 20mm，但仍出现了严重的钢筋锈蚀等耐久性累积损伤，在正常维护条件下已丧失满足其预定功能的能力，存在诱发结构突然破坏的可能。

参考：刁学优. 混凝土结构盐酸腐蚀事故鉴定与分析 [J]. 建筑结构，2006（12）：49—51.

5.6 脚手架事故

5.6.1 概　　述

20 多年来，伴随着我国经济的迅速发展，高层和超高层建筑、桥梁和地下工程、多层工业厂房和大跨度建筑的大量兴建，促使模板和脚手架的应用日渐增多。但是，某些施工单位由于不重视模板和脚手架工程在施工中的重要作用，导致安全事故不断发生，不仅影响工程质量、施工进度和工程造价，而且影响施工企业的声誉和发展前途。因此，应对脚手架和模板安全事故进行仔细分析，认真查找原因，寻找对策，提出相应预防措施，保证施工活动安全、有序的进行。

建筑施工项目中，由于脚手架施工具有周期长、单件性和复杂性等特点，在实施过程中存在着许多不确定的因素，比一般施工过程具有更大的风险。特别是对于现代建设项目，无论是在建筑体型还是在技术的复杂性等方面，都使得建筑施工过程的安全风险比以往任何时期存在的风险都要增加很多,导致的事故级别也越来越高。对建筑工程施工脚手架安全风险的辨识与评价的目的就是为了降低发生脚手架安全事故的频率并尽量减轻事故后果。国内一系列大型建设项目事故的发生几乎都与缺少危险状态下的预研究有关。所以认识脚手架事故的危险性、研究脚手架事故发生的原因的意义就在于:

(1) 可促进工程建设施工脚手架各环节的安全保障体系,使决策人能更好地、更准确地认识脚手架安全风险对项目的影响及风险之间的相互作用。

(2) 有助于决策人制定更完备的应急计划和有效地选择风险防范措施,制订有效的安全预控措施,减少建筑施工脚手架安全事故的发生。

(3) 为施工企业的安全生产管理提供技术依据,以达到"预防为主"的安全管理要求,将事故消灭在萌芽状态。

近年来脚手架事故:

① 2006年2月20日,上海市浦东新区栖山路1598号一栋5层楼的建筑脚手架从东至西全部坍塌,7名装修工人被压,其中3人因伤重身亡。

② 2006年3月15日,江苏镇江的江苏大学主校区一幢即将竣工的教学楼前的脚手架突然倒塌,两名工人摔死,一名工人摔伤。

③ 2008年4月21日,河南卫群置业有限公司建设的滨河绿苑小区楼工地发生一起附着式升降脚手架坍塌事故。

④ 2008年5月9日,牡丹江红博购物广场外装修工程发生一起钢制脚手架倒塌事故,造成3名行人死亡,3人轻伤。

⑤ 2008年7月11日,施工中的重庆轨道交通两路口换乘车站工程发生一起脚手架垮塌事故,20余工人被埋,1人死亡、15人受伤。

⑥ 2008年9月3日,海南省三亚市鹿回头半山半岛项目地块楼工程发生外钢管脚手架整体坍塌事故,4名工人随着架体坠落地面,导致1人重伤,3人轻伤。

⑦ 2009年6月30日,浙江杭州临安市锦城镇白天鹅大酒店发生脚手架坍塌事故,造成2死5伤。

⑧ 2009年8月10日,上海天山路585弄发生一起脚手架顶棚坍塌事故。事故造成多辆汽车损坏,幸无人员伤亡。

⑨ 2009年10月20日,萝岗区开创人道萝岗区检察院办公大楼工地发生一起脚手架垮塌事故,造成作业工人1死6伤,其中4人重伤。

⑩ 2010年1月12日,在贵州省黔南州福泉市的利森水泥厂工地上,搭设完毕的脚手架突然倒塌,造成8人死亡,2人受伤。

模板、脚手架是建筑施工的主要设施,从脚手架上坠落的事故占高处坠落事故的50%。按照安全系统工程学的原理,将近年来发生的事故用事故树的方法进行分析,主要原因可以归纳为:脚手架和模板没有经过设计计算,支撑强度不足,整体稳定性差,脚手架上缺少防护设施,工程管理不到位,法制、法规不健全等。

(1) 材料问题

现阶段,工程中用作模板和脚手架的材料主要有木材、竹竿和钢管。其中扣件式钢管脚手架安装、拆卸方便,周转次数多,成为目前建筑工程中应用最广泛的脚手架。

按《建筑施工扣件式钢管脚手架安全技术规范》JGJ 130—2011(以下均简称"规

范")要求,脚手架钢管宜采用$\phi48.3\times3.6$,每根钢管的最大质量不应大于25.8kg。

扣件的质量应符合有关规定,且扣件螺栓拧紧扭力矩达65N·m时不得发生破坏。连墙件用钢管、型钢或粗钢筋制成,"规范"对其布置和构造都作了严格的规定。但是,近年来,一些地方生产和销售建筑施工用劣质钢管、扣件违法行为突出,租赁市场混乱,大量不合格的钢管、扣件流入施工工地。施工单位未严格按标准使用钢管、扣件,严重危及建筑施工安全。仅某省质量技术监督部门于2003年9月份抽查的用于搭建建筑工地脚手架的45批次钢管和37批次扣件,结果是扣件合格率为零,钢管合格率也低于50%,正是这些不合格的产品,使模板和脚手架施工成为最大的事故隐患。根据《建筑施工安全检查标准》JGJ 59—2011规定,由于所用竹材大都不满足4年生长期和竹竿直径不小于75mm的材质要求,因此,从安全角度考虑应逐步淘汰竹脚手架。而一些地区很多高层和多层建筑物,至今仍大量采用材质远不符合要求的竹脚手架进行搭设,同时施工单位缺乏相应的设计以及验算,使安全事故很难避免。

(2) 设计问题

长期以来,我国的施工现场普遍采用钢管与扣件搭设水平结构(楼板、梁、阳台)的混凝土模板支架。但是,对跨度大、空间高、荷载重的模板支架进行分析计算的研究和总结不多,以致不少工程所编制的施工组织设计和专项施工方案比较简略,这是问题之一。问题之二,设计计算不合理。通过分析上述事故发生的原因,发现在模板支架的内力分析与实际受力不符的情况下就直接进行设计计算。模板支架工程实际的梁板荷载分布是中间大、两边小,如:在1根两跨横杆的两边跨中作用F,如图5-19(a)所示,用结构力学方法可知:3个支点的支承反力分别是$R_A=0.312F$,$R_B=1.376F$,$R_C=0.312F$,中间立杆承受全部竖向荷载的68.8%,每边立杆承受15.6%;有些工程设计却将荷载进行平均分担,如图5-19(b)所示,导致中间立杆的安全度不满足要求。再加上钢管、扣件有初始缺陷,特别是经多次周转重复使用的钢管、扣件更为严重。如:管子的初弯曲、锈蚀、截面缺损,管子端面不平,扣件的裂缝、破碎等。施工时又仅凭以往的经验布置支撑系统,使钢管的承载能力大大降低,在施工管理不严的情况下,极易发生模板支撑失稳。

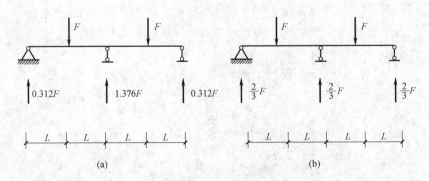

图5-19 受力分析示意图
(a) 正确受力分析示意;(b) 错误受力分析示意

(3) 施工管理问题

由于施工管理问题而造成脚手架和模板倒塌事故的主要原因有两方面:一是脚手架模板施工人员素质较差,缺乏相关安全培训。根据《架子工国家职业标准》规定:架子工的基本文化程度为初中文化,而相关统计表明,我国建筑业从业人员中 2/3 以上是农民工,50%~60%的农民工因为没有参加岗前培训或岗前培训的质量不能保证,应具备的基础和知识相对较差,缺乏必要的安全技能。二是施工单位的安全管理不严格,安全措施落实不到位,导致施工环境恶劣。实际检查中往往发现施工时没有按规定对作业人员进行书面安全技术交底,施工操作马虎。如有的模板倒塌事故是由于操作工人没有按设计要求设置剪刀撑或连墙件设置不均匀造成模板失稳破坏;有的是由于脚手架基础未夯实,脚手架立杆垫板没有连续铺设,与工程结构的拉结点不符合安全技术规范要求,导致脚手架整体坍塌;有的脚手架作业层未满铺脚手板,也未搭设安全网,缺少必要的安全防护措施。因此,施工现场不按标准规范进行安全防护,管理人员、施工作业人员违章作业,不按要求安装和拆除脚手架和模板是造成倒塌事故的重要原因。

5.6.2 事故实例

【实例 5-13】 清华附中脚手架坍塌事故

[事故概况]

2014 年 12 月 29 日 8 时 20 分许,在北京市海淀区清华大学附属中学体育馆及宿舍楼工程工地,作业人员在基坑内绑扎钢筋过程中,筏板基础钢筋体系(脚手架支撑体系)发生坍塌,如图 5-20 所示,造成 10 人死亡,4 人受伤。

事发部位位于基坑 3 标段,深约 13m、宽约 42.2m、长约 58.3m。底板为平板式筏板基础,上下两层双排双向钢筋网,上层钢筋网用马凳(脚手架)支承。事发前,已经完成基坑南侧 1、2 两段筏板基础浇筑,以及 3 段下层钢筋的绑扎、马凳安放、上层钢筋的铺设等工作;马凳采用直径 25mm 或 28mm 的带肋钢筋焊制,安放间距为 0.9~2.1m;马凳横梁与基础底板上层钢筋网大多数未固定;马凳脚筋与基础底板下层钢筋网少数未固

图 5-20 倒塌事故现场照片

定；上层钢筋网上多处存有堆放钢筋物料的现象。事发时，上层钢筋整体向东侧位移并坍塌，坍塌面积 2000 余平方米。

[事故原因分析]

未按照方案要求堆放物料、制作和布置马凳，马凳与钢筋未形成完整的结构体系，致使基础底板钢筋整体坍塌，是导致事故发生的直接原因。

国家建筑工程质量监督检验中心对照《施工组织设计》和《钢筋施工方案》的要求，对现场筏板基础钢筋体系的施工情况开展了全面分析，确定该起事故的技术原因为：

（1）未按照方案要求堆放物料。施工时违反《钢筋施工方案》第 7.7 条规定，将整捆钢筋物料直接堆放在上层钢筋网上，施工现场堆料过多，且局部过于集中，导致马凳立筋失稳，产生过大的水平位移，进而引起立筋上、下焊接处断裂，致使基础底板钢筋整体坍塌，如图 5-21 所示。

（2）未按照方案要求制作和布置马凳，导致马凳承载力下降。现场制作的马凳所用钢筋直径从《钢筋施工方案》要求的 32mm 减小至 25mm 或 28mm；现场马凳布置间距为 0.9～2.1m，与《钢筋施工方案》要求的 1m 严重不符，且布置不均、平均间距过大；马凳立筋上、下端焊接欠饱满。

（3）马凳及马凳间无有效的支撑，马凳与基础底板上、下层钢筋网未形成完整的结构体系，抗侧移能力很差，不能承担过多的堆料荷载。

图 5-21　清华附中工地底板钢筋倒塌示意图

参考：

郑屹峰．建筑施工脚手架安全事故分析［D］．中南大学，2010.

杨丽．脚手架模板工程安全事故原因分析及预防措施［J］．安全生产与监督，2010 (6)：58-59.

https://wenku.baidu.com/view/d99ae9d4a76e58fafbb00329.html

参考文献

［1］ 混凝土结构及砌体结构（下册）．第二版．［M］．北京：中国建筑工业出版社，1992.

[2] 徐占发，许大江. 砌体结构 [M]. 北京：中国建材工业出版社，2010.
[3] Hendry A W, Khalaf F M. Masonry wall construction [M]. CRC Press, 2010.
[4] 宋恩民，侯兴芝. 建筑结构中砌筑工程常见的质量问题及解决方法 [J]. 西部探矿工程，2011，23（5）：201-204.
[5] 徐海航，姜作杰，李建雄. 砌体结构常见工程事故分析及处理 [J]. 内蒙古科技与经济，2005（7）：136-137.
[6] 刘广均，张钢. 砌体结构设计中应注意的几个问题 [J]. 四川建筑科学研究，2003，2：018.
[7] 丁忠国. 混凝土与砌体结构工程事故分析及处理 [J]. 黑龙江科技信息，2010（029）：268-268.
[8] 张茂全，樊伟，庞国良，等. 某砌体结构工程质量事故原因分析 [J]. 锦州师范学院学报：自然科学版，2003，24（2）：29-31.
[9] 潘耀民. 某教学楼倒塌事故原因分析及经验教训 [J]. 福建建筑，2006（1）：118-119.
[10] 张红兵. 浅谈砌体结构事故原因分析与处理 [J]. 全国商情（理论研究），2011，14：052.
[11] 吴正文. 某挡土墙倒塌事故分析 [J]. 安徽建筑，2001，8（6）：27-28.
[12] 程章燮. 某房屋建筑工程倒塌事故技术分析 [J]. 福建建筑，2006（3）：83-84.
[13] 顾辉，程才渊. 砌体结构裂缝成因与加固措施 [C] //第15届全国结构工程学术会议论文集（第Ⅲ册）. 2006.
[14] 郭健，刘伟庆，王曙光，等. 隔震技术在砌体结构抗震加固中的应用研究 [J]. 工程抗震与加固改造，2008，30（1）：43-47.
[15] Sorour M M L. Characterization and Repair of Historic Stone Masonry Structures [M]. 2011.
[16] 张君，阎培渝，覃维祖. 建筑材料 [M]. 清华大学出版社，2008.
[17] Delatte N. Failure, Distress and Repair of Concrete Structures [M]. Elsevier Science, 2009.
[18] 混凝土结构设计规范 GB 50010—2010 [S]. 北京：中国建筑工业出版社，2010.
[19] 罗福午，王毅红. 土木工程质量缺陷事故分析及处理 [M]. 武汉：武汉理工大学出版社，2009.
[20] 张辉，周红波，高源. 大型钢筋混凝土建筑结构事故案例统计分析 [J]. 建筑技术，2010，41（7）：656-658.
[21] 卓尚木，季直仓. 钢筋混凝土结构事故分析与加固 [M]. 北京：中国建筑工业出版社，1997.
[22] Whittle R. Failures in Concrete Structures: Case Studies in Reinforced and Prestressed Concrete [M]. CRC Press, 2012.
[23] 湖南省长沙市"4.30"模板坍塌事故. 安全管理网 [EB/OL]. [2015/3/4]. http://www.safehoo.com/Case/Case/Collapse/201107/192225.shtml.
[24] 三丰百货店_百度百科 [EB/OL]. http://baike.baidu.com/link?url=-JtC-

ZaChwKO54drYOl4FEG5cdzFAd9XIDgQn0MFFVzF5MajVQgMpdejolEqaVPKqu1akYMBbGAnvUhWe7be6JK.

[25] Failures - Sampoong Department Store [EB/OL]. http：//failures. wikispaces. com/Sampoong+Department+Store? response Token=6fa1bde2d775bc0f54b6af7252db45ae.

[26] Failures - Rana Plaza Building Collapse [EB/OL]. http：//failures. wikispaces. com/Rana+Plaza+Building+Collapse.

[27] 4·24 孟加拉塌楼事故-百度百科 [EB/OL]. http：//baike. baidu. com/view/10518944. htm.

[28] 2013年孟加拉国萨瓦区大楼倒塌事故-维基百科，自由的百科全书 [EB/OL]. http：//zh. wikipedia. org/wiki/2013年孟加拉国萨瓦区大楼倒塌事故.

[29] GB 50367—2013 混凝土结构加固设计规范. 北京：中国建筑工业出版社，2013.

[30] 吴大明，孙欣. 美国柳树岛冷却塔坍塌事故启示 [J]. 中国安全生产，2017，12 (2)：56-57.

[31] 巴松涛. 混凝土早期强度和安全施工的交互影响 [J]. 混凝土，2007，39 (7)：29-30.

[32] 王传志，滕智明主编. 钢筋混凝土结构理论. 北京：中国建筑工业出版社，1985.

[33] 莫鲁，符萍芳主编. 混凝土结构施工及验收手册. 北京：地震出版社，1994.

[34] 中国建筑业联合会质量委员会选编. 建筑工程倒塌实例分析. 北京：中国建筑工业出版社，1988.

[35] 王赫，全玉婉，贺玉仙. 建筑工程质量事故分析. 北京：中国建筑工业出版社，1992.

[36] 江见鲸，陈希哲，崔京浩. 建筑工程事故处理与预防. 北京：中国建材工业出版社，1995.

[37] 刘仲平. 万吨预应力钢筋混凝土贮水池事故分析. 特种结构，1990年，第2期.

[38] 何文汇，段昌珺. 直径30m钢澄清池塌落事故原因分析. 特种结构，1994年，第4期.

[39] [加] 诺埃尔·P·梅尔瓦格内姆著. 混凝土结构的修复与防护. 姜迎秋，许仲祥，陈小兵，甄志玲，李虹译. 天津：天津大学出版社，1995.

[40] 王赫主编. 建筑工程事故处理手册. 北京：中国建筑工业出版社，1994.

[41] 《建筑结构设计常见病分析》编辑组. 建筑结构常见病分析. 北京：中国建筑工业出版社，1993.

[42] 范锡盛，王跃主编. 建筑工程事故分析及处理实例应用手册. 北京：中国建筑工业出版社，1994.

[43] 唐长馥，唐启明，郑国强，葛泳敏. 工程事故与危险建筑. 上海：同济大学出版社，1994.

[44] 王寿华，黄荣源，穆金虎. 建筑工程质量症害分析及处理. 北京：中国建筑工业出版社，1986.

[45] 卫龙武，吕志涛，朱万福. 建筑物评估、加固与改造. 南京：江苏科技出版社，1993.

[46] 万墨林,韩继云. 混凝土结构加固技术. 北京:中国建筑工业出版社,1995.

[47] 卓尚木,季直仓,卓昌志. 钢筋混凝土结构事故分析与加固. 北京:中国建筑工业出版社,1997.

[48] 罗福午,江见鲸,陈希哲,王元清. 建筑结构的事故分析及其防治. 清华大学出版社,1996.

[49] 钢结构加固技术规范(CECS77:96). 北京:中国计划出版社,1996.

[50] 赵熙元,柴昶,武人岱主编. 建筑钢结构设计手册(上、下册). 北京:冶金工业出版社,1995.

[51] 王光煜. 钢结构缺陷及其处理. 上海:同济大学出版社,1988.

[52] 冶金工业部建筑研究总院建筑情报研究室. 工业建筑钢结构事故分析、加固和改建(一、二、三). 1986.

[53] 涂铭旌,鄢文彬主编. 低合金钢低温脆性断裂论文集. 西安:西安交通大学出版社,1985.

[54] Wang Yuantsing. The quantitative evaluation of strength of the elements of steel structures with the view of brlttle fracture. Dissertation of ph. D, Dnepropetrovsk, 1993. 6

[55] W. J. Graff. Introduction to Offshore Structures. Gulf Publishing Company, 1981

[56] International Institute of Welding. Casebook of Brittle Fracture Failure. Doc. N IX-757-71. 1971

[57] 王元清. 钢结构在低温下脆性破坏研究概述. 钢结构. 1994,第3期.

[58] 王元清. 钢结构脆性破坏事故分析. 工业建筑,1998.

[59] 陈国旗,黎伟. 一起积灰荷载引起的屋盖垮塌事故分析. 工业建筑,1991. 11.

[60] 付佩玉. 熟料吊车库屋盖局部塌落事故分析和教训. 工业建筑,1996. 2.

[61] 李晓瑞. 厂房改变用途引起的倒塌事故分析. 工业建筑,1992. 1.

[62] 谢征勋. 台湾省某中学礼堂坍毁事故. 工业建筑,1988. 7.

[63] 王恒在等. 23很大跨度轻钢屋架坍落事故. 工业建筑,1990. 2.

第 2 篇　地基与基础篇

第 6 章　综　　述

6.1　建筑工程对地基的要求

国内外建筑工程事故调查表明多数工程事故源于地基问题，特别是在软弱地基或不良地基地区，地基问题更为突出。建筑场地地基不能满足建筑物对地基的要求，造成地基与基础事故。各类建筑工程对地基的要求可归纳为下述三方面的要求。

1. 地基承载力或稳定性方面

在建（构）筑物的各类荷载组合作用下（包括静荷载和动荷载），作用在地基上的设计荷载应小于地基承载力设计值，以保证建筑地基具有足够的安全度，不会产生破坏。若地基稳定性不能满足要求，地基将产生局部剪切破坏、冲切剪切破坏或整体剪切破坏。地基破坏将导致建（构）筑物的结构破坏或倒塌。各类土坡应满足稳定要求，不会产生滑动破坏。

2. 沉降或不均匀沉降方面

在建（构）筑物各类荷载组合作用下（包括静荷载和动荷载），建筑物沉降和不均匀沉降不能超过允许值。沉降和不均匀沉降值较大时，将导致建（构）筑物产生裂缝、倾斜，影响正常使用和安全。不均匀沉降严重的可能导致结构破坏，甚至倒塌。《建筑地基基础设计规范》GB 50007—2011 给出的建筑物的地基变形允许值如表 6-1 所示。规范规定对表中未包括的其他建筑物的地基变形允许值，可根据上部结构对地基变形的适应能力和使用上的要求确定。

3. 渗流方面

地基中渗流可能造成两类问题：一类是因渗流引起水量流失，另一类是在渗透力作用下产生流土、管涌。流土和管涌可导致土体局部破坏，严重的可导致地基整体破坏。不是所有的建筑工程都会遇到这方面的问题，对渗流问题要求较严格的是蓄水构筑物和基坑工程。渗流引起的问题往往通过土质改良，减小土的渗透性，或在地基中设置止水帷幕阻截渗流来解决。

建筑工程对地基的要求可以概括为上述三个方面。每项建筑工程都会遇到地基承载力和地基沉降、不均匀沉降问题，设计人员都要回答这两个问题。建筑工程类型不同，建筑场地工程地质条件不同，对地基要求的侧重点是不同的。例如：对路堤、堆场，因为允许的沉降较大，对地基要求的侧重点放在满足地基稳定性上。对房屋建筑不仅要重视地基承载力是否满足要求，而且要重视沉降是否满足要求。对软黏土地基上的建筑工程则更要重视沉降量的控制，因此采用按变形控制设计可能更为合理。

建筑物的地基变形允许值　　　　　表 6-1

变形特征		地基土类别	
		中、低压缩性土	高压缩性土
砌体承重结构基础的局部倾斜		0.002	0.003
工业与民用建筑相邻柱基的沉降差	框架结构	$0.002l$	$0.003l$
	砌体墙填充的边排柱	$0.0007l$	$0.001l$
	当基础不均匀沉降时不产生附加应力的结构	$0.005l$	$0.005l$
单层排架结构(柱距为6cm)柱基的沉降量(mm)		(120)	200
桥式吊车轨面的倾斜(按不调整轨道考虑)	纵向	0.004	
	横向	0.003	
多层和高层建筑基础的倾斜	$H_g \leqslant 24$	0.004	
	$24 < H_g \leqslant 60$	0.003	
	$60 < H_g \leqslant 100$	0.0025	
	$H_g > 100$	0.002	
体型简单的高层建筑基础的平均沉降量(mm)		200	
高耸结构基础的倾斜	$H_g \leqslant 20$	0.008	
	$20 < H_g \leqslant 50$	0.006	
	$50 < H_g \leqslant 100$	0.005	
	$100 < H_g \leqslant 150$	0.004	
	$150 < H_g \leqslant 200$	0.003	
	$200 < H_g \leqslant 250$	0.002	
高耸结构基础的沉降量(mm)	$H_g \leqslant 100$	400	
	$100 < H_g \leqslant 200$	300	
	$200 < H_g \leqslant 250$	200	

注：1. 本表数值为建筑物地基实际最终变形允许值；
　　2. 有括号者仅适用于中压缩性土；
　　3. l 为相邻柱基的中心距离（mm）；H_g 为自室外地面起算的建筑高度（m）；
　　4. 倾斜指基础倾斜方向两端点的沉降差与其距离的比值；
　　5. 局部倾斜指砌体承重结构沿纵向 6～10m 内基础两点的沉降差与其距离的比值。

6.2 地基与基础的基本型式

6.2.1 地基的基本形式

当天然地基能够满足建（构）筑物对地基的要求时，应采用天然地基。当天然地基不能满足建（构）筑物地基的要求时，可对天然地基进行处理，形成人工地基以满足建（构）筑物对地基的要求。通常，建筑物地基可分为天然地基和人工地基两大类。

天然地基中土层分布最常见的是层状地基和均质地基，也有一些天然地基中土层分布很不均匀。土层分布很不均匀的地基往往属于不良地基,需要进行地基处理形成人工地基。层状地基是指在持力层或压缩层范围内,天然地基是由2层或2层以上不同性质的土层组成。均质地基是指在上述范围内,土体性质基本相同,属于同一土层。当然,严格的均质地基是不存在的,地基土是自然的、历史的产物,同一土层,土体的强度与刚度也是随深度变化的。按照上述分析,天然地基又可分为层状地基和均质地基两大类。

人工地基随处理方法不同主要可形成均质地基、层状地基、复合地基和桩基础等不同形式。天然地基在地基处理过程中,加固区地基土体得到全面均匀的改善,加固区土体的物理力学性质基本上是相同的,可形成均质地基或层状地基。当加固区的宽度和厚度与荷载作用面积或者与其相应的地基持力层或压缩层厚度相比较都已满足一定的要求,可称为均质地基。若加固区厚度较小时,可称为层状地基。天然地基在地基处理过程中部分土体得到增强,或被置换,或在天然地基中设置加筋材料,加固区是由基体(天然地基土体)和增强体两部分组成的人工地基称为复合地基。复合地基加固区整体看是非均质的。根据在地基中设置的增强体的方向又可分为水平向增强体复合地基和竖向增强体复合地基。竖向增强体习惯上称为桩,有时也称为柱。竖向增强体复合地基通常可称为桩体复合地基。近年还发展了组合型复合地基。组合型复合地基由竖向增强体和水平向增强体组合形成,如桩网复合地基。广义讲,人工地基也包括桩基础。桩是在地基中设置的柱形构件,依靠地基土体提供的侧摩阻力和端阻力承担荷载。桩与连接桩顶的承台组成桩基础。桩基础是一种常见的基础形式。桩将上部结构传来的荷载,通过较弱地层或水传递到深部较坚硬的、压缩性小的土层或岩层。将人工地基与天然地基统一考虑,并将桩基也包括在内,地基具有下述几种形式(图6-1):

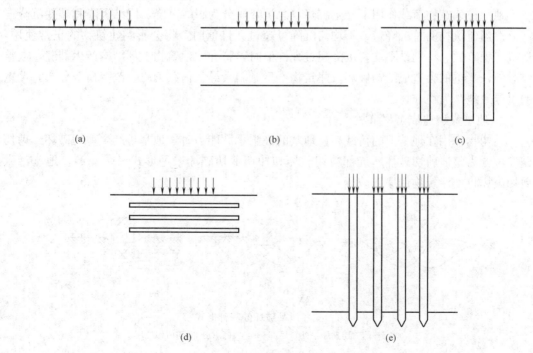

图6-1 地基基本形式

(a)均质地基;(b)层状地基;(c)竖向增强体复合地基;(d)水平向增强体复合地基;(e)桩基

(1) 均质地基；
(2) 层状地基；
(3) 竖向增强体复合地基；
(4) 水平向增强体复合地基；
(5) 桩基。

6.2.2 基础的基本形式

建（构）筑物的基础将建（构）筑上部结构荷载传给地基，是建（构）筑物的重要组成部分。基础分类方法很多。按基础埋置深度可分为：浅埋基础（条形基础、柱基础、片筏基础、壳体基础等），深埋基础（桩基础、沉井基础、地下连续墙基础等）和明置基础。按基础变形特性可分为柔性基础和刚性基础。按基础形式可分为：独立基础、联合基础、条形基础、片筏基础、箱形基础、桩基础、管柱基础、地下连续墙基础、沉井基础和沉箱基础等。

6.3 常见地基与基础工程事故分类及原因综述

6.3.1 工程事故分类

按土力学原理，常见地基与基础工程事故分类如下。

1. 地基变形过大造成工程事故

地基在建筑物荷载作用下产生沉降，总沉降可分为瞬时沉降、固结沉降和蠕变沉降三部分。当建筑物的总沉降量或不均匀沉降量超过允许值时，将会影响建筑物的正常使用，造成工程事故。特别是不均匀沉降超过允许值时，将导致建筑物上部结构产生裂缝，或整体倾斜，严重的会造成结构破坏。建筑物产生倾斜会导致荷载偏心，改变荷载分布，严重的可导致地基失稳破坏。

2. 地基失稳造成工程事故

结构物作用在地基上的荷载超过地基的极限承载能力时，地基将产生剪切破坏。剪切破坏可分为整体剪切破坏、局部剪切破坏和冲切剪切破坏三种形式（图 6-2）。地基产生剪切破坏将使建筑物倒塌或破坏。

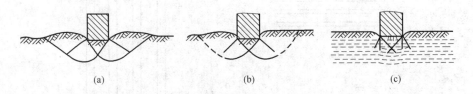

图 6-2 地基破坏的三种形式
(a) 整体剪切破坏；(b) 局部剪切破坏；(c) 冲切剪切破坏

3. 地基中渗流造成工程事故

地基土体中水的渗流引起地基破坏造成工程事故主要有下述几种情况：

(1) 地基土体中水的渗流造成潜蚀，在地基中形成土洞、溶洞或土体结构改变，导致地基破坏；

(2) 地基土体中水的渗流形成流土、管涌导致地基破坏；

(3) 地下水位下降引起地基中有效应力改变，导致地基沉降，严重的也可造成工程事故。

4. 土坡滑动造成工程事故

建在土坡上或土坡顶以及土坡坡趾附近的建（构）筑物会因土坡滑动产生破坏。造成土坡滑动的原因很多，除坡上加载、坡脚取土等人为因素外，土中渗流改变土的性质，特别是降低土层界面强度，以及土体强度随蠕变降低等是重要原因。

5. 地震造成工程事故

地震对建筑物的影响不仅与地震烈度有关，还与建筑场地效应、地基土动力特性有关。唐山地震后调查发现，普遍存在同一烈度区内建筑物破坏程度有显著差异。对同一类土，因地形不同，可以出现不同的场地效应，因而房屋的震害不同。在同样的场地条件下，黏土地基和砂土地基、饱和土和非饱和土地基上房屋的震害差别也很大。

地基对建筑物的破坏还与基础形式、上部结构、体型、结构形式及刚度有关。

6. 特殊土地基工程事故

这里特殊土地基主要指湿陷性黄土地基、膨胀土地基、冻土地基以及盐渍土地基等。特殊土的工程性质与一般土不同，特殊土地基工程事故也有特殊性。

湿陷性黄土在天然状态上具有较高强度和较低的压缩性，但受水浸湿后结构迅速破坏，强度降低，产生显著附加下沉。在湿陷性黄土地基上建造建筑物前，如果没有采取措施消除地基的湿陷性，则地基受水浸湿后往往发生事故，影响其正常使用和安全，严重时甚至导致建筑物破坏。

土中水冻结时，其体积约增加原水体积的 9%。土体在冻结时，产生冻胀，在融化时，产生收缩。土体冻结后，抗压强度提高，压缩性显著减小，土体导热系数增大并具有较好的截水性能。土体融化时具有较大的流变性。冻土地基因环境条件改变，地基土体产生冻胀和融化，地基土体的冻胀和融化导致建筑物开裂甚至破坏，影响其正常使用和安全。

盐渍土含盐量高，固相中有结晶盐，液相中有盐溶液。盐渍土地基浸水后，因盐溶解而产生地基溶陷。另外盐渍土中盐溶液将导致建筑物材料腐蚀。地基溶陷和对建筑物材料腐蚀都可能影响建筑物的正常使用和安全，严重时可导致建筑物破坏。

7. 其他地基工程事故

除了上述原因外，基坑工程和地下工程（地下铁道、地下商场、地下车库和人防工程等）的兴建，地下采矿造成的采空区，以及地下水位的变化，均可能导致影响范围内地面下沉造成地基工程事故。另外，各种原因造成的地裂缝也会造成工程事故。

8. 基础工程事故

除地基工程事故外，基础工程事故也影响建筑物的正常使用和安全。基础工程事故可分为基础错位事故、基础构件施工质量事故以及其他基础工程事故。

基础错位事故是指因设计或施工放线造成基础位置与上部结构要求位置不符合，如工程桩偏位、柱基础偏位、基础标高错误等。

基础施工质量事故类型很多，基础类型不同，质量事故不同。如桩基础，断桩、缩颈、桩端未达设计深度要求、桩身混凝土强度不够等；又如扩展基础，混凝土强度未达要求，钢筋混凝土表面出现蜂窝、露筋或孔洞等。

其他基础事故如基础形式不合理、设计错误造成的工程事故等。

6.3.2 工程事故原因综述

造成地基与基础工程事故的原因主要来自下述方面。

1. 对场地工程地质情况缺乏全面、正确的了解

许多地基与基础工程事故源于对建筑场地工程地质情况缺乏全面、正确了解。没有正确了解建筑场地土层分布、各土层物理力学性质，就会错误估计地基承载力和地基变形特性，导致发生地基与基础工程事故。

造成设计人员对建筑场地工程地质和水文地质情况缺乏全面、正确了解主要有下述情况：

(1) 工程勘察工作不符合要求

没有按照规定要求进行工程勘察工作，如勘察布孔间距偏大、钻孔取土深度太浅，造成勘察取土不能全面反映建筑场地地基土层实际情况。

也有少数情况属于工程勘察工作质量事故造成。在取土、试样运输和土工试验过程中发生质量事故，致使提供的工程地质勘察报告不能反映实际情况。如提供的土的强度指标和变形模量与实际情况差距很大，不能反映实际性状。

(2) 建筑场地工程地质和水文地质情况非常复杂

某些工程地质变化很大，虽然已按规范有关规定布孔进行勘察，但还不能全面反映地基土层变化情况。如地基中存在尚未发现的暗浜、古河道、古墓、古井等。这种情况导致地基与基础工程事故，为数也不少。

(3) 没有按规定进行工程勘察工作

没有按规定进行工程勘察工作造成工程事故虽然很少，但也时有所闻。应严格按工程建设程序开展工程建设工作。

2. 设计方案不合理或设计计算错误

设计方案不合理或设计计算错误主要有下述几个方面问题：

(1) 设计方案不合理

设计人员不能根据建筑物上部结构荷载、平面布置、高度、体型，场地工程地质条件，合理选用基础形式，造成地基不能满足建筑物对它的要求，导致工程事故。

(2) 设计计算错误

反映在地基与基础工程设计计算方面的错误主要有下述三方面：

1) 荷载计算不正确，低估实际荷载，导致地基超载造成地基承载力或变形不能满足要求。

2) 基础设计方面错误。基础底面积偏小造成承载力不能满足要求，或基础底平面布置不合理，造成不均匀沉降偏大。

3) 地基沉降计算不正确导致不均匀沉降失控。

产生设计计算方面错误的原因多数是设计者不具备相应的设计水平，设计计算又没

经过认真复核审查，使错误不能得到纠正而造成的。也有一些设计计算方面的错误是认识水平问题造成的。

3. 施工质量造成地基与基础工程事故

在地基与基础工程事故中，因为施工质量问题造成的事故所占比例不小。施工质量方面的问题主要有下述两方面：

（1）未按设计施工图施工

基础平面位置、基础尺寸、标高等未按设计要求进行施工。施工所用材料的规格不符合设计要求等。

（2）未按技术操作规程施工

施工人员在施工过程中未按操作规程施工，甚至偷工减料，造成施工质量事故。

4. 环境条件改变造成地基与基础工程事故

环境条件改变会造成地基与基础工程事故，常见有下述情况：

（1）地下工程或深基坑工程施工对邻近建筑物地基与基础的影响；

（2）建筑物周围地面堆载引起建筑物地基附加应力增加导致建筑物工后沉降和不均匀沉降进一步发展；

（3）建筑物周围地基中施工振动或挤压对建筑物地基的影响；

（4）地下水位变化对建筑物地基的影响。

5. 其他原因造成地基与基础工程事故

上述四方面原因造成的工程事故通过努力是可以避免的，也有一些地基与基础工程事故是难以避免的。如按 50 年一遇标准修建的防洪堤，遇到百年一遇的洪水造成的基础冲刷破坏；又如由超过设防标准的地震造成的地基与基础工程事故；前面提到的少数地质情况特别复杂而造成地基与基础工程事故也属于这一类。

地基与基础工程事故还与人们的认识水平有关，某些工程事故是由工程问题的随机性、模糊性以及未知性造成的。随着人类认识水平的提高，可减少该类事故的发生。

6.4 事故预防及处理对策

6.4.1 事故预防

绝大多数地基与基础工程事故是可以预防的，精心设计、精心施工可以预防工程事故中的绝大部分。

预防地基与基础工程事故首先要重视对建筑场地工程地质和水文地质条件的全面、正确了解。要做到这一点，关键要搞好工程勘察工作。要根据建筑场地特点、建筑物情况合理确定工程勘察的目的和任务，工程勘察报告要能正确反映建筑场地工程地质和水文地质情况。

其次要做到精心设计。在全面、正确了解场地工程地质条件的基础上，根据建筑物对地基的要求，进行地基基础设计。如天然地基不能满足要求，则应进行地基处理形成人工地基，并采用合理的基础形式。对地基处理和基础工程力求做到精心设计。此外，地基、基础和上部结构是一个统一的整体，在设计中应统一考虑。要认真分析地基变形，正确估计工后沉降，并控制建筑物工后沉降在允许范围以内。

最后要做到精心施工。合理的设计需要通过精心施工来实现。要杜绝施工质量事故。

6.4.2 事故处理原则及程序

发生地基与基础工程事故后，要分析事故产生的原因，对工程事故现状做出评估并对其进一步发展做出预估。在现场研究和进行详细分析的基础上提出事故处理意见。必要时可组织专家组或委托工程顾问公司提出事故处理意见。

对地基不均匀沉降造成上部结构开裂、倾斜的，如地基沉降确已稳定，且不均匀沉降未超标准，能保证建筑物安全使用的情况，只需对上部结构进行补强加固，不需对地基进行加固处理。

若地基沉降变形尚未稳定，则需对建筑物地基进行加固，以满足建筑物对地基沉降的要求。在地基加固的基础上，对上部结构进行修复或补强加固。既有建筑物地基加固和纠倾技术将在第 8 章中详细介绍。

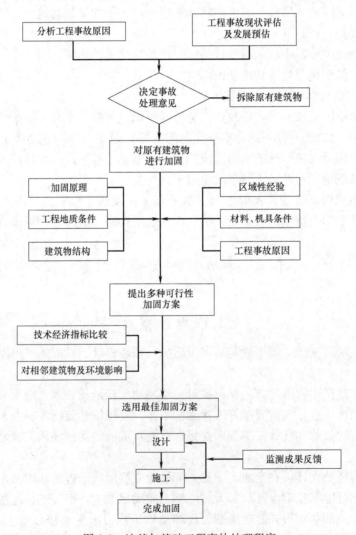

图 6-3 地基与基础工程事故处理程序

若地基与基础工程事故已造成结构严重破坏，难以补强加固，或进行地基加固和结构补强费用较大，还不如拆除原有建筑物重建时，则应拆除原有建筑物，进行重建。地基与基础工程事故处理程序如图 6-3 所示。

事故发生后，一方面通过现场调查，分析设计施工资料（包括原设计图、工程地质报告和施工记录等），必要时进行工程地质补勘，分析工程事故原因；另一方面对建筑物现状做出评估，并对进一步发展做出估计。根据上述两方面的分析决定事故处理意见。

在确定事故处理意见时，首先确定是否值得对原有建筑物进行加固。如加固费用与重建费用相差不多，原有建筑物也无特殊历史价值时，应拆除重建。

对决定进行地基基础加固情况，根据《既有建筑地基基础加固技术规范》JGJ 123—2012 规定应对既有建筑地基基础进行鉴定。

根据加固的目的，结合地基基础和上部结构情况，提出几种技术可行的地基基础加固方案。

通过技术、经济指标比较，并考虑对邻近建筑物和环境影响，因地制宜，选择最佳加固方案。

在加固施工过程中进行监测，根据监测情况，如需要可及时调整施工计划以及加固方案。

6.5 地基与基础加固方法分类

当天然地基不能满足建筑物对它的要求时，需要进行地基处理，形成人工地基以满足建筑物对它的要求。当已有建筑物地基与基础发生工程事故，需要对已有建筑物地基与基础进行加固，以保证其正常使用和安全。地基与基础加固方法很多，按加固原理可分为下述 8 类。

1. 置换

置换是用物理力学性质较好的岩土材料置换天然地基中的部分或全部软弱土体或不良土体，形成双层地基或复合地基，以达到提高地基承载力、减少沉降的目的，主要包括换土垫层法、挤淤置换法、褥垫法、振冲置换法（或称振冲碎石桩法）、沉管碎石桩法、强夯置换法、砂桩（置换）法、石灰桩法，以及 EPS 超轻质料填土法等。

2. 排水固结

排水固结是指土体在一定荷载作用下固结，孔隙比减小，强度提高，以达到提高地基承载力、减少工后沉降的目的，按加载形式主要包括加载预压法、超载预压法、真空预压与堆载预压联合作用法，以及降低地下水位法等。按地基中设置的竖向排水通道形式可分为普通砂井法、袋装砂井法和塑料排水带法。

3. 灌入固化物

灌入固化物是向土体中灌入或拌入水泥、石灰或其他化学固化浆材在地基中形成增强体，以达到地基处理的目的，主要包括深层搅拌法（包括浆体喷射和粉体喷射深层搅拌法）、高压喷射注浆法、渗入性灌浆法、劈裂灌浆法、挤密灌浆法和电动化学灌浆法，还有夯实水泥桩法等。

4. 振密、挤密

振密、挤密是采用振动或挤密的方法使未饱和土密实，土体孔隙比减小，以达到提高地基承载力和减小沉降的目的，主要包括表层原位压实法、强夯法、振冲密实法、挤密砂石桩法、孔内夯实法、爆破挤密法、土桩、灰土桩法等。

5. 加筋

加筋是在地基中设置强度高、模量大的筋材，以达到提高地基承载力、减小沉降的目的，强度高、模量大的筋材，可以是钢筋混凝土也可以是土工格栅、土工织物等，主要包括加筋土法、土钉墙法、锚固法、树根桩法、低强度混凝土桩复合地基和钢筋混凝土桩复合地基法等。

6. 冷热处理

冷热处理是通过冻结土体或焙烧、加热地基土体改变土体物理力学性质以达到地基处理的目的。它主要包括冻结法和烧结法两种。

7. 托换

托换是指对原有建筑物地基和基础进行处理和加固或改建，主要包括基础加宽法、墩式托换法、桩式托换法以及综合托换法等。

8. 纠倾

纠倾是指对由于不均匀沉降造成倾斜的建筑物进行矫正的手段，主要包括加载纠倾法、掏土纠倾法、顶升纠偏法和综合纠倾法等。

各类地基处理方法的简要原理和适用范围如表 6-2 所示。有的地基处理方法主要用于天然地基加固，有的地基处理方法主要用于已有建（构）筑物地基加固，有的两种情况均适用。

地基处理方法分类及其适用范围　　　　表 6-2

类别	方法	简要原理	适用范围
置换	换土垫层法	将软弱土或不良土开挖至一定深度，回填抗剪强度较大、压缩性较小的土，如砂、砾、石渣等，并分层夯压实，形成双层地基。垫层能有效扩散基底压力，可提高地基承载力、减少沉降	各种软弱土地基
	挤淤置换法	通过抛石或夯击回填碎石置换淤泥达到加固地基目的	厚度较小的淤泥地基
	褥垫法	当建（构）筑物的地基一部分压缩性很小，而另一部分压缩性较大时，为了避免不均匀沉降，在压缩性很小的区域，通过换填法铺设一定厚度可压缩性的土料形成褥垫层，以减少沉降差	建（构）筑物部分坐落在基岩上，部分坐落在土上，以及类似情况
	振冲置换法	利用振冲器在高压水流作用下边振冲在地基中成孔，在孔内填入碎石、卵石等粗粒料且振密成碎石桩。碎石桩与桩间土形成复合地基，以提高承载力、减小沉降	不排水抗剪强度不小于 20kPa 的黏性土，粉土、饱和黄土和人工填土等地基
	沉管碎石桩法	采用沉管法在地基中成孔，在孔内填入碎石、卵石等粗粒料形成碎石桩。碎石桩与桩间土形成复合地基，以提高承载力、减小沉降	同上

续表

类别	方法	简 要 原 理	适用范围
置换	强夯置换法	采用边填碎石边强夯的强夯置换法在地基中形成碎石墩体,由碎石墩、墩间土以及碎石垫层形成复合地基,以提高承载力,减小沉降	人工填土、砂土、黏性土和黄土、淤泥和淤泥质土地基
	砂桩(置换)法	在软黏土地基中设置密实的砂桩,以置换同体积的黏性土形成砂桩复合地基,以提高地基承载力。同时砂桩还可以同砂井一样起排水作用,以加速地基土固结	软黏土地基
	石灰桩法	通过机械或人工成孔,在软弱地基中填入生石灰块或生石灰块加其他掺合料,通过石灰的吸水膨胀、放热以及离子交换作用改善桩同土的物理力学性质,并形成石灰桩复合地基,可提高地基承载力,减少沉降	杂填土、软黏土地基
	EPS超轻质料填土法	发泡聚苯乙烯(EPS)重度只有土的 $\frac{1}{100} \sim \frac{1}{50}$,并具有较好的强度和压缩性能,用于填土料,可有效减小作用在地基上的荷载,需要时也可置换部分地基土,以达到更好效果	软弱地基上的填方工程
排水固结	堆载预压法	在建造建(构)筑物以前,在地基中设置排水系统,竖向排水体包括普通砂井、袋装砂井、塑料排水带等,水平向排水体为砂垫层。若天然地基渗透性较大,也可不设人工排水系统。天然地基在预压荷载作用下,压密、固结,地基产生变形,地基土强度提高,卸去预压荷载后再建造建(构)筑物,工后沉降小,地基承载力也得到提高。堆载预压有时也利用建筑物自重进行	软黏土、粉土、杂填土、泥炭土地基等
	超载预压法	原理基本上与堆载预压法相同,不同之处是其预压荷载大于建(构)筑物的实际荷载。超载预压不仅可减少建(构)筑物工后固结沉降还可消除部分工后次固结沉降	同上
	真空预压法	在饱和软黏土地基中设置排水系统同堆载预压法,在其上覆盖不透气密封膜。通过埋设于砂垫层的抽气管进行长时间不断抽气,在砂垫层和砂井中造成负气压,而使软黏土层排水固结。负气压形成的当量预压荷载可达85kPa。也有采用一定厚度的淤泥层代替不透气密封膜;也有将砂井与抽气管直接连接形成无砂垫层真空预压法	同上
	真空预压法与堆载联合作用	当真空预压达不到要求的预压荷载时,可与堆载预压联合使用,其加固效果可叠加	同上
	降低地下水位法	通过降低地下水位,改变地基土受力状态,其效果如堆载预压,使地基土固结。在基坑开挖、支护建(构)筑物设计中可减小建(构)筑物上作用力	砂性土或透水性较好的软黏土层
	电渗法	在地基中设置阴极、阳极,通以直流电,形成电场。土中水流向阴极,采用抽水设备抽走,达到地基土体排水固结效果。近年我国已研制成功可导电塑料排水带,可用于电渗法加固	软黏土地基

续表

类别	方法	简要原理	适用范围
灌入固化物	深层搅拌法	利用深层搅拌机将水泥或石灰和地基土原位搅拌形成圆柱状、格栅状或连续墙水泥土增强体、形成复合地基以提高地基承载力，减小沉降。深层搅拌法分喷浆搅拌法和喷粉搅拌法两种，也常用它形成防渗帷幕。深层搅拌机械在我国发展很快，有单轴、双轴、三轴及多轴，单轴有的可变直径。深层搅拌机械的动力也不断提高，适用土层增加	淤泥、淤泥质土和含水量较高、地基承载力标准值不大于120kPa的黏性土、粉土等软土地基，用于处理有机质含量较高的软土地基时应通过试验确定其适用性
	高压喷射注浆法	利用高压喷射机械在地基中通过高压流冲切土体，用浆液置换部分土体，形成水泥土增强体。高压喷射注浆法有单管法、二重管法、三重管法。在喷射浆液的同时通过旋转、提升可形成定喷、摆喷和旋喷。高压喷射注浆法可形成复合地基以提高承载力、减少沉降，也常用它形成防渗帷幕	淤泥、淤泥质土、黏性土、粉土、黄土、砂土、人工填土和碎石土等地基，当土中含有较多的大块石，或有机质含量较高时应通过试验确定其适用性
	TRD法	渠式切割水泥土连续墙工法的简称，利用链式刀具转动切削和搅拌土体，刀具立柱横向移动、底端喷射切割液和固化液，使得切割液和固化液与原位置被切削的土体进行混合搅拌，形成等厚度水泥土连续墙	人工填土、黏性土、淤泥和淤泥质土、粉土、砂土、碎石土等地基
	渗入性灌浆法	在灌浆压力作用下，将浆液灌入土中填充天然孔隙，改善土体的物理力学性质	中砂、粗砂、砾石地基
	劈裂灌浆法	在灌浆压力作用下，浆液克服地基土中初始应力和抗拉强度，使地基中原有的孔隙或裂隙扩张，或形成新的裂缝和孔隙，用浆液填充，改善土体的物理力学性质。与渗入性灌浆相比，其所需灌浆压力较高	岩基或砂、砂砾石、黏性土地基
	挤密灌浆法	通过钻孔向土层中压入浓浆液，随着土体压密将在压浆点周围形成浆泡。通过压密和置换改善地基性能。在灌浆过程中因浆液的挤压作用可产生辐射状上抬力，可引起地面局部隆起。这一原理可用于纠正建筑物不均匀沉降	常用于可压缩性地基，排水条件较好的黏性土地基
	电动化学灌浆法	当在黏性土中插入金属电极并通以直流电后，在土中引起电渗、电泳和离子交换等作用，在通电区含水量降低，从而在土中形成浆液"通道"。若在通电同时向土中灌注化学浆液，就能达到改善土体物理力学性质的目的	黏性土地基
振密、挤密	表层原位压实法	采用人工或机械夯实、碾压或振动，使土密实。密实范围较浅	杂填土、疏松无黏性土、非饱和黏性土、湿陷性黄土等地基的浅层处理
	强夯法	采用重量为10~40t的夯锤从高处自由落下，地基土在强夯的冲击力和振动力作用下密实，可提高承载力、减少沉降	碎石土、砂土、低饱和度的粉土与黏性土，湿陷性黄土、杂填土和素填土等地基

6.5 地基与基础加固方法分类

续表

类别	方法	简要原理	适用范围
振密、挤密	振冲密实法	一方面依靠振冲器的振动使饱和砂层发生液化,砂颗粒重新排列孔隙减小,另一方面依靠振冲器的水平振动力,加回填料使砂层挤密,从而达到提高地基承载力,减小沉降,并提高地基土体抗液化能力	黏粒含量小于10%的疏松砂性土地基
	挤密砂石桩法	在采用振动沉管法制桩过程中,对周围土层产生挤密作用,被挤密桩间土和密实的砂石桩形成砂石桩复合地基	砂土地基、非饱和黏性土地基
	爆破挤密法	在地基中爆破产生挤压力和振动力使地基土密实以提高土体的抗剪强度,提高承载力和减小沉降	饱和净砂、非饱和但经灌水饱和的砂、粉土、湿陷性黄土地基
	土桩、灰土桩法	采用沉管法、爆扩法和冲击法在地基中设置土桩或灰土桩,在成桩过程中挤密桩间土,由挤密的桩间土和密实的土桩或灰土桩形成复合地基	地下水位以上的湿陷性黄土、杂填土、素填土等地基
加筋	加筋土法	在土体中埋置土工合成材料(土工织物、土工格栅等)、金属板条等形成加筋土垫层,增大压力扩散角,提高地基承载力,减少沉降	筋条间用无黏性土,加筋土垫层可适用各种软弱地基
	土钉法	边开挖,边设置土钉,坡面铺设钢筋网并喷混凝土面层,形成土钉墙以维护边坡的稳定	砂性土地基基坑围护
	树根桩法	在地基中设置如树根状的微型灌注桩(直径70~250mm),提高地基或土坡的稳定性	各类地基
	低强度混凝土桩复合地基法	在地基中设置低强度混凝土桩,与桩间土形成复合地基	各类深厚软弱地基
	钢筋混凝土桩复合地基法	在地基中设置钢筋混凝土桩(摩擦桩),与桩间土形成复合地基	各类深厚软弱地基
冷热处理	冻结法	冻结土体,改善地基土截水性能,提高土体抗剪强度	饱和砂土或软黏土,作施工临时措施
	烧结法	钻孔加热或焙烧,减少土体含水量,减少压缩性,提高土体强度	软黏土、湿陷性黄土,适用于有富余热源的地区
托换	基础加宽法	通过加宽原建筑物基础减小基底接触压力,使原地基满足要求,达到加固目的	原地基承载力较高
	墩式托换法	通过置换,在原基础下设置混凝土墩,使荷载传至较好土层,达到加固目的	地基不深处有较好持力层
	桩式托换法	在原建筑物基础下设置钢筋混凝土桩以提高承载力、减小沉降,达到加固目的,按设置桩的方法分静压桩法、树根桩法和其他桩式托换法。静压桩法又可分为锚杆静压桩法和其他静压桩法	原地基承载力较低
	综合托换法	将两种或两种以托换方法综合应用达到加固目的	

续表

类别	方法	简要原理	适用范围
纠倾	加载纠倾法	通过堆载或其他加载形式使沉降较小的一侧产生沉降使不均匀沉降减小,达到纠倾目的	较适用于深厚软土地基
	掏土纠倾法	在建筑物沉降较少的部位以下的地基中或在其附近的外侧地基中掏取部分土体,迫使沉降较少的部分进一步产生沉降以达到纠倾的目的	各类不良地基
	顶升纠倾法	在墙体中设置顶升梁,通过千斤顶顶升整幢建筑物,不仅可以调整不均匀沉降,并可整体顶升至要求标高	同上
	综合纠倾法	将加固地基与纠倾结合,或将几种方法综合应用。如综合应用静压锚杆法和顶升法,静压锚杆法和掏土法	同上

对地基处理方法进行严格的统一分类是很困难的。不少地基处理方法具有多种效用,例如土桩和灰土桩法既有挤密作用又有置换作用。另外,还有一些地基处理方法的加固机理以及计算方法目前还不十分明确,尚需进一步探讨。地基处理方法不断发展,功能不断扩大,也使分类变得更加困难。因此,上述分类仅供读者参考。

6.6 建筑物迁移

6.6.1 概述

在城市建设和发展过程中,有时需要对已有建筑物进行移动。例如,在城市改建过程中,需要拓宽原有道路,需要对某些已有建筑物进行移动。有时为了保护古建筑,也会遇到建筑物迁移问题。

建筑物迁移一般包括以下几部分:首先要与原有地基基础分离,其次在迁移目的地处进行新的地基基础施工,最后进行建筑物移动。对移动道路应进行合理设计。建筑物移动可分牵拉式和推移式两大类。根据建筑物迁移要求,除平移外,有时还需要提升移动。

6.6.2 工程实例

【实例 6-1】 某混合结构综合楼整体迁移抬升工程

平顶山直属粮库综合楼为混合结构,建筑面积 $1300m^2$,主体 4 层(局部 5 层),底层门厅为局部框架结构,内部功能分为办公及粮食化验两部分,平面图如图 6-4 所示。

根据粮库总体规划调整,新的综合楼将在现有综合楼的位置兴建,因此,现有综合楼必须让出建设场地。该综合楼于 1994 年竣工投入使用,施工质量较好,工程竣工验收及现场检测混凝土强度等级均达到设计要求 C20(最小值 19.8MPa,平均值 22.6MPa),若拆除重建,将造成 200 余万元的直接经济损失,另外,综合楼的现有功能在施工期间不能中断。若采用整体迁移方案,仅需 47 万元,而且不影响 2 层以上正常办公和生产,经济效益和社会效益显著。因此,经论证决定采用整体迁移方案。根据总体规划调整的要求,该综合楼拟向北迁移 39.88m,至距北围墙 4.0m,并整体抬高 0.45m,平面位置如图 6-5 所示。

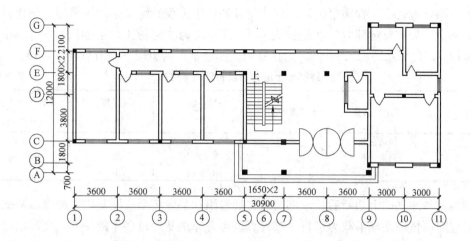

图 6-4　首层平面图

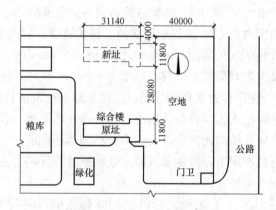

图 6-5　场地总平面布置图

鉴于综合楼需向北迁移并整体抬升，可将托换加固梁体系、迁移轨道梁及新永久基础顶面均施工成 0.45/39.88 的上升坡度，对综合楼施加沿坡度方向的牵引力，使之沿坡度方向迁移至设计位置和标高。该方案平移抬升一次到位，需用的千斤顶数量少，对设备要求低，工期短；施工时牵引力施力方便且易于控制，风险小；托换加固简单，工程量小，造价低。坡向整体迁移方案如图 6-6 所示。

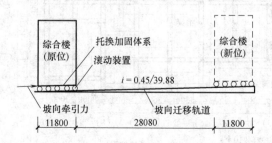

图 6-6　坡向整体迁移方案

根据综合楼岩土工程勘察报告，该建筑场地位于山前砂河水系冲击平原，场地类别Ⅱ类，地基土层分布及物理力学性能见表6-3。持力层为②层粉土，层面埋深 $-0.8m$（自天然地面），地下水埋深1.90m，为良好的天然地基。持力层下没有软弱下卧层。

地基土土层分布及物理力学性质　　　　表6-3

层号	土层名称	土层面埋深(m)	压缩系数 a_{1-2} (MPa^{-1})	压缩模量 E_s (MPa)	承载力特征值 f_{ak} (kPa)
②	棕褐色粉土	0.8	0.29	8.26	140
③	褐黄色粉土	3.0	0.20	9.82	160
④	粉细砂	5.9	0.14	10.5	150

建筑物从原基础上切断后，全部荷载将通过滚动装置传至横墙基础，原纵墙基础受力减小，应对原横墙基础承载力进行复核计算。考虑原地基经过多年的压实，变形已趋于稳定，地基承载力略有提高。经验算，原有横墙基础满足承载力要求，可直接考虑在原横墙基础上施工牵引轨道梁。采用的方法是：(1) 将原条形基础两侧的填土全部挖除至基础顶面标高；(2) 将原基础顶面混凝土及横墙根部两侧墙面凿毛并冲干净；(3) 按设计截面及标高位置浇制混凝土牵引轨道梁；(4) 待轨道梁达到一定强度后，在牵引轨道梁上铺设牵引轨道。采用[20a槽钢内充C30混凝土制成的工具式轨道，M10混合砂浆找平。

在建筑物迁移到位的新永久基础与原基础之间有长28.08m的过渡段基础。考虑到建筑物在过渡段基础上仅为临时荷载，按移动速度为7～10m/d计，每段过渡段基础上承受荷载的时间不超过2d，在设计过渡段的基础时可按荷载的标准值计算。

托换加固体系设计时考虑了两种荷载情况：一种是在水平推（拉）力作用下，对水平托换加固框架平面内纵向及横向托换梁进行内力分析和截面配筋；另一种是建筑物切割脱离原基础后，在竖向荷载作用下，按钢筋混凝土连续梁计算托换加固梁的受弯、受剪及受扭承载力。托换加固体系布置如图6-7～图6-9所示。

经综合分析，采用$\phi 108 \times 4$无缝钢管内注C60膨胀细石混凝土滚轮。经抗压实验，单个滚轮的抗压极限承载力为390kN，考虑到使用时的不均匀性，滚轮的抗压设计承载力取195kN。考虑切割施工方便，滚轮按中心距200～250mm均匀布置。牵引轨道采用[20a槽钢内浇筑高强细石混凝土预制工具式轨道。

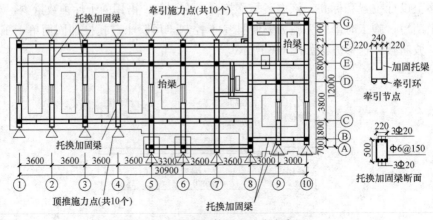

图6-7　托换加固体系及施力点布置

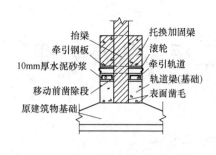 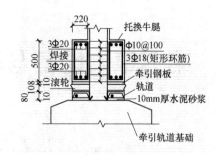

图 6-8 砖墙托换加固　　　　　　　图 6-9 柱托换加固节点

建筑物迁移至预定位置后，就位连接施工步骤如下（图 6-10、图 6-11）：

(1) 房屋迁移就位后，用千斤顶逐段顶住托换加固梁，撤下滚轮并及时放入预制钢筋混凝土垫块，混凝土 C30，垫块尺寸为 180mm×180mm×240mm，间距 1000mm。

(2) 将新永久基础内相应构造柱位置预埋钢筋撬起调直，将上部构造柱外露钢筋调直、对中，并将钢筋表面清刷干净。

(3) 用专用夹具固定搭接钢筋，单面焊接。

(4) 将就位连接区清扫干净，墙两侧支侧模板，模板高于托换加固梁下皮不小于 100mm。

(5) 浇筑混凝土。采用 C25 膨胀细石混凝土，分二次浇筑。先在一侧灌注混凝土并振捣，直到另一侧混凝土流出并超过半满时，再从另一侧灌注混凝土，并振捣密实。

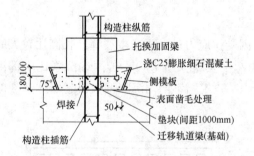 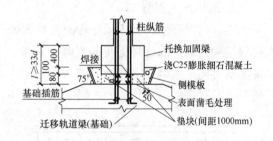

图 6-10 墙及构造柱就位连接　　　　图 6-11 柱就位连接构造

工程于 2003 年 2 月开始进行托换加固施工，2003 年 4 月底就位连接完成，有效工期仅 85 天。施工过程中 2 层以上的正常办公生产工作未受到影响，综合楼平移抬升一次到位，工程质量良好。

第7章 地基与基础工程事故及处理

7.1 地基沉降造成的工程事故

7.1.1 概　述

建筑物沉降过大，特别是不均匀沉降超过允许值，影响建筑物正常使用造成工程事故在地基与基础工程事故中占多数。

建筑物均匀沉降对上部结构影响不大，但沉降量过大，可能造成室内地坪低于室外地坪，引起雨水倒灌、管道断裂以及污水不易排出等问题。沉降量偏大，还往往伴随产生不均匀沉降。

不均匀沉降过大是造成建筑物倾斜和产生裂缝的主要原因。造成建筑物不均匀沉降的原因很多，如地基土质不均匀、建筑物体型复杂、上部结构荷载不均匀、相邻建筑物的影响、相邻地下工程施工的影响等。建筑物不均匀沉降过大对上部结构的影响主要反映在下述几方面：

1. 墙体产生裂缝

不均匀沉降使砖砌体承受弯曲而导致砌体因受拉应力过大而产生裂缝。长高比较大的砖混结构，若中部沉降比两端沉降大可能产生八字裂缝（图 7-1），若两端沉降比中部沉降大则可能产生倒八字裂缝（图 7-2）。图 7-3 为某建筑物不均匀沉降偏大引起墙体开裂的情况。

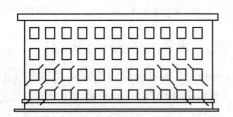 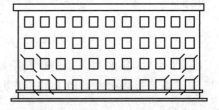

图 7-1　不均匀沉降引起八字裂缝
（中部沉降比两端沉降大）

图 7-2　不均匀沉降引起倒八字裂缝
（两沉降比中部沉降大）

2. 柱体断裂或压碎

不均匀沉降将使中心受压柱体产生纵向弯曲而导致拉裂，严重的可造成压碎失稳。浙江地区某建筑物 2～4 层为住宅，整体刚度很好，一层为商店，框架结构。基础为独立桩基。建筑物一侧市政管道挖沟期间发现建筑物产生不均匀沉降。不均匀沉降导致 3 根钢筋混凝土柱子压碎破坏。图 7-4 表示其中一根柱子破坏情况。

3. 建筑物产生倾斜

长高比较小的建筑物，特别是高耸构筑物，不均匀沉降将引起建（构）筑物倾斜。

图 7-3　不均匀沉降引起墙体开裂

若倾斜较大，则影响正常使用。若倾斜不断发展，重心不断偏移，严重的将引起建（构）筑物倒塌破坏。图 7-5 表示某水塔受相邻建筑物影响产生倾斜的情况。

图 7-4　不均匀沉降引起柱子压碎破坏

图 7-5　某水塔因不均匀沉降产生倾斜

沉降和不均匀沉降过大将导致上部结构倾斜和产生裂缝，超过允许值则影响正常使用，严重的将引起破坏。控制建筑的沉降和不均匀沉降在允许范围内是很重要的。特别在深厚软黏土地区，按变形控制设计逐渐受到人们重视。

当发现建筑物产生不均匀沉降导致建筑物倾斜或产生裂缝时，首先要搞清不均匀沉降发展的情况，然后再决定是否需要采取加固措施。若必须采取加固措施，再确定处理方法。

若不均匀沉降尚在继续发展，首先要通过地基基础加固遏制沉降继续发展，如采用锚杆静压桩托换或其他桩式托换或采用地基加固方法。沉降基本稳定后再根据倾斜情况决定是否需要纠倾。倾斜未影响安全使用可不进行纠倾。对需要纠倾的建筑物视具体情况可采用迫降纠倾法、顶升纠倾法或综合纠倾法。对结构物裂缝视裂缝情况可采用下述处理方法：

（1）修补裂缝：常用方法可在缝内填入膨胀水泥浆、环氧胶粘剂或其他化学浆液，表面抹平，重做面层；

（2）局部修复：部分凿除，重新浇筑或砌筑；

（3）结构补强：外包钢板或高强碳纤维或钢筋混凝土；

（4）其他处理方法：如改变结构方案、改变使用条件或局部拆除重做等。

7.1.2 工程实例

【实例 7-1】 杭州某住宅楼锚杆静压桩地基加固

杭州某住宅楼位于杭州市文三路西端西部开发区内，土层厚度及各土层静力触探指标如表 7-1 所示。住宅楼为 7 层砖混结构，地基采用 $\phi377$ 振动灌注桩基础。在施工过程中对沉降进行监测，测点位置如图 7-6 所示。当上部结构施工至第五层时（1995 年 10 月 2 日），测点 21、24、26、28 累计沉降分别为 3mm、3mm、1mm、1mm。当施工至屋顶楼面时（1995 年 10 月 30 日），上述四点累计沉降分别达 48mm、42mm、11mm、23mm，产生了不均匀沉降。室内装饰工程及竣工后沉降与不均匀沉降继续发展，21、24、26 和 28 点沉降（1995 年 12 月 22 日）分别达到 120mm、112mm、38mm、46mm。最大不均匀沉降达 84mm，沉降发展趋势如图 7-6 所示，此时沉降与不均匀沉降还在继续发展。

地基土层静力触探指标　　　　　　　　表 7-1

层序	土层名称	厚度 (m)	重度 γ (kN/m³)	压缩模量 E_s (MPa)	锥尖阻力 q_c (kPa)	侧壁摩擦力 f_s (kPa)	摩阻力 a (%)
1	杂填土	2.00～2.70			803	20	2.5
2	淤泥质粉质黏土	6.00～8.10	17.7	1.6	330	6	1.8
3-1	粉质黏土	1.40～2.30	18.8	8.0	1846	57	3.1
3-2	黏土	1.80～4.20	19.7	10.0	2755	83	3.0
4-1	黏土	2.40～4.40	20.0	12.0	3860	112	2.9
4-2	粉质黏土	未穿	19.9	10.0	2913	85	2.9

为制止沉降与不均匀沉降进一步发展，在沉降较大一侧采用锚杆静压桩加固地基。桩位布置如图 7-7 所示。桩截面为 200mm×200mm，桩长取 16.0m，桩段长 2.0m、1.5m

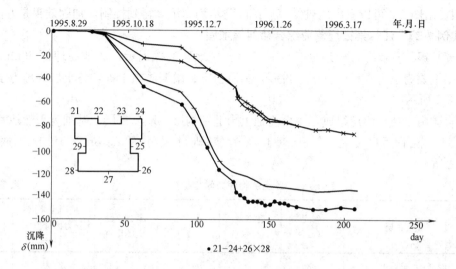

图 7-6 杭州某住宅楼沉降-时间曲线

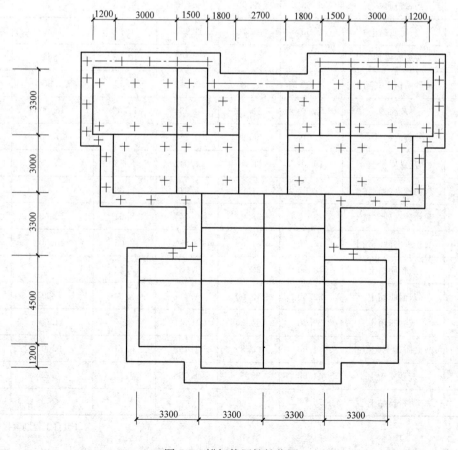

图 7-7 锚杆静压桩桩位图

和1.0m不等。采用硫黄胶泥接桩。设计单桩承载力200kN。锚杆采用ϕ28螺纹钢制作，锚固长度300mm。锚杆静压桩自1996年1月12日开始压桩，2月12日压桩结束，共压桩65根。由图7-6可以看出压桩结束后沉降与不均匀沉降得到控制，加固效果是好的。

【实例7-2】 江苏某银行营业综合楼纠偏加固

江苏某银行营业综合楼地处长江三角洲，经地质勘探揭示，场地在埋深30mm深度以内地层主要为填土、粉质黏土、粉砂、黏质粉土、淤泥质黏土等，各土层物理力学性质详见表7-2所示。

综合楼由主楼和裙房组成，主楼为地上十七结构层，地下二层。基础为天然地基上的箱形基础，底平面尺寸为25.8m×17.4m，基础外尺寸为27.8m×19.4m，底面积为539.32m²。

各土层物理力学指标　　　　　　　　　　　　　　表7-2

层次	土层	深度(m)	含水量(%)	孔隙比 e	压缩模量 E_s(MPa)	桩周土摩擦力标准值 q_s(kPa)	f_k(kPa)
1a	黄填土	0.80				2.50	
1b	灰填土	2.00	39.50	1.152	2.68	1.00	
2	褐黄粉质黏土	1.50	29.90	0.840	4.64	5.00	85
3	灰粉质黏土	2.60	34.70	0.991	4.39	4.20	80
4	灰粉砂夹黏土	3.90	31.60	0.863	10.58	12.50	120
5	灰砂质粉土夹黏土	4.80	33.80	0.942	8.56	4.00	80
6a	灰粉砂	5.60	33.70	0.934	11.37	16.00	136
6b	黄灰粉砂	8.70	26.90	0.778	15.83	27.00	185
7	灰黏质粉土	10.10	36.40	1.042	5.53	7.80	95
8	灰粉砂夹粉质黏土	12.60	31.90	0.918	9.88	14.00	127
9	灰粉砂夹砂质黏土	13.70	33.00	0.944	8.61	10.00	115
10	灰粉砂夹砂质黏土	16.70	31.50	0.933	8.03	15.00	130
11-1	灰粉质黏土	18.90	36.90	1.054	3.44	7.00	110
11-2	灰淤质黏土	22.30	49.50	1.411	2.64	7.00	85
11-3	灰砂质粉土	23.70	34.80	1.011	4.90	11.00	110
11-4	灰淤质黏土夹粉砂	41.50	40.80	1.192	3.71	9.00	100
11-5	灰砂质粉土	44.60	35.60	1.068	6.33	10.00	116
11-6	灰粉质黏土	50.00				8.50	130

（引自工程勘察报告）

主楼西部与南部连有两幢2层裙房，框架结构，建筑面积一幢为544m²，另一幢

514m²。裙房为半地下室，地上1.2m，地下4.5m，筏板基础，综合楼总荷载为152869kN。主楼以土层第6a层为持力层，设计取$f=190$kPa，埋深为4.73m，箱形基础基底相对标高为－5.930，附房以土层第4层为持力层，设计取$f_s=120$kPa，埋深为2.43m，基底相对标高为－3.630，±0.000相当于标高1.400，主楼箱形基础混凝土为C25。

综合楼沉降观测点布置及沉降发展情况如图7-8所示。综合楼在建设过程沉降观测表明：主体结构完成后，1996年6月21日最大沉降点为东南角2号测点，沉降量为314.87mm，最小沉降点为西北角1号测点，沉降量为256.43mm。两点不均匀沉降为97.81mm，综合楼已产生明显倾斜，并呈发展趋势，各观测点的沉降速率尚未减小，也在发展中。为了有效制止沉降和不均匀沉降进一步发展，经研究决定进行加固纠倾。

采用综合加固纠偏方案，主要包括下述几方面：

（1）采用锚杆静压桩加固，以形成复合地基，提高承载力，减小沉降。桩断面取200mm×200mm，桩长计划取26m，单桩承载力取220kN。布桩密度视各区沉降量确定，沉降较大一侧多布桩，沉降较小一侧少布桩。沉降较大一侧先压桩，并立即封桩，沉降较小一侧后压桩，并在掏土纠倾后再封桩。计划采用钢筋混凝土方桩，后因施工困难，部分采用无缝钢管桩。共压桩117根。

（2）在沉降量较大、沉降速率较快的东南角外围基础20m范围内加宽底板，原基坑水泥土围护墙联成一体，减少底板接触压力。

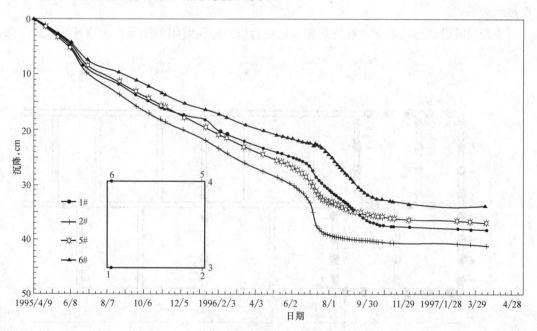

图7-8 测点布置和沉降时间曲线

（3）在沉降量相对较小、沉降速率较慢的西南角、西北角，采用钢管内冲水掏土，在地基深部掏土，适当加大沉降速率。掏土量根据每天的沉降观测资料决定，掏土过程中有专人负责，详细记录。定期会诊分析，原则上沉降量每天控制在2.0mm以内。

在加固纠倾过程中加强监测。在进行地基基础加固过程中两天观测一次，在掏土纠倾过程中一天观测两次。

在地基加固过程中，附加沉降应予以重视。从图 7-8 中可以看到，在施工初期不均匀沉降发展趋势加快。在加固和纠倾后期，沉降发展趋势得到有效遏制，不均匀沉降明显减小，原先沉降较大的东南角，沉降已稳定。加固纠倾完成后，不均匀沉降进一步减小，沉降观测资料表明所采用综合加固纠倾方案是合理有效的。

【实例 7-3】 某住宅楼顶升纠倾

某新村住宅楼是一幢 5 层的砖混结构，长 42m，宽 9.3m，高 15.8m，建筑面积为 2015m²。原建筑采用浅埋式钢筋混凝土筏形基础，每层设有钢筋混凝土圈梁，建筑物总重约为 3250t。于 1984 年 6 月开工，1985 年 11 月竣工，由于场地表面硬壳层较薄，下部软土层较厚，为深厚的淤泥质粉质黏土，一直到 31m 以下地基土体强度才有提高。在施工期间沉降较大点已超过 300mm，差异沉降也有 80mm。竣工以后沉降量继续增加，1993 年 11 月最大沉降已达 1162mm，建筑物最大差异沉降达 294mm。因此造成室内楼地面明显倾斜，东、西两端内纵墙多处开裂，裂缝宽达 4~5mm，门窗开启困难，住户有强烈的不安全感。由于总沉降量较大也造成下水道排水困难，底层无法进出，已严重影响住户的正常生活。

经过对两年多的观测资料分析认为：目前平均沉降速度已降至 0.012mm/d，沉降已基本处于稳定。建筑物自身的结构现状较为完好。在这种情况下对建筑物地基和基础不需进行加固，只需采用顶升纠倾技术，就可以满足既要纠倾又要抬高室内标高的要求。

顶升纠倾设计思路如下：在建筑物底层窗台以下施筑封闭的圈梁作为顶升支承梁，把

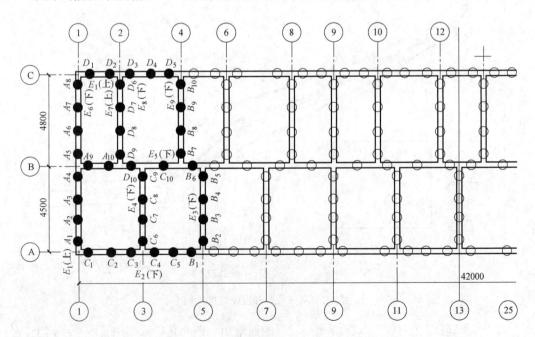

图 7-9　千斤顶位置平面示意图

○千斤顶；●被测定千斤顶；—托梁横截面主筋测点（上—上主筋，下—下主筋）

其上部结构加固成一整体,千斤顶放在支承梁以下,利用基础板作反力系统以达到纠倾和抬高的目的。

顶升总重量3080kN,顶升梁尺寸为420mm×250mm,千斤顶位置平面示意图如图7-9所示,共设置209台,每台承受压力150kN,占额定起重量的50%。除进行支承梁设计和千斤顶设置设计外,还需进行一些附属设计,如千斤顶上部和混凝土托梁之间的局部受压;下部和地梁、预制多孔板、墙身之间的局部抗压强度;各类垫块、楔块的承压强度;门洞间墙身强度计算;楔块和托梁、千斤顶垫板间的抗滑稳定计算等。

图7-10为建筑物顶升纠倾实况照片。由于顶升纠倾技术对地基扰动很小,建筑物的纠倾、抬高可预见、可控制。纠倾时,二层以上住户可不必搬迁,不影响正常生活,纠倾后又能恢复建筑物的全部功能。因而,建筑物顶升纠倾是一种迅速有效的既可纠倾又可抬高室内地面标高的纠倾技术,具有明显的社会效益和经济效益。

图7-10 顶升纠倾施工情况

【实例7-4】 某水塔地基加固与抬升纠倾

某电厂生活区水塔坐落在软土地基上,场地地质情况描述如下:

(1) 耕植土,灰褐色,很湿,饱和,松软,见植物根茎,含有机质及植物残腐质,厚0.5m左右;

(2a) 粉质黏土,灰黄色,饱和,含少量云母,含有机质,偶见植物残腐质,近底部粉粒含量较高,厚1.0m左右;

(2b) 淤泥质黏土,灰色,饱和,流塑状态,多含有机质及植物残腐质,厚1.5m左右;

(2c) 粉质黏土，灰色，饱和，稍密状态，含有机质，偶见植物残质及少量云母，厚 1.0m 左右；

(3a) 淤泥质粉质黏土，灰色，饱和，流塑状态，多含有机质及植物残腐质，厚 2.5m 左右；

(3b) 淤泥质粉土，灰色，饱和，流塑状态，含有机质及植物残腐质，其厚度由南向北逐渐增厚可达 11.15m；

(4a) 黏土，灰绿色，饱和，可塑状态，含半硫化植物残骸色体，厚 3.0m 左右；

(4b) 粉质黏土混碎石，褐黄色，饱和，中密状态，含碎石砂砾，系坡积成因。

水塔上部结构采用标准图，基础采用水泥搅拌桩复合地基。水塔剖面图如图 7-11 所示，水塔容量为 100t，高达 29m 多。水泥搅拌桩平面布置如图 7-12 所示，桩长 15.0m，桩径 50cm，水泥掺合比 15%。竣工后水塔工作正常。1 年左右后，水塔东侧距水塔 5m 处建一幢 5 层住宅，在该住宅荷载作用下，水塔产生倾斜。倾斜位移随时间发展过程如图 7-13 所示。由图可知，倾斜尚未稳定，还在发展，宜尽早对水塔进行加固纠倾。

采用《锚杆静压桩加固及抬升纠偏法》（龚晓南等，1997）进行地基加固和抬升纠倾。具体而言，首先在水塔基础上开设 250mm×250mm 的孔 11 个，具体位置如图 7-12 所示。在每个孔压入截面为 200mm×200mm 的钢筋混凝土预制桩。压桩结束后，沉降较少一侧的 3 根桩孔先封孔，其他桩孔先不封。通过安装于沉降较大一侧基础底板上的 6 个桩架，同时压桩施加反力，将水塔沉降大的一侧慢慢抬起。待倾斜纠正后，向基础底部地基注浆，并封好其他桩孔。当浆液达到一定强度后，撤除反力架，即达到地基加固和抬升纠倾目的。抬升纠倾分 4 天 39 次进行，第一天抬升 7 次共 3.4mm，第二天抬升 16 次共 18.5mm，第三天抬升 9 次共 16.5mm，第四天抬升 7 次共 8.0mm，共抬升 46.3mm。抬升纠倾结束时水塔+24.0m 高程测点处向西方向倾斜位移 17mm（原向东位移 163mm），向南位移 6mm。注浆封底、拆除压桩架后，水塔倾斜有所恢复，稳定后水塔向西倾斜 15mm，达到预期效果。

【实例 7-5】 浙江大学第六教学大楼地基加固

浙江大学第六教学大楼建于 1960 年，建筑面积约 5000m^2。平面布置 L 形，门厅部分为 5 层，两翼 3～4 层。地基设计承载力为 200kPa。在建造过程中因地基土坚硬开挖困难，修改了基底标高。建成后经过 16 年使用正常。

1976 年为增加供水来源，在距本建筑物 200m 处钻一口 315m 深的水井，主要取水层位于地下 90～94m，系抽取石灰岩溶洞水。并将距本建筑物 300m 处的自流泉——猫儿泉改为深井泵抽水，抽水量达 2000m^3/d，这样使地下水位从原来高出地面 0.2m 降到地面以下 25m。由于深井过量抽水，使本建筑物发生严重不均匀下沉，墙体开裂倾斜，沉降速率达 28mm/d。1977 年 11 月 14 日，土工试验室一楼地坪出现裂缝。1978 年 2 月上旬，二楼墙上水管被拉断，该大楼成为危险建筑。

7.1 地基沉降造成的工程事故 293

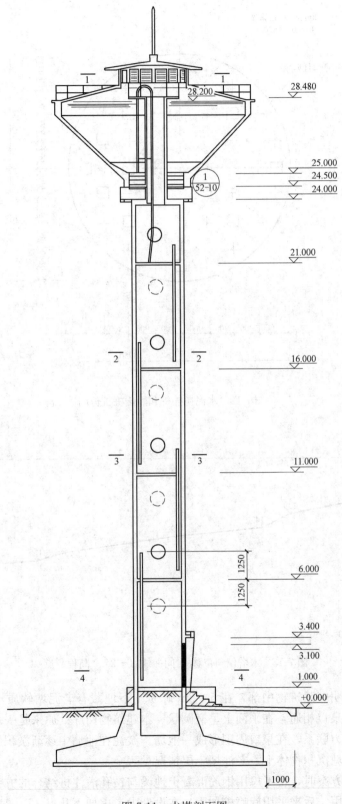

图 7-11 水塔剖面图

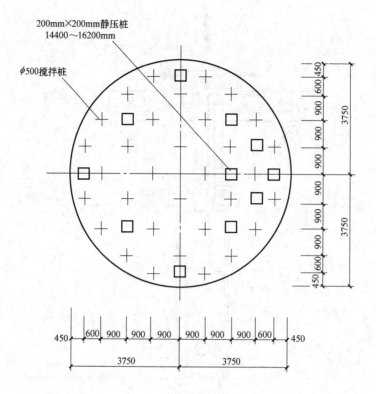

图 7-12 水泥搅拌桩和静压桩桩位图

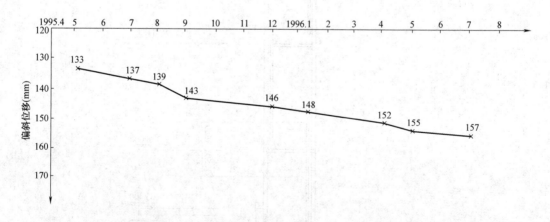

图 7-13 水塔偏斜位移-时间曲线（+24.0 高程测点）

补充勘探表明，建筑物中部，在 5~8m 砾质土下埋藏有老泥塘软质土沉积体，软土体底部与石灰岩泉口相通，在平面上呈椭圆状。本建筑物门厅处原来是一个古泉口，与周围岩体裂隙有水力联系，在泉口周围形成一池塘。淤泥在池塘中逐渐淤积起来，后来坡积砾质土覆盖在池塘沉积物体上。老池塘土层情况见表 7-3。

在研究加固方案时，曾考虑用钢筋混凝土地梁与钻孔灌注桩结合的方案，因受施工条件限制，无法采用。后来采用旋喷桩加固，在设计中考虑如下几点：

老池塘沉积区土层分布表　　　　　　　表 7-3

土层名称	土层描述	G_S (kg/cm²)	γ (g/cm³)	w (%)	有机质含量(%)
砾质土	厚度 5.0～8.0m，黏土胶结良好，坚硬，开挖困难，是后期坡积物				
棕黄色黏土	厚度 1～2m，硬，可塑状态	2.68	2.0	26.8	/
黑色含大量有机质的淤泥或淤泥质黏土	厚度不一，最深处 44.18m，淤泥厚度 35.28m，一般厚度 15～20m，土层中尚有未完全腐烂的木块	2.73	1.52	40.7	8.1
凝灰岩风化残积黏土	灰白色—朱红色，硬，可塑状态	2.70	1.73	44.2	/
石灰岩	从钻孔岩芯看到，裂隙发育，裂隙中有大量化学风化痕迹				

(1) 由于墙基宽度仅 1.50m，机具安装受到限制，旋喷孔中心只能在基础外 0.30m。两孔间距为 2.10m。旋喷桩无法在墙基范围内直接支承重量。但持力层为 5～8m 的砾质土，强度高并有一定的整体性。基础的压力层按扩散角 22°计算，至砾质土底面，应力影响范围约有 10～13m。因此，旋喷桩仍在应力传递范围内。同时，在旋喷桩布设较密的情况下，砾质土厚度与固结体间距之比为 2.5～4 倍，不可能产生冲切破坏。所以砾质土将起到桩基承台作用，旋喷桩实际上也起支承桩作用，作用力传递情况如图 7-14 所示。

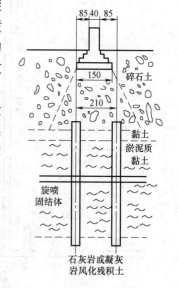

图 7-14　基础力的传递情况

(2) 单桩承载力的确定

在未做承载力试验的情况下，根据试块抗压强度 3.2MPa 设计，极限抗压强度值采用 3.0MPa，综合安全系数按 2.0 考虑，则容许抗压强度为 1.5MPa。桩体直径按 $D=0.6$m 计算，每个旋喷桩有效承压面积为 0.283m²。

单桩承载力：$P = [\sigma]A = 1.5 \times 10^6 \times 0.283 = 424500N=42.45$kN

根据原设计，承重墙基底压力为 0.2MPa，围护墙基底宽 1.5m，则每延米 30t。内隔墙基底宽 1.2m，每延米 24t。

旋喷桩在围护墙下间距 $d_1 = \dfrac{42.5}{30} = 1.42$m，在内隔墙下间距 $d_2 = \dfrac{42.5}{24} = 1.78$m。按此间距计算，在需加固范围内应布置 80 根旋喷桩。

在计算中，砾质土自重不作荷载考虑，将桩体纵向弯曲折减系数一并考虑在综合安全系数中。故以上设计计算，只可算作补强设计。

旋喷桩平面布置及剖面分别见图 7-15 和图 7-16。

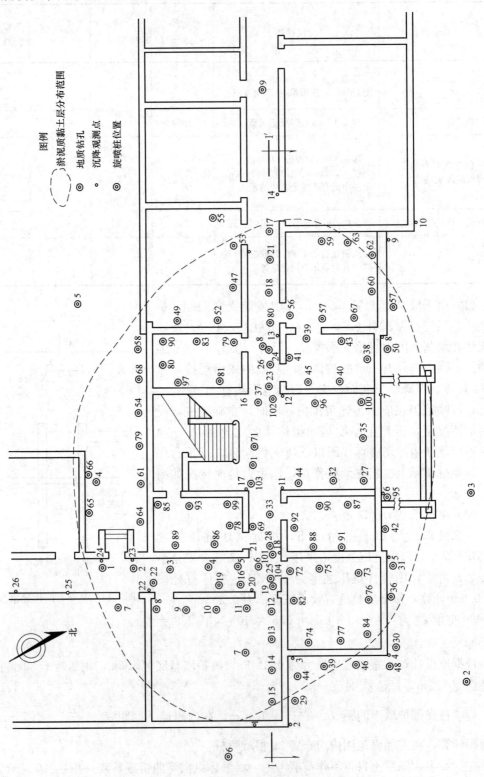

图 7-15 浙江大学第六教学大楼底层平面钻孔、旋喷桩布置及沉降点布置图

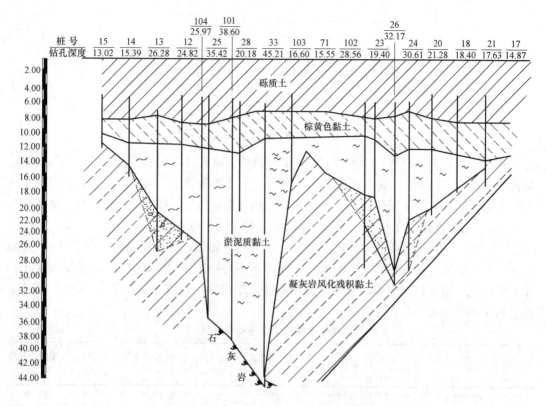

图 7-16 I′—I 剖面及旋喷桩施工情况图

为了安全起见,在施工中适当增加了一些旋喷桩,共布孔 104 个,旋喷桩少部分在楼外,大部分在层高很矮的楼内。1977 年 12 月 15 日正式施工,实际有效成桩 92 根,钻孔总进尺 2171m,旋喷总长度 1526m,共用水泥 268.5t,平均每米用水泥 0.176t。

用旋喷法加固本工程地基效果是明显的。从各测点沉降曲线来看,自 9 月底旋喷完毕到 11 月的两个月期间内,沉降已停止发展。1978 年 12 月中旬完成一楼主要裂缝水泥灌浆处理,上部结构至今未发现任何裂缝,进一步证实地基加固已取得预期效果。

【实例 7-6】 某住宅楼注浆沉降纠偏加固

某小区占地 18 公顷,建筑总面积 18.8 万 m^2,小区 60 幢住宅楼均为 5~7 层,半地下室,砖混结构,条形基础。受多种因素影响,部分建筑物在施工至主体结构封顶后发现基础产生了不同程度的不均匀沉降,且不均匀沉降有发展趋势,建设方组织专家论证后决定对该部分建筑物进行地基加固,倾斜率超过 3‰ 的要求纠偏。其中 53 号楼较为典型,该楼层数为 6 层,东西长 39.6m,南北宽 12.6m,半地下室,条形基础下为厚 10cm 素混凝土和 50cm 碎石垫层。施工至主体结构封顶、纠偏加固前,建筑物沉降观测资料表明建筑物向北倾斜,东侧倾斜率 3.3‰,西侧倾斜率 3.8‰,且变形尚未稳定。建筑物沉降观测点布置及各点相应的沉降值如图 7-17 所示。

根据工程勘察资料,场区地基土主要为第四系冲洪积、残坡积黏土,全场分布不稳定、不均匀,在勘探深度范围内地基土从上到下分 4 层:①素填土:以粉质黏土为主,棕色,褐黄色,厚 0.7~1.0m,层底标高 -0.7~-1.0m,施工时已挖除。②-1 粉质黏

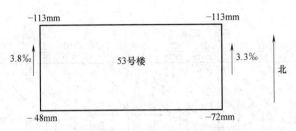

图 7-17 沉降观测点布置图及沉降值

土：棕色—褐黄色，可塑，中等压缩性，北侧缺失，南侧从东向西厚度 0.0～2.1m，层底标高 −0.7～−3.1m，承载力标准值 110kPa。②-2 粉质黏土：棕色—褐黄色，可塑—软塑，孔隙比较大，中等压缩性，全场分布，北侧分布较均匀，厚度 7.3m 左右，层底标高 −8.2m 左右，南侧厚度 6.1m 左右，埋深变化较大，层底标高 −6.8～−9.2m，承载力标准值 90kPa。③粉质黏土：褐黄色—灰色，可塑—硬塑，含铁锰结核，仅在西南分布，厚度 0.0～1.2m，层底标高 −8.4～−9.2m，承载力标准值 140kPa，53 号楼缺失。④黏土：棕红色—褐黄色，饱和，硬塑，低压缩性，未揭穿，承载力标准值 250kPa。地基土物理力学指标见表 7-4。

地基土物理力学指标统计表　　表 7-4

层号	土层名称	含水量 w (%)	孔隙比 e	液性指数 I_L	黏聚力 c(kPa)	内摩擦角 φ(°)	压缩模量 E_s(MPa)	承载力标准值(kPa)
②-1	粉质黏土	20.4	0.675	0.27	34	13.8	5.96	110
②-2	粉质黏土	27.2	0.837	0.71	21	11.6	3.85	90
④	黏土	24.0	0.714	0.18	85	18.9	14.89	250

建筑物北侧地基持力层为②-2 粉质黏土层，该层土静力触探锥尖阻力 q_c 值为 0.4～0.5，承载力标准值为 90kPa，南侧地基持力层局部为②-2 层，多数为工程性质相对②-2 层较好的可塑状②-1 粉质黏土层，承载力标准值为 110kPa，均不能满足设计要求的地基承载力标准值 130kPa，地基持力层承载力标准值不足是建筑物沉降与不均匀沉降快速发展的根本原因。

根据建筑物不均匀沉降原因分析，结合本工程地质条件，考虑到常规纠偏加固方案为先纠偏后加固，施工周期长、工程成本高，且建筑物有半地下室，施工条件限制等约束因素，结合建筑群内其他建筑物加固情况及在建筑物纠偏加固方面经验，采用双液压密注浆沉降法即用水泥浆与水玻璃组成的混合浆液注入地层中，沉降小的一侧充分利用注浆浆液对土体的瞬时扰动引起附加沉降，沉降大的一侧则采取措施尽量减小注浆对土体扰动，通过对附加沉降的动态调整，对建筑物进行纠偏。在注浆纠偏的同时，利用注浆的长期效果即浆液对土体的挤密、置换作用达到加固地基土的目的。作为辅助措施，为减小建筑物原沉降大的一侧在注浆过程中的附加沉降，用高压旋喷注浆桩在该侧条形基础下预先进行加固。双液注浆孔、高压旋喷注浆孔平面布置见图 7-18。

经过纠偏加固，建筑物不均匀沉降得到了调整，东南角累计沉降 144mm，东北角累计沉降 149mm，西南角累计沉降 141mm，西北角累计沉降 140mm；建筑物东侧倾斜率由 3.81‰降至 0.4‰，西侧倾斜率由 3.3‰降至 0.08‰，倾斜率满足规范要求，建设方对建

7.1 地基沉降造成的工程事故 299

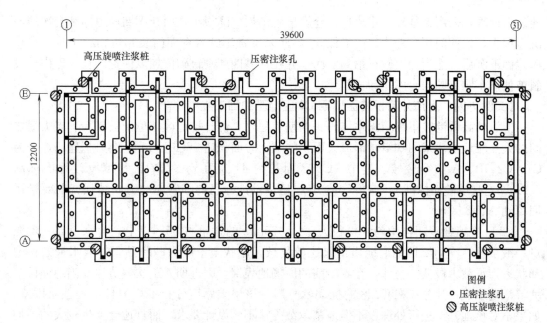

图 7-18 双液注浆孔、高压旋喷注浆孔平面布置图

筑物进行后续沉降观测,沉降稳定。建筑物沉降与时间曲线见图 7-19。

通过双液注浆沉降法纠偏,高压旋喷注浆与压密注浆结合进行地基加固,使建筑物复合地基承载力得到了提高,加固后平均复合地基承载力为 135kPa,建筑物不均匀沉降得到了调整,达到了纠偏加固效果。

【实例 7-7】 上海展览馆

上海展览馆位于上海市区延安中路北侧,由苏联专家设计,展览馆中央大厅为框架结构,箱形基础,展览馆两翼采用条形基础。箱形基础为两层,埋深 7.27m。箱形基础顶面至中央大厅上面的塔尖,总高 96.63m。地基为淤泥质软土,压缩性很大。展览馆于

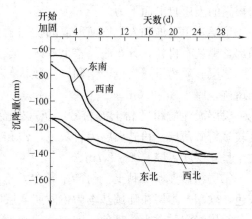

图 7-19 建筑物沉降与时间曲线

1954 年 5 月开工,当年年底实测基础平均沉降量为 60cm。1957 年 6 月,展览馆中央大厅四角的沉降量最大达 146.55cm,最小沉降量为 122.80cm,此时馆内产生裂缝。专家论证认为将裂缝修补后可继续使用,未做地基加固。

地基沉降继续发展,1979 年 9 月展览馆中央大厅平均沉降量达 160cm,以后沉降趋向稳定。

该楼建于深厚软黏土地基上,沉降量偏大,但未发生严重不均匀沉降,使用情况还好。

【实例 7-8】 塘沽新港码头仓库

塘沽新港位于海河入渤海湾的河口地区,新港地基为海河淤积土和新填土,压缩量大。在新填土荷载作用下固结尚未完成。位于新港第一突体码头有三个仓库,为了赶工期

地基未处理，采用桩基础。建成后，仓库房屋结构沉降很小，而仓库四周道路和仓库地面沉降很大，致使门坎内外均比门坎低50多厘米，货车驶入仓库内装卸货物有困难。在仓库地面下沉后，适当铺填砂石抬高地面，并在柱基四周砌筑砌体加以保护。在仓库内外设斜坡使汽车顺利驶入仓库装卸货。

【实例7-9】 上海外高桥港区四期C2区地基加固工程

上海外高桥港区集装箱深水港码头四期工程，大部分场地区域位于长江新、老大堤之间的大片滩地上。采用吹填砂形成大面积陆域，总面积达57.6万m^2。港口拟建场地分为C1、C2、B、A四个区域。其中，C2区面积约41.3万m^2。C2区吹填设计地面标高5.2m（先吹填砂面标高7.7～8.7m，表层超过设计标高的细砂在动力固结强夯前要推运回填到A、B区）。

C2区吹填细砂颗粒均匀，粒径大于0.075mm的含量占85％以上，含水量高，含泥量一般小于5％。C2区地形地质情况比较复杂，原状土土质为砂质黏土，含水量处在饱和状态，承载力极低。另外，在吹砂前的原场地表层，因近期人工吹填造地和当地渔民挖塘等活动形成一片分布在C2区的扰动软土层，该层土厚度分布不均匀且工程性质极差。如果不对该地基土进行处理，不但地基承载力达不到设计要求，而且还会产生较大的不均匀沉降，将影响建成后港区的生产正常运行。

根据上海外高桥港区四期工程地质初勘及详勘报告，C2区吹填细砂层以下勘察深度内揭露的土层自上而下为：

①层吹填造地和人工挖塘形成的扰动软土层，饱和，软塑，混杂植物根茎和小碎石，局部含黑色有机物，分布遍及整个场区，厚0.5～3.5m。

②层砂质粉土：灰色，饱和，松散状，土质尚均匀，局部夹杂黏性土薄层，偶见氧化晕斑迹，厚1.5～3.6m。

③层淤泥质粉质黏土夹粉砂：灰-灰黄色，饱和，流塑，微层理不清晰。土质不均，夹较多粉砂薄层。粉砂夹层为青灰色，饱和，松散，厚度一般小于0.5m。局部与淤泥质黏土呈互层状，厚0.4～7.7m。

④层粉砂夹粉质黏土：粉砂呈灰色，饱和，松散-稍密，土质均匀。粉质黏土夹层呈灰色，软塑。本层在陆域基本为粉砂层，层厚1.1～3.6m。

⑤层淤泥质黏土：灰色，饱和，软塑-流塑，土质均匀，切面光滑，夹少量粉砂薄层，含少量贝壳碎片，在码头区分布稳定，层厚6.2～9.8m。

⑥层黏土：灰色，饱和，软塑。土质均匀，切面光滑，夹少量粉细砂薄层，平均含水量略小于液限。工程地质性质差别不大。层厚6.5～16.9m。

结合上海港口建设的具体实践和类似工程成功经验，根据外高桥港区四期工程地基处理研究小组多方面细致比较研究和分析，并经有关领导和专家评议审定后，采用强降排水及低能量强夯法对C2区上部吹填细砂和浅层扰动软土层进行加固处理。

如采用强夯法加固，因机械太重还不能直接进场。因此，对C2区土体进行地基处理之前必须先对土体进行降排水处理，以保证强夯动力固结处理的有效实施。

（1）真空井点降排水施工方案

整个C2区地基处理面积约380000m^2，为了便于C2区动力固结强夯地基处理，拟定C2区划分为50m×100m的若干个施工小区，分区域采用网络真空井点降水结合明沟排水的方法进行强排水。真空降水排管如图 7-20 所示。

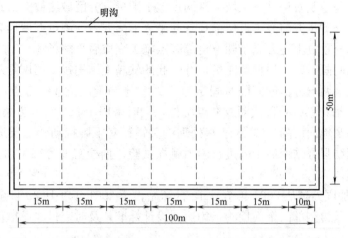

图 7-20 外高桥港区四期 C2 区地基处理真空降水排水管示意图

以 50m×100m 区域布置降水管网：管线间距 12~15m，降水层深度分布以下两种：一种是四周布置吹砂层内降水真空管，管长 2.5m，间距 2m，呈框架布置；另一种为淤泥层降水真空管，管长 5m，间距 3m，呈梅花桩形布置，主降淤泥层内的水。配备一定数量的真空泵，24h 降水，抽出的水排放到相应的明沟，然后通过大明沟向外排出。

网络井点降排水施工流程如下：

安装网络井点管并装备成形→测量各控制高程→插管就位及埋设水位观测管→依次排管及插管→铺设总管→管壁灌砂→孔口封密→连接管网进行试抽→确定原始水位后开机降排水。

结合分区域井点降水及动力固结强夯地基处理，开挖明沟，明沟深 1.5m，底宽 1m，边坡为 1∶3。区域明沟之间相互贯通，形成排水网络。明沟交接处设置一定数量的集水井。明沟水采取自流、强排的方法排到大明沟。通过井点降水和明沟排水，将地下水位降低到砂层面下 1~1.5m 以下，然后拔管（如真空管的位置不影响后面动力固结强夯可不必拔管）进行动力固结强夯。每遍强夯结束并整平夯坑后，立即插管进行真空抽水 24h 以上。

（2）动力固结强夯施工方案

C2 区低能量强夯施工，采用 10~12t 的夯锤，夯锤直径 2.5m。强夯遍数为 2 遍，夯点间距 3.5m×4m。第一遍夯击能量 800kN·m，每点 1 击。第二遍夯击能量 1350kN·m，每点 2 击。C2 区大面积低能量强夯的具体施工夯击参数见表 7-5。

C2 区低能量强夯施工参数汇总表　　　　表 7-5

夯点布置（梅花形）		夯击次数（击）		单点夯击能（kN·m）	
第一遍	3.5m×4m	第一遍	1	第一遍	800
第二遍	3.5m×4m	第二遍	2	第二遍	1350

地下水位降低到砂面层面以下 1~1.5m，才能进行动力固结强夯。起重设备选用稳定性好且移动方便的 25t 履带式起重机，借助脱钩装置来起落夯锤。同时，这样的选型匹配也适合夯击能的选用。

动力固结强夯施工流程如下：

匹配机械设备组装及调试→区域控制网点施工测量→分区域测放夯击点位→吊机进场定位→夯前检查→测量夯前夯击点位标高→起吊→下落夯锤→测量夯后标高→移机下一个点位→效果检查→重复上述夯点步骤→全部夯点施工完成后平整场地。

两遍夯击的间隔时间：根据低能量强夯引起的软黏土结构扰动的恢复及孔隙水压力的消散情况来确定。两遍夯击的间隔时间定为 7d。对于测量定位放线夯点坑位，每个区域按 4m×3.5m 的梅花形排列形式测放夯点坑位，同时采用 10m×10m 方格网，测量夯前、每遍夯后的标高及地面沉降。C2区地基处理的关键是对下卧扰动软土层进行加固，在每个区域的动力固结强夯结束后 15d 进行静力触探试验，抽检密度为每 4000m² 作为一个单元进行一次检测。

该 C2 区的加固处理从 2001 年 7 月 15 日开始，至 2001 年 9 月 30 日全面完成加固施工任务。经过质量检测部门全面检测，均达到设计标准，及时交付建设单位开始后续的土建施工。

7.2 地基失稳造成的工程事故

7.2.1 概 述

地基失稳破坏往往引起建（构）筑物的倒塌、破坏，后果十分严重，土木工程师应予以充分重视。建筑物不均匀沉降不断发展，日趋严重，也将导致地基失稳破坏。

在荷载作用下，当地基承载力不能满足要求时，地基可能产生整体剪切破坏、局部剪切破坏和冲切剪切破坏等破坏形式。地基破坏形式与地基土层分布、土体性质、基础形状、埋深、加荷速率等因素有关。土体不易压缩、基础埋深较浅时将形成整体剪切破坏；土体易压缩，基础埋深较深时将形成冲切或局部剪切破坏。产生整体剪切破坏前，在基础周围地面有明显隆起现象。

地基失稳造成工程事故在工业与民用建筑工程中较为少见，在交通水利工程中的道路和堤坝工程中较多，这与设计中安全度控制有关。在工业与民用建筑工程中对地基变形控制较严，造成地基稳定安全储备较大，故地基失稳事故较少；在路堤工程中对地基变形要求较低，相对工业与民用建筑工程其地基稳定安全储备较小。安全储备较小，地基失稳事故也就相对较多。地基失稳事故在工业与民用建筑工程中虽较为少见，但也时有发生。加拿大特朗斯康谷仓地基破坏是整体剪切破坏的典型例子（图 7-21）。2009 年我国上海一幢住宅楼，坐落在软土地基上，采用管桩基础。由于在住宅楼一侧地面堆积大量土方，在另一侧基坑开挖，导致地基失稳破坏，楼房倒塌，也是不多见的整体剪切破坏的典型例子（图 7-22）。

地基失稳造成工程事故补救比较困难，建筑物地基失稳破坏导致建筑物倒塌破坏，并容易造成人员伤亡，对周围环境产生不良影响。建筑物倒塌破坏以后往往需要重新建造。对地基失稳造成工程事故重在预防。除在工程勘察、设计、施工、监理各方面做好工作外，进行必要的监测也是重要的。若发现沉降速率或不均匀沉降速率较大时，应及时采取措施，进行地基基础加固或卸载，以确保安全。在进行地基基础加固时，应注意某些加固施工过程中可能产生附加沉降的不良影响。

图 7-21 加拿大特朗斯康谷地基事故

图 7-22 上海一幢住宅楼倒塌事故

7.2.2 工程实例

【实例 7-10】 美国纽约某水泥筒仓地基失稳破坏

该水泥筒仓地基土层如图 7-23 所示，共分 4 层：地表第 1 层为黄色黏土，5.5m 左右厚；第 2 层为青色黏土，标准贯入试验 $N=8$ 击，1.7m 左右厚；第 3 层为碎石夹黏土，厚度较小，仅 1.8m 左右厚；第 4 层为岩石。水泥筒仓上部结构为圆筒形结构，直径 13.0m，基础为整板基础，基础埋深 2.8m，位于第 1 层黄色黏土层中部。

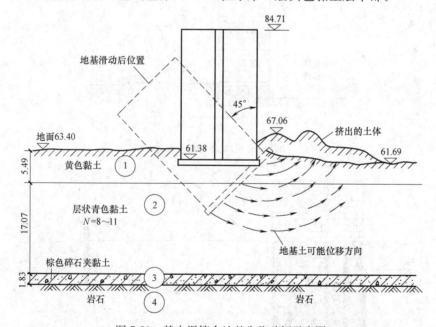

图 7-23 某水泥筒仓地基失稳破坏示意图

1914 年因水泥筒仓严重超载，引起地基整体剪切破坏。地基失稳破坏使一侧地基土体隆起高达 5.1m，并使净距 23m 以外的办公楼受地基土体剪切滑动影响产生倾斜。地基失稳破坏引起水泥筒仓倾倒呈 45°左右。地基失稳破坏示意如图 7-23 所示。

当这座水泥筒仓发生地基失稳破坏预兆，即发生较大沉降速率时，未及时采取任何措施，结果造成地基整体剪切滑动，筒仓倒塌破坏。

【**实例 7-11**】 上海某楼房倒塌事故

某楼房建筑高度 43.90m，剪力墙结构，共 13 层；无地下室，平面长宽尺寸为 46.2m×15.5m，桩基础为管桩（墙下条形布桩方式，共 100 根）。当施工进行到室内装修、安装与收尾阶段时，在经过一夜的大暴雨后，次日早晨大楼发生倾斜，第 3 天大楼发生整体倒塌；另一栋相邻的大楼发生水平位移 29mm。事发前，大楼南侧的地下车库基坑已经开挖，开挖深度 4.6m，基坑围护的搅拌桩复合土钉墙也已施工完成。场地下卧土层为：黏土，厚约 2.5m；淤泥质粉质黏土和淤泥质黏土，厚约 17m。基坑开挖出来的土方堆积在大楼的北侧，土堆高度约 10m，土堆与大楼之间留设 3m 宽的通道，土堆北侧为防汛墙及河道。

此次楼房倒塌事故，造成一名工人死亡，庆幸的是，由于倒塌的楼房尚未竣工交付使用，所以，事故并没有酿成居民伤亡事故。根据相关调查，事故的直接原因是：紧贴事故大楼北侧，在短时间内堆土过高，最高处高 10m 左右；与此同时，紧邻该大楼南侧的地下车库基坑正在开挖，开挖深度 4.6m；大楼两侧的压力差使土体产生水平位移，过大的水平力超过了桩基的抗侧能力，导致房屋倾倒。

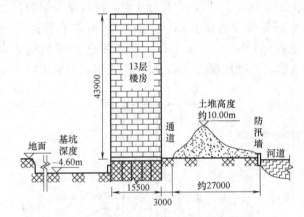

图 7-24 各关联对象剖面关系示意图

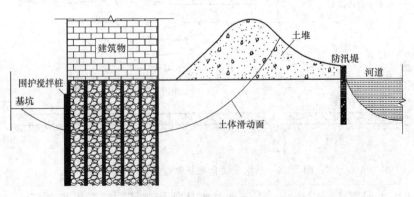

图 7-25 土体滑动破坏示意图

经计算分析导致大楼倒塌的原因，可以归结为：

（1）大楼南北两侧的外力压力差和暴雨后土堆内地下水渗流应力耦合综合作用，导致大楼出现倾斜；

(2) 防汛墙破损或溃堤、基坑围护结构破损以后,河水补给渗流,残余土堆及大楼下卧土层中的渗流应力耦合作用加剧,使大楼倾斜进一步加剧;

(3) 建筑物倾斜后,其南侧的管桩出现超载受压,桩顶爆裂破坏,使整栋大楼在已出现较大倾斜的基础上,进一步倾斜失稳,并最终快速倒塌。

【实例 7-12】 某高速公路堤地基失稳破坏

该路段属沼湖和丘陵交界地段,工程地质勘察报告表明硬壳层下有 16~20m 的淤泥、淤泥质黏土,含水量为 58.9%~59.7%,孔隙比为 1.42~1.66,塑性指数为 24.3~24.5。天然地基标高 2.1~2.2m,路面设计标高 7.05m,加上地基沉降后的补填量,路堤需填筑 6.5m 左右。原设计路堤采用粉煤灰填筑,地基处理采用排水固结法,排水系统采用塑料排水带,埋深 16m,平面正方形布置,间距 1.2m。控制路堤填筑速度,利用路堤自重堆载顶压,达到提高地基承载力、减小工后沉降的目的。考虑到粉煤灰来源及运输费用,经比较分析决定路堤改用石渣填筑。石渣路堤比粉煤灰路堤作用在软土地基上荷载大,经论证在原排水固结法处理地基基础上,增加铺设二层土工布,并加强观测以保证路堤填筑时地基稳定。路堤剖面形状及观测点示意图如图 7-26 所示。

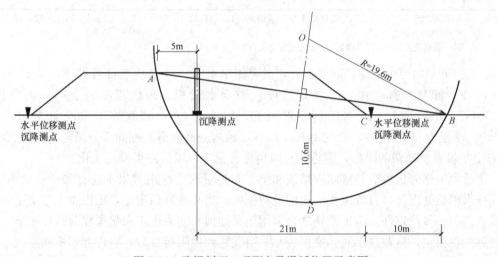

图 7-26 路堤剖面、观测点及滑孤位置示意图

路堤填筑从 1993 年 3 月 19 日开始,至 1995 年 1 月 20 日分 21 层填筑至设计标高,填筑进度见表 7-6。该路段共设 8 块沉降板和 16 个侧向位移桩。填筑前一天观测,固结沉降合格后再填筑下一层。路堤填筑至天然地基路堤填筑临界高度以上时每天观测。从 1994 年 1 月 5 日至 1995 年 1 月 20 日的沉降位移资料分析,1995 年 1 月 16 日两侧的沉降和位移都属正常。在 1 月 20 日填筑完最后一层后,1 月 21 日上午观测资料在当天晚上计算时,发现侧向位移达 63mm 和 71mm,严重超过控制值。观测人员以为观测错误,准备第二天复测,没有及时报告,失去抢救时间。路堤于 1995 年 1 月 22 日凌晨 6 时发生整体剪切破坏。

路堤整体剪切破坏平面位置示意图如图 7-27 所示。剪切破坏滑弧面示意图如图 7-26 所示。从 K125+355~K125+453 共 98m 范围内,由此向南方向的左侧半幅路堤发生了整体剪切破坏,路堤从中线开裂,宽度 0.5~1.0m,左半幅下沉,最大达 1.5m;左侧坡脚外 10m 范围内地面上拱,近旁民房墙壁多处裂缝,严重影响左侧民房。路堤 K125+

路堤（K125+250～K125+453）施工情况表　　　　表 7-6

施工日期	层数	填筑标高	填筑方量	施工日期	层数	填筑标高	填筑方量
1994 年 3 月 19 日	1	2.815	1960.00	1994 年 11 月 27 日	12	5.115	852.60
1994 年 4 月 12 日	2	3.060	1883.75	1994 年 12 月 1 日	13	5.262	895.23
1994 年 5 月 10 日	3	3.310	1800.23	1994 年 12 月 7 日	14	5.438	1036.112
1994 年 6 月 8 日	4	3.550	1253.90	1994 年 12 月 12 日	15	5.598	941.92
1994 年 7 月 2 日	5	3.800	1812.05	1994 年 12 月 29 日	16	5.749	888.94
1994 年 7 月 28 日	6	4.064	1844.04	1994 年 1 月 6 日	17	5.892	841.84
1994 年 8 月 10 日	7	4.284	1528.28	1994 年 1 月 9 日	18	6.052	896.00
1994 年 11 月 11 日	8	4.536	1700.91	1994 年 1 月 13 日	19	6.243	1069.60
1994 年 11 月 17 日	9	4.642	828.24	1994 年 1 月 18 日	20	6.440	1063.80
1994 年 11 月 17 日	10	4.802	974.40	1994 年 1 月 20 日	21	6.630	1026.00
1994 年 11 月 24 日	11	4.975	1313.07				

注：1. K125+320～K125+447 段塑料排水带完成情况：1993 年 12 月 9 日～12 月 12 日完成 4428 根，深 16m，累计 70848m；
　　2. 第一层填筑是在碎卵石垫层、二层土工布上进行的。

453 临某河处，向河中滑塌，河底上升，淤泥露出水面。24 日应急卸载处理，至 25 日下午 4 时止，卸载全部结束，并做好路坡以防雨水淤积。卸载范围为全部滑塌路段，K125+355 处卸载 1.0m，K125+453 处卸载 2.0m，平均卸载约 1.5m，卸载量约为 350m³，重量为 8600 余吨，并在离 K125+453 较远一面河道上挖除部分淤泥，以利流水。26 日上午没有发现新的险象，附近民房险情也已稳定，以后路堤没有变化。

事故原因据分析可能与排水固结法和土工布垫层联合作用效果不佳有关。众所周知：采用排水固结处理可以有效地提高土的抗剪强度，提高地基稳定性，铺设土工布垫层也可提高地基的整体稳定性。两项措施联合采用效果如何？如果土工布垫层在荷载作用下，属理想弹塑性模型，荷载较小时，变形较小，荷载达到极限荷载时，容许变形不断发展，土工布垫层与排水固结法改良土体能联合作用提高整体稳定性。如果土工布垫层在荷载作用下，在荷载较小时，变形很小，而达到极限荷载时，呈脆性破坏，则土工垫层与排水固结法改良土体两者能否联合作用提高整体稳定性就值得怀疑。在这种情况下，当路堤填筑高度较小时，土工布垫层变形很小，压力扩散效果较好。当土工布垫层破坏时，软黏土地基难以承担路堤荷载，地基发生整体滑动。由于存在土工布垫层，起初压力扩散效果较好，与无土工布垫层情况相比，地基中附加应力较小，土体固结引起抗剪强度提高也较小。因此，在土工布垫层产生脆性破坏情况下，土工布垫层和排水固结法改良土体两者不仅不能联合作用提高地基稳定性，而且土工布垫层的存在可能减少地基土体由于排水固结抗剪强度提高的幅度。

两项提高地基稳定性的措施能否联合作用往往是有条件的。在某些条件下，不仅不能联合作用提高地基稳定性，而且会出现减小地基稳定性的情况。该案例是否能说明上述结论的重要性，令人深思。

该工程事故处理采用延长桥的长度跨越整体剪切破坏路段，即采用路改桥方案。

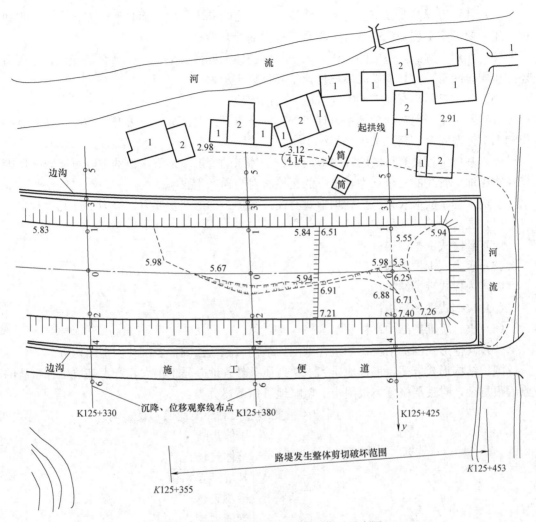

图 7-27 路堤整体剪切破坏平面位置示意图

7.3 基坑工程事故

7.3.1 概 述

基坑工程是一个古老而又有时代特点的岩土工程课题。随着大量高层、超高层建筑以及地下工程的不断涌现，对基坑工程要求越来越高。基坑工程具有下述特点：

(1) 一般情况下，基坑围护体系是临时结构，地下工程完成后即失去效用；基坑围护体系安全储备较小，具有较大的风险性；

(2) 不同工程地质和水文地质条件下基坑工程差异很大，基坑工程具有很强的区域性；

(3) 基坑工程不仅与工程地质和水文地质条件有关，还与相邻建（构）筑物、地下管线等环境条件有关，因此具有很强的个性；

(4) 基坑工程涉及稳定、变形和渗流三个土力学基本课题，而且不仅需要岩土工程知识，还需要结构工程知识；基坑工程具有很强的综合性；

(5) 作用在围护体系上的土压力大小与围护体系变形有关；土体具有蠕变性，土压力还与作用时间有关；目前尚无成熟理论精确计算土压力；

(6) 基坑工程具有较强的空间效应与时间效应；

(7) 基坑工程包括围护体系设计与施工和土方开挖两部分；土方开挖顺序、速度直接影响围护体系安全，基坑工程是系统工程；

(8) 基坑工程具有重要的环境效应；围护体系的变形、地下水位的下降可能影响周围建筑物和地下管线的安全；大量土方的运输将对交通产生影响。

基坑工程事故形式与围护结构形式有关。围护结构形式主要可以分为下述几大类：
(1) 放坡开挖及简易围护；
(2) 悬臂式围护结构；
(3) 重力式围护结构；
(4) 内撑式围护结构；
(5) 拉锚式围护结构；
(6) 土钉墙围护结构；
(7) 其他形式围护结构，如组合型围护结构、冻结法围护、沉井围护结构等。

围护结构形式繁多，工程地质和水文地质条件各地差异也很大，产生基坑工程事故的原因很复杂，对其严格分类很困难。粗略地可作下述分类：

围护体系变形较大，引起周围地面沉降和水平位移较大。若对周围建筑物及市政设施不造成危害，也不影响地下结构施工，围护体系变形大一点是允许的。造成工程事故是指变形过大造成影响相邻建筑物或市政设施安全使用。除围护体系变形过大外，地下水位下降以及渗流带走地基土体中细颗粒过多也会造成周围地面沉降过大，也应予以注意。

围护体系破坏形式很多，破坏原因往往是几方面因素综合造成的。为了便于说明，将其分为六类。当围护墙不足以抵抗土压力形成的弯矩时，墙体折断造成基坑边坡倒塌，如图 7-28（a）所示。对撑锚围护结构，支撑或锚拉系统失稳，围护墙体承受弯矩变大，也要产生墙体折断破坏。当围护结构插入深度不够或撑锚系统失效造成基坑边破整体滑动破坏，称为整体失稳破坏，如图 7-28（b）所示。在软土地基中，当基坑内土体不断挖去，坑内外土体的高差使围护结构外侧土体向坑内方向挤压，造成基坑土体隆起，导致基坑外地面沉降，坑内侧被动土压力减小，引起围护体系失稳破坏，称为基坑隆起破坏，如图 7-28（c）所示。对内撑式和拉锚式围护结构，插入深度不够或坑底土质差，被动土压力减小或丧失，造成围护结构踢脚失稳破坏，如图 7-28（d）所示。当基坑渗流发生管涌，使被动土压力减少或丧失，造成围护体系破坏，称为管涌破坏，如图 7-28（e）所示。对支撑式围护结构，支撑体系强度或稳定性不够，对拉锚式围护结构，拉锚力不够，均将造成围护体系破坏，称为锚撑失稳破坏。支撑体系失稳破坏如图 7-28（f）所示。诱发围护体系破坏的主要原因可能是一种，也可能同时有几种，但破坏形式往往是综合的。整体失稳造成破坏也产生基坑隆起、墙体折断和撑锚系统失稳；撑锚系统失稳造成破坏也产生墙体折断，有时也产生基坑隆起、踢脚破坏形式；踢脚破坏也产生基坑隆起、撑锚系统失稳现象。但仔细观察分析，造成破坏的原因不同，其破坏形式还是有差异的。

基坑工程事故影响较大，往往造成较大的经济损失，并可能破坏市政设施，造成较大的社会影响。基坑工程事故重在预防，除对围护体系进行精心设计外，实行信息化施工，加强监测，动态管理，非常重要。及时发现险情，及时采取措施，把事故消除在萌芽阶段。

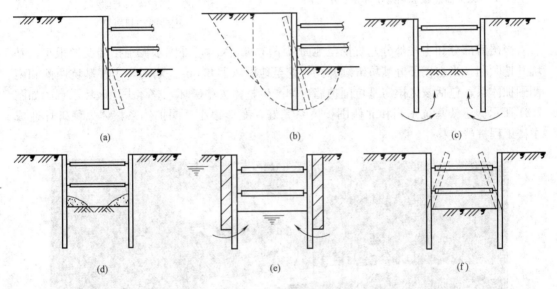

图 7-28　围护体系破坏的基本形式
(a) 墙体折断破坏；(b) 整体失稳破坏；(c) 基坑隆起破坏；(d) 踢脚失稳破坏；
(e) 管涌破坏；(f) 支撑体系失稳破坏

7.3.2　工程实例

【实例 7-13】　某基坑水泥土重力式挡墙整体失稳破坏

沿海某城市一大厦坐落在软黏土地基上，土层描述如下：第 1 层为杂填土，厚 1.0m 左右；第 2 层为粉质黏土，$C_{cu}=12\text{kPa}$，$\varphi_{cu}=12°$，厚 2.2m 左右；第 3 层为淤泥质粉质黏土，$C_{cu}=9\text{kPa}$，$\varphi_{cu}=15°$；第 4 层为淤泥质黏土，$C_{cu}=10\text{kPa}$，$\varphi_{cu}=7°$，厚 10.0m 左右；第 5 层为粉质黏土，$C_{cu}=9\text{kPa}$，$\varphi_{cu}=16°$，厚 6.2m 左右；第 6 层为粉质黏土，$C_{cu}=36\text{kPa}$，$\varphi_{cu}=13°$，厚 8.0m 左右。主楼部分二层地下室，裙房部分一层地下室，平面位置如图 7-29 所示。主楼部分基坑深 10m，裙房部分基坑深 5m。设计采用水泥土重力式挡土结构作为基坑围护体系，并分别对裙房基坑（计算开挖深度取 5m）和主楼基坑（计算开挖深度取 5m）进行设计。水泥土重力式挡墙围护体系剖面示意图如图 7-30 所示。

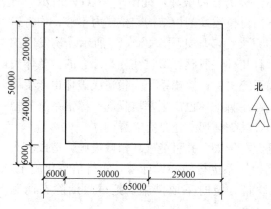

图 7-29 某大厦主楼和裙房平面位置示意图

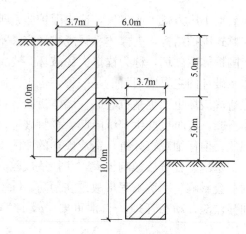

图 7-30 围护体系剖面示意图
（主楼西侧和南侧）

当裙房部分和主楼部分基坑挖至地面以下 5.0m 深时，外围水泥土挡墙变形很小，基坑开挖顺利。当主楼部分基坑继续开挖，挖至地面以下 8.0m 左右时，主楼基坑西侧和南侧围护体系，包括该区裙房基坑围护墙，均产生整体失稳破坏，整体失稳破坏示意图如图 7-31 所示。主楼基坑东侧和北侧围护体系完好，变形很小。围护体系整体失稳破坏造成主楼工程桩严重移位。

图 7-31 整体失稳破坏示意图

该工程事故原因是围护挡土结构计算简图错误。对主楼西侧和南侧围护体系，裙房基坑围护结构和主楼基坑围护结构分别按开挖深度 5.0m 计算是错误的。当总挖深超过 5.0m 后，作用在主楼基坑围护结构上的主动土压力值远大于设计主动土压力值，提供给裙房基坑围护结构上的被动土压力值远小于设计被动土压力值。当开挖深度接近8.0m时，势必产生整体失稳破坏。另两侧未产生破坏，说明该水泥土围护结构足以承担开挖深度5.0m时的土压力。

该工程实例较典型，但类似错误并不鲜见。在围护体系设计中，为了减小主动土压力，也为了减小围护墙的工程量，往往挖去墙后部分土，进行卸载，如图7-32所示。为数不少的设计人员在计算作用在挡土结构上的土压力值时，计算开挖深度取图中 H 值，这样是不安全的。当 l 值较小时，一定要计算厚度为 h 的土层对作用在围护墙上土压力值的影响。作用在悬臂挡土结构上的土压力分布是深

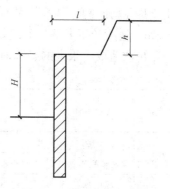

图7-32 墙后卸载示意图

度的一次函数，围护结构的剪力是深度的二次函数，弯矩是深度的三次函数。围护结构是抗弯结构，对深度是很敏感的，设计人员应予重视。

【实例7-14】 某路槽基坑内撑式地下连续墙围护体系整体滑动破坏

某过江水底隧道北岸引道工程，采用内撑式地下连续墙作为围护体系，全长268m，沿隧道轴线分为10个墙段，每单元槽段长4m，厚0.8m，在路面以下Ⅰ～Ⅳ墙段设二道钢筋混凝土支撑，Ⅴ～Ⅶ墙段设一道钢筋混凝土支撑，路基中Ⅰ至Ⅵ墙段增设一道钢筋混凝土底支撑。如图7-33所示。引道净宽10.2m。基坑开挖时增设临时钢支撑，开挖后墙面现浇0.2m钢筋混凝土复合壁。

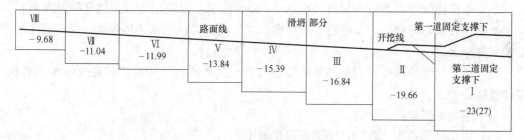

图7-33 路槽开挖土体情况

地下连续墙埋深：最深的为Ⅰ墙段27m，最浅的为Ⅹ墙段10.39m，随着引道坡度按3.8%～3.5%下降，由南向北以阶梯式递减。路槽挖土深度6.3～17.5m。

该工程位于东南沿海某江入海口，属于海相冲积场地，土层物理力学特性指标见表7-7，Ⅰ槽段墙底位于第⑦层淤泥质黏土中，Ⅱ槽段墙底位于第⑧层上部，竖井底位于第⑦层中，部分钢筋混凝土钻孔排桩桩尖也位于第⑦层。场区中第⑧层为粉细与粉质黏土互层，含有承压水，其隔水顶板标高介于-19.84～-32.84m，⑦层淤泥质黏土为承压含水层顶板，承压水头高度为20.65m，承压水稳定水位标高为-0.74m。

1992年1月29日凌晨，Ⅲ到Ⅳ段土方开挖深度为地面以下9.5～10.5m，距设计路面标高线以上0.2m左右，正当施工人员计划设置第三道临时支撑时，西侧地下连续墙Ⅲ～Ⅳ段第37～48幅，共12幅长达48m，发生整体失稳破坏。地下连续墙顶面外倾，坑底产生踢脚位移，坑底土体隆起，最大隆起高度约3m左右，墙体最大倾斜达14.4°，墙体最大下沉量为2.5m，第一排钢筋混凝土支撑大部分端部拉脱、跌落，第二排钢筋混凝

土支撑压剪断裂。基坑外塌陷区南北长达60m，东西宽12～15m，原地面下沉，最低处达2.5m，地面产生多条拉裂缝，形成一个较典型的整体剪切破坏，其示意图如图7-34所示。事故造成了很大的经济损失，并延长了工期。

基坑土体物理力学特性 表7-7

层次	土层名称	层厚(m)	w (%)	γ (kN/m³)	e	φ (°)	c (kPa)	k (cm/s)
1	杂填土	1.10～3.40						
2	淤泥质粉质黏土	1.90～3.4	41.4	18.3	1.106	2.3	3.5	
3	粉质黏土	1～2.3	29.1	19.3	0.826	6.8	19.0	
4	淤泥质黏土	1.7～2.9	41.6	18.8	0.983	2.3	11.0	
5	粉质黏土	0.3～2	36.9	18.5	1.013			2.41×10^{-6}
6	淤泥质粉质黏土	5.2～8.8	40.4	18.1	1.116	10.2	12.0	2.64×10^{-7}
7	淤泥质黏土	11～13.5	47.9	17.5	1.324	6.8	13.0	7.16×10^{-8}

经专家小组分析，认为该工程造成整体失稳破坏的原因是多方面的。主要原因有以下几个方面：

（1）原勘察报告所提供的土体强度指标，c值取12kPa，φ值取15°，而事故后补勘资料提出的土体强度指标c值为13kPa，φ值为6.5°，因而设计计算时土体强度指标取值偏大，不安全。

（2）原勘探时没有摸清古河道及高达20.65m的承压水头压力，基坑开挖时没有任何降水措施，致使开挖到一定深度后，承压水产生作用，基坑底部土体顶脱，是造成工程事故的重要原因之一。

（3）地下连续墙墙体混凝土局部疏松、露筋、接缝夹泥。一幅墙一道支撑也不合理。墙体整体性差。

（4）临时支撑架设不及时。

（5）缺少必要的施工监测，施工组织管理不善。

修复方案主要包括下述几点：

（1）在发生整体剪切破坏地段，在墙后重新设置一道地下连续墙。为利于成槽，在地下连续墙施工前先采用深层搅拌法对地基土体进行土质改良。

（2）为减少墙体主动土压力，在墙外挖土卸载，挖土宽9.0m，深1.0m。

（3）采用深井降水，降低地下水位。

（4）对基坑底部5.0m厚土层土体采用高压喷射注浆法和深层搅拌法进行土质改良。水泥土起到封底和支撑作用。

（5）加强监测，实行信息化施工。在土方开挖过程中对土体深层水平位移，地面沉降进行监测。

第（3）～（5）条也应用于未发生整体剪切破坏，但尚未挖至设计标高的地段。

修复方案实施顺利，其余地段经采取上述措施后施工也很顺利。

【实例7-15】 某沉井管涌造成超沉倾斜

某过江隧道竖井作为隧道集水井与通风口，位于隧道沉管与北岸引道连接处。竖井上

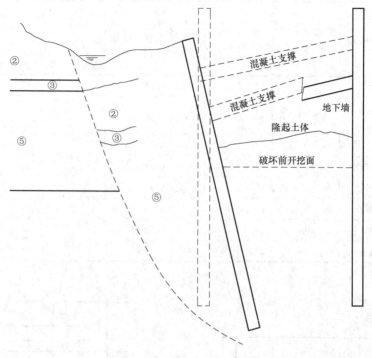

图 7-34 整体剪切破坏示意图

口尺寸为 15m×18m，下口尺寸为 16.2m×18m，深度为 28.5m，竖井纵剖面见图 7-35。

竖井采用沉井法施工。地质柱状图和各土层主要物理力学指标如图 7-36 和表 7-8 所示。图 7-37 为竖井封底设计图。竖井刃脚设计标高为 -23.25m，坐落在含淤泥粉细砂层或中细砂层上。从图 7-37 可以看到原设计竖井封底采用 M-250 的钢筋混凝土底板。但在抽出沉井内积水时，由于沉井封底没有成功，致使由抽水造成沉井内外水头差使刃脚外砂层液化，在底板混凝土部位出现冒水涌砂现象，并使沉井产生不均匀超沉、倾斜与位移。停止抽水后，井内外水位趋于相同，沉井保持平衡与稳定，但后期工程难于继续。超沉后的竖井刃脚标高为 -23.46~-23.84m。各角点标高如图 7-38 所示。比设计标高超沉了 0.21~0.59m，对角线最大均匀沉降为 0.38m，相对沉降为 1.57‰。井内水位为 +2.5m，井内水下封底混凝土厚度各处不一，按实际刃脚标高计算，混凝土厚度为 3.26~4.87m，超过设计厚度 0.96~2.57m，混凝土顶面标高差达 1.95m。

封底失败的原因是多方面的，通常在沉井封底时，应先抛石形成一定厚度的块石垫层

各土层主要物理力学指标 表 7-8

土层编号	土层名称	天然含水量(%)	孔隙比	液限(%)	塑限(%)	塑性指数(%)	压缩系数 MPa^{-1}	压缩模量 MPa	固结快剪 c(kPa)	固结快剪 φ(°)	快剪 c(kPa)	快剪 φ(°)	承载力推荐值 σ_n(kPa)	承载力推荐值 τ(kPa)
Ⅰ	粉质黏土	30.5	0.856	32.1	21.2	10.9	0.29	5.91	25	25			100	30
Ⅱ₁	淤泥	41.4	1.125	34.3	21.3	13.0	0.65	3.12					70	20
Ⅱ₂	淤泥	46.5	1.249	39.9	23.5	16.4	0.98	2.46	16	13	18	5.6	70	10

续表

土层编号	土层名称	天然含水量(%)	孔隙比	液限(%)	塑限(%)	塑性指数(%)	压缩系数 MPa^{-1}	压缩模量 MPa	固结快剪 c (kPa)	固结快剪 φ (°)	快剪 c (kPa)	快剪 φ (°)	承载力推荐值 σ_n (kPa)	承载力推荐值 τ (kPa)
II₃	淤泥	48.8	1.552	44.5	25.0	19.5	0.91	2.43	21	12.9	17	19	70	10
III	砂、粉砂夹薄层淤泥	38.5	1.070	33.1	20.2	12.9	0.59	3.27	20	15.5			90	40
IV₁	淤泥质黏土	44.7	1.243	49.5	26.0	23.5	0.75	2.85			25	28	80	15
IV₂	含淤泥粉细砂	26.6	0.79	26.4	16.3	10.1	0.27	6.59			23	16.7	100	40
V	中细砂	28.0	0.79	27.8	17.1	10.7	0.37	6.10			20	18.5	200	50
VI	含泥粉细砂	31.4	0.92	29.1	18.3	10.8	0.59	5.34			23	16.8	100	40
VII	中细砂	24.1	0.88	29.7	19.6	10.1	0.50	5.91			28	26.5	200	55
VIII	粉质黏土	28.4		34.5	20.0	14.5							100	40

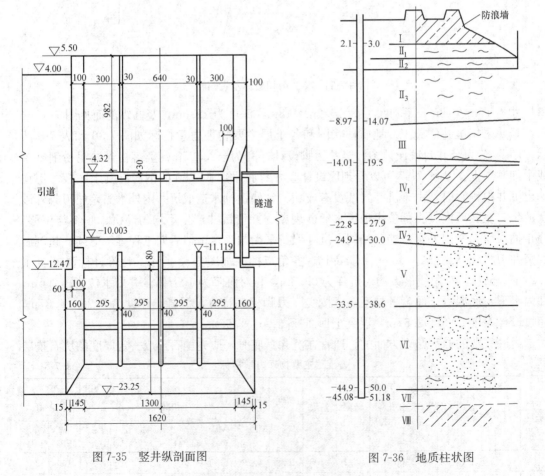

图 7-35 竖井纵剖面图　　　图 7-36 地质柱状图

再浇筑水下混凝土。此外，根据沉井底面积的大小，应采用足够数量的混凝土导管，浇筑混凝土应连续作业。为了使封底混凝土不出现夹泥层，在浇捣封底混凝土时导管应逐渐上提，但管口不应脱离混凝土。上述两方面在设计施工时均考虑欠周。

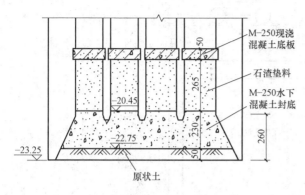

图 7-37 竖井封底设计图

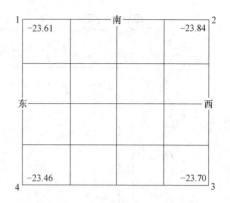

图 7-38 超沉后竖井刃脚各角点高程

加固方案的基本思路是通过高压喷射注浆旋喷和定喷在竖井外围设置围封墙，然后在竖井封底混凝土底部通过静压注浆封底。注浆封底完成后抽水，凿去多余封底混凝土进行混凝土找平，最后再现浇钢筋混凝土底板。竖井四周地基中围封墙有两个作用：一作为防渗墙，隔断河水与地下水渗入沉井底部；二可以限制静压注浆的范围，保证注浆封底取得较好效果。为了使围封墙具有防渗墙的作用，要求围封墙插入相对不透水层中。完成钢筋混凝土底板后，再通过在深井底板进行静压注浆进行竖井纠偏。

围封墙通过高压喷射注浆旋喷和定喷形成。其高压喷射注浆孔孔位布置及围封墙位置如图 7-39 所示。围封墙底部插入土层Ⅵ中 2m，高程为 -35.5m，从地面起算围封墙深度为 40.6m，围封顶面与地面平。旋喷桩直径 1.0m，围封墙厚度为 30cm。水泥土强度大于 5MPa。这样利用水泥土围封墙防渗性能好及围封体下部的含泥或薄黏土夹砂层透水性较差的特点，形成了第一道防水系统。围封墙也为采用静压注浆封底创造了良好的条件。

围封墙施工完成后，再采用静压注浆封底。注浆孔布置如图 7-39 所示。每个注浆孔均进行多次注浆，直至完成封底为止。

完成灌浆封底后，再抽出沉井内积水，清底，凿去多余封底混凝土，找平，浇筑钢筋混凝土底板。

钢筋混凝土底板养护期后再通过静压注浆纠倾，直至满足后续工程要求为止。

按照上述加固方案施工，基本上达到预期目的。在围封体施工过程中，竖井稍有超沉。围封体完成后，在静压注浆封底过程中，竖井稍有抬升。静压注浆封底后，沉井抽除积水一次成功，围封墙和注浆封底达到预期效果。在抽水过程中竖井进一步抬升。抽水完毕清底时，发现原封底混凝土高低相差很大，说明原水下浇筑混凝土未满足要求。找平原封底混凝土后，现浇钢筋混凝土底板。待底板达到一定强度后，在竖井底部注浆纠倾，基本满足了后续工程要求。考虑到费用和时间，沉井未纠倾到原设计位置，以满足后续工程要求为止。

实践表明，上述加固方案是成功的，可供类似工程参考。

【实例 7-16】 湖北劲牌有限公司保健酒基地二期联合车间工程地下建筑抗浮问题

湖北劲牌有限公司保健酒基地二期建设工程联合车间为一栋 4 层的框架结构建筑（含一层地下室，层高 9.5m），基坑开挖面积约 $14000m^2$。基坑开挖深度大于 10m，局部开挖

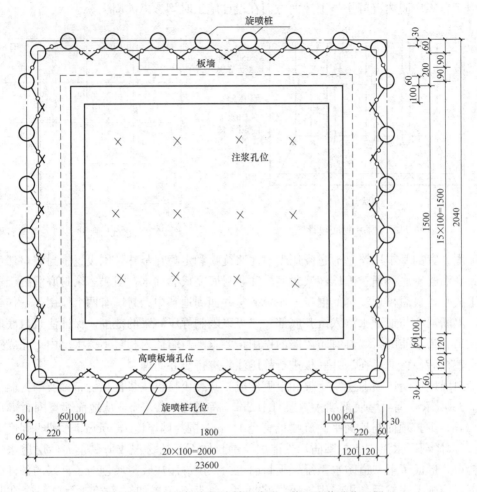

图 7-39 围封墙、高压喷射注浆孔、静压注浆孔位置图

深度大于 12m。地下室面积 13000m²，总建面积 43000m²。地下室的地下基础为梁板式钢筋混凝土筏形基础。工程由湖北劲牌有限公司投资建设，于 2005 年 7 月 20 日开始施工，2006 年 5 月 8 日浇筑基础混凝土，2006 年 8 月 1 日地下室浇筑完毕；2006 年 8 月 27 日基坑开始回填，于 2006 年 11 月下旬回填完毕；2006 年 10 月 31 日土建部分施工完毕；2007 年 1 月 5 日屋面网架施工完毕。2006 年 11 月中旬发现部分框架填充墙体出现裂缝，12 月裂缝迅速发展，部分梁、柱构件亦相应出现裂缝，2007 年 3 月发现地下室地面大面积明显隆起，隆起高度最大值 307mm，梁、柱等结构受力构件裂缝进一步增大，经过省级专家论证为建筑物浮起。2007 年 3 月 23 日建设单位在地下室底板中部开了一个直径 75mm 的钻孔，孔内立即喷水，水柱高达 4~5m，在泄水一段时间后，地下室地面隆起部位出现明显下沉。

原始地形若以大冶大道为分水岭，则场地位置属大冶大道东边分水岭斜坡地带，如图 7-40 所示。现场地表层填土层厚度较大，最大厚度 9.0m，最小厚度 2.5m，平均厚度 4.25m。按分水岭地势规律，填土层东厚西薄。场地及场地附近均无地表水体。场地的地下水主要来源于松散的人工填土层，其接受大气降水补给，由于场地正处在斜坡坡积裙地带，场地东临新冶大道的基础由素填土组成，但在筑路过程中边填方边夯实，形成了密实的土层，构成了拟建场地东边的隔水边界，也就形成了拟建场地松散的人工填土层接受大气降水汇聚地下水的有利条件与场所。场地外围大冶大道垂直向东至场地边缘均几乎无其他建筑物，自然地势与地质条件形成了接受大气降水的补给区段，水径流入场地也就形成了接受大气降水汇入的聚集地段。场地地层按顺序由上至下①层填土层下伏的②层为粉质黏土，层厚1.1～7.9m，平均厚度5.08m，$f_{ak}=200$kPa，属中软土类型。③层强风化砂质泥岩，层厚2.0～22.5m，$f_{ak}=350$kPa。④层中风化砂质泥岩，岩石天然单轴抗压强度$f_{rk}=2.3$MPa。③层强风化砂质泥岩与④层中风化砂质泥岩均属极软岩类。因此，人工填土层下伏岩土层易被地下水浸蚀软化。勘察期间场地地下水位为1.23～4.30m。地下室剖面图如图7-41所示。

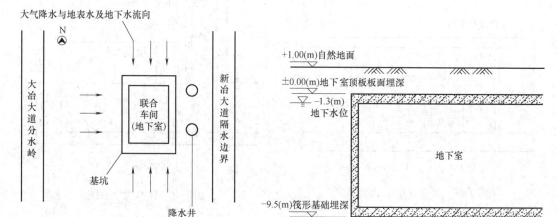

图7-40 基坑地理位置示意图　　　　　图7-41 地下室剖面图

湖北劲牌有限公司保健酒基地二期建设工程联合车间地下室地面隆起，上部结构的墙体、梁、柱开裂是由不良地下水造成的。该工程基坑开挖的时间长（292d），经历了夏、春两个季节的大气降水的丰水期。场地的松散杂填土层经基坑开挖的机械扰动，使土层在土与水混合作用后，土层更加松软，当基坑形成后，大量的大气降水渗入，造成坑内、外土层吸水后形成饱和。因此，上层滞水在适宜的环境与地质环境条件下转化为孔隙潜水。拟建场地东临新冶大道，新冶大道基础土层经过高强度夯实，属不透水土层，为阻水隔水边界。故形成了拟建场地的孔隙水只入不出，地下水量只增不减，地下水位只抬高不降低，经孔隙潜水静压力，转化形成了承压水。施工方没有考虑时空效应对地下水的不良作用。地下室施工期间也正是5～8月份的大气降水的丰水期。施工期间基坑不仅接受了大量的大气降水补给，而且地下室浇筑期间还需要充水保养。接受充水保养的大部分余水就沿四周外壁流入地下室底板岩土体内。基础与地下室浇筑工程完成后停息了28d以后才开始回填。在这28d时间内地下室外壁的外部环境仍继续接受大气降水的补给。地下室东边临近新冶大道是一道隔水屏障的隔水边界。因此，拟建场地地下室外环境岩土层接受大气降水被东边的隔水边界阻隔，就形成了地下室外部的岩土层，构成了丰富的含水岩土体。因拟建场地的基础与地下室外环境的四周在未回填的28d的时间内就接受了地下水沿四周外壁底部渗入地下室底板。拟建场地基础与地下室用了3个月的时间回填完毕后，于2006年11月中旬就发现框架填充墙有裂缝，梁、柱构件亦出现裂缝。2007年1月5日屋面网架施工完毕后，于2007年3月份正处于本地气候的大气降雨丰水期，地下室地面的整体隔水板块再也抗御不了底部历经多年长期受地下水作用的反压力与现在的雨季丰水期补给地下水的增值压力重叠相加相同的反压力,最终被这合二为一的反压力向上使地下室地面大面积隆起。隆起高度307mm。

抗浮加固采用了如下几种方法:

(1) 集水井排水法 (图7-42)。距离地下室东边约8m处布置两口人工挖孔降水井,井与井间距约10m,两井方向与新冶大道纵向排列,作为永久性长期降水,主要是控制在大气降水时疏排地下水。

(2) 排水沟排水法 (图7-43)。排水沟主要用来疏排泄水孔流出的水。

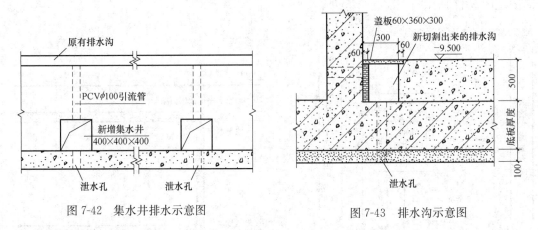

图7-42 集水井排水示意图　　　　图7-43 排水沟示意图

(3) 泄水减压法 (图7-44)。在地下室外墙下部及外墙内侧底板上开设泄水孔,泄水孔直径为100mm。

(4) 注浆充填加固法 (图7-45)。对地下室底板与地基土之间的间隙注浆。由于泄水减压后,地下室底板与地基土之间存在约60mm的间隙,采用压力灌注浆将间隙灌注密实,灌浆孔直径50mm。

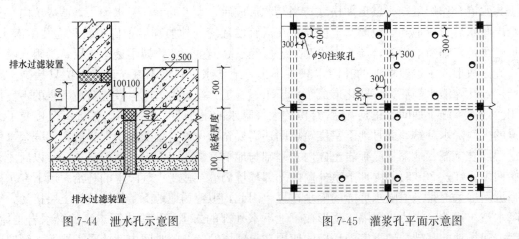

图7-44 泄水孔示意图　　　　图7-45 灌浆孔平面示意图

(5) 换填黏土夯实法 (图7-46)。为防止地表水大量渗入基底,对地下室周边进行换填黏土夯实。

该工程经过上述几道工序完成后,通过了省质检部门高技术手段的检测验收。

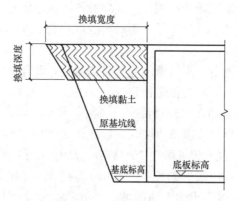

图 7-46 室外换填土示意图

7.4 边坡滑动工程事故

7.4.1 概 述

边坡失稳产生滑动破坏不仅危及边坡上的建（构）筑物，而且危及坡上和坡下方附近建（构）筑物的安全。土坡滑动对建（构）筑物的破坏是严重的。在山坡地基和江边湖边地基上进行土木工程建设一定要重视土坡稳定问题。

在边坡上或土坡上方建造建（构）筑物，或堆放重物，往往要增加坡上作用荷载；土坡排水不畅或久雨地下水位上升，往往会减小土坡土体抗剪强度，并增加渗流力作用；疏浚河道，在坡脚挖土等，要减小土坡稳定性；土体蠕变造成土体强度降低等，上述各种情况均可能诱发土坡滑动。在土木工程建设中遇到上述情况，需要进行土坡稳定分析，安全度不够时应进行土坡治理。

土坡治理可采用减小荷载、放缓坡度、支挡、护坡、排水、土质改良、加固等措施综合治理。

7.4.2 工程实例

【实例 7-17】 河道疏浚引起岸坡滑动

某市在运河边建一新客运站，并在客运站河边建码头和疏浚河道。客运站大楼坐落在软土地基上，采用天然地基，建成后半年内未产生不均匀沉降。为建码头疏浚河道，后发现客运大楼产生不均匀沉降，靠近河边一侧大，另一侧沉降小，不均匀沉降使墙体产生裂缝。其示意图如图 7-47 所示。

经专家组分析：岸坡产生微小滑动

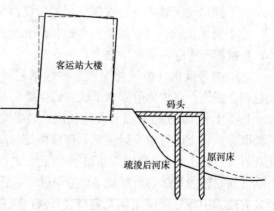

图 7-47 河道疏浚引起岸坡滑动示意图

可能是客运大楼产生不均匀沉降的原因，造成岸坡产生微小滑动可能与疏浚河道在坡脚取土有关。采取下述措施治理：消除岸坡上不必要的堆积物；在岸坡上打设抗滑桩；设立观测点，监测岸坡滑动趋势。

设置钢筋混凝土抗滑桩后，岸坡滑动趋势得到阻止，几年来岸坡稳定，客运大楼不均匀沉降不再发展。客运大楼和码头正常使用。

【实例 7-18】 某土坡滑动及治理对策

由于在土坡坡脚开挖形成 4 级垂直陡坎，造成土坡失稳，形成滑坡。滑坡后缘顶点标高 50m，前缘标高 30m 左右，相对高差 16～20m。滑坡未开挖段地面坡度 10°～25°，平均长约 40m，宽约 50m；开挖段平均长 30～40m，宽约 85m。滑面最大埋深约 15m。滑体物质总方量约 $4×10^4 m^3$，属中小型土质滑坡。滑坡后缘发育有拉张裂隙，中部发育有一条近东西向剪裂隙，前缘发育两处鸭舌状隆起，隆起部发育一组张裂隙，密度 5～8 条/m。以剪裂隙为界，根据隆起的先后次序，把滑坡体分成两个滑体：1 号滑体和 2 号滑体，如图 7-48 所示。

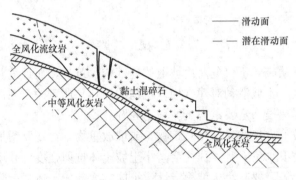

图 7-48　滑坡断面示意图

据钻探揭示，滑坡滑体的物质由上至下依次为：

①黏土混碎石：主要由黏性土组成，混含强风化砂岩碎石，局部夹全风化基岩，厚 4～13m；

②-1 全风化流纹岩：岩石风化为土状（下部高岭土化），一般直接覆于中等风化灰岩之上，主要分布于 1 号滑坡，厚约 5～9m；

②-2 强风化流纹岩：岩石风化强烈，仅由 Z3 钻孔揭示；

③-1 全风化灰岩（红黏土）：灰岩风化成红黏土，性质较差，薄层状，分布于 2 号滑体，直接覆于中等风化灰岩之上；

③-2 中等风化（微风化）灰岩：包括三种岩性，灰黑色灰岩、灰白色白云质灰岩、灰色钙质泥岩，滑坡体范围内下伏基岩主要为灰白色白云灰岩，硬度较大。

1 号滑体由黏土混碎石和全风化流纹岩组成，土体力学性质相近，滑带不明显，推断滑动面为风化土体与中等风化基岩接触面处。2 号滑体滑带明显，滑带土为浅紫红色全风化灰岩（红黏土），成分以浅紫红色黏土为主，夹少量灰白色中等风化灰岩角砾、碎石，滑动（面）较为平缓，产状约 50°∠5°～20°，后缘张裂缝近直立。滑坡的滑床是震旦系基岩，岩性为中等—微风化灰黑色灰岩、灰白色白云质灰岩。

本工程采用锚固抗滑桩作为抗滑支挡结构，并辅以滑坡地表排水措施的滑坡综合整治方案。

抗滑桩具有受力明确、抗滑力强、桩位灵活、施工简便等优点。锚固抗滑桩是在抗滑桩基础上，在桩的顶部设置预应力锚杆并锚入稳定岩层，使抗滑桩形成简支梁受力系统。它使抗滑桩避免了悬臂梁受力，从而使桩截面大大减小，配筋减少，节省投资，并且主动受力。抗滑桩采用人工挖孔桩，桩身混凝土 C25，矩形截面，截面尺寸 2m×3m，长边方向与滑坡运动方向一致。抗滑桩间距 6m，桩顶标高 31.200m，桩端进入中等风化灰岩深度不少于 3m。每根抗滑桩顶压顶梁处设一预应力锚杆，预应力锚杆采用 $\phi15$（7 ϕ 5/1470MPa）钢绞线。预应力锚杆方位与滑坡运动方向一致，并且与抗滑桩身呈 45°角，锚杆钻孔进入中等风化灰岩深度不小于 4m。抗滑桩及预应力锚杆设置如图 7-49 所示。

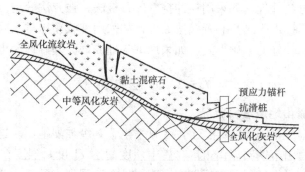

图 7-49 滑坡治理示意图

雨水和地下水可以湿化滑坡，降低岩土体强度，润化滑面，促使和加剧滑坡滑动。在滑坡后部设一条环形截水沟，可拦截汇水区范围内的地表水，同时应对滑坡产生的裂缝进行填补压实，防止地表水的大量入渗。以上措施可减少降雨对滑坡稳定的影响。

7.5 地震造成的工程事故

7.5.1 概 述

地震对建（构）筑物的破坏作用是通过地基和基础传递给上部结构的。地震时地基和基础起着传播地震波和支承上部结构的双重作用。地震时，建筑物可能由于地基承载力降低和产生不均匀沉降引起破坏，也可能由于上部结构不能承受地震作用产生的附加应力而破坏，或两者兼而有之。本节限于讨论地震作用下，地基承载力降低或产生不均匀沉降引起建筑物破坏的情况，不讨论上部结构在地震荷载作用产生破坏的情况。

地震时饱和砂土和粉土地基可能产生液化，饱和软黏土地基可能产生震陷。砂土地基液化和软黏土地基震陷造成地基承载力降低甚至丧失，使建（构）筑物产生较大的沉降和不均匀沉降，造成建（构）筑物和市政设施的严重破坏。地震时具有古河道、明浜或暗浜以及坡地半填半挖等非均质地基可能产生严重不均匀沉降，造成建（构）筑物破坏。

地震对建（构）筑物的破坏程度还与其场地条件有关，震害分析表明：孤立的山丘、山梁、高差较大的黄土台地以及山嘴等地形形态震害比较严重；多层地基、土层分布对震害也有较大的影响。为了考虑场地条件的地震影响，通常将场地条件分类，供抗震设计时参考。

基础形式不同，抗震性能不同。震后调查资料表明：基础与震害之间存在一定关系。1964年日本新潟地震震后调查表明：建在浅基础的建筑物遭受较重破坏的比例大于建在桩基础上的建筑物，具有单独基础的建筑物比条形基础的建筑物破坏严重。

几个单位的唐山地震震后调查资料表明：由明显地基基础原因造成的建筑震害只占建筑破坏总数的一小部分，但砂土地基液化、软黏土地基震陷、不均匀地基震害等给建筑物上部结构带来的破坏是严重的，震后修复加固是很困难的，有时甚至不可能。因此对地震工程事故，应采取有效措施加以预防。

对不良地基进行地基处理可有效提高地基的抗震性能。对较易产生液化的饱和砂土和粉砂地基可采用振密法处理，如采用振冲挤密碎石桩法、强夯法处理。对易产生振陷的饱和软黏土地基可采用排水固结法和置换法处理，如采用堆载预压排水固结法、强夯置换法处理。采用抗震性能较好的基础形式，如采用桩基础或增大基础埋深也可提高抗震性能。

7.5.2 工程实例

【实例7-19】 唐山地震震害概况

河北唐山、丰南一带于1976年7月28日发生7.8级强烈地震。这是一次构造性的浅源地震。震中位于唐山市铁路以南市区，震中烈度高达11度，烈度在7度以上的影响地区面积约为40000余平方公里。震后调查表明，处在不同烈度的京、津、唐地区，普遍存在在同一烈度区内建筑物破坏程度有显著差异的地段。进一步分析表明造成这种现象的原因是建筑场地地质、地貌条件和地基土的不同地震效应造成的。但对于地基问题形成的震害，还与地基土的动力性质有关。在同样的场地条件下，黏性土地基与砂性土地基不同，下面将地基分为四种情况介绍。

1. 岩石地基

岩石地基抗震性能普遍比土质地基好。岩石地基抗震性能与其风化程度有关。处在微风化状态的整体岩石地基上的建筑物抗震性能较好。例如位于烈度10度区的唐山陶瓷厂，由于建筑在完整的石灰岩和薄层残积土上，震后建筑物全部完好，场地烈度较同一烈度区内其他地基轻2～3度。处在风化程度较强的基岩上抗震性能较差，特别是处于山坡上的建筑物较易产生破坏。处于半挖半填一边落在基岩上、一边落在土层上的建筑物震后往往产生倾斜，严重的导致破坏。

2. 容许承载力在120kPa以上的黏性土地基和密实的砂土地基

在唐山地震中，一般黏性土地基上的建筑物由于地基造成的震害并不严重。如处于烈度10、11度区的唐山市，建筑物虽然在地震中遭到严重破坏，但多是由于上部结构不能承受地震荷载产生惯性力而造成的，由地基造成的震害现象并不突出。如烈度11度区唐山齿轮厂，厂房严重倒塌，钢筋混凝土柱子在柱根部折断，但基础并无偏转和倾斜。又如烈度10度区的唐山水泥机械厂，地震时厂房倒塌，但震后实地测量，单独柱基础无倾斜，条形基础也无明显不均匀沉降。又如唐山陡河电厂，地基为一般粉质黏土与砂土的交互层，地面下8m处为饱和粉细砂层，但其相对密度达97%，主厂房钢筋混凝土桩打入粉细砂层，地震后无喷砂冒水现象，基础无倾斜现象。在烈度8度区的天津地区，凡属一般黏性土地基，由地基基础原因产生震害也是非常少的。

在该类地基上下述两种情况使震害加重。

一种情况是在地震造成的地裂缝附近。唐山地震中,唐山市路南区的吉祥路和岳格庄路一带发生构造性地面开裂和错动,最大裂缝宽度在 1.0m 以上,南部下陷 60cm 多,其示意图如图 7-50 所示。该裂缝呈北东 40°~50°向东北延伸通过唐山市区的小山一喧,断续长达 10km,主裂缝两旁次裂缝发育,一般长度十几米到几十米,致使道路破坏,两侧建筑物倒塌严重,形成唐山路南区烈度高达 11 度的极震区。

另一种情况是在土坡和河岸附近,由于一面临空,在强烈地震力作用下,土坡产生滑动。位于烈度 11 度区的唐山市陡河胜利桥附近,地震时,河岸产生滑坡。胜利桥破坏情况如图 7-51 所示。位于烈度 10 度区古冶机务段,地处起伏地形区,土坡滑动引起坡上建筑物破坏严重。图 7-52 表示一职工食堂破坏示意图。

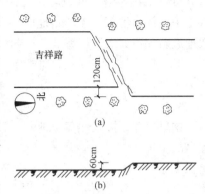

图 7-50　吉祥路路面开裂错落示意图
(a) 平面;(b) 剖面

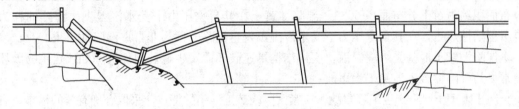

图 7-51　胜利桥破坏情况示意图

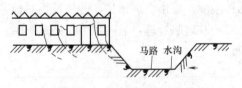

图 7-52　一职工食堂破坏示意图

3. 松砂和粉细砂地基

在地震作用下松砂和粉细砂地基会产生液化,地基承载力降低甚至丧失。地基液化时,建筑物产生突然沉降或不均匀沉降甚至倾倒,土坡岸边也会产生滑动。砂土地基液化的外观现象之一是喷砂冒水,喷砂点有的成群,有的成带,喷出的砂堆大者直径数米到十数米,小者仅数厘米。在喷砂冒水的区域,建筑物破坏严重,主要表现为建筑物整体沉降或局部沉降、倾倒,结构因不均匀沉降断裂等。如唐山地区丰南县宣庄大面积喷砂冒水,建筑物整体沉降 1.0m 左右。天津板桥农场高 10m 左右砖砌水塔房,西北一角喷砂冒水,使水塔房整体向西北倾斜 6°。

4. 饱和软黏土地基

在地震作用下饱和软黏土地基会产生震陷,地基承载力降低,使建筑物产生突然沉降或不均匀沉降。如天津塘沽交通部第一航务局的 26 幢宿舍楼地震后均产生了突然下沉,其中三层楼房一般为 15~18cm,四层楼房一般为 17~25cm,突出表现散水倒坡,建筑物整体倾斜。

【实例 7-20】　**日本新潟地震砂土地基液化**

日本新潟市位于东京以北,西临日本海,有很大范围的砂土地基。1964 年 6 月 16 日发生 7.5 级强烈地震,使砂土地基液化,丧失地基承载力。新潟市机场建筑物最大沉降

915mm，机场跑道严重破坏，无法使用。在地基液化区域，卡车和混凝土结构等重物沉入土中，污水池等筒体浮出地面。有的高层公寓陷入土中并发生严重倾斜，无法使用。该次地震新潟市共毁坏房屋 2890 幢，大都与砂土地基液化造成破坏有关。

7.6 特殊土地基工程事故

这里只介绍湿陷性黄土地基、膨胀土地基、冻土地基和盐渍土地基四种特殊土地基工程事故。

7.6.1 湿陷性黄土地基工程事故

我国黄土分布区域广、面积大，主要分布在陕西、甘肃和山西三省，在宁夏、青海、河南、内蒙古、河北、山东、新疆、黑龙江、辽宁等地也有分布，面积约 63 万余平方公里。在这些地区，一般气候干燥，降雨量少，蒸发量大，属于干旱、半干旱气候类型。黄土在一定压力作用下受水浸湿，土体结构迅速破坏发生显著附加下沉称为湿陷性。黄土可分为湿陷性黄土和非湿陷性黄土两大类。非湿陷性黄土可按一般黏性土处理。湿陷性黄土分布面积约占黄土分布面积 60%。湿陷性黄土在其自重压力下受水浸湿发生湿陷的称为自重湿陷性黄土，在其自重压力下受水浸湿不发生湿陷的称为非自重湿陷性黄土。

湿陷性黄土地基受水浸湿后，土体结构迅速破坏而发生显著附加沉降导致建筑物破坏是常见的湿陷性黄土地基工程事故。

防止因黄土湿陷产生工程事故，应紧密围绕黄土湿陷的特点，采取合理有效的措施。有效措施主要包括下列三种：通过地基处理消除建筑物地基的全部湿陷量和部分湿陷量；防止水浸入地基，避免地基土体发生湿陷；加强上部结构刚度，采用合理体型，使建筑物对地基湿陷变形有较大的适应性。上述三种措施中最有意义的是地基处理，后两种可起补充作用。

湿陷性黄土地基地基处理方法主要有下述几种：

（1）土或灰土垫层法；
（2）土桩或灰土桩法；
（3）重锤夯实法和强夯法；
（4）预浸水法；
（5）振冲碎石桩法；
（6）深层搅拌法；
（7）灌浆法；
（8）桩基础。

对湿陷性黄土地基上已有建筑物地基加固和纠偏主要采用下述方法：

（1）桩式托换；
（2）灌浆法，如硅化加固、氢氧化钠溶液加固等；
（3）石灰桩法和灰土桩法；
（4）加载促沉法和浸水促沉法纠偏及其他纠偏技术。

【实例 7-21】 一厂房采用桩式托换加固

某厂房位于自重湿陷性黄土地基上，湿陷性黄土层厚约 12m，其下为砾石层。厂房为

2 层现浇钢筋混凝土结构，外墙为砖承重墙，条形基础，埋深为 2.0~2.5m，基础设有 30cm 高的钢筋混凝土地梁，基础下为 1.0m 厚的土垫层。建成 2 年后因水管漏水引起地基土湿陷，外墙产生多条裂缝，最大缝宽达 3.0cm，地梁也产生断裂。

加固方法采用桩式托换。在基础两侧人工挖孔，采用混凝土灌注桩托换。上部荷载通过地梁、托梁传递给桩基础。桩支承在砾石层上。加固示意图如图 7-53 所示。加固效果良好。

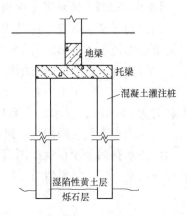

图 7-53 混凝土灌注桩托换示意图

【实例 7-22】 西安某宿舍楼地基碱液加固

西安某宿舍楼位于 II 级非自重湿陷性黄土地基上，在西墙基础外侧，有一条被虚土覆盖的墓道，深度达 8.2m，因地面水顺墓道渗入，浸湿地基，引起墙身开裂。湿陷发生后，曾先后用局部加宽基础，打石灰桩，增设横穿基础的地梁等措施进行处理，但都没有取得明显的效果。

1964 年雨期后，裂缝继续发展，最宽达 2cm 以上，相邻房屋接缝处的砖墙被挤裂，基础最大不均匀下沉达 25cm，为了保证房屋的安全，采用了碱液法加固地基。

房屋较大裂缝部位的地基采用全面单液加固处理，在墓道处，用跨越墓道的地梁将基础托住，地梁两端采用双液加固（见图 7-54）。施工时，用洛阳铲打灌注孔，深度为 1.5~3.0m，紧贴基础并穿过灰土垫层。碱液浓度为 130g/L，氯化钙浓度为 200g/L 和 50g/L。灌注前溶液加温至 90~100℃。加温溶液的设备为一临时砌筑的锅灶，用两个容积均为 $0.7m^3$ 的长方形旧铁箱，铁箱架设在不同高度处，其中较高的作溶液预热用，加温至 100℃ 时，第 8h 可得溶液 $6m^3$，可加固 $15m^3$ 左右的土体。加热后的溶液用管道输送，并用下部装有管嘴的汽油桶盛装，进行灌注，管道和汽油桶外包有草绳保温。双液加固时，各孔灌完碱液 2~4h 后，再灌入氯化钙溶液 300L（200g/L）和 100L（50g/L）。

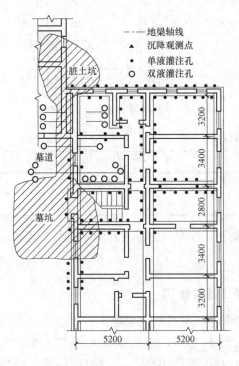

图 7-54 西安某宿舍楼地基碱液加固布置图

地基加固后，房屋附加沉降较小，稳定较快。经多年观察，表明建筑物的湿陷已停止发展，保证了安全。表 7-9 为地基加固期间及加固 3 个月后的总沉降值。

建筑物地基碱液加固后沉降观测值 表 7-9

观测点	M_1	M_2	M_3	M_4	M_5	M_6	M_7
沉降量(mm)	1.7	2.9	0.5	2.1	2.4	8.0	6.5
观测点	M_8	M_9	M_{10}	M_{11}	M_{12}	M_{13}	M_{14}
沉降量(mm)	4.4	0.9	1.0	0.5	0.3	0.6	7.0

【实例 7-23】 某水塔浸水纠偏

西北地区某水塔建于Ⅲ级非自重湿陷性黄土地基上,由于 C 柱附近给水管漏水,地基局部湿陷使水塔顶部倾斜 24.4cm,向东倾斜 9.5cm。

水塔为现浇钢筋混凝土结构,其结构示意图如图 7-55。

原水塔地基的黄土层总厚度超过 20m,地下水位在 20m 深度以下。原设计地基容许承载力为 150kPa。浸水后,基底下 1.5m 处黄土的含水量在东南面为 18%,西北面为 10.8%。决定在西北面浸水,进行水塔的矫正。矫正前,对 A、B、D 三柱用 4 根钢丝索拉紧,注水孔的平面布置如图 7-56 所示,注水孔的直径和深度如表 7-10 所示,注水量、各柱下沉量、矫正倾斜值与时间关系曲线见图 7-57。

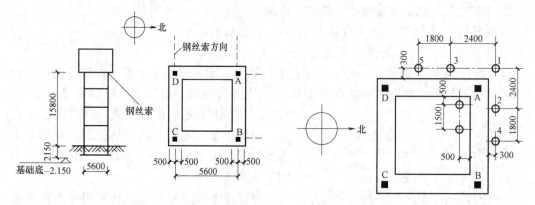

图 7-55 水塔构造及钢丝索布置示意图　　图 7-56 水塔矫正注水孔的平面布置

注水孔的直径和深度　　表 7-10

注水孔号	1	2	3	4	5	6	7
直径(mm)	150	100	100	100	100	100	100
深度(mm)	1000	800	500	500	500	500	

地基含水量小,湿陷性大,用浸水矫正比较有利,同时调节注水孔的水量可以控制矫正速率和方向。处理后水塔使用正常。

7.6.2 膨胀土地基工程事故

膨胀土是具有较大的吸水膨胀和失水收缩变形特征的高塑性黏性土。膨胀土黏粒含量很高,黏粒的主要成分为强亲水性矿物。液限大于 40%,塑性指数大于 17,天然含水量接近或略小于塑限,液性指数常小于零。土的压缩性很小,但自由膨胀率一般超过 49%。膨胀土地基吸水膨胀,失水收缩将造成地基上建筑物及市政设施破坏。膨胀土地基在我国分布范围很广,主要分布在云南、广西、河北、河南、山东、安徽、四川、湖北等地。

预防和治理膨胀土地基吸水膨胀、失水收缩造成地基工程事故应紧密围绕膨胀土的特点,采取合理、有效的措施。膨胀土地基处理应根据当地气候条件、建筑物结构类型、地基工程地质和水文地质条件等情况因地制宜采取治理措施。主要措施有:排水或保湿措施;换土、加深基础埋深或采用桩基础等;宽散水(图 7-58)、保湿帷幕(图 7-59)和保

7.6 特殊土地基工程事故

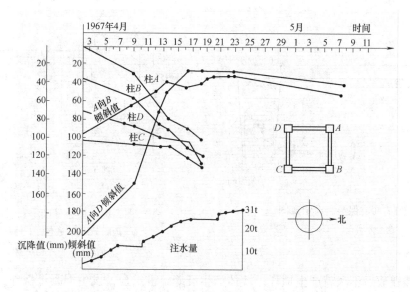

图 7-57 注水量、各柱下沉量、水塔倾斜值与时间关系曲线

湿暗沟（图 7-60）等。换土指采用非膨胀的黏性土、砂、碎石、灰土等置换膨胀土，置换范围厚度宜采用基础宽度的 1.8～2.2 倍，宽度宜采用基础宽度的 1～1.2 倍，并做好防水处理，使雨水不灌进垫层内。膨胀土地基在一般气候条件影响下，土体吸水膨胀、失水收缩沿深度是变化的。当增大基础埋深超过膨胀土地基有效埋深时可有效减少浅层土胀缩对结构的影响。膨胀土地基有效基础埋深一般为 1.2～3.0m，可参考当地经验或有关规范指导确定。采用砂包基础（图 7-61）利于释放土体膨胀能量，在广西地区采用较多，效果显著。

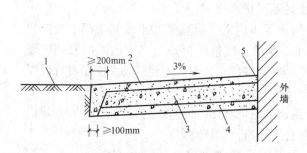

图 7-58 宽散水构造图
1—室外地坪；2—面层；3—保温隔热层；
4—垫层；5—变形缝

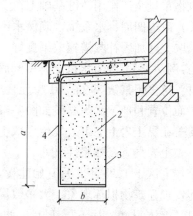

图 7-59 保湿帷幕示意图
1—散水；2—2∶8 灰土；3—沟壁；4—塑料薄膜帷幕
a—合理的基础埋深；b—能施工的最小宽度

【实例 7-24】 国外一教学楼膨胀土地基置换处理

国外某学校教学楼建于 1962 年，采用嵌岩桩基础，基岩主要由风化砂岩组成。桩长约 6.0m，嵌岩 1.2m，桩基承载力只考虑基岩部分的摩擦端承力。

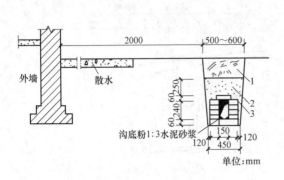
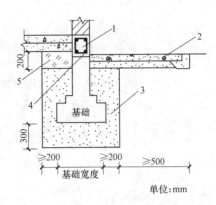

图 7-60 保湿暗沟示意图
1—素土夯实；2—砂；3—沟壁

图 7-61 砂包基础示意图
1—地圈梁；2—砂包；3—砂；
4—油毡；5—不透水层

教学楼建成后不久就产生损坏。墙体产生裂缝，桩承台处发生混凝土挤碎。经全面调查分析，造成事故的原因是地面排水未处理好，水渗入建筑物地基，造成地基土产生膨胀，并造成桩的抬升，钻孔调查及分析表明，地基土吸水膨胀产生的上抬力使桩产生抬升，其上举压力足以挤碎桩顶上的混凝土承台，补救施工期间发现至少有 5 根桩有明显剪切破坏现象。

加固补救措施主要包括设法消除作用在桩上的上举压力和防止水进入地基。采用的补救措施如下：

(1) 采用非膨胀性土换填建筑物周围回填土，并保证地表水不进入地基土；

(2) 采用人工挖填置换桩侧膨胀土并对损坏桩体进行加固，在承台梁下形成空隙层，使建筑物重量全部作用在桩基础上；

(3) 改进四周排水系统，确保水不进入地基。

采取上述加固补救措施效果良好。

【实例 7-25】 地下水位上升引起膨胀土地基工程事故

科罗拉多州某镇 39 栋 251 单元住宅楼因地下水位上升引起膨胀土地基工程事故。建筑物平面位置和地下水等高线如图 7-62 所示。场地土层条件为 2.1～6.7m 厚的硬到中硬黏土覆盖在黏土岩上。事故发生后取土进行的实验室试验表明，硬到中硬黏土层具有低膨胀性，黏土岩具有高膨胀性。

该住宅区于 1995 年 9 月开始建设，建筑物采用桩基础，桩体嵌进黏土岩 1.2m。建成不久即发现建筑物损坏现象。大多数房屋具有下述典型损坏现象：

(1) 墙体裂缝，从下层窗上角伸至上层窗下角的斜裂缝，裂缝宽度由发丝大小到 3.0cm 不等；

(2) 室内地板隆起，并产生开裂；

(3) 地板隆起上抬间隔墙使楼板系统变形，影响房门开启；

(4) 混凝土散水大部分开裂。

事故原因是地下水位上升引起黏土层和黏土岩浸水膨胀，地下水位上升主要来自地表水，包括降水、草地灌溉和管道漏水三方面。

7.6 特殊土地基工程事故   329

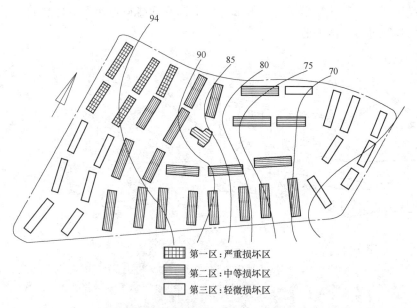

图 7-62 建筑物平面位置和地下水等高线图

补救措施是将桩与基础系统割开，以解决基岩膨胀对上部结构的直接影响。将桩基础转换成可以调整标高的独立垫块基础，置换完成 6 个月后再调整一次。所有地板采取有效的伸缩缝与承重墙隔开。设置有效的地下排水系统，并确保给水和排水管线不漏水。

7.6.3 冻土地基工程事故

土中水冻结时，体积约增加原水体积的 9%，从而使土体体积膨胀，融化后土体体积变小。土体冻结使原来土体矿物颗粒间的水分联结变为冰晶胶结，使土体具有较高的抗剪强度和较小的压缩性。

冻土地基根据冻土时间可以分为：

多年冻土——冻结状态持续三年以上；

季节性冻土——每年冬季冻结，夏季全部融化；

瞬时冻土——冬季冻结状态仅维持几个小时至数日。

我国东北、华北、西北等地广泛分布着季节性冻土，其中在大小兴安岭、青藏高原及西部高山区还分布着多年冻土。这些地区地表层存在着一层冬冻夏融的冻结-融化层，其变化直接影响上部建筑物的稳定性。

地基土冻胀及融化引起的房屋裂缝、倾斜、路基下沉、桥梁破坏、涵洞错位等工程事故在冻土地区屡见不鲜。地基冻胀变形和融沉变形使房屋产生正八字和倒八字形裂缝，如图 7-63 所示。桩基冻拔破坏示意图如图 7-64 所示。桥梁桩基产生冻拔可能导致桥梁破坏，房屋桩基产生冻拔可能导致房屋破坏，这些在冻土地区屡见不鲜。

防治建筑物冻害的方法有多种，基本上可归为两类：一类是通过地基处理消除或减小冻胀和融沉的影响；另一类是增强结构对地基冻胀和融沉的适应能力。主要是第一类，第二类是辅助措施。

消除或减小冻胀和融沉影响的地基处理方法：

（1）换填法。通过用粗砂、砾石等非（弱）冻胀性材料置换天然地基的冻胀性土，以削弱或基本消除地基土的冻胀。

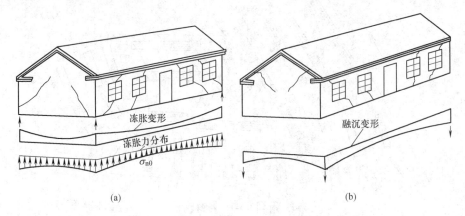

图 7-63　地基冻胀和融沉变形引起墙体裂缝示意图
(a) 冻胀变形造成正八字形裂缝；(b) 融沉变形造成倒八字形裂缝

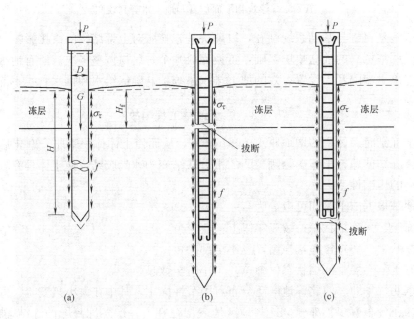

图 7-64　桩基冻拔破坏示意图
(a) 整体冻拔；(b) 最大冻深处拔断；(c) 断筋处拔断

（2）采用物理化学方法改良土质。如向土体内加入一定量可溶性无机盐类，如 NaCl、$CaCl_2$、KCl 等，使之形成人工盐渍土；或向土中掺入石油产品或副产品及其他化学表面活性剂，形成憎水土等。

（3）保温法。在建筑物基础底部或四周设置隔热层，增大热阻，以推迟地基土冻结，提高土中温度，减小冻结深度。

（4）排水隔水法。采取措施降低地下水位，隔断外水补给和排除地表水，防止地基土致湿，减小冻胀程度。

【实例 7-26】 某建筑物地基冻害综合治理

某建筑物采用筏板基础，板厚 0.8m，埋深 1.2m，接近当地冻深。竣工使用后，在地基冻胀力作用下筏板基础未产生强度破坏，但不均匀沉降使上部结构产生裂缝，后采取综合治理措施，冻害得到根治。具体措施如下：

(1) 在基础四周挖除原冻胀土，换填砂砾石，换填宽度为 4.0m，深度 1.5m。

(2) 在建筑物四周砂砾石层中设置直径为 20cm 的无砂混凝土排水暗管，使地基下水位降低 1.2~1.3m。

7.6.4 盐渍土地基工程事故

盐渍土是指含盐量超过一定数量的土。我国《盐渍土地区建筑规定》(1992)认为地基土中易溶盐含量超过 0.3%，就应按盐渍土地基进行勘察、设计和施工。

盐渍土主要有以下几个特点：

(1) 盐渍土中液相含有盐溶液，固相含有结晶盐。土体含水量增加，盐渍土中结晶盐减少；含水量减小，结晶盐增多。盐渍土中含盐量对土的物理力学性质影响较大。

(2) 盐渍土地基浸水后，土中盐溶解产生地基溶陷，某些盐渍土（如含硫酸钠的土）在环境温度或湿度变化时可能产生土体体积膨胀。

(3) 盐渍土的盐溶液会导致建筑物和市政设施材料的腐蚀。

盐渍土主要分布在西北干旱地区的新疆、青海、甘肃、宁夏、内蒙古等地势低洼的盆地和平原中。在华北平原、松辽平原、大同盆地以及青藏高原的一些湖盆洼地中，以及在滨海地区的辽东湾、渤海湾、莱州湾、海州湾、杭州湾以及海岛沿岸也有分布。因含盐类成分、组成成分及结构不同，盐渍土的性质不仅地区之间差别很大，即使在同一地区也可能有很大差异。如盐湖地区的盐渍土没有溶陷性，而且也很少有盐胀性。又如滨海地区的盐渍土以腐蚀性为主，溶陷和盐胀问题并不突出。在地下水位较深的干旱地区，盐渍土的溶陷和盐胀问题比较突出。

盐渍土可按含盐的性质分为：氯盐渍土、亚氯盐渍土、亚硫酸盐渍土、硫酸盐渍土和碳酸（氢）盐渍土；也可按盐的溶解度分为：易溶盐渍土、中溶盐渍土和难溶盐渍土；又可按含盐量分为：弱盐渍土、中盐渍土、强盐渍土和超盐渍土。我国《盐渍土地区建筑规定》(1992)认为采用单一指标分类难以描述盐渍土的工程性质，建议盐渍土地基溶陷性、盐胀性评价直接由试验确定。

盐渍土地基工程事故主要由地基浸水溶陷、含硫酸盐地基的盐胀和盐渍土的地基对建（构）筑物腐蚀等造成的。盐渍土地基浸水后，土中可溶盐溶解，土体结构破坏，地基产生溶陷，降低甚至丧失地基承载力，使建筑物产生很大沉降和不均匀沉降，导致建筑物开裂和破坏。含硫酸盐地基在土体的温度或湿度变化大的情况下，盐胀对基础埋深较浅（<1.2m）的建筑物损坏比较严重，尤其对道路工程、机场、跑道、停机坪、挡土墙、围墙等损害严重。盐渍土中含盐水分侵蚀基础、管、沟等地下设施材料孔隙中，通过物理化学作用使之腐蚀破坏。如基础中未设防潮层或防潮层质量有问题则含盐水分还通过毛细管作用，侵入地面以上的柱或墙体中，使之腐蚀破坏。

盐渍土地基减小地基溶陷的处理方法有：

(1) 水预溶法。一般适用于厚度较大、渗透性较好的砂、砾石土、粉土和黏性土盐渍土。对渗透性小的黏性土地基不宜采用。通过预浸水可消除地基溶陷性。

（2）换填法。挖除盐渍土，换填非盐渍土，作为建筑物基础的持力层。

（3）强夯法。适用于结构松散、密度小、孔隙大、含结晶盐不多、非饱和的低塑性盐渍土地基。

（4）盐化处理方法。在建筑物地基中注入饱和的盐溶液，形成一定厚度的盐饱和土层。由于地基盐化后，密度增大，透水性减小，再结合防水措施既保持了土体的结构强度，又使地基受到水浸时不会发生较大的溶陷。

（5）采用桩基础。

盐渍土地基防止盐胀措施有：

（1）化学方法。如掺入氯盐抑制硫酸盐渍土的盐胀。

（2）换填法。挖除盐渍土，换填非盐渍土。

（3）设地面隔热层，使地基地温变化幅度小。为使隔热层持久，一般在其顶面铺设防水层，防止大气或地面水渗入隔热层。

盐渍土地基防腐蚀工作要抓好设计和施工两个环节，要根据防腐蚀要求进行设计，采用合适的材料、合理的选型以及正确的防腐措施，并要确保施工质量。

7.7 基础工程事故

7.7.1 概述

基础工程事故指建（构）筑物基础部分强度不够、变形过大或基础错位造成建筑工程事故。造成基础工程事故的原因可能来自地质勘察报告对地基评价不准、设计计算有误、未能按图施工和施工质量欠佳等方面。过高估计地基的承载力和压缩性能、设计计算有误造成选用基础形式不合理、基础断面偏小，以及所用材料强度偏低等均会导致基础工程事故，主要包括基础错位事故、基础孔洞事故、桩基工程事故以及大体积混凝土裂缝和地下室漏水工程事故。

1. 基础错位事故

基础错位事故主要有三类：一类是基础平面错位，上部结构与基础在平面上相互错位，有的甚至方向有误，上部结构与基础南北方向颠倒；另一类是基础标高有误；还有一类是基础上预留洞口和预埋件的标高和位置有误。

基础错位大部分由设计或施工放线有误造成，有的也与施工工艺不良有关。

基础错位往往在上部结构施工前发现。对浅埋基础有时可通过吊移、顶推将错位基础移到正确位置，有时也可扩大基础尺寸来补救。如不能采用移位、扩大尺寸补救，则需在正确位置补做基础。若在上部结构施工后发现基础错位需要补救则可采用基础托换技术，如采用基础加宽托换技术、桩式托换技术等。

2. 基础孔洞事故

钢筋混凝土基础工程表面出现严重蜂窝、露筋或孔洞，称为基础孔洞事故。钢筋混凝土基础孔洞事故产生原因与上部结构钢筋混凝土孔洞事故相同，处理方法也类似。

若基础混凝土仅在表面出现孔洞可采用局部修补的方法修补；若在基础内部也有孔

洞，可采用压力灌浆法处理。基础强度不够也可采用扩大基础尺寸来补救。采用上述方法均难以补救时只能拆除重做。

3. 桩基工程事故

桩基类型很多，按成桩方法对土层的影响可分为挤土桩、部分挤土桩和非挤土桩；按成桩方法可分为打入桩、静压桩和灌注桩，灌注桩分为沉管灌注桩和钻孔灌注桩；按桩身材料可分为木桩、混凝土桩和钢桩；按桩的功能可分为抗轴向压力桩、抗侧压力桩和抗拔桩。抗轴向压力桩又可分为摩擦桩、端承桩和端承摩擦桩。桩型不同，常见桩基工程事故不同。这里不可能全面介绍各类桩基础工程事故。下面只能简要介绍沉管灌注桩、钻孔灌注桩、预制桩常见质量事故以及软土地基中因挖土不当造成桩基变位工程事故。

（1）常见沉管灌注桩质量事故

沉管灌注桩按沉管成孔工艺分为振动沉管、锤击沉管、静压沉管等多种工艺。在软土地基中，常用振动沉拔和静压沉拔工艺。工程事故也较多，主要反映在下述方面：

1) 桩身缩颈、夹泥。主要原因是提管速度过快，混凝土配合比不良，和易性、流动性差。混凝土浇筑时间过快也会造成桩身缩颈或夹泥。

2) 桩身裂缝或断桩。沉管灌注桩是挤土桩。施工过程中挤土使地基中产生超静孔隙水压力。桩间距过小，地基土中过高的超静孔隙水压力以及邻近桩沉管挤压等原因可能使桩身产生裂缝甚至断桩。

3) 桩身蜂窝、空洞。主要原因是混凝土级配不良，粗骨料粒径过大，和易性差，黏土层中夹砂层影响等。

针对产生事故的原因，采用下述措施预防事故发生：

1) 通过试桩核对勘察报告所提供的工程地质资料，检验打桩设备、成桩工艺及保证质量的技术措施是否合适。

2) 采用合适的沉、拔管工艺，根据土层情况控制拔管速度。

3) 选用合理的混凝土配合比。

4) 确定合理打桩程序，减小相邻影响。必要时可设置砂井或塑性排水带加速地基中超静孔隙水压力的消散。

（2）常见钻孔灌注桩质量事故

钻孔灌注桩可分为干作业法和泥浆护壁法两大类。干作业法又可分为机械钻孔和人工挖孔两类。泥浆护壁法又可分为反循环钻成孔、正循环钻成孔、潜水钻成孔以及钻孔扩底等多种成孔工艺。这里限于介绍泥浆护壁法作业灌注桩质量事故。主要反映在下述方面：

1) 钻孔灌注桩沉渣过厚。清孔不彻底、下钢筋笼和导管碰撞孔壁等原因引起坍孔等造成桩底沉渣过厚，影响桩的承载力。

2) 塌孔或缩孔造成桩身断面减小，甚至造成断桩。

3) 桩身混凝土质量差，出现蜂窝、孔洞。由混凝土配合比不良、流动性差、在运输过程中混凝土严重离析等原因造成。

预防措施主要有根据土质条件采用合理的施工工艺和优质护壁泥浆，采用合适的混凝土配合比。若发现桩身质量欠佳和沉渣过厚，可采用在桩身混凝土中钻孔、压力灌浆加固，严重时可采用补桩处理。

（3）预制桩常见质量事故

打入桩或静压桩质量事故一般较少。常见质量事故为桩顶破碎、桩身侧移、倾斜及断桩事故。

打入桩较易发生桩顶破碎现象。其原因可能是：混凝土强度不够、桩顶钢筋构造不妥、桩顶不平整、锤重选择不当、桩顶垫层不良等。

打入桩和静压桩会产生挤土效应，可能引起桩身侧移、倾斜甚至断桩。

根据产生桩顶破碎的原因采取相应措施，避免桩顶破碎现象发生。若桩顶破坏，可凿去破碎层，制作高强混凝土桩头，养护后再锤击沉桩。

减小挤土效应的措施有：合理安排打桩顺序，控制打桩速度，如需要可先钻孔取土再沉桩，有时也可在桩侧设置砂井或减压孔。采用空心敞口预制桩也要减小挤土效应。

（4）桩基变位事故

对先打桩后挖土的工程，由于打桩的挤土和动力波的作用，使原处于静平衡状态的地基土体遭到破坏。对砂土甚至会产生液化，地下水大量上升到地表面，原来的地基土体强度遭到严重破坏。对黏性土由于形成很大挤压应力，孔隙水压力升高，形成超静孔隙水压力，土体的抗剪强度明显降低。如果打桩后紧接着开挖基坑，由于开挖时的应力释放，再加上挖土高差形成一侧卸荷和侧向推力，土体易产生一定的水平位移，使先打设的桩产生水平位移。严重的桩顶位移1m多，而地面以下2m左右处桩身产生裂缝，甚至折断。软土地区施工，桩基变位事故屡见不鲜，应充分重视。

预防该类事故的要点是合理的施工组织计划。在群桩基础的桩打设后，宜停留一定时间，待土中由于打桩积聚的应力有所释放，孔隙水压力有所降低，被扰动的土体重新固结后，再开挖基坑土方，而且土方的开挖宜均匀、分层，尽量减少开挖时的土压力差，以避免土体产生较大水平位移。发生桩基变位事故后应认真调查位移情况，特别是桩身破坏情况，再根据事故情况酌情处理。变位情况不严重，又是箱筏基础，经验算合格可不作处理。位移较大，而且桩身破坏严重可采用高压喷射注浆法加固处理，如图7-65所示。这样可以固定桩与桩之间的距离，使产生弯曲变形的桩联成一体，增大整体承载能力。桩基变位造成的工程事故很复杂，应慎重处理。

4. 大体积混凝土裂缝事故

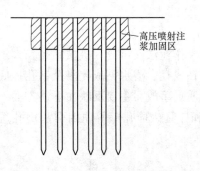

图7-65 高压喷射注浆加固处理

高层建筑的箱形基础或筏板基础，多有厚度较大的钢筋混凝土底板，还常有深梁，桩基常有厚大的承台，都是体积较大的混凝土工程，常达数千立方米，有的已超过1万 m^3。这类大体积混凝土结构，由外荷载引起裂缝的可能性较小。但由于水泥水化过程中释放的水化热引起的温度变化和混凝土收缩而产生的温度应力和收缩应力，往往可能形成混凝土裂缝。大体积混凝土裂缝分为宽度在0.05mm以下的微观裂缝和0.05mm以上的宏观裂缝两种。

水泥在水化过程中要产生大量的热量。由于大体积混凝土截面厚度大，水化热聚集在结构内部不易散发，使混凝土内部的温度升高。混凝土内部的最高温度大多发生在浇筑后的3~5d。当混凝土内部与表面温度差过大时就会产生温度应力。当混凝土的抗拉强度不足以抵抗该温度应力时，便产生温度裂缝，这是大体积混凝土易产生裂缝的主要原因。

另外，结构在变形时，会受到一定的抑制而阻碍变形。大体积混凝土与地基浇筑在一起要受到下部地基的约束，混凝土就易产生裂缝，示意图如图 7-66 所示。

施工期间外界气温的变化对大体积混凝土产生裂缝也有重要影响。外界温度越高，混凝土的浇筑温度也越高。外界温度下降，尤其是骤降，大大增加外层混凝土与内部混凝土的温度梯度，产生温差应力，造成大体积混凝土出现裂缝。

混凝土收缩变形也会产生收缩应力使混凝土出现裂缝。

预防大体积混凝土产生裂缝的措施包括下述几个方面：

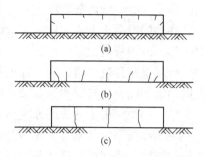

图 7-66　温度裂缝
(a) 表面裂缝；(b) 深层裂缝；(c) 贯穿裂缝

(1) 材料选用方面

水泥选用水化热低和安全性好的水泥，如矿渣水泥、火山灰水泥。石子、砂子的含泥量不超过 1% 和 3%。

在混凝土中掺加一定数量的毛石，这样减少水泥用量，同时毛石可吸收混凝土中一定的水化热，这是防止大体积混凝土产生裂缝的良好措施。

在混凝土中掺加少量磨细的粉煤灰和减水剂，以减少水泥用量；掺加缓凝剂，推迟水化热的峰值期；掺入适量的微膨胀剂或膨胀水泥，使混凝土得到补偿收缩，减少混凝土的温度应力。

(2) 选择合理的施工方法

浇筑混凝土时分几个薄层进行浇筑，以使混凝土的水化热能尽快散发，并使浇筑后的温度分布均匀。水平层厚度可控制在 0.6～2.0m 范围内。相邻两浇筑层之间的间歇时间，一般 5～7d。还可采用二次振捣的方法，增加混凝土的密实度，提高抗裂能力，使上下两层混凝土在初凝前结合良好。图 7-67 所示为分层法浇筑混凝土底板。

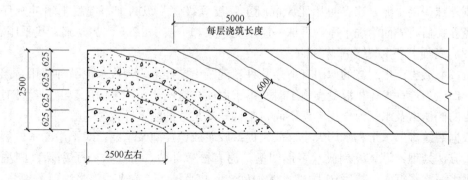

图 7-67　基础底板混凝土分层浇筑

根据季节的不同，分别选用降温法和保温法。夏季主要用降温法施工，即在搅拌混凝土时掺入冰水，温度控制在 5～10℃，在混凝土浇筑后采用冷水养护降温，但要注意水温和混凝土温度之差不超过 20℃，冬季采用保温法施工，利用保温材料防止空气侵袭。

(3) 改善约束条件

设置永久性伸缩缝将超长的现浇钢筋混凝土结构分成若干段，减少约束与被约束体之间的相互制约，以期释放大部分变形，减小约束应力。

设置后浇带将大体积混凝土分成若干段，有效地削减温度收缩应力，同时也有利于散热，降低混凝土的内部温度。

在垫层混凝土上，先铺一层低强度水泥砂浆，以降低新旧混凝土之间的约束力。

(4) 改善板的配筋

分层浇筑混凝土时，为了保证每个浇筑层上下均有温度筋，可将温度筋作适当调整。温度筋宜细而密。高层建筑基础一般配筋较强，有利于抵抗裂缝。

(5) 利用混凝土的后期强度

由于高层建筑基础等大体积混凝土承受的设计荷载要在较长时间之后才施加其上，对结构的刚度和强度进行复算并取得设计和质量检查部门的认可后，可采用 f_{45}、f_{66} 或 f_{90} 替代 f_{28} 作为混凝土设计强度，这样可使每立方米混凝土的水泥用量减少 $40\sim70\text{kg/m}^3$，混凝土的水化热温升可相应减少 $4\sim7$℃。上海宝钢曾做过试验，C20～C40 的混凝土，其 f_{60} 比 f_{28} 平均增长 $12\%\sim26.2\%$。

5. 地下室渗漏事故

地下室渗漏事故经常发生，在地下水位较高地区更为严重。东南沿海某省 1996 年高层建筑地下室工程大约有 50% 或多或少存在渗漏问题。

下面介绍产生渗漏的原因及补救方法。

(1) 混凝土蜂窝、孔洞渗漏

混凝土蜂窝、孔洞由混凝土浇筑质量不良形成。如未按顺序振捣混凝土而漏振；混凝土离析、砂浆分离、石子成堆或严重跑浆；有泥块等杂物掺入混凝土等。

补救措施可根据蜂窝、孔洞及渗漏情况，查明渗漏部位，然后进行堵漏处理。对于蜂窝，在修补处理前，先将面层松散不牢的石子剔凿掉，用钻子或剁斧将表面凿毛，清理后用水冲刷干净。孔洞情况不严重时，可采用水泥砂浆抹面法处理。若孔洞较深，可采用压力注浆，并可在浆液中加入一定促凝剂。如蜂窝、孔洞严重，面层处理后，可在蜂窝、孔洞周围先抹一层水泥素浆，再用比原混凝土强度等级高一级的细石混凝土填补好仔细捣实，经养护后将表面清洗干净，再抹一层水泥素浆和一层 1∶2.5 水泥砂浆，找平压实。

(2) 混凝土产生裂缝造成渗漏

造成混凝土产生裂缝的原因有下述几种：混凝土搅拌不均匀或水泥品种混用，因其收缩不一产生裂缝；大体积混凝土施工时，由于温度控制不严而产生温度裂缝；设计时，由于对土的侧压力及水压力作用考虑不同，结构缺乏足够的刚度导致裂缝等。

根据裂缝渗漏水量和水压大小，采用促凝胶浆或氰凝灌浆堵漏。对不渗漏水的裂缝采用以下方法处理：沿裂缝剔成八字形凹槽，遇有松散部位，将松散石子剔除，刷洗干净后，用水泥素浆打底，然后抹 1∶2.5 水泥砂浆，找平压实；或采用注浆法填补裂缝。

(3) 施工缝渗漏

施工缝是防水混凝土工程中的薄弱部位，造成施工缝渗漏的原因有下述几种：由于留设位置不当未按施工缝的处理方法进行处理；下料方法不当，造成骨料集中于施工缝处；钢筋过密，内外模板距离狭窄，混凝土浇捣困难，施工质量不易保证；浇筑混凝土时，因工序衔接等原因造成新老接合部位产生收缩裂缝等。

处理方法可根据施工缝渗漏水量和水压大小，采用促凝胶浆或氰凝灌浆堵漏。对不渗漏的施工缝，可直接用灰浆处理。

(4) 预埋件部位渗漏

造成预埋件部件渗漏的原因有下述几种：没有认真清除预埋件表面侵蚀层，致使预埋铁件不能与混凝土粘结严密；预埋件周围，尤其是预埋件密集混凝土浇筑困难，振捣不密实；在施工或使用时，预埋件受振松动，与混凝土间产生缝隙等。

对不同情况可采用不同处理方法。

处理预埋件周围出现的渗漏，可将预埋件周边剔成环形沟槽并洗净，将水泥胶浆搓成条形，待胶浆开始凝固时，迅速填入沟槽中，用力向槽内和沿沟槽两侧将胶浆挤压密实，使之与槽壁紧密结合。如果裂缝较长，可分段堵塞。堵塞完毕后经检查无渗漏，用素浆和砂浆把沟槽找平并扫成毛面，待其达一定强度后，再做好防水层。

因受振使预埋件周边出现的渗漏，处理时需将预埋件拆除，并剔凿出凹槽供埋设预埋块，将预埋件制成预埋块（其表面抹好防水层）。埋设前在凹槽内先嵌入快速砂浆（水泥：砂=1:1和水：促凝剂=1:1）再迅速将预埋块填入。待快凝砂浆具有一定强度后，周边用胶浆填塞，并用素浆嵌实，然后再分层抹防水层补平。

(5) 管道穿墙（地）部位渗漏

管道穿墙（地）部位是防止渗漏的薄弱环节。除与预埋件部位渗漏相同原因外，还因热力管道穿墙部位构造处理不当造成的温差作用下，管道伸缩变形而与结构脱离，产生裂缝漏水。

一般管道穿墙（地）部位渗漏的处理方法与本节预埋件部位渗漏的处理方法相同，要用膨胀水泥捻口。

热力管道穿墙部分渗漏处理时，需先将地下水位降至管道标高以下，然后采用设置橡胶止水套的方法处理。

(6) 变形缝渗漏

下面分粘贴式变形缝和埋入式止水带变形缝两种情况介绍。

粘贴式变形缝产生渗漏原因有：基层表面不干净或潮湿，致使胶片粘结不良；胶粘剂涂刷质量不合乎要求，粘贴时间不当，粘贴时没有贴严实，局部有气泡；橡胶片搭接长度不够，致使搭接粘贴不严；细石混凝土覆盖层过厚，造成收缩裂缝等。

预防措施有：粘贴橡胶片的表面必须平整、粗糙、坚实、干燥，必要时可用喷灯等烘烤，或在第一遍胶内掺入10%～15%的干水泥，基面和橡胶片的表面在粘贴前一天分别涂刷两遍氯丁胶作为底胶层，待充分晾干，再均匀涂刷1～2mm厚界面胶。在用手背接触涂胶层不粘手时，粘贴橡胶片。每次粘贴橡胶片的长度不宜超过2m，搭接长度为100mm。若粘贴后发生局部空鼓，须用刀割开，填胶后重新粘，并补贴橡胶片一层。待全部粘贴完后，在橡胶片表面用胶粘上一层干燥砂粒，以保证覆盖层与橡胶片粘结；粘贴后搁置1～2d，待胶层溶剂挥发，再在凹槽内满涂一道素浆，然后用细石混凝土或分层水泥砂浆覆盖，并用木丝板将覆盖层隔开。

若变形缝处渗漏水，应剔去重做。

埋入式止水带变形缝产生渗漏原因有：橡胶止水带有破损；橡胶止水带或金属止水带没有采取固定措施，或固定方法不当，埋设位置不准确或被浇筑的混凝土挤偏；橡胶止水带或金属止水带的两翼的混凝土包裹不严，尤其是底板部位的止水带下面，混凝土振捣不实；混凝土分层浇筑前，止水带周围的灰垢等杂物未清除干净；混凝土浇捣方法不合适、钢筋过密，造成橡胶止水带或金属止水带周围骨料集中。

预防措施有：止水带在埋设前，必须认真检查，若有损坏必须修补好；止水带应按规定进行固定，保证其埋设位置准确；严禁在橡胶止水带的中心圆环处穿孔；在埋设底板止水带前，先把止水带下部的混凝土振实，然后将止水带由中部向两侧挤压捣实，再浇筑上部混凝土；由于钢筋过密难以保证混凝土浇筑质量时，应征得设计人员同意，通过适当调整粗骨料的粒径或采取其他技术措施，保证混凝土浇筑质量。

7.7.2 工程实例

【实例 7-27】 某厂房柱基础错位事故

某厂机械加工车间扩建工程，其边柱截面尺寸为 400mm×600mm。基础施工时，柱基坑分段开挖，在挖完 5 个基坑后即浇垫层、扎钢筋、支模板、浇混凝土。基础完成后，检查发现 5 个基础都错位 300mm（见图 7-68）。

事故原因为施工放线时，误把柱截面中心线作厂房边柱的轴线，因而错位 300mm，即厂房跨度大了 300mm。

根据当时现场的设备条件，未采用顶推或吊移法，而是采用局部拆除后，扩大基础的方法进行处理，其处理要点如下：

（1）将基础杯口一侧短边混凝土凿除（见图 7-69）；

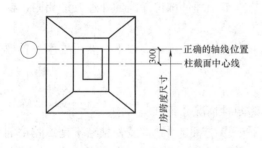

图 7-68 柱基础错位示意图

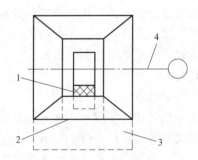

图 7-69 错位基础处理示意图

1—杯口部分凿除；2—基础一侧部分凿除，露出底部钢筋；
3—基础扩大部分；4—厂房边柱轴线

（2）凿除部分基础混凝土，露出底板钢筋；
（3）将基础与扩大部分连接面全部凿毛；
（4）扩大基础混凝土垫层，接长底板钢筋；
（5）对原有基础连接面清洗并充分湿润后，浇筑扩大部分的混凝土。

所采用的处理方案具有施工方便、费用低，不需专用设备，结构安全可靠等优点。

【实例 7-28】 某住宅楼沉管灌注桩质量事故

某砖混结构 7 层住宅楼，基础采用锤击沉管灌注桩。桩径 0.4m，桩长 11.5m，总布桩 418 多根。采用锤击式沉管灌注桩，桩径为 377mm。

该工程的地质条件为：

（1）表层厚 1~4m 为杂填土、素填土；

(2) 下层为厚 2.7m 的饱和粉土层;

(3) 最底下为软可塑的粉质黏土层。

场地地下水丰富,地下水位距地表为 1.5m 左右。施工完成 180 根桩后挖桩检查,发现多数桩在地表下 1～3m 范围内严重缩颈,甚至有断桩的情况。经分析,事故原因为:在锤击振动沉管过程中,高含水量的粉土层产生的挤压力超过管内混凝土的自重压力。当拔管到离地面大约 3m 时,管内混凝土严重不足,自重压力减少,管内混凝土不易流出管外,而造成缩颈与断桩。其次是施工程序不妥,采用不跳打的连续成桩工艺,每天成桩数量较多(在 10 根以上)。于是相邻桩的施工振动和挤压也是产生缩颈、断桩的原因之一。

应采取下列措施,可防止事故的再次发生:

(1) 对用预制混凝土桩尖的锤击沉管灌注桩的打桩机械进行技术改造。在模管外增加一根钢套管,上下用管箍与模管连接。在拔管过程中钢套管暂不拔出,待混凝土流出模管外,才逐步用卡箍拔移钢套管。

(2) 改善施工工艺流程。采用间隔跳打,并采用慢拔、反插(用模管在钢套内对混凝土反插)、少振等措施。

(3) 改善混凝土的配合比,改用小粒径骨料(不大于 3cm),减少混凝土的用水量,掺用高效减水剂,增加混凝土和易性和坍落度。

(4) 控制沉桩速率,每台桩机每天成桩数不超过 6 根,而且采取停停打打,打打停停的成桩方法。

(5) 对已缩颈与断桩的桩,进行挖开加固处理。

【实例 7-29】 某综合楼桩基设计承载力取值偏高造成事故

某综合楼长 62.9m,宽 21.6m,平面体型为阶梯形,上部结构为框架,层数为 4～7 层,总建筑面积 500m² 左右。工程地质条件见表 7-11。基础采用筏形基础,厚度为 500mm,并在基础下采用振动沉管灌注桩,模管桩径 377mm,桩长 20～25m,采用"复打"工艺,桩径 0.55m,设计单桩承载力 $[P_a] = 380$kN。

工程的地质条件　　　　　　　表 7-11

层次	土类别	层厚(m)	f_k(kPa)	E_s(MPa)	f_i(kPa)
①-1	混凝土旧面层、碎石填土	0.5～0.7	—	—	—
①-2	杂填土、素填土	0.4～1.8	—	—	8
②-1	淤泥质粉质黏土	4.4～8.9	70	3.81	10
②-2	淤泥质粉质黏土、黏土	6.3～13.3	70	2.81	9
②-3	淤泥质粉质黏土夹粉砂	10.8～12.2	70	2.75	12
②-4	粉质黏土、软、可塑	—	90	3.58	15

该工程共设计 282 根桩,静载试压与工程施工同时进行。

设计单位采用经验法估算:单桩竖向容许承载力 $[P_a] = \pi d \sum f_i h_i + A R_j$ ($R_j = 100$kPa)。计算所得单桩竖向容许承载力为 301kN。

静载试压结束时,已完成 189 根工程桩,尚有 93 根桩未施工,采用小应变动测桩身完整性,大部分均为完好,仅有少数桩有轻微损伤(如缩颈或扩颈)。施工日记中的充盈系数均符合验收规范要求，混凝土强度试块资料合格。

静载试压资料见表 7-12。测试结果证明，设计单桩承载力与静载试压得到的单桩容许承载力相差很大，必须进行处理。具体处理方案如下：

试桩资料　　　　　　　　　　　　　　　表 7-12

试桩号	桩长(m)	试压荷载(kN)	沉降量(mm)	单桩极限荷载(kN)	单桩允许承载力(kN)	附　注
217 号	20	240	3.59	240	120	沉降量是前者的 5 倍
		320	17.96			
240 号	25	240	6.03	240	120	沉降量是前者的 5 倍
		320	38.89			
44 号	25	200	3.79	200	100	沉降量是前者的 5 倍
		240	35.25			
143 号	20	520	34.57	520	360	有明显拐点出现
		560	55.67			

(1) 改用沉管灌注桩与挤密桩形成复合地基。另外，在筏形基础下增加 50cm 的砂石垫层，且沉管灌注桩不直接嵌入筏形基础。考虑桩与土共同作用，并以单桩承载力 $[P_a]=140$kN 验算其地基强度。

(2) 采用外围补桩，以增加周边嵌固，防止侧移。

(3) 利用复合地基验算其沉降量与不均匀沉降差异，在沉降大的部位适当补桩。

(4) 增加筏形基础与上部结构的刚度和构造措施，薄弱部位增加配筋。

(5) 在施工过程中加强逐层沉降监测，以控制其不均匀沉降。在沉降量大的部位，减慢施工速度。

目前该工程已完成上部结构，效果较好。

【实例 7-30】　某高层住宅楼打桩事故

该高层住宅，采用打入式预制桩，打桩过程中，场地地面隆起量达 1.13m，桩位侧移最大达 0.45m，产生位移的桩数占总桩数的 40% 左右。

该工程采用了如下处理方法：

(1) 改进打桩工艺，采用先钻孔后沉桩的方法。预钻孔长度为桩长的 1/3，钻孔应垂直，垂直误差不超过 $\frac{1}{1000}$，预钻孔直径比桩的直径小约 15cm。

(2) 在桩间设置塑料排水板和袋装砂井或普通砂井，深度为桩长 1/3 左右。以此作为排水通道，以减小超静孔隙水压力。

(3) 在场地四周挖防挤沟（深度为 2m 左右，宽度 1～1.5m）以解决表层的挤土效应。

(4) 合理安排打桩程序。采取背向保护对象的程序打桩。

(5) 控制沉桩速率。根据地面变形情况确定每天沉桩数量，也可以采取停停打打、隔日沉桩的方式。

上述处理方法宜综合使用，并应针对所造成的危害采取复打、补桩、加大承台宽度等办法,确保桩基质量。

【实例 7-31】 某大楼打桩事故

某大楼地上23层,地下一层,总面积3.2万 m^2。上部结构为内筒和框架结构。内筒基础为一厚整板(厚度为2m),框架柱下为独立承台,厚度为1.5~1.8m,其下为预制方桩。桩断面450mm×450mm,桩长38m左右,桩距为1.8~2.25m。桩总数为372根。单桩承载力为1800~2000kN。采用300t静压压入,压入桩5m左右桩尖持力层为砾石层,基坑开挖深度为6.8m左右,中心承台加深1.5m左右。考虑到开挖基坑时,其支护结构侧移变形较大和周围房屋发生开裂的严重情况,后采取先施工中心筒承台,然后在承台上加钢管支撑四周支护结构的方法。待中心筒施工完成后,施工四周独立承台时,发现周围桩身侧移,倾斜很大,最大水平位移达101cm,经小应变动测检查发现,断桩共13根,其竖向容许承载力仅1300kN左右,不能满足设计要求。

该工程采用了如下处理措施:

(1) 根据每个独立承台的断桩与桩身水平位移情况,施工冲孔灌注桩。桩身直径为700mm,嵌岩深度为2~3m,单桩容许承载力 $[P_a]=2000$kN。(每个承台)补桩数量为2~4根,共补桩17根。

(2) 加强独立承台之间的连接,合并独立承台,以增加基础的整体性。

(3) 修改地下室外壁与支护结构的回填方案。采用素混凝土回填,以增强基础的水平抗力。

(4) 加强沉降观察,逐层进行。采用Ⅱ级水平测量建筑物沉降量和沉降差。

【实例 7-32】 某高层建筑桩基质量事故

该建筑物总建筑面积2.7万 m^2。地下一层半,地上19层,总高度103.2m。建筑物下基岩埋置较浅,为软质岩石,岩层错叠,厚薄不一。上部结构为筒体-框剪结构。柱与剪力墙下均设计有扩大头的人工挖孔桩,桩径1.6~2.0m、2.4m,扩大头径与桩径之比为2。从桩身过渡到扩大头斜度取1:3,桩长平均为10m,最长20m。持力层为泥质粉砂岩。取饱和单轴极限抗压强度的1/3~1/2作为桩基容许承载力,一般取2000kN/m^2,一柱一桩按端承桩设计。施工时每根桩按现场挖出的岩质进行标高调整,并检算下卧层软质岩的强度。

每根桩基底清底均由设计、地质、施工、质检技术人员现场鉴定。因此,桩基的关键在于桩身混凝土质量。为保证其质量,先用超声波法与瞬态动测法普查检测,再对有疑问的桩进行取芯检查。检查结果证明,部分桩身混凝土质量强度低,离析现象严重,有松散层,达不到设计要求。事故发生后,采取了下列几种补强措施:

(1) 压力灌浆补强:在桩身上钻3~4孔,用高压水泥浆灌入,充实桩身内松散混凝土孔隙。经初测复检,发现承载能力提高不大,效果不显著。

(2) 加大承台卸荷法:有两根桩取芯检查,混凝土强度不足。但现场承台底面离具有容许承载力为1000kN/m^2的中风化基岩很近,于是决定在现场加大加厚承台,使承台底置于中风化基岩上,以达到承台卸荷,减少桩身所承受的竖向荷载的目的。

(3) 高分子化学浆液压力灌浆法:工程中有一根桩已知混凝土质量不佳,但因施工进度紧迫,上部结构已施工。因而只能灌入价格昂贵的高分子化学浆液。这种浆液具有较强的渗透力,能渗入低强度等级的砂浆层及混凝土,并提高其强度。为了使化学浆液不至流至桩外,先在桩周围用普通压力灌浆形成帷幕,然后进行高分子压力灌浆补强。

【实例7-33】 某大厦人工挖孔桩桩身质量事故

某大厦面积41384m²,主楼地面上30层、地下2层,上部结构为剪力墙体系。底板以上的总重量为8.63万t(863831.5kN),采用64根人工挖孔桩,桩径有1.4、1.8、2.0、2.3、2.5m五种,桩端扩大头直径比桩身扩大0.8m。

建设单位对第一批(5根)挖孔桩桩身混凝土有怀疑,因而钻孔取芯检查。发现3根桩在距桩顶16m以下处混凝土未凝固,呈松散层。桩身混凝土强度仅有9.8~23MPa,强度很不均匀。主要原因是施工工艺不妥,直接用串筒浇灌桩身混凝土,而桩孔中积水又没有排除。

事故发生后经研究采用高压注浆加固。

(1) 在同一根桩上按一定的间隔,预钻孔4个,穿过事故层1m左右。利用验桩钻孔注入高压水,对事故层进行冲洗,使事故层泥土杂物、浮浆等通过邻近孔返出,直至返出清水为止。

(2) 利用验桩孔作为压力灌浆通道,并事先固定孔口管,安装孔口压力逆止阀封闭装置,防止灌浆时浆液从孔口喷出。

(3) 配制灌浆液,水泥(42.5级普通硅酸盐水泥):水:水玻璃:减水剂=100:50:1:0.6。利用高压泵将浆液注入钻孔,压力不能低于5MPa。实测注浆最大压力为6.5~7MPa。同时注意观察邻近钻孔返水情况。若返出浓水泥浆液,说明水泥浆液已充实事故层。灌浆液事先做70.7mm×70.7mm×70.7mm的试块,测强度不低于C20(实测为7d期龄,强度19、23.7、33.0MPa)。

(4) 施工C40混凝土桩帽,进行大应变PDA测试其完整性与单桩承载力。待桩帽养护7d后,其试块(150mm×150mm×150mm)达到31.1MPa时,动测两根桩,另一根因吊车(150t)吊臂不够无法进行动测,结果见表7-13。

动测结果与设计单桩承载力的比较　　　　表7-13

桩号	极限承载力(kN)	其中桩尖阻力(kN)	桩侧阻力(kN)	允许单桩承载力(kN)
55号	28376.1	22464.4	5911.7	14188.5
62号	29733.5	23590.4	6143.0	14866.7

检测结果证明,桩身完整性良好。

55号桩设计承载力155801kN;

62号桩设计承载力16420kN。

55号桩实测单桩承载力与设计容许承载力还差1391.5kN;62号桩实测单桩承载力比设计容许承载力还差1553.3kN。因此,上部结构隔壁采用局部轻质隔墙,以减轻结构自重。并考虑到在设计承载力时,沉降量仅取3.5mm左右。实际容许沉降量可大一些。经研究分析认为桩基基本符合设计要求,可以不再进行补桩处理。

7.8　其他地基与基础工程事故

除前面几节介绍的地基与基础工程事故外,还有其他类型的地基与基础工程事故。

在我国西安等地每年由于地裂缝发展造成不少工程事故。图 7-70 为西安一地裂缝发展情况，地裂缝造成道路开裂，墙体产生裂缝，建筑物发生破坏。该裂缝正好穿越某大学结构实验室，笔者摄此照片时，实验室大楼准备拆除，避开裂缝，移地重建。在地裂缝发展地区新建建筑物应尽量避开可能产生地裂缝的区域，已有建筑物地基中产生地裂缝则拆除受损建筑物，另择场地重建，目前尚无积极方法防治。

另外，河流冲刷造成堤岸破坏也经常遇到。有的是设计失误造成，有的是施工质量事故造成，但也有河流流量超过设计标准造成。如设计标准是 50 年一遇洪水，而实际发生是百年一遇洪水。在百年一遇的洪水作用下，50 年一遇设计标准的堤岸部分产生破坏是自然的。堤岸破坏往往造成严重后果，应引起重视。堤岸破坏事故的抢险与修复这里不作介绍，如需要请读者参阅其他有关著作。

图 7-70　地裂缝造成建筑物损坏

绝大部分有关地基与基础工程事故是可以避免的。每位工程师应该努力去避免一切可以避免的工程事故。但也不是一切地基与基础工程事故都是可以避免的。工程问题具有随机性、模糊性及未知性，如工程地质条件和水文地质条件，荷载，特别是风荷载和地震作用等。从这一角度可以说工程事故是不可能完全避免的，每位工程师应该学习掌握处理工程事故的技能。尽量减小工程造成的损失，尽快恢复建筑物的功能。

第8章 已有建筑物地基加固、纠倾和迁移技术

8.1 概 述

已有建（构）筑物地基加固技术又称为托换技术。可分为下述5类：①基础加宽技术；②墩式托换技术；③桩式托换技术；④地基加固技术；⑤综合加固技术。基础加宽技术是通过增加建筑物基础底面积，减小作用在地基上的接触压力，降低地基土中附加应力水平，减小沉降量或满足承载力要求。墩式托换技术是通过在原基础下设置墩式基础，使基础坐落在较好的土层上，以满足承载力和变形要求。桩式托换技术是通过在原基础下设置桩，使新设置的桩承担或桩与地基共同承担上部结构荷载，达到提高承载力、减小沉降的目的。地基加固技术是通过地基处理改良原地基土体或地基中部分土体，达到提高承载力、减小沉降的目的。综合加固技术是指综合应用上述两种或两种以上加固技术，达到提高承载力、减少沉降的目的。已有建（构）筑物地基加固技术分类如下：

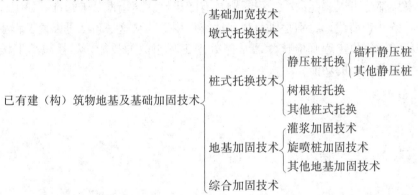

当建筑物沉降或沉降差过大，影响建筑物正常使用时，有时在进行地基加固后尚需进行纠倾和顶升。顾名思义，纠倾是将倾斜的建筑物纠正。纠正有两条途径，一是将沉降小的部位促沉，使沉降均匀而将建筑物纠正，另一是将沉降大的部位顶升，将建筑物纠正。顶升法有时也用于虽无不均匀沉降，但沉降量过大的建筑物，通过顶升使之提高到一定高度。促沉纠斜有两类：一类是通过加载来影响地基变形达到促沉纠斜的目的，另一类是通过掏土来调整地基土的变形达到促沉纠斜的目的。掏土有的直接在建筑物沉降较小的一侧基础下面掏土，有的在建筑物沉降较小的一侧的基础侧面地基中掏土。纠倾技术分类如下：

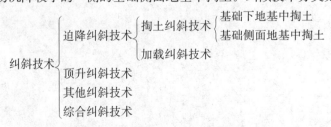

在城市建设和发展过程中，不仅需要应用已有建筑物地基加固和纠倾技术，有时还需要应用已有建筑物迁移技术。在城市改建过程中，有时需要拓宽原有道路，需要对某些已有建筑物进行移动。有时为了保护古建筑，也会遇到建筑物迁移问题。建筑物迁移除平移外，有时还需要提升和平移相结合进行。

已有建筑物地基加固、纠倾和迁移技术除应用于地基与基础工程事故补救外，还应用于已有建筑物加层改造地基加固和古建筑物保护地基加固。

在进行已有建筑物地基加固和纠倾设计前，应做好下述准备工作：

1. 建筑物地基工程勘察资料

详细分析已有建筑物地基工程勘察资料，包括土层分布、各土层土的物理力学性质、地下水位等。查清地基中是否有软弱夹层、暗浜、古河道、古墓和古井等。如原有工程地质和水文地质资料不能满足分析要求，或应用原有工程勘察资料难以解释建筑物沉降情况时，应对地基进行补勘。在制定加固方案前，一定要详细掌握可靠的工程地质和水文地质资料。

2. 沉降和不均匀沉降观测资料

力求了解建筑物沉降和不均匀沉降发展过程。如缺乏历史资料，也应对近期沉降资料包括沉降和不均匀沉降值，特别是沉降速率有正确的了解。

3. 建筑物上部结构和基础设计资料

详细分析建筑物结构设计情况，包括作用在地基上荷载，建筑物整体刚度，基础形式及基础结构。如建筑物已发生破损，应详细了解建筑物破损情况，如裂缝分布情况、裂缝大小以及裂缝发展态势等。对加层改建工程，应详细了解加层改建结构设计情况，对地基中修建工程应详细了解地下工程设计资料。

4. 周围环境情况

掌握建（构）筑物周围环境情况，包括地下管线等市政设施、邻近建筑物结构与基础情况等。分析其对加固建筑物影响，以及建筑物地基加固对邻近建（构）筑物的影响。

5. 建筑物施工资料

要了解建筑物地基基础施工资料。特别是由施工质量不良造成的工程事故尤其重要。对加层改建和地基中修建地下工程情况要详细了解施工组织设计。

通过对上述方面资料的详细分析，可以得到地基产生沉降或不均匀沉降过大的原因。对加层改建和地基中修建地下工程情况，通过分析可以了解其对地基加固的要求。针对产生工程事故的原因，或对地基加固的要求，通过多方案比较分析可以获得合理的地基或基础加固方案，然后进行地基加固设计。

在进行已有建筑物迁移设计前，除做好上述准备工作外，还应做好下述工作。对已有建（构）筑物刚度的评估，在迁移过程中是否需要加固。迁移道路是否需要加固等。

在已有建（构）筑物地基或基础加固、纠倾和建筑物迁移施工过程中要加强监测。根据工程情况可进行下述监测工作：

(1) 沉降观测，包括沉降和沉降速率观测；

(2) 如有裂缝，进行裂缝大小、裂缝发展态势监测；

(3) 地下水位监测；

(4) 如需要可进行结构中应力监测。

有时还需要对周围市政设施和邻近建筑物进行监测。

8.2 地基与基础加固技术

8.2.1 基础加宽技术

通过基础加宽可以扩大基础底面积，有效降低基底接触压力。例如：原筏板基础面积为 16m×30m＝480m²，若四周各加宽 1.0m，则基础底面积扩大为 576m²。如果原基底平均接触压力为 200kPa，基础加宽后基底平均接触压力减小为 167kPa。基础加宽对减小基底接触压力效果明显。基础加宽费用低，施工也方便，有条件应优先考虑。但有时基础加宽也会遇到困难，如周围场地是否允许基础加宽。另外，若基础埋置较深，则对周围影响更大，而且需要较大土方开挖量，影响加固费用。基础加宽还可能增加荷载作用影响深度，对软土地基应详细分析基础加宽对减小总沉降的效用。

基础加宽应重视加宽部分与原有基础部分的连接。通常通过钢筋锚杆将加宽部分与原有基础部分连接，并将原有基础凿毛、浇水湿透，使两部分混凝土较好地连成一体。基础加宽对刚性基础和柔性基础都要进行计算。刚性基础应满足刚性角要求，柔性基础应满足抗弯要求。钢筋锚杆应有足够的锚固长度，有条件可将加固筋与原基础钢筋焊牢。基础加宽有时也可将柔性基础改为刚性基础，条形基础扩大成片筏基础。图 8-1 表示几种基础加宽示意图。图 8-1（a）表示刚性条形基础加宽；图 8-1（b）表示柔性条形基础加宽；图 8-1（c）表示条形基础扩大成片筏基础；图 8-1（d）表示柱基础加宽；图 8-1（e）表示柔性基础改为刚性基础；图 8-1（f）和图 8-1（g）表示片筏基础加宽，图 8-1（g）中基础加宽部分底面高度与原基础顶面高度一致，其优点是可减小挖土深度，减小施工过程中对原地基土的影响。

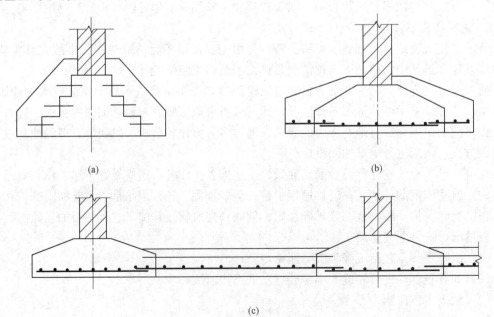

图 8-1 几种基础加宽示意图（一）
(a) 刚性条形基础加宽；(b) 柔性条形基础加宽；(c) 条形基础扩大成片筏基础；

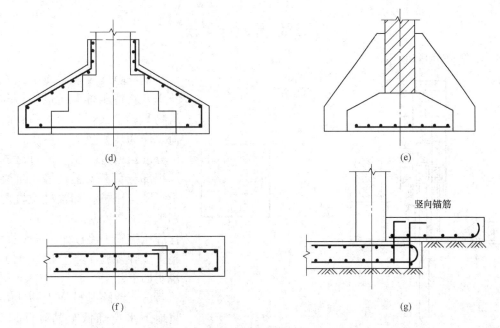

图 8-1 几种基础加宽示意图（二）
(d) 柱基加宽；(e) 柔性基础加宽改成刚性基础；
(f) 片筏基础加宽（1）；(g) 片筏基础加宽（2）

8.2.2 墩式托换技术

墩式托换是直接在基础下挖孔，灌注混凝土形成混凝土墩基础。一般适用于浅层有较好的持力层情况，让墩基础落在良好的持力层上，使其具有较高承载力。在基础下挖孔，一般先要在基础侧挖一个导孔，然后再在基础下挖孔。挖孔到设计标高后即可浇筑混凝土，一般浇筑到离基础底面 80mm 左右处停止浇筑，养护 1d 后，再将 1∶1 水泥砂浆塞进空隙，也可采用早强或膨胀水泥，以取得更好效果。墩式托换施工要重视施工顺序，分段分批挖孔、浇筑混凝土墩。如需要也可对原基础加临时支撑。混凝土墩可以是连续的也可以是间断的，如图 8-2 所示。

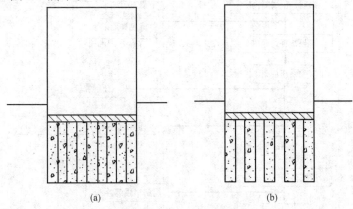

图 8-2 墩式托换示意图
(a) 连续混凝土墩；(b) 间断混凝土墩

8.2.3 桩式托换技术

1. 锚杆静压桩托换

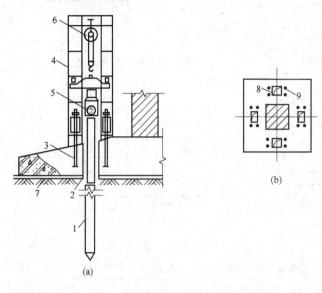

图 8-3 锚杆静压桩装置示意图及压桩孔和锚杆位置图
(a) 锚杆静压桩装置示意图；(b) 压桩孔和锚杆位置图；
1—桩；2—压桩孔；3—锚杆；4—反力架；5—千斤顶；
6—电动葫芦；7—基础；8—桩；9—压桩孔

锚杆静压桩技术属桩式托换技术。它将压桩架通过锚杆与建筑物基础连接，利用建筑物自重荷载作为压桩反力，用千斤顶将桩分段压入地基中，通过静压桩承担部分荷载。锚杆静压桩装置示意图与压桩孔和锚杆位置图分别如图 8-3 (a)、(b) 所示。锚杆静压桩施工流程如图 8-4 所示。施工步骤及施工各阶段注意事项说明如下。

(1) 清除基础面上覆土，并将地下水位降低至基础面以下，以保证作业面。

(2) 按加固设计图放线定位。压桩孔可凿成上小下大的棱锥形（图 8-5），以利于基础承受冲剪。锚杆孔根据压力大小确定锚固深度。凿孔可用风动凿岩机，也可采用人工凿孔。

(3) 凿孔完成后，锚杆孔应认真清渣，再采用树脂砂浆固定锚杆，养护后再安装压桩反力架。

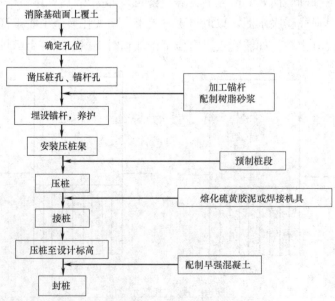

图 8-4 锚杆静压桩施工流程示意图

(4) 采用电动或手动千斤顶压桩。桩段长度根据反力架及施工环境确定。压桩过程中不能中途停顿过久。间歇时间过长，往往使所需压桩力提高，甚至超过压桩能力而被迫中止。压桩过程中应保持桩段垂直，压桩力不能超过设计最大压桩力，避免基础上抬造成结构破坏。

(5) 接桩可采用硫黄胶泥，也可采用焊接，视设计要求确定。硫黄胶泥接桩成本低，接桩速度快，但硫黄胶泥接桩抗水平力性能差。采用焊接接桩效果好，并可使桩具有较好的抗水平力性能，但成本较高。有时在桩上部采用焊接接桩，下部采用硫黄胶泥接桩。既可满足抵抗水平的要求，又可节省投资。硫黄胶泥接桩和焊接接桩均应符合有关技术规程规定。

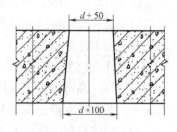

图 8-5 压桩孔剖面
d—桩截面宽度（mm）

(6) 压桩至设计要求时，可进行封桩。在封桩前应将压桩孔内杂物清理干净，并排除积水。封桩时先将基础中原有主筋尽量补焊上，并在桩顶用钢筋与锚杆对角交叉焊牢，然后再浇筑早强高强度混凝土。通常掺水玻璃早强剂使混凝土速凝。

(7) 压桩施工过程中应加强沉降监测，注意施工过程中产生的附加沉降。通过合理安排压桩顺序减小施工期间附加沉降及其影响。

锚杆静压桩施工机具简单，施工作业面小，施工方便灵活，技术可靠，效果明显，施工时无振动，无污染，对原有建筑物里生活或生产秩序影响小。锚杆静压桩适用范围广，可适用于黏性土、淤泥质土、杂填土、粉土、黄土等地基。由于具有上述优点，锚杆静压桩技术在我国各地得到较多的应用。

锚杆静压桩技术除应用于已有建筑物地基加固外，也应用于新建建（构）筑物基础工程。在闹市区旧城改造中，限于周围交通条件难以运进打桩设备，或施工场所很窄，打桩施工工作面欠小时，可采用锚杆静压技术进行桩基施工。在施工设备短缺地区，无打桩设备，也可用锚杆静压桩技术进行桩基施工。对于新建建筑物。在基础施工时可按设计预留压桩孔和预埋锚杆，待上部结构施工至3~4层时，再开始压桩。此时，建筑物自重可承担压桩反力，而且天然地基承载力发挥度也已较高，需要通过压桩以提高承载力。

锚杆静压桩加固设计包括下述内容：

(1) 桩及桩位布置设计

单桩与桩段长度的设计要根据加固要求和地基条件而定。锚杆静压桩截面边长一般为180~250mm。对于边长为200mm的方桩，主筋采用不小于4Φ10的钢筋，在桩两端箍筋加密布置，混凝土强度等级不小于C30级，桩段长度根据施工净空条件确定，一般取1.0~2.0m，桩段的尺寸还应考虑接桩搬运方便，单桩承载力取决于地基土层情况，锚杆静压桩可形成端承桩和摩擦桩，对摩擦桩可考虑桩土共同作用，单桩承载力可由压桩试验确定：

$$P=\frac{P_\text{压}}{K} \tag{8-1}$$

式中 P——设计单桩承载力标准值（kN）；

$P_\text{压}$——最终入土深度时压桩力（kN）；

K——压桩力系数,与地基土性质、压桩速度、桩材及桩截面形状有关,在黏性土地基中,当桩长小于 20m 时,K 值可取 1.5;在黄土和填土中 K 值可取 2.0。

桩位置宜靠近墙体或柱子,以利于荷载的传递。凿压桩孔往往要截断底板钢筋,桩孔尽量布置在弯矩较小处,并使凿孔时截断的钢筋最少。

采用硫黄胶泥接桩还是焊接接桩取决于是否承受水平力或拉拔力,硫黄胶泥接桩抗水平力和抗拉拔力性能差。

(2) 锚杆及锚固深度设计

锚杆根据压桩力设计,当压桩力小于 400kN 时,可采用 M42 锚杆。锚杆可用螺纹钢和光面钢筋制作,也可在端部镦粗或加焊钢筋,锚固深度一般取 10~12 倍锚杆直径。

(3) 采用锚杆静压桩加固应对原有基础进行抗冲切、抗弯和抗剪能力验算。如不能满足要求,应将原基础结构补强以满足加固要求。

2. 树根桩托换

树根桩是一种小直径钻孔灌注桩,其直径通常为 100~250mm,有时也有采用 300mm。树根桩施工过程如下:先利用钻机钻孔,满足设计要求后,放入钢筋或钢筋笼,同时放入注浆管,用压力注入水泥浆或水泥砂浆而成桩,亦可放入钢筋后再灌入碎石,然后再注入水泥浆或水泥砂浆而成桩。小直径钻孔灌注桩也有人称为微型桩。小直径钻孔灌注桩可以竖向、斜向设置,网状布置如树根状,故称为树根桩。

树根桩技术是在 20 世纪 30 年代初由意大利的 Fondedile 公司的 F·Lizzi 首创,随后在各国得到应用。主要用于古建筑修复工程,修建地下铁道时对原有建筑物地基加固工程,岩土边坡稳定加固,楼房加层改造工程和危房加固工程的地基加固等。采用树根桩加固示意图如图 8-6 所示。树根桩施工流程如下:

(1) 成孔

根据设计要求和场地工作条件选择钻机。采用 HRV-6 型液压回转振动式工程地质钻机可满足斜桩施工要求。视土质条件和基础底板情况合理选用钻头,在穿过软弱土层或流砂层时,可设置套管,以保护孔壁。在地基中钻孔时,一般在孔口处设置 1.0~2.0m 的套管,以防止孔口处土方坍落影响成孔。

钻孔时可采用泥浆或清水护壁。钻孔到设计要求后,应进行清孔。控制清孔水压大小,观察泥浆溢出情况,直到孔口溢出清水为止。

(2) 放置钢筋或钢筋笼

清孔结束后,按设计要求放置钢筋或钢筋笼。钢筋笼外径应小于设计桩径 40~50mm,钢筋笼制作时每节长度基本取决于作业空间,节间钢筋搭接应错开,搭接长度应满足有关规定。

(3) 放置压浆管

压浆管放在钢筋笼或钻孔中心位置,常采用直径 20mm 无缝铁管,放置就位后即可压入清水继续清孔。

(4) 投入细石子

将冲洗干净的细石子(粒径 5~15mm)缓缓投入钻孔内,套管拔除再补灌细石子,直到满灌,此时,压浆管继续压入清水冲洗,直到溢出清水为止。

（5）注浆

注浆时让水泥浆从钻孔底部逐渐向上升。采用分段注浆，分段提注浆管的方式。当水泥浆从孔口溢出时，可停止注浆。浆液配制根据设计要求，浆液可采用水泥和水泥砂浆两种。

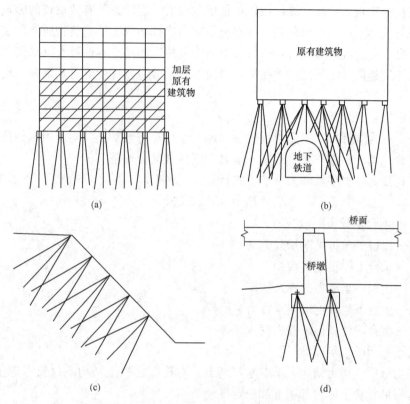

图 8-6 树根桩加固示意图
(a) 加层改造工程地基加固；(b) 修建地下铁道树根桩托换；
(c) 边坡稳定加固；(d) 桥墩基础树根桩托换

常用 42.5 级水泥，砂料需过筛。为提高水泥浆的流动性和早期强度，可适量加入减水剂及早强剂。纯水泥浆的水灰比一般采用 0.4～0.5，水泥砂浆一般采用水泥∶砂∶水＝1.0∶0.3∶0.4 配比。注浆采用一次注浆。

树根桩技术具有机具简单，施工场地小，施工时振动和噪声小，施工方便等优点。树根桩适用于黏性土、砂土、粉土、碎石土等各种不同的地基。树根桩不仅可承受竖向荷载，还可承受水平向荷载。压力注浆使桩的外侧与土体紧密结合，使桩具有较大的承载力。树根桩一般为摩擦桩，与地基土体共同承担荷载，可视为刚性桩复合地基。对于网状树根桩，可视为加筋复合土体。

树根桩加固地基设计计算内容与树根桩在地基加固中的效用有关，应视工程情况区别对待。下面分别加以介绍。

（1）单桩承载力

单桩承载力可根据单桩载荷试验确定。树根桩一般是摩擦桩，其桩端阻力一般不计。由于树根桩是采用压力注浆而形成桩的，其桩侧摩阻力大于一般钻孔灌注桩和预制桩。研究表明：当树根桩做单桩竖向抗压设计时，其桩侧摩阻力可取上海市《地基基础设计规范》DGJ08—11—2010中灌注桩侧摩阻力的上限值，而当树根桩作单桩竖向抗拔设计时，其桩侧摩阻力可取本规范中灌注桩桩侧摩阻力的下限值。

树根桩长径比较大，在计算树根桩单桩承载力时，应考虑其有效桩长的影响。

树根桩与桩间土共同承担荷载，树根桩承载力发挥还取决于建筑物所能承受的容许最大沉降值。容许最大沉降值越大，树根桩承载力发挥度越高；容许最大沉降值越小，树根桩承载力发挥度越低。承担同样的荷载，当树根桩承载力发挥度低时，则要求设置较多的树根桩数。

(2) 树根桩复合地基

树根桩一般为摩擦桩。采用树根桩加固地基，桩是与地基土共同承担上部荷载的，桩与土形成复合地基。树根桩复合地基一般属于刚性桩复合地基。

树根桩托换基础极限承载力可按下式计算：

$$P_f = \alpha n P_{pf} + \beta F_s \tag{8-2}$$

式中　P_f——承台基础极限承载力（kN）；

　　　P_{pf}——树根桩单桩极限承载力（kN）；

　　　n——承台下树根桩桩数；

　　　α——树根桩承载力发挥系数；

　　　F_s——承台下地基土极限承载力（kN）；

　　　β——承台下地基土承载力发挥系数。

(3) 树根桩承受水平荷载

树根桩与土形成挡土结构，承受水平荷载。对树根桩挡土结构不仅要考虑整体稳定，还应验算树根桩复合土体内部强度和稳定性。

叶书麟等（1993）建议采用下述方法进行树根桩承受水平荷载设计。图8-7表示树根桩挡土结构设计简图，图8-7（a）中树根桩均为竖向设置，图8-7（b）中树根桩呈网状结构。树根桩挡土结构可用作挡土墙稳定土坡，作为深基坑围护结构体系等。在设计计算时，可根据树根桩复合土体计算基准面上作用的垂直力N、水平力H和弯矩M计算内力。基准面可根据预计滑动面位置确定。

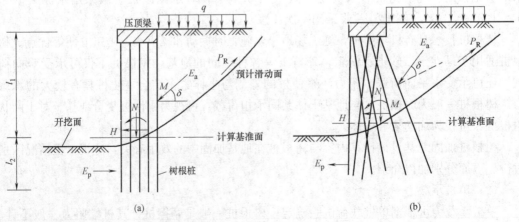

图8-7　树根桩挡土结构设计简图

图 8-8 表示计算基准面示意图,基准面处树根桩复合土体等值换算的截面积 A_{RP} 计算式为:

$$A_{RP} = nA_p m + bh \tag{8-3}$$

$$A_p = (n_1 - 1)A_s + A_c \tag{8-4}$$

式中 n——树根桩与桩周土应力比,可取 $n=100$;

m——计算基准面内包括的树根桩桩数;

b、h——树根桩布置的行距与宽度(图8-8);

A_p——一根树根桩的等值换算截面积,可参考式(8-4);

n_1——钢筋与砂浆(或混凝土)弹性模量之比,取 $n_1 = 7 \sim 10$;

A_s——钢筋截面积;

A_c——树根桩截面积。

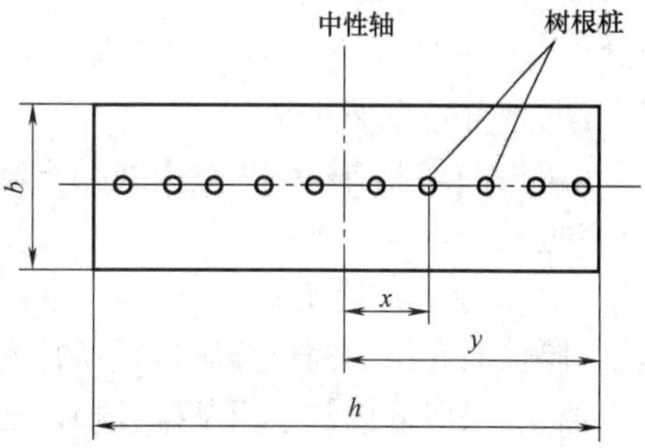

图 8-8 树根桩计算基准面示意图

基准面处树根桩复合土体等值换算截面惯性矩 I_{RP} 计算式为:

$$I_{RP} = nA_p \sum x^2 + \frac{bh^3}{12} \tag{8-5}$$

式中 x——计算基准面各个树根桩距中性轴距离;

其他符号意义同前。

计算基准面树根桩复合土体上最大压应力值为:

$$\sigma_{RPmax} = \frac{N}{A_{RP}} + \frac{M}{I_{RP}} y \tag{8-6}$$

式中 N——计算基准面处作用在树根桩复合体上的垂直力;

M——计算基准面处作用在树根桩复合体上的弯矩;

y——计算基准面中性轴至计算基准面边缘的距离。

树根桩复合土体中的最大压力应满足下式:

$$\sigma_{RPmax} < R \tag{8-7}$$

式中 R——计算基准面处地基土容许的承载力(kPa)。

作用在砂浆(混凝土)上压应力 σ_R 与作用在钢筋上的压应力 σ_{sc} 应分别满足下述计算式:

$$\sigma_R = n\sigma_{RP} < \sigma_{ca} \tag{8-8}$$

$$\sigma_{sc} = n_1 \sigma_R < \sigma_{sa} \tag{8-9}$$

式中 σ_{ca}——砂浆(混凝土)容许压应力(kPa);

σ_{sa}——钢筋容许压应力(kPa);

其他符号意义同前。

树根桩的设计长度 l 等于计算基准面以下的必要长度 l_2 和计算基准面以上长度 l_1 之和,即

$$l = l_1 + l_2 \tag{8-10}$$

l_2 计算式为:

$$l_2 = \frac{A_c \sigma_R}{\pi D f} \tag{8-11}$$

式中 D——树根桩直径；

f——树根桩与计算基准面下的土之间的摩阻力；

其他符号意义同前。

树根桩挡土结构作为重力式挡土墙，其抗滑动、抗倾斜、整体稳定等验算可采用常规计算方法。

3. 其他桩式托换

除前面介绍的锚杆静压桩托换技术和树根桩托换技术外，还可应用挖孔桩、灌注桩、打入桩、一般静压桩进行基础托换。通常在原基础外侧地基中设置桩，然后通过托梁或扩大承台来承担柱或墙传来的荷载（图 8-9）。灌注桩、打入桩和静压桩施工同一般桩基施工。挖孔桩和灌注桩托换需要重视施工期间的附加沉降。打入桩托换需要重视施工振动对原有建筑物的影响。地下水位较低，挖孔较方便时，也可直接在基础下用千斤顶压预制桩。具体做法如下：先在基础侧面挖导孔，并在基础下掏孔形成压桩工作面。如需要可在掏孔前加临时支撑进行加固。也可根据需要，在压桩前对原基础进行结构补强。然后用千斤顶以基础为支承反力压桩。最后卸去千斤顶，用混凝土砌块和膨胀水泥砂浆砌封。直接在基础下压桩在黄土地区得到较多应用。

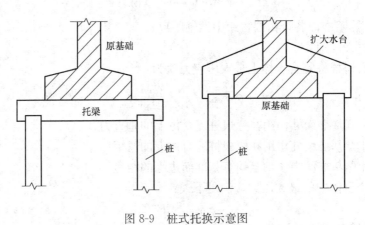

图 8-9 桩式托换示意图

8.2.4 地基加固技术

地基加固技术是通过地基处理改良地基土体或地基中部分土体，达到提高地基承载力、减小沉降的目的。下面主要介绍灌浆加固技术、旋喷桩加固技术和其他地基加固技术。

1. 灌浆加固技术

将能够固化的浆液注入地基土体，通过物理化学作用，改善地基土体的物理力学性质，达到加固地基的目的。根据灌浆机理，灌浆法可分为下述四类：

（1）渗入性灌浆

在灌浆压力作用下，浆液克服各种阻力，渗入地基土中的孔隙或裂缝中，地基土层结构基本不受扰动和破坏。渗入性灌浆适用于存在孔隙或裂缝的地基土层，如砂土地基等。

在渗入性灌浆中，影响浆液扩散范围的因素有地基土层的渗透系数（或裂隙和孔隙尺寸）、浆液的黏度、灌浆压力、灌注时间等。各国学者对灌浆浆液扩散范围提出许多计算理论，如球形扩散理论、柱形扩散理论和袖阀管法理论等。上述理论对天然地层都作了一些简化，而天然地层情况往往较复杂，故在工程上，一般还是以现场灌浆试验确定灌浆压力、灌浆时间和浆液扩散范围的关系，并从技术和经济方面综合分析，作出灌浆设计。

(2) 劈裂灌浆

依靠较高的灌浆压力，使浆液能克服地基土体中初始应力和土体抗拉强度，使土体沿垂直于小主应力的平面或土体强度最弱的平面上发生劈裂，使渗入性灌浆不可灌的土体可顺利灌浆，增大浆液扩散范围，达到地基处理目的。

在荷载作用下，地基中各点小主应力方向是变化的，而且应力水平也不同，在劈裂灌浆中，劈裂缝的发展走向较难估计。

(3) 压密灌浆

在地基中灌入较浓的浆液，浆液迫使注浆点附近土体压密而形成浆泡。开始灌浆压力基本上沿径向扩散，随着浆泡的扩大，灌浆压力的增大，便会发生较大的上抬力。压密灌浆形成的上抬力能使地面上抬，或使下沉的建筑物回升。压密灌浆是用浓浆置换和挤密土体的过程。

压密灌浆常用于砂土地基，黏土地基中若有较好的排水条件也可采用压密注浆。

压密注浆形成的浆泡形状与土的物理力学性质、地基土的均匀性、灌浆压力、灌浆速率等有关。浆泡形状在均质地基中常为球形或圆柱形，浆泡横截面直径可达1.0m或更大。离浆泡界面0.3~2.0m以内土体能受到明显的加密。

(4) 电动化学灌浆

在地基中插入金属电极并通以直流电，在电场作用下，土体中水会从阳极向阴极流动，这种现象称为电渗。借助于电渗作用，在黏土地基中即使不采用灌浆压力，也能靠直流电将浆液（如水玻璃溶液或氯化钙溶液）注入土体中，或者将浆液依靠灌浆压力注入电渗区，通过电渗使浆液扩散均匀，以提高灌浆效果。

灌浆浆液由灌浆材料、溶剂（水或其他有机溶剂）及各种外加剂，按一定的比例配制。灌浆材料按原材料的溶液特性可分为水泥系浆剂、化学浆材和混合型浆材：

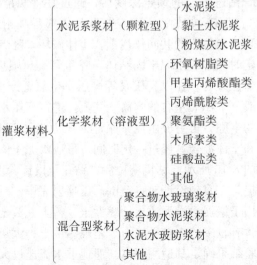

灌浆加固过程中，如需浆液速凝可加速凝剂，如需缓凝可加缓凝剂，如需增加浆液

的流动性，可加流动剂等。外加剂品种很多，如需进一步了解，可参阅有关灌浆材料手册。

在灌浆加固地基中，水泥浆液用途最广、用量最大。其主要特点是灌浆形成的水泥复合土体具有较好的物理力学性质和耐久性，无毒，材料来源又广，而且价格较低。在水泥浆液中应用最广的是普通硅酸盐水泥，有时也采用矿渣水泥、火山灰水泥和抗硫酸盐水泥等品种。水泥浆液是颗粒型浆液，有时需要提高水泥颗粒细度，掺入各种附加剂以改善浆液性质，提高其可灌性、稳定性。有时为了节省材料，降低成本，在水泥浆液中掺入黏土、砂和粉煤灰等廉价材料。化学浆液属于真溶液，其主要特点是初始黏度小，可灌注地基中细小裂缝或孔隙。缺点是造价较高，而且不少化学浆液具有一定毒性，会造成环境污染问题，影响其推广使用。

灌浆加固地基设计程序如下：

首先根据土层条件、灌浆要求，初步选择灌浆方案，包括灌浆处理范围、灌浆材料和灌浆方法等。灌浆材料一般应优先考虑水泥系浆材。

其次通过灌浆试验确定相应的浆材配比及灌浆工艺，包括灌浆压力和灌浆有效范围等参数。

最后根据灌浆试验确定的灌浆有效范围确定灌浆孔位置，通过合理布孔以获得较好的经济效益。

2. 旋喷桩加固技术

将带有特殊喷嘴的注浆管置于土层预定深度，以高压喷射流使固化浆液与土体混合、凝固硬化加固地基的方法称为高压喷射注浆法。若在喷射的同时，喷嘴以一定的速度旋转、提升则形成浆液和土体混合的圆柱形桩体，通常称为旋喷桩。高压喷射注浆法施工可采用单管法、二重管法和三重管法施工。单管注浆法利用钻机等设备，把安装在注浆管底部侧面的特殊喷嘴置入土层预定深度后，用高压泥浆泵等装置，以 20MPa 左右的压力，把浆液从喷嘴中喷射出去冲击破坏土体。同时借助注浆管的旋转和提升运动，使浆液与土体混合，经过一定时间，形成水泥土固结体。二重管高压喷射注浆法使用双通道的注浆管。当双通道二重注浆管钻进土层的预定深度后，通过在管底部侧面的一个同轴双重喷嘴，同时从外喷嘴射出 0.7MPa 左右的压缩空气和从内喷嘴喷射出 20MPa 的高压浆液。在高压浆液流和它外圈环绕空气流的共同作用下，土体破坏，随着喷嘴的旋转和提升，浆液与土体混合，经过一定时间形成水泥土固结体。三重管高压喷射注浆使用分别输送水、气、浆三种介质的三通道注浆管。在以高压泵等高压发生装置产生的 40MPa 左右的高压水喷射流周围，环绕一股 0.7MPa 左右的圆筒状气流，进行高压水喷射流和气流同轴喷射冲切土体，以形成较大的空隙，再另外由泥浆泵注入压力为 2~5MPa 的浆液填充，当喷嘴旋转和提升时，浆液和土体混合，经过一定时间，形成水泥土固结体。

旋喷桩施工顺序如图 8-10 所示。钻机就位后，钻孔至设计深度，然后进行高压喷射，一边喷射，一边旋转、提升，直到设计改良范围高压喷射完毕。

旋喷桩加固地基适用于淤泥、淤泥质土、黏性土、粉土、黄土、砂土、人工填土和碎石土等地基。当地基中含有较多的大粒径块石、坚硬黏性土、大量植物根茎或有过多的有机质时，应根据现场试验结果确定其适用程度。遇地下水流速过大和已涌水的工程应慎重使用。

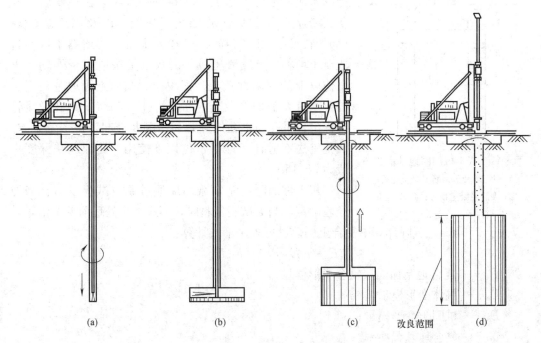

图 8-10 旋喷桩施工顺序
(a) 就位并钻孔至设计深度；(b) 高压喷射开始；(c) 边喷射、边提升；(d) 高压喷射结束准备移位

旋喷桩加固地基设计包括下述几个方面：

(1) 根据工程地质条件和地基加固要求决定采用施工方法：单管法、二重管法和三重管法。

(2) 根据工程地质条件和选用的施工方法，通过试验确定施工参数、有效改良直径和水泥土力学性质指标。

(3) 地基加固设计可采用复合地基理论。旋喷桩复合地基承载力标准值表达式可用下式表示：

$$f_{sp,k} = mf_{p,k} + \lambda(1-m)f_{s,k} \tag{8-12}$$

式中 $f_{p,k}$——旋喷桩承载力标准值（kPa）；
$f_{s,k}$——桩间土承载力标准值（kPa）；
m——复合地基置换率；
λ——桩间土承载力折减系数。

根据加固要求，确定旋喷桩平面布置及加固深度。

3. 其他加固技术

其他加固技术主要有灰土桩加固技术、石灰桩加固技术、碱液加固技术和热加固技术等，下面作扼要介绍。

(1) 灰土桩加固技术

通常在原有基础两侧采用机械或人工的方法在地基中成孔，然后填入体积配合比为2∶8或3∶7的灰土，分层夯实，通过挤密桩间土和形成复合地基提高地基承载力和减小沉降。由基础传递的荷载通过钢筋混凝土托梁传递给地基，如图 8-11 所示。除用石灰和

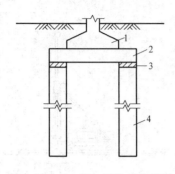

图 8-11 灰土桩加固地基示意图
1—基础；2—钢筋混凝土托梁；
3—钢筋混凝土顶板；4—灰土桩

土制备成灰土填料形成灰土桩外，近年来，还发展了石灰、粉煤灰和土制备成二灰土填料，以及用建筑垃圾（如颗粒尺寸大时需粉碎），掺入少量水泥或石子，制备成渣土填料，形成渣土桩等。灰土桩法适用于处理地下水位以上的湿陷性黄土、素填土、杂填土等地基。当土的含水量大于 23% 及其饱和度超过 0.65 时，成孔及拔管过程中，桩孔与拔孔周围容易缩颈及隆起，挤密效果差。灰土桩法不适合于地下水位以下使用。处理地基深度一般为 5~15m。

灰土桩加固地基承载力应通过原位试验或结合当地经验确定。当无试验资料时，不应大于处理前的 2 倍，并不应大于 250kPa。沉降计算中复合土层模量可采用下式计算：

$$E_c = mE_p + (1-m)E_s \tag{8-13}$$

式中 E_c——复合地基加固层复合变形模量；
E_p——桩体变形模量；
E_s——桩间土变形模量；
m——复合地基置换率。

灰土桩施工主要包括桩孔成孔和桩孔填夯。成孔方法较多采用沉管法，也有采用冲击法或人工挖孔。夯实机械目前尚无定型产品，多由施工单位自行设计加工而成。通过填夯工艺试验确定合理的分次填料量和夯击次数。

灰土桩加固地基过程中应注意附加沉降的控制，辅以必要的临时支撑。

(2) 石灰桩加固技术

先用机械或人工的方法在基础两侧成孔，然后灌入生石灰块，或灌入掺有粉煤灰、炉渣等掺合料的生石灰混合料，并进行振密或夯实形成石灰桩桩体，桩体与桩间土形成石灰桩复合地基，以提高地基承载力，减小沉降。基础承担的荷载通过托梁传递给地基，其示意图同灰土桩加固地基示意图，如图 8-11 所示。

石灰桩加固地基机理主要包括置换作用，生石灰吸水膨胀挤密作用，石灰吸水、升温以及胶凝、离子交换和碳化作用使桩周土强度提高等。石灰桩法适用于加固杂填土、素填土和黏性土地基，有经验时也可用于淤泥质土地基。采用石灰桩加固地基时，当被加固土的渗透系数太小时不利于软土脱水固结，脱水加固效果很差；若被加固土的渗透性太大，孔中充水石灰难以密实，效果不好。在考虑采用石灰桩加固地基时，应注意适用条件以及正确的施工方法，否则，达不到预期效果。

石灰桩加固地基承载力应通过原位试验或根据当地经验确定。沉降计算基本同灰土桩法加固。

在地基中设置石灰桩通常有三种方法：①提管投料压实法；②投料提管压实法；③挖孔投料法。

提管投料压实法是采用沉管打桩机在地基中沉管成孔，然后提管—填料—压实—再提管—再填料—再压实，重复直至成桩，再填土封口压实。投料提管压实法是采用沉管打桩机在地基中沉管成孔后，先填料—再拔管—压实—填料—拔管—压实，重复直至成桩，再填土封口压实。该法较适用于地下水位较高的软土地区。挖孔投料法是采用特制的洛阳铲，人工挖孔，填料夯实，并填土封口。

在石灰桩施工过程中要控制每米填料灌入量，以保证桩体质量。一般以1m桩孔体积的1.4倍作为每米料灌入量控制。在施工过程中，生石灰与其他掺合料不宜过早拌合，应边拌边灌，以免生石灰遇水胀发影响质量。

(3) 碱液加固技术

碱液加固技术是将加水稀释的氢氧化钠溶液加温后，通过注浆管注浆渗入土中，氢氧化钠溶液与黄土中存在的钙、镁等可溶性碱土金属阳离子反应，生成碱土金属氢氧化物沉淀在土粒表面，并与游离状态的二氧化硅、三氧化二铝以及铝硅酸盐等反应生成钠硅酸盐和钠铝酸盐络合物。依靠这些络合物的生成，使土粒相互牢固胶结在一起，强度大大提高，并具有很好的水稳性，达到加固地基的目的。

碱液加固技术适用于湿陷性黄土地基加固。

碱液加固设计参数需通过试验确定，如溶液浓度、温度、每孔注入量以及加固半径。通过试验了解加固过程中可能产生的基础附加沉降量及消除湿陷性效果。加固过程中，土体被溶液中的大量水分浸湿变软，将产生一定的附加沉降。过大的附加沉降会使建筑物不均匀沉降进一步加剧，甚至危及安全。在采用碱液加固技术时，一定要重视加固过程中产生的附加沉降的影响。

在碱液加固技术的基础上近年发展了碱灰混合加固技术。它将碱液加固技术和石灰桩加固技术相结合，在碱液注入孔四周设置石灰桩。石灰桩中生石灰大量吸收碱液中多余的水，可减小地基土体浸湿范围。生石灰吸水膨胀可使桩间土挤密，发热可加速氢氧化钠与黄土颗粒之间的硬化反应，加速强度提高。生石灰的吸水、发热和膨胀作用可使碱液加固效果提高，并可有效地减小附加沉降。

(4) 热加固技术

热加固技术是将加热的空气或灼热的燃烧物通过建筑物地基中预先形成的钻孔对地基土体进行加热或直接焙烧，以改善地基土体的物理力学性质，达到加固地基的目的。

加固方法有密闭式和开口式两种。所谓密闭式是在密闭的钻孔中，把经过加热的高温气体以一定的压力灌入孔中，达到烧结土体的目的。每个孔的加固范围0.5～1.25m，加固深度可达15m。开口式是把两个钻孔的下端相互连接，在一个上端设置燃烧装置，从另一个孔进行排气。开口式热效率较低，但适用于透气性较差的黏土。

黏性土在持续高温加热下，水分蒸发，结合水消除的黏土矿物性质改变，土体强度可达5MPa以上，并具有水稳定性。黄土可消除湿陷性，膨胀土可消除胀缩性。沿钻孔径向形成烧结区、烘干区和干燥区，土体性质改善程度不同。热加固效果与持续高温时间和温度有关。

热加固施工工艺复杂，能耗大，成本高，在工程中应用不多。对于具有富余热源地区，具有应用价值。我国20世纪50年代在洛阳、兰州等事故处理中采用过，近年来郑州铁路局西安铁路科研所又采用热加固技术成功地处理了天津铁厂2号转运站地基事故，取得新的成果。

8.2.5 综合加固技术

在对原有建（构）筑物地基与基础进行加固时，有时需要综合运用两种或两种以上地基加固技术。下面通过综合采用高压喷射注浆技术和灌浆技术加固一沉井地基说明综合加固技术的应用。

某沉井地处江边，其基础落在一砂层上，沉井封底未封好，抽水过程中产生管涌导致沉井产生不均匀沉降。后综合应用高压喷射注浆技术和灌浆技术进行加固获得成功，现作扼要介绍。

首先通过高压喷射注浆法在沉井四周形成一道止水帷幕，止水帷幕深度穿过砂层进入黏土层。止水帷幕有两个作用：一是可有效控制灌浆加固范围，提高灌浆加固效果；二是可截断砂层中地下水，有效防止沉井抽水过程中产生管涌现象。然后在沉井底进行灌浆封底。最后抽水，清底浇筑钢筋混凝土底板。综合应用高压喷射注浆和灌浆技术加固沉井基础示意图如图 8-12 所示。

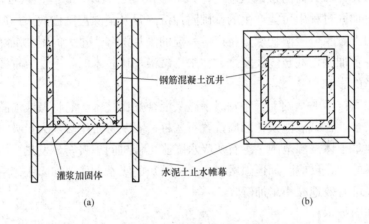

图 8-12 高压喷射注浆和灌浆综合加固技术示意图
(a) 剖面；(b) 平面

8.3 纠 斜 技 术

8.3.1 迫降纠斜技术

1. 加载纠斜技术

通过在建筑物沉降较少的一侧加载，迫使地基土变形产生沉降，达到纠斜目的称为加载纠斜。最常用的加载手段是堆载，在沉降较少一侧堆放重物，如钢锭、砂石及其他重物，如图 8-13 所示。堆载纠斜又称为堆载加压纠斜法。该法较适用于建（构）筑物刚度较好，跨度不大，地基为深厚软黏土地基的情况。对于由于相邻建筑物荷载影响产生不均匀沉降（图 8-14）和由于加载速度偏快，土体侧向位移过大造成沉降偏大的情况具有较好的效果。堆载加压纠斜过程中应加强监测，严格控制加载速率。

加载纠斜也可通过锚桩加压实现，在沉降较小的一侧地基中设置锚桩，修建与建筑物基础相连接的钢筋混凝土悬臂梁，通过千斤顶加荷系统加载，促使基础纠斜（图 8-15）。锚桩加压纠斜一般可多次加荷。施加一次荷载后，地基变形应力松弛，荷载减小，变形稳定后，再施加第二次荷载，如此重复，荷载可一次一次增大，当一次荷载保持不变，变形稳定后，再增加下一次荷载，直至达到纠斜目的。

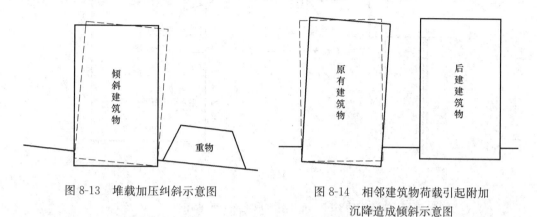

图 8-13 堆载加压纠斜示意图

图 8-14 相邻建筑物荷载引起附加沉降造成倾斜示意图

武钢炼钢厂钢锭模具库，全长 135m，柱距 9m，跨度 28.5m，吊车轨道标高 10m。基础和地坪坐落在厚度为 6.2～9.4m 的填土上。由于地坪长期堆积钢锭模，荷载较大，发生较大沉降，致使桩基倾斜，柱顶最大水平位移达 127mm，造成吊车卡轨，影响使用。采用锚桩加压纠斜，第一次加荷 450kN，纠斜 25～35mm；第二次加荷 375kN，纠斜 13mm。经纠斜后，吊车可正常运行。

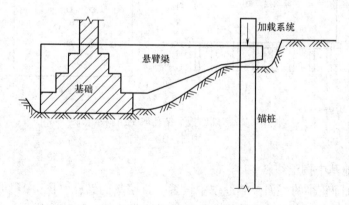

图 8-15 锚桩加压纠斜

2. 基础底地基中掏土纠斜

直接在基础下地基中掏土对建筑物沉降反应敏感，一定要严密监测，利用监测结果及时调整掏土施工顺序及掏土数量。掏土又可分为钻孔取土、人工直接掏挖和水冲掏土方法。一般砂性土地基采用水冲法较适宜，黏性土及碎卵石地基采用人工掏挖与水冲相结合的办法。一般可在建筑物沉降小的一侧设置若干个沉井，在沉井壁留孔，沉至设计标高后，通过沉井预留孔，将高压水枪伸入基础下进行深层射水，使泥浆流出完成掏土，达到纠斜目的（图 8-16）。若建筑物底面积较大，可在基础底板上钻孔埋套管取土（图 8-17）。取土可采用人工掏土和钻孔取土两种。人工掏土套管深度即为掏土深度，钻孔取土套管深度为开始取土深度,取土深度由钻孔深度决定。

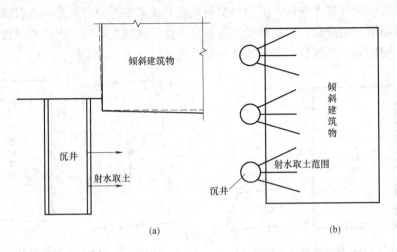

图 8-16　沉井射水取土纠斜示意图
(a) 剖面；(b) 平面

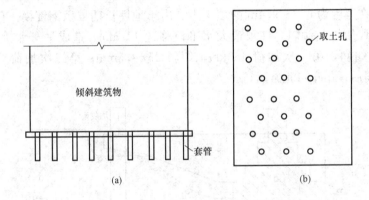

图 8-17　基础底板下钻孔取土纠斜示意图
(a) 剖面；(b) 平面

3. 基础侧地基中掏土纠斜

在建筑物沉降较小的一面外侧地基中设置一排密集的钻孔（图 8-18），在靠近地面处用套管保护，在适当深度通过钻孔取土，使地基土发生侧向位移，增大该侧沉降量，达到纠斜目的。如需要，也可加密钻孔，使之形成深沟。基础外侧地基中掏土纠斜施工过程大致可分为定孔位、钻孔、下套管、掏土、孔内作必要排水和最终拔管回填等阶段。孔位（孔距）按楼房平面形式、倾斜方向和倾斜率、房屋结构特点以及地基土层情况确定。钻孔直径一般采用 $\phi 400mm$，孔深和套管长度根据掏土部位确定。掏土使用大型麻花钻或大锅锥。掏土顺序、深度、次数、间隔时间根据监测资料和倾斜情况分析确定。孔内排水采用潜水泵，通过降水可促进土体倾向移动。拔管也应间隔进行，并及时回填土料。

8.3.2　顶升纠斜技术

顶升纠斜是将建筑物基础和上部结构沿某一特定位置进行分离，在分离区设置若干个支承点，通过安装在支承点的顶升设备，使建筑物沿某一直线（点）作平面转动，使倾斜建筑物得到纠正（图 8-19）。为确保上部分离体的整体性和刚度，采用钢筋混凝土加固，通过分级托换，形成全封闭的顶升支承梁（柱）体系。

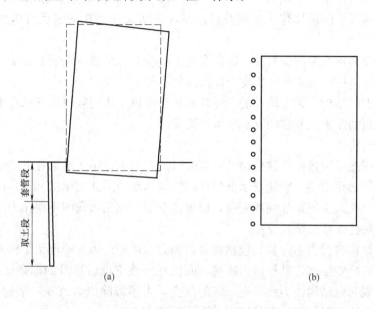

图 8-18 基础侧地基中掏土纠斜示意图
(a) 剖面；(b) 平面

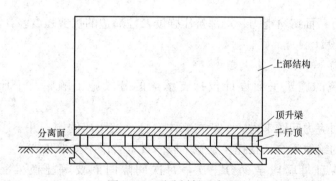

图 8-19 顶升纠斜示意图

对于对不均匀沉降反应敏感，而不均匀沉降又较易产生的工程，如不均质较弱地基上的浮顶式油罐等，在结构设计中，可考虑设置顶升梁及预留安装顶升设备（如千斤顶）位置，在施工阶段和使用阶段，可以通过顶升纠斜，调整罐体各点标高，保证正常使用。

对已倾斜建筑物进行纠斜，需对顶升支承梁体系、施工平面、顶升量和顶升频率进行设计。

1. 结构设计

倾斜建筑物的纠斜是在顶升结构的基础上完成的。要使整幢建筑物靠若干个支点的支撑完成平稳上升转动，除需结构体的整体性比较好外，尚需有一个与上部结构连成一体具有较大刚度及足够承载力的支承体系——加固支承梁（柱）体系。对不同结构类型采用不同的顶升支承梁。

(1) 砌体结构

砌体结构的荷载是通过砌体传递的，根据顶升的技术原理，顶升的砌体结构的受力特点相当于墙梁作用体系，由墙体与支梁组成墙梁，其上部荷载主要通过墙梁下的支座传递。也可将支承梁上的墙体作为无限弹性地基，支承梁作为在支座反力作用下的弹性地基梁。

因支承梁是为顶升专门设置的，因此在施工阶段对支承梁按钢筋混凝土受弯构件进行验算。验算抗弯、抗剪及支承梁支座上原砌体的局部承压能力。

一般根据上部结构重量、墙体的总延长米和千斤顶工作荷载得出支承点平均间距，按相邻三个支承点的距离之和作为支承梁设计跨度。

(2) 框架结构

框架结构荷载是通过框架柱传递的，顶升时顶升力应作用于框架柱下。但要使框架柱能够得到托换，必须增设一个能支承框架柱的结构体系，因此支承梁（柱）体系必须按后增牛腿来设计，为减少框架柱间的变位，增加连系梁，利用增设的牛腿作为托换过程、顶升过程及顶升后柱连接的承托支座。

首先对原结构进行内力计算，包括剪力、轴力、弯矩。因为原框架结构其上部结构本身属一整体的超静定结构，其柱脚为固端，而柱托换施工以后顶升的框架柱脚为自由端，因此计算的结果与原结构内力结果有一定的改变，为了解除内力改变对结构变形的影响，托换前增设连系梁相互拉接，解除柱脚的变位问题。

牛腿是后浇牛腿，存在着新旧混凝土的连接问题，钢筋的布置处理也应考虑这一点。

设计时应进行截面抗弯能力、局部抗压强度及柱周边的抗剪强度验算。

2. 施工平面设计

(1) 砌体结构

砌体结构建筑的施工平面设计包括支承梁的分段施工顺序及千斤顶位置的平面位置。

墙砌体按平面应力问题考虑，一般在墙体内打一定距离的洞，并不影响结构的安全，为了保证托换时的绝对安全，在托换梁施工段内设置若干个支承芯垫。

分段施工应保证每墙段至少分三次，每次间隔时间要等托换梁混凝土强度达到50%后方可进行邻近段的施工，邻近段的施工应满足新旧混凝土的连接及钢筋的搭焊要求。

对门位、窗位同样按连续梁看成封闭的梁系，同样应考虑节点及转角的构造处理。

顶升点的设置一般根据建筑的结构形式、荷载及起动器具、工作荷载来确定。同时考虑结构顶升的受力点进行调整，避开窗洞、门洞及受力薄弱位置。

(2) 框架结构

框架结构施工设计包括托换牛腿的施工顺序及千斤顶的设置。

当消除某钢筋保护层后钢筋混凝土柱在各种荷载组合的情况下，尚能保证其安全，但为了确保安全施工，应控制和柱位相间进行，必要时应设置一道附属措施（如支撑等），同时一旦施工处理完就要立即浇筑钢筋混凝土。

千斤顶的设置一般根据柱荷载及千斤顶的工作荷载来确定，同时考虑牛腿受力的对称性。

3. 顶升量的确定

一般顶升量应包括三个内容：

(1) 建筑物已有不均匀沉降的调整值：

$$h_{1i}=\beta_E L_{Ei}+\beta_N L_{Ni} \tag{8-14}$$

式中 β_N、β_E——分别为建筑物南北向及东西向基础倾斜度；

L_{Ni}、L_{Ei}——计算点 i 到建筑物基点南北向及东西向的距离。

(2) 根据使用功能需要的整体顶升值 h_{2i}。

(3) 地基土剩余不均匀变形测算调整值 h_{3i}。

i 点顶升量 h_i 为：

$$h_i=h_{1i}+h_{2i}+h_{2i} \tag{8-15}$$

4. 顶升频率的确定

顶升的频率应根据建筑物的结构类型以及它所能承受的抵抗变形的能力来确定。顶升次数 n 为：

$$n=\frac{H_{\max}}{\Delta H_{\max}} \tag{8-16}$$

式中 $H_{\max}$——纠斜所需要最大顶升值；

$\Delta H_{\max}$——结构能承受的一次最大顶升量。

在顶升纠斜过程中，若将各支承点平均顶升较大距离，即可整体提高建筑物标高。换句话说，顶升纠斜技术可应用于建筑物的整体顶升。

8.3.3 其他纠斜技术

除加载纠斜、掏土纠斜和顶升纠斜外，还有注浆顶升纠斜、降低地下水位纠斜和湿陷性黄土浸入纠斜等，下面作简要介绍。

1. 注浆顶升纠斜

压密注浆是向地基中注入浓浆，在注浆孔附近形成浆泡。随着注浆压力提高，浆泡对建筑物的上抬力增大。通过合理布置注浆孔，控制各注浆压力和注浆量，可以使建筑物得到顶升，达到纠斜的目的。

注浆顶升纠斜较难定量控制。

2. 降低地下水位促沉纠斜

通过局部区域降低地下水位促沉可得到纠斜效果。降低地下水位促沉往往与其他纠斜技术合用。

3. 湿降性黄土浸水促沉纠斜

对湿陷性黄土地基上建筑物因地基局部浸水湿陷产生不均匀沉降，导致建筑物倾斜的情况，可利用湿陷性黄土遇水湿陷的特性，采用浸水纠斜技术纠斜。采用浸水纠斜与加载纠斜相结合效果更好。

8.3.4 综合纠斜加固技术

在对原有建（构）筑物进行纠斜加固时，有时需要运用多种技术进行纠斜加固。例如在采用顶升纠斜时，往往先进行地基加固。如先采用锚杆静压桩托换，在建筑物沉降稳定后再进行顶升纠斜。又如对地基软土层厚薄不均产生不均匀沉降的建筑物，往往在沉降发生较小的一侧进行掏土促沉，在沉降发生较大的一侧进行地基加固，这样既可达到纠斜的目的，又可通过局部地区地基加固使不均匀沉降不再继续发展。

综合运用多种技术不仅可以取得较好的纠斜加固效果，而且可以取得良好的经济效益。

8.4 防渗堵漏技术

8.4.1 止水帷幕

在地下工程施工中，有时需要在地基中设置止水帷幕。在地基中设置止水帷幕常用下述方法：

1. 深层搅拌水泥土止水帷幕

在软黏土和粉土地基中通过深层搅拌法在地基中设置止水帷幕。一般采用两道相互搭接的水泥搅拌桩组成（图8-20），有时也有采用一道或数道水泥搅拌桩组成，视地基土层渗透系数值和土层性质决定。水泥土渗透系数小，一般为 10^{-8} cm/s 左右。

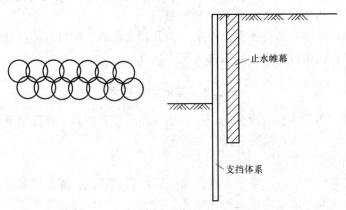

图 8-20 深层搅拌水泥土止水帷幕示意图

2. 高压喷射注浆水泥土止水帷幕

采用深层搅拌法形成止水帷幕有困难时，可采用高压喷射注浆法在地基中形成止水帷幕。高压喷射注浆法作业面小，适用范围广。

3. 素混凝土地下连续墙止水帷幕

在地基中设置素混凝土地下连续墙作为止水帷幕近年来在基坑围护止水体系中得到应用。一般厚度为300mm左右，混凝土采用C15。素混凝土止水帷幕对地基土侧向位移适应性差，当地基水平位移较大时，容易产生裂缝，导致漏水。

在基坑工程施工中，有时要求在基坑底水平方向设置止水层（图8-21），水平方向止水层常采用高压喷射注浆法和深层搅拌法施工，视地基土层条件确定。

止水帷幕深度根据两侧地下水位差和地基土渗透性确定。图8-22中，止水帷幕两侧水头差为 h_1，止水帷幕深度 h 为：

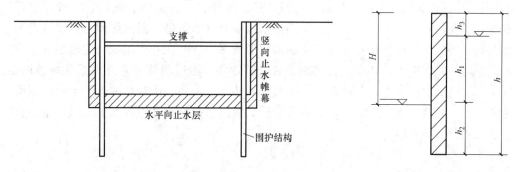

图 8-21 水平方向止水层示意图

图 8-22 止水帷幕深度

$$h = h_1 + h_2 + h_3 = \frac{1}{2} h_1 \left(1 + \frac{K\gamma_w}{\gamma}\right) + h_3 \tag{8-17}$$

式中 h_1——止水帷幕外侧地下水位距基坑底面距离，也等于止水帷幕内外侧水头差；

h_2——止水帷幕伸入基坑底面下深度；

h_3——止水帷幕外侧地下水位距地面距离；

γ_w——水的重度；

γ——土的有效重度；

K——安全系数，一般取 2.0～3.0。

8.4.2 降低地下水位

对不同的工程，降低地下水位有不同的效用。降低地下水位将引起地基中应力的变化。土体固结，可改变地基土层中有效应力分布。图 8-23（a）中，地下水位与地面平，单元 A 竖向有效应力 $\gamma'H$，其中 γ' 为浮重度。图 8-23（b）中，降低地下水位至深度 h，则 A 点土体固结后竖向有效应力为 $(\gamma'H + \gamma_w h)$。地基土体固结将产生竖向压缩，并且土体强度提高，达到提高承载力和减小工后沉降的目的。

降低地下水位可有效减小作用在基坑围护挡墙上的作用力，减小产生管涌的可能性，利于基坑挖土施工。

降低地下水位常采用井点降水。常用井点类型有轻型井点、喷射井点、电渗井点和深井井点等。

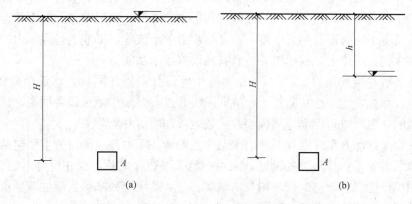

图 8-23 降低地下水位引起的地基中应力变化

轻型井点示意图如图 8-24 所示。轻型井点由过滤管、井点管、阀门、支管、总管等形成管路系统，并与抽水设备连接。常用抽水设备有真空泵型、射流泵型及隔膜泵型配套抽水设备。当抽水设备工作时，在井点系统中形成真空，并在井点周围一定范围内形成真空区。在真空力作用下，井点附近的地下水通过砂井，经过滤管吸入井点系统而被抽走，使井点附近地下水位降低，并使地下水位线呈漏斗状。采用一级轻型井点降水吸抽深度一般为 5～8m，如需要增加降水深度，需要采用二级或多级轻型井点降水。二级轻型井点降水示意图如图 8-25 所示。

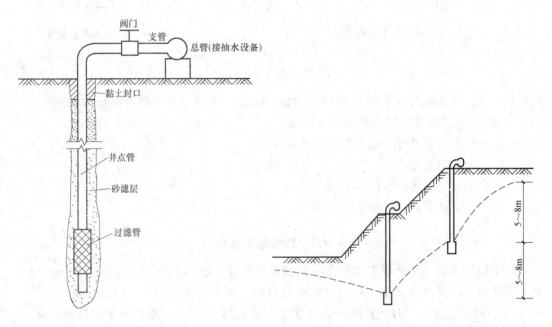

图 8-24 轻型井点示意图　　图 8-25 二级轻型井点降水示意图

喷射井点示意图如图 8-26 所示。喷射井点由高压水泵、供水管、井点管、喷射器、过滤管、混合室、扩散管、回水管、循环水箱等组成。喷射井点是利用高压水泵将水经供水管压入井管内外之间的环形空间内，并经过喷射器两边的侧孔流向喷嘴。由于喷嘴截面突然变小，喷射水流速度很大，一般达 30m/s 以上。在高速喷射流周围形成负压，从而可将地下水和土中气体吸入并带入混合室。混合均匀的水流射向扩散管，并由井点管内管进入回水管于循环水箱。这样可使井点附近地下水位降低。喷射井点与轻型井点不同，它不是靠抽水设备工作时形成的真空度，而是靠喷射的水流能量形成的扬程压力抽水。当动能增大，抽水扬程可增大，故喷射井点具有深层降水的功能。

电渗井点示意图如图 8-27 所示。在地基中埋设井点管作阴极，埋设金属棒作阳极，通以直流电，形成电场。水从附近土中流向阴极井点，并采用抽水设备抽走，达到降低地下水位的目的。也可以采用电渗加轻型井点或电渗加喷射井点降水。

深井井点又分深井泵井点和深井潜水泵井点两种。深井井点的设置主要包括深井的建造、深井水泵的安装和排水管的设置。深井一般采用钻孔成井，成井后再下滤管和井管，并在四周围填过滤层，顶部四周常用黏土填实。井点管灌填砂滤料后应立即抽水洗井，吸走钻孔护壁泥浆，使地下水流入畅通。

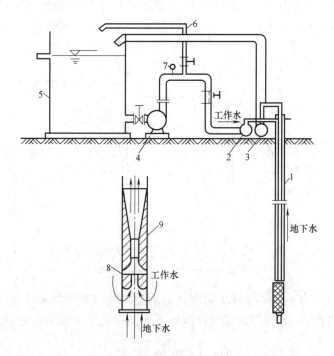

图 8-26 喷射井点示意图
1—井点管；2—给水总管；3—排水总管；4—高压水泵；5—水箱；
6—调压水管；7—压力表；8—喷嘴；9—混合室

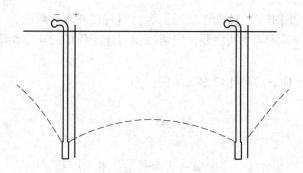

图 8-27 电渗井点降水示意图

降低地下水所用井点类型可根据地基土层渗透性和降低地下水位深度以及周围环境合理选用。常用井点类型适用范围见表 8-1。

井点类型适用范围 表 8-1

井点类型	土层渗透系数(cm/s)	降低水位深度
单(多)层轻型井点	$1.0\times10^{-4}\sim5.0\times10^{-2}$	3~6(6~12)
喷射井点	$1.0\times10^{-4}\sim5.0\times10^{-2}$	8~20
电渗井点	$1.0\times10^{-6}\sim5.0\times10^{-2}$	<6
深井井点	$5.0\times10^{-2}\sim2.5$	>15

降低地下水位有利于地下工程施工,但可能会引起周围建筑物沉降。有时为了减小或不使建筑物地基中地下水位降低,可采用井点抽水和井点回灌相结合,其示意图如图 8-28 所示。

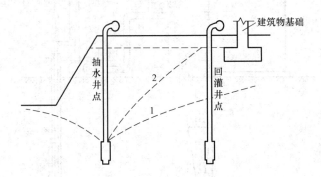

图 8-28 井点抽水和井点回灌相结合示意图
1—不回灌时降水曲线;2—回灌时降水曲线

图 8-28 中曲线 1 为不回灌时降水曲线,邻近建筑物基础下地基中地下水位降低;曲线 2 为回灌时降水曲线,此时邻近建筑物基础下地基中地下水位基本上不变化。

8.4.3 堵 漏 技 术

地下结构或地基中止水帷幕在地下工程施工过程产生漏水,需要堵漏。堵漏方法应视土层条件、地下水位、地下结构或止水帷幕具体情况确定。常用堵漏方法可以分为两类:物理方法和化学方法。

物理方法主要指用木楔、砖头、混凝土等材料封住漏水孔堵漏。

化学方法主要指采用灌浆法堵漏。浆液采用有速凝作用的化学浆液或掺有速凝剂的水泥浆液。

有时同时采用物理方法和化学方法堵漏。

参 考 文 献

[1] 龚晓南. 地基处理新技术. 西安:陕西科学技术出版社,1997.
[2] 龚晓南主编. 地基处理手册(第二版). 北京:中国建筑工业出版社,2000.
[3] 王赫主编. 建筑工程事故处理手册. 北京:中国建筑工业出版社,1994.
[4] 陈希哲. 地基事故与预防. 北京:清华大学出版社,1994.
[5] 国家建委建筑科学研究院地基基础研究所. 地基基础震害调查与抗震分析. 北京:中国建筑工业出版社,1978.
[6] 钱鸿缙等编. 湿陷性黄土地基. 北京:中国建筑工业出版社,1985.
[7] 陈孚华. 膨胀土上的基础. 北京:中国建筑工业出版社,1979.
[8] 徐攸在等. 盐渍土地基. 北京:中国建筑工业出版社,1993.
[9] 江见鲸,陈希哲,崔京浩. 建筑工程事故处理与预防. 北京:中国建材工业出版社,1995.

[10] 童长江,管枫年. 土的冻胀与建筑物冻害防治. 北京:水利电力出版社,1985.

[11] 龚晓南. 复合地基. 杭州:浙江大学出版社,1992.

[12] 叶书麟,韩杰,叶观宝. 地基处理与托换技术. 北京:中国建筑工业出版社,1994.

[13] 林梁. 某楼房倒塌事故的原因分析[J]. 工程质量. 2010(3).

[14] 张新中,邓子辰,武宗良. 某混合结构综合楼整体迁移抬升工程设计[J]. 建筑结构. 2004(09).

[15] 汤文岗,李晓昭,黄慷. 注浆沉降法建筑物纠偏加固机理与关键技术研究[J]. 工程地质学报. 2005(04).

[16] 韩选江. 大型围海造地吹填土地基处理技术原理及应用[M]. 北京:中国建筑工业出版社,2009.

第 3 篇　火灾与燃爆篇

第 9 章　火灾及其对建筑材料和构件的影响

　　火灾对建筑结构的影响说到底是对建筑构件及建筑材料的影响。主动防火设计最主要的手段和措施是选择耐火性能强的材料及由这类材料所组成的构件。因此，本章除论及火灾的严重性和一般规律之外，重点讨论两种主要建筑材料混凝土及钢筋混凝土的高温性能。

9.1　概　　述

9.1.1　火灾的普遍性和严重性

　　火与人类生活和生产密不可分，火的利用是人类文明过程中的重大标志之一，但一旦失控则酿成灾害，世界多种灾害中发生最频繁、影响面最广的首属火灾。

　　据联合国"世界火灾统计中心（WFSC）"近年来不完全统计，全球每年约发生 600 万～700 万起火灾，全球每年死于火灾的人数约有 6.5 万～7.5 万。表 9-1 给出了该统计中心按各大洲分别统计的火灾数字；表 9-2 则是世界几个主要国家在 20 世纪 90 年代中期的火灾统计数字。

世界各大洲火灾情况　　　　　　　　　　　表 9-1

地　区	人口（百万）	火灾起数（百万次/年）	伤亡数（万人/年）
欧洲	695.4	2	22
亚洲	3474.6	1	30
北美	454.2	2.3	6.0
南美	318.6	0.3	2.5
非洲	735.0	0.7	7.5
澳洲	29.7	0.1	0.3
合计	5707.5	6.4	68.3

世界若干主要国家火灾情况　　　　　　　　　　　表 9-2

国　名	人口（百万）	每年火灾次数（千）	每年死亡人数（人）	每千人的火灾次数	每百万人的死亡人数（人）
中　国	1203.0	45	2300	0.04	1.9
印　度	936.5	200	17000	0.21	18.2
美　国	263.8	2000	4600	7.58	17.4
俄罗斯	148.3	300	15000	2.02	101.1
日　本	125.5	58	1900	0.46	15.1
德　国	81.7	215	700	2.63	8.6
英　国	58.3	460	850	7.89	14.6
法　国	58.1	290	600	4.99	10.3
澳大利亚	18.3	80	160	4.37	8.7
爱尔兰	3.6	32	45	8.89	12.5
总　数	2897.1	3680	43155	1.27	14.9

　　注：以 20 世纪 90 年代中期统计数字为准。

根据1999年《中国火灾统计年鉴》披露，从1950～1998年49年间共发生火灾3078150起，死161866人，伤310083人，直接经济损失共人民币168亿4766.2万元。

我国国土面积大、人口多，干旱环境覆盖率高，火灾问题就更为严重，就以发生火灾较少的2001年为例，全国每天平均发生火灾594起，死6.4人，伤10.4人，直接损失385万元。图9-1直观地给出了每日火灾情况图。

我国火灾形势，由于政府重视，干预能力较强，单从统计数字上看，相对一些发达国家似乎稍好些（见表9-2），但我国社会公众消防安全素质低，城市公共消防设施建设滞后，以及消防装备和警力严重不足。表9-3显示北京、天津、上海每万人口装备的消防车辆不足0.2，而纽约巴黎却都超过1。表9-4则进一步显示我国由于消防站太少，每消防站服务的居民数高达50万之巨，而德国和法国分别为2000和5000多人。这个差距实在太大了，这些因素提醒我们，我国的火灾形势是丝毫不能乐观的。

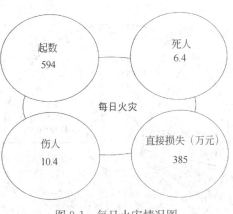

图9-1 每日火灾情况图

世界各主要城市消防装备情况对比情况　　　　　　　　　　　　表9-3

城市	人口数(万)	消防车辆(辆)	消防车辆/每万人口
北 京	1057	193	0.18
天 津	890	139	0.16
上 海	1295	248	0.19
香 港	650	596	0.92
纽 约	800	867	1.08
伦 敦	750	599	0.80
东 京	1135	1189	1.05
巴 黎	650	741	1.14

注：表中为20世纪90年代中期统计的数据。

我国与部分国家消防实力对照情况　　　　　　　　　　　　　表9-4

国　家	人口(万)	专职消防员		每名消防员服务公民数	消防站(局)数	每消防站服务公民数
		人数	占人口比例（万分比）			
中国(2000年)	126583	114927	0.91	11014	2493	507754
美国(1997年)	26100	275700	11	946	30665	8511
英国(90年代初)	5757	40299	7	2423	1929	29844
德国(90年代初)	7900	26100	3	3026	32000	2469
法国(90年代初)	5570	29810	5	1868	11086	5024
日本(1998年)	12454	150626	12	826	3224	38629
俄罗斯(90年代初)	14776	225000	15	657		
韩国(1997年)	4406	23177	5	1900	671	65663

9.1.2 火灾有规律可循

导致火灾的原因很多，归纳起来不外乎电气事故、违反操作规程、生活用火不慎、自燃及人为放火等原因。图 9-2 和图 9-3 给出了 1994 年火因起数和火因损失统计图，可以看出因电气设施及生活用火不慎占的比例最高。历年的统计都反映这个规律，图 9-4 是 2001 年火灾原因比例图，仍然是电气和用火不慎酿成的火灾最多，可见控制电气和用火不慎是降低火灾的关键环节。如果我们仔细对比图 9-2 和图 9-4，我们会发现 2001 年较 1994 年因违章操作引发的火灾是明显减少了。

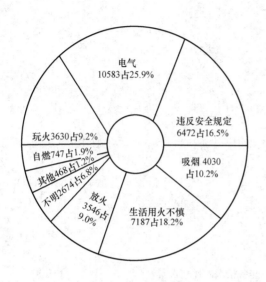

图 9-2　火灾原因起数统计图
（1994 年）单位：起数

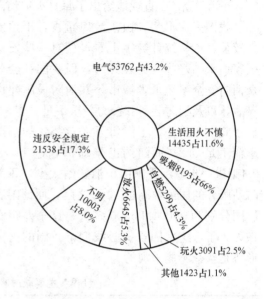

图 9-3　火灾原因损失统计图
（1994 年）单位：万元人民币

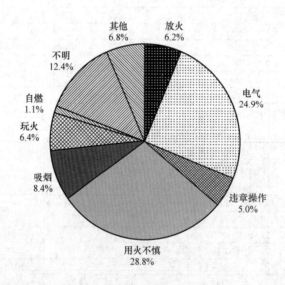

图 9-4　2001 年火灾原因比例图

火灾与季节和时间有着密切关系，以中国所处的地域为例，一年 12 个月由 11 月至第二年的 5 月气温比较干燥容易引发火灾，而 6 月至 10 月气候湿润、降水量大，火灾就相对少些。图 9-5 是 2001 年 12 个月的火灾情况趋势图。

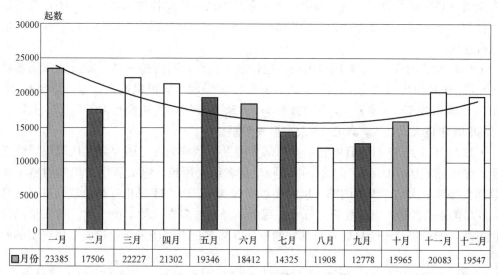

图 9-5 2001 年火灾起数分月趋势图

9.1.3 火灾事故举例

1. 国外实例

• 1972 年 5 月 13 日，日本大阪市千日百货大楼，由于电气施工人员边工作边吸烟，引发大火，又没有及时报警（起火后 37min 才报警），大火持续 40h，烧毁建筑面积 8763m²，死亡 117 人，受伤 82 人，是日本 20 世纪以来受灾最大的一起大楼火灾。

• 1973 年 11 月 28 日，日本熊本市太平洋百货商店，由于违章乱堆放纸箱，在第二层和第三层楼梯间堆放的纸箱处起火，起火时正值下午 1:30 左右，大楼内约有顾客 1400 人，浓烟烈火弥漫空中，导致 103 人死亡，119 人受伤。

• 1974 年 2 月 1 日，巴西圣保罗焦马大楼发生大火。起源于一办公室窗式空调器电线短路，火势发展很快。尽管出动了 12 辆消防车，3 辆云梯车紧急扑救，仍造成了极大损失，死亡 179 人，伤 300 人，该楼 12～25 层的全部室内陈设、家具、文档烧毁一空，按当时估计损失 300 余万元。

• 1979 年 7 月 12 日，西班牙萨拉戈萨市罗那阿罗肯旅馆发生重大火灾。这一天早晨，地下室餐厅厨房内准备为旅客油炸早点食物，由于油锅内的油过热引起燃烧，扩及整个厨房、地下室直至第一、第二层餐厅，又由于报警不及时，火势蔓延造成重大损失，死亡 85 人，餐厅及部分客房烧毁。

• 1980 年 11 月 21 日，美国内华达州拉斯维加斯市的米高梅（M.G.M）大旅馆发生重大火灾，起因于餐厅南墙的电气线路短路，旅馆内住有 5000 多旅客，且正值深夜，起火后楼内乱成一片，人们穿着睡衣到处呼救，许多人涌向顶层平台，等待直升机营救，该市出动消防警员 500 多名奋力抢救，大火扑灭后统计：死 84 人，伤 679 人，许多贵重陈设物品全部烧毁。这次火灾是美国历史上大饭店起火仅次于 1946 年的佐治亚州亚特兰大市的文考夫旅馆火灾（死 119 人）后又一重大火灾，曾引起新闻界普遍关注。

• 1982 年 2 月 8 日，日本东京赤坂闹市区的新日本饭店发生重大火灾。起因于一位房客酗酒后躺在床上吸烟，点燃被褥所致。东京消防厅出动各种消防车120辆，直升机两架，扑救9个小时，才基本扑灭。死亡32人，伤34人，失踪30多人，其中有的人最终也没有找到。

- 1984年1月14日，韩国釜山市一旅馆发生大火，起因是一名男雇员违章用塑料管向正在燃烧的煤油炉上加油，引发起火，而且伴随爆燃火势很快扩大。釜山市出动26辆泵车，20辆水罐车，8步云梯，5辆救护车，5架直升机，消防警和治安警733人，经过2个多小时才将大火扑灭，死亡38人，损失惨重。
- 1984年9月17日，日本自民党总部大楼发生严重火灾，熊熊大火从第三层烧至第八层，受灾面积达6500m²。起火是由不同政见者纵火所致，纵火者用火焰喷射器于晚上向总部大楼喷射火焰。大楼内第三层的人事局放有1984年11月份选举总裁的重要文件和200多万党员的名册，以及数千万日元的现金，经警方多方抢救幸免于难。这次虽然没有死亡事故，但由于是火烧自民党总部，约有300多名记者到场采访，造成了极严重的政治影响。
- 1984年12月17日，西班牙马德里一家迪斯科夜总会舞台幕布不慎引燃导致大火，持续数小时，死亡80多人，损失惨重。
- 1985年5月11日，英国布拉特福德市足球场，由于儿童玩弄火柴导致看台起火，大火持续7个多小时，使这个约有3500多个座位的足球场全部烧毁，烧死52人，烧伤200多人，火灾轰动英伦三岛，当时的英国首相撒切尔夫人特地到电视台讲话向受难者慰问。
- 2001年10月25日，瑞士阿尔卑斯山区隧道发生车祸引发大火，死亡20人，由于大火导致顶部塌落以致给消防人员投入灭火带来较大困难。
- 2002年，全球因恐怖事件爆炸起火的事件层出不穷。它已超出了一般意义上的火灾，但在火灾分类上亦属于人为破坏纵火的范畴，比较典型的有10月12日巴厘岛连续三起爆炸并同时引发大火导致200多人死亡；10月27日俄罗斯车臣政府大厦爆炸起火，死55人，伤72人。

2. 国内实例

我国的情况，由于国民的文化素质及工业水平所限，火灾事故较一般发达国家往往还要严重些，但政府比较重视，抢救比较及时，可在一定程度上减少或弥补一些灾后损失，下面给出一些我国火灾的实例：

- 1975年11月25日，辽宁省姑嫂城大队俱乐部，俱乐部后侧长期堆放炸药，因点火吸烟，引发炸药轰燃起火。观众相互拥挤，惊恐万状，烧死、踩死共150多人，烧伤60多人。
- 1983年12月28日，北京友谊宾馆大剧场发生火灾，大火延续3个多小时，烧毁了3000m²的剧场舞台，观众厅及全部音响等器材，损失200多万元人民币，起因于电铃线圈绝缘老化，长时间通电过热引发起火，所幸起火是在剧场闭幕后晚上10时多，未造成人员伤亡。
- 1985年4月19日，哈尔滨天鹅饭店大火，起因于一位美国商人酒后卧床吸烟，引燃床罩所致，烧毁房间12间，死亡10人，其中有外籍客人6人，受伤7人，经济损失25万元人民币。事后外籍肇事者被判刑1年零6个月，赔偿部分损失15万元人民币。

- 1986年9月18日，正值中秋节，上海南京路上的二轻局贸易中心大楼，由于电线接头松动打火引燃造成大火，大火映红了半边天。上海市调集40多辆消防车，600多名消防指战员投入灭火战斗，时任上海市市长的江泽民亲临现场，部署指挥，发表了重要指示："隐患险于明火，防患重于救灾，责任重于泰山"。这个指示已成为我国消防部门的指导性纲领。

- 1987年5月6日～6月2日，爆发了震撼全国的大兴安岭特大森林大火，起因于野外吸烟和割灌机打火。大火持续长达一个月，过火面积101万km^2（公顷），其中有林面积70万km^2，烧死193人，伤226人，直接经济损失5亿2千多万元人民币，大火对生态环境的影响，则无法用经济价值来衡量。

- 1989年8月12日，黄岛油库雷击爆炸起火，大火烧毁原油4万多吨，毁坏民房4000m^2，毁坏路面20000m^2，水域污染，使大批水生动物死亡。大火期间国务院总理李鹏亲临现场视察火情，慰问参战人员，这场恶性大火，14名消防干警献出了宝贵的生命。

- 1993年2月14日，唐山林西百货大楼发生特大火灾，起因于无证焊工违章电焊，火花落在海绵床垫上引起大火，死亡79人，伤53人，直接经济损失400多万元人民币。

- 1993年8月5日，深圳清水河化学危险品仓库爆炸引发了一起震惊全国的特大火灾，死亡15人，受伤800多人，深圳市一位公安局副局长在现场指挥，不幸被炸身亡，以身殉职。直接经济损失2亿多元人民币。

- 1994年是我国新中国成立以来火灾最严重的一年，如6月16日，广东珠海市合资企业前山纺织城因在车间内储存大量厚棉、工人违章操作引起大火造成93人死亡，156人伤残，直接经济损失9500万元人民币；11月5日，吉林市博物馆内的银都夜总会因纵火发生火灾，烧死2人，烧毁博物馆的建筑6800m^2，文物若干，包括7000万年前的恐龙化石一具，直接损失670万元人民币；11月27日，辽宁省阜新市艺苑歌舞厅因舞客玩火引起火灾，造成233人死亡，20人伤残；12月8日新疆维吾尔自治区克拉玛依市友谊宾馆因电气烤燃幕布引起大火，造成325人死亡，130人伤残，且多数为少年优秀中小学生，直接经济损失220万元，这起火灾是新中国成立以来死亡人数占第二位的恶性大火，朝野上下为之震动。

- 1995年4月24日，新疆乌鲁木齐市凤凰时装城录像厅电器起火，死52人，伤6人，直接经济损失42万元。

- 1997年1月5日，黑龙江哈尔滨市长林子打火机厂，因违章操作引发大火，死93人，伤15人，直接经济损失4.1万元。

- 2000年3月29日，河南省焦作市天堂音像俱乐部因录像厅电器起火，死74人、伤2人，直接损失20万元；同年12月25日，河南洛阳市东都商厦一歌厅因电焊违章操作引发大火，死309人，伤7人，直接经济损失275万元。

- 2002年6月16日，北京海淀区学院路20号石油研究院内28号楼西侧一幢2层楼房的第2层兰极速网吧发生大火，火因是由于两个中学生与网吧经营者发生纠纷后报复纵火，死24人，伤13人，烧毁电脑100多台。这是新中国成立后北京死亡人数最多的一次恶性大火。

- 2014年1月11日云南省香格里拉县独克宗古城发生大火，烧毁房屋242栋，转移受灾群众2600余人。虽无人员伤亡但一个举世闻名的香格里拉古城被大火毁于一旦，损失难以估计。

从上面的例子可以看出,火灾不仅在各种灾害中频率高而且损失惨重,正因为如此,几乎每一个国家都设有官方的消防机构,除应付各种原因的突发火灾以外,还开展关于预防与抢救的研究,不断提高消防灭火水平。从表9-3、表9-4披露的数据来看,我国健全、发展和完善消防事业是迫在眉睫的。

9.2 建筑火灾的基本知识

9.2.1 建筑火灾的发生、蔓延及其影响制约关系

火灾是一个燃烧过程,要经过发生、蔓延和充分燃烧各个阶段,火灾的严重性主要取决于持续时间和温度,而这两者又受建筑类型(建筑布置、洞口大小、房间尺寸等)、燃烧荷载(可燃物分布、种类数量)及通风情况等诸多因素的影响。

对于建筑火灾来说,室内燃烧荷载的多少和洞口的大小是两个最重要的因素,Kordina给出了这两个因素对燃烧过程的试验曲线,见图9-6。

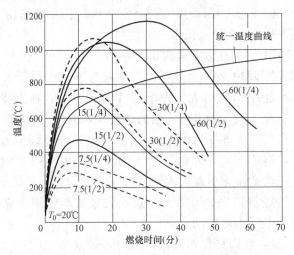

图 9-6 燃烧荷载和房间洞口对燃烧过程的影响
燃烧荷载为 7.5,15,30 和 60kg/m² 木材
洞口面积为墙体面积的 1/2 和 1/4

控制和改善影响燃烧的各个因素是建筑防火设计首先要考虑的问题,当然也包括一旦发生火灾后的灭火能力和及时地扑救。图9-7给出了火灾严重程度及其制约关系,它总体上概括了防火设计的主要思想。

9.2.2 标准加温曲线及建筑材料与建筑构件的耐火性能

某一结构构件在受火时,随着温度的升高和持续时间的加长,构件的力学性能下降到不足以承受设计规定的荷载,这时可以认为构件已不能正常工作了。为了统一,国际标准化组织(ISO)规定了国际通用的标准加温曲线,如图9-8所示。这条曲线是根据大量火灾现场观测以及试验室试验的理论曲线,用于表达现场火灾发展情况,统一国际试验标准

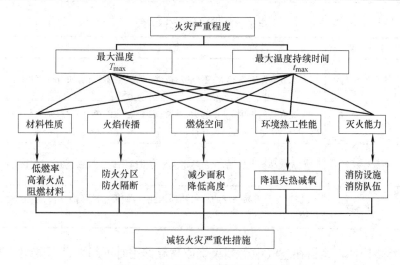

图 9-7 火灾严重程度制约关系表

的加温与时间函数关系。从图上看出是一条幂函数曲线，用回归理论，表达成对数函数关系，可写成公式如下：

$$T - T_0 = 345\log(8t+1) \quad (9-1)$$

式中 T_0——初始温度（℃）。计算时一般取平均温度 20℃；

T——时间为 t 时，构件承受的温度值（℃）；

t——时间（min）。

不同的建筑材料有着不同的耐火性能，表 9-5 给出了几种主要建筑材料的耐火性能，是在试验室理想化条件下测定的。

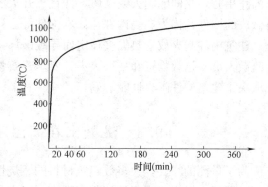

图 9-8 标准时间-温度曲线

建设部门宏观上将建筑材料按其燃烧性能粗分为四类，列于表 9-6。

对于建筑构件一般分为三类：第一类是非燃烧构件；第二类是难燃烧构件；第三类是燃烧构件。

几种主要建筑材料的耐火性能　　　　表 9-5

种　类		耐火温度（℃）及表征	备　注
岩　石		600~900 热裂	
黏 土 砖		800~900 遇水剥落	
钢　材		300~400 强度开始迅速下降 600 丧失承载力	
混凝土	花岗岩骨料	550 热裂	增大保护层可延长耐火时间
	石灰石骨料	700 热裂	
钢筋混凝土		300~400 钢筋与混凝土黏着力破坏	
硅酸盐砖		300~400 热裂，释放 CO_2	
木　材		100 释放可燃气，240~270 一点即着， 400 自燃	
玻　璃		700~800 软化，900~950 熔解	玻璃受窗框限制常常 250℃ 即热裂

建筑材料燃烧性能分类表　　　　　表 9-6

类别	名称	简单描述
A	不燃性材料	火烧或高温下不起火、不燃、不微燃、不隐燃、不炭化，如石材、混凝土、金属
B_1	难燃性材料	火烧或高温作用下，难起火、难燃、难微燃、难隐燃、火源移走燃烧可立即停止，如水泥、木屑板及许多无机复合材料
B_2	可燃性材料	火烧或高温下烧燃，火苗移走大都可继续燃烧。如三合板、杉木板等有机材料
B_3	易燃性材料	凡较 B_2 类更易燃烧的材料均列入此级，如聚苯乙烯泡沫板、厚度不大于 1.3mm 木板等

所谓非燃烧构件，系指在空气中受到火烧或高温作用时不起火、不微燃、不碳化的材料，用这种材料做成的构件称非燃烧构件，如钢筋混凝土、加气混凝土等构件。所谓难燃烧构件，系指在空气中受到火烧或高温作用难于起火、难于炭化的材料做成的构件，称为难燃烧构件，如经过防火处理的木材、刨花板等。所谓燃烧构件，系指在空气中受到火或高温作用时，立即能起火或微燃，并且离开火源后仍能继续燃烧或微燃的材料，用这种材料做成的构件，称为燃烧构件，如木构件等。

建筑构件起火或受热失去稳定而导致破坏，能使建筑物倒塌，造成人身伤亡。为了安全疏散人员，抢救物资和扑灭火灾，要求建筑物具有一定的耐火能力。建筑物的耐火能力又取决于建筑构件耐火性能的好坏。

9.3 混凝土在高温下的物理力学性能

为了量测的需要，大多数建筑材料的燃烧性能的试验是在试验室条件下用电高温加热而不是用明火燃烧来实现的，判定的序列标准是温度而不是火苗传播、形状等参数。这样做的目的不仅是为了便于量测和控制，更主要的温度是燃烧的主要参数，对建筑材料尤其如此。

混凝土是以水泥胶凝材料和粗、细骨料适当配合，加水后经一定时间硬化而成的非匀质材料，为固、液、气三相结合结构。这些材料本身的热工和力学性能，在高温下会发生明显的变化，从而影响混凝土的抗火性能。

9.3.1 混凝土的热工性能

混凝土的热工性能主要表现为热传导系数、热膨胀系数、热容以及质量密度等四个参数。

1. 热传导系数

混凝土的热传导系数是指单位温度梯度下通过单位面积等温面的热流速度，单位为 $W/(m·℃)$。它主要受骨料种类、含水量、混凝土配合比等因素的影响。许多学者对这些因素进行了试验研究，得到了比较一致的结论。

随着温度的提高，混凝土的热传导系数近似线性减小。不同类型骨料的混凝土，其热传导系数可相差一倍以上。当温度小于100℃时，混凝土的热传导系数主要受材料含水量的影响，而后随着温度的提高，自由水分的不断蒸发，其影响越来越小。所以，在事故高温下和承受较高温度辐射的钢筋混凝土结构中，混凝土的热传导系数一般不考虑水分的影响。此外，当混凝土加热至预定温度后降温时，热传导系数不仅没有恢复（增大），反而继续减小。

2. 热膨胀系数

热膨胀系数是指温度升高1度时物体单位长度的伸长量，单位为1/℃。它和热传导系数是影响混凝土力学性能的主要因素。

自由试件在升温时产生热膨胀的主要原因是，当温度低于300℃时，混凝土的固相物质和空隙间气体受热膨胀；当温度高于400℃后，又因水泥水化生成的氢氧化钙脱水，未水化的水泥颗粒和粗细骨料中的石英成分形成晶体而产生巨大膨胀。

3. 热容

热容是指温度升高1度时单位质量的物体所需要的热量，单位为J/(kg·℃)。虽然混凝土的热容受其骨料种类、配合比和水分的影响，但这些影响都不大。

4. 质量密度

质量密度是指单位体积的物体质量，单位为"kg/m^3"。

由于加温过程中水分的蒸发，混凝土的质量密度在受热过程中有所降低。轻骨料混凝土质量密度的减少比一般混凝土的大些，但总的来说还是很小的。

9.3.2 混凝土过火后表面特征

在实用上过火后的混凝土建筑根据它的表面特征可以大致计算它的过火温度，对于决定修复方案有着重要的实用价值。

用普通水泥（P）、矿渣水泥（K）、火山灰水泥（H）制成标准混凝土试块，模拟实际火灾升温曲线对试块进行灼烧试验，试验结果见表9-7。

混凝土外观变化与温度的关系　　　　　　表 9-7

加热时间(min)	最高温度(℃)	普通水泥(P) 颜色	普通水泥(P) 外形变化	矿渣水泥(K) 颜色	矿渣水泥(K) 外形变化	火山灰水泥(H) 颜色	火山灰水泥(H) 外形变化
不加热	15	浅灰	无	深灰	无	浅粉红	无
10	658	微红	无	红	无	红	无
20	761	粉红	无	粉	无	粉红	无
30	822	灰红	无	深灰白	无	橙	无
40~60	925	灰白黄	表面有裂纹，放置不粉化，角有脱落	灰白	与普通水泥相同	灰红白	与普通水泥相同
70~80	968	浅黄白	裂纹加大，放置时角脱落	浅黄	与普通水泥相同	浅黄	与普通水泥相同
90以上	1000以上	浅黄	粉化，各面脱落	浅黄	与普通水泥相同	浅黄	与普通水泥相同

试验表明：三种水泥制成的混凝土试块受热后颜色都会发生改变。三种水泥颜色变化规律与加热时间大体是相同的，都是随着加热时间的增长、温度的升高，颜色由红→粉红→灰→浅黄这条规律变化。

试验还表明，混凝土在不受外力作用下，当加热时间不足50min（温度低于898℃），试块外形基本完好，只有四角稍有脱落；当加热时间持续到60min（温度925℃），边角开始粉化脱落；70min（温度948℃），混凝土各面开始粉化；80min（温度968℃），表面的粉化深度5～8mm；90min（温度986℃），表面粉化深度8～10mm；100min（温度1002℃），表面粉化深度10～12mm；120min（温度1029℃），表面粉化深度12～15mm。从混凝土表面裂纹大小也可以判断被烧温度的变化。

9.3.3 混凝土在高温下的抗压强度

1. 抗压强度

高温下混凝土立方体的抗压强度，国内外已进行过大量的试验研究。

影响混凝土抗压强度的因素较多，比较一致的结论有：

（1）当温度在350℃以下，混凝土的抗压强度与常温时抗压强度值差别不大，破坏形态与常温下的试件也没有太大的差别；当温度大于350℃以后，抗压强度明显下降，破坏形态也明显变化，上下两端的裂缝和边角缺损现象开始出现，并随温度的提高而渐趋严重；当温度达到900℃时，混凝土的抗压强度几乎不到常温下的10%。

（2）混凝土的强度越高，其抗压强度的损失幅度越大。

（3）升降温后的残余抗压强度比高温时的还要低，原因是冷却过程中试件内部的裂缝又有发展。

（4）随着水灰比的增大，混凝土的高温抗压强度将降低。

（5）高温持续下的混凝土抗压强度的下降大部分在第二天内就出现，温度越高，下降幅度越大，至第七天后抗压强度趋向稳定。

（6）混凝土龄期对高温下抗压强度影响较小。

（7）试验温度较低（≤600℃）时，加热慢的试件比加热快的试件的强度低，但超过600℃以后，升温速率对强度没有影响。

混凝土的抗压强度随温度的升高而逐渐降低，见图9-9 在实验的基础上众多的学者分别给出了高温下混凝土立方体抗压强度与温度之间的回归关系式。

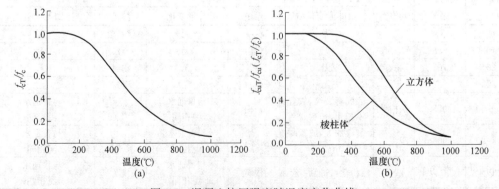

图9-9 混凝土抗压强度随温度变化曲线
(a) 混凝土棱柱体强度与温度关系；(b) 高温下混凝土立方体强度和棱柱体强度与温度关系比较

世界主要工业发达国家还在有关设计规程中给出了各自的混凝土设计强度随温度变化的模型作为参考，我国过镇海等根据自己的试验结果给出了高温下混凝土立方体抗压强度的模型见图 9-10，并建议高温时的抗压强度公式统一为：

$$f_{\mathrm{cuT}} = \frac{f_{\mathrm{cu}}}{1 + 2.4(T-20)^6 \times 10^{-17}} \tag{9-2}$$

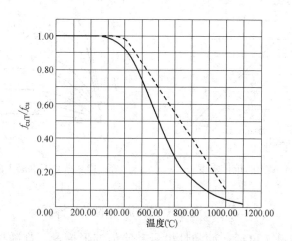

图 9-10 高温时混凝土抗压强度

2. 持续高温下的抗压强度 (f_{cuTL})

工程中常遇到结构处于长期持续高温工作，延续时间以天计，但所谓高温一般也都不超过 300℃。将试件加温至设定温度（100℃和 300℃两种）后，保持长期高温，按规定的时间取出试件进行高温强度试验，并将持续高温下抗压强度 f_{cuTL} 与常温下抗压强度 f_{cu} 的比值作为纵坐标，如图 9-10 所示，进而给出持续高温下混凝土抗压强度极限值的计算公式如下：

$$f_{\mathrm{cuTL}} = \frac{0.8 f_{\mathrm{cu}}}{1 + 2.4(T-20)^6 \times 10^{-17}} \tag{9-3}$$

9.3.4 混凝土在高温下的抗拉强度和应力应变关系

高温下混凝土抗拉强度的试验一般都采用立方体和圆柱体试件的劈拉试验方法。结论是混凝土的抗拉强度随温度的升高而单调下降，但试验结果离散较大。

高温下混凝土的抗拉强度随温度的提高而线性下降，试验结果表明，在 100~300℃ 范围内混凝土的抗拉强度下降缓慢，超过 400℃ 后则剧烈下降，此外，由于升温过程中水分的蒸发、内部微裂缝的形成，高温下混凝土的抗拉强度比抗压强度损失要大。

试验结果显示，混凝土的抗拉强度随温度的升高呈直线下降，如图 9-11 所示，并建议按如下公式计算：

$$f_{\mathrm{tT}} = (1.0 - 0.001 \times T) \times f_{\mathrm{t}} \quad 20℃ \leqslant T \leqslant 1000℃ \tag{9-4}$$

式中 f_{tT}——高温下混凝土的抗拉强度；

f_{t}——常温下（20℃）混凝土的抗拉强度。

混凝土在高温下应力-应变曲线随温度而变化，温度越高曲线峰值越低，直至平缓，如图 9-12 所示。这符合人们的认识规律，不需详述。

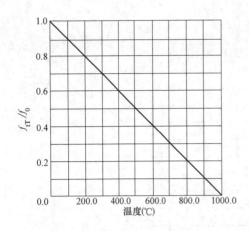

图 9-11 高温时混凝土的抗拉强度

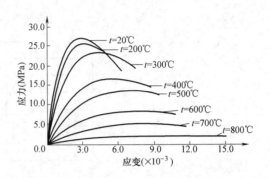

图 9-12 高温下混凝土的应力-应变全曲线

9.3.5 混凝土在高温下的弹性模量

混凝土的弹性模量，包括初始弹性模量和峰值变形模量，都随试验温度的升高而降低，与下面的一些因素有密切关系。

(1) 骨料种类对混凝土弹性模量的影响较大，膨胀黏土骨料的弹性模量最小，其余依次为石英石、石灰石和硅化物骨料。

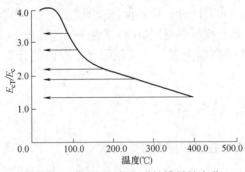

图 9-13 高温下混凝土弹性模量的变化

(2) 混凝土的水灰比越高，弹性模量降低越多。

(3) 湿养护的混凝土比空气中养护的混凝土弹性模量损失多。

(4) 高强混凝土的弹性模量比低强混凝土受温度的影响小。

由于高温下混凝土内部损伤在降温时不可恢复，因此，降温过程中，弹性模量基本不变，呈一水平直线状态。图 9-13 给出了高温下混凝土弹性模量的变化，其中 E_c 和 E_{cT} 分别表示常温下和高温下混凝土的初始弹性模量。

初始弹性模量和峰值变形模量，它们随温度的变化可用一直线方程表示如下。

$$E_{cT}/E_c = E_{pT}/E_p = (0.83 \sim 0.00117)T \quad 60℃ \leqslant T \leqslant 700℃ \tag{9-5}$$

式中　E_{cT}——高温下混凝土的初始弹性模量；
　　　E_c——常温下混凝土的初始弹性模量；
　　　E_{pT}——高温下混凝土的峰值变形模量；
　　　E_p——常温下混凝土的峰值变形模量。

9.4 钢材在高温下的物理力学性能

近几年来，我国建筑钢结构处于新中国成立以来最好的一个发展时期，钢结构正从高层钢结构（包括住宅）、大跨度空间钢结构、轻型钢结构三个方面，在建筑工程中发挥独特作用。

（1）从1996年开始，我国钢产量超过1亿t，居世界之首。2012年底公布的数字更高达16亿t。这是发展我国钢结构的主要物质基础。

（2）我国《国家建筑钢结构产业"十五"计划和2015年发展规划纲要（草案）》提出了大力推广应用钢结构，对钢结构产业的发展制定了方向。

（3）空间结构几乎都是钢结构，我国号称"网架王国"。

（4）1994年前，我国超过100m高的高层建筑（超高层）152幢，其中只有9幢采用钢结构或钢-混结构，高层建筑钢结构近年来发展很迅速。已建成的最高的达420m（金茂大厦共88层，高420.5m，单体建筑面积29万m^2）。

（5）轻钢结构是近十年来发展最快的领域，在美国采用轻型钢结构占非住宅建筑投资的50%以上。我国，目前已经有多种低层、多层和高层的设计方案和实例。因其可做到大跨度、大空间，分隔使用灵活，而且具有施工速度快、抗震有利的特点，必将对我国传统的住宅结构模式产生较大冲击。

9.4.1 钢材的热工性能

不仅仅是钢结构，而且对于钢筋混凝土构件来说，高温下钢材的热延伸可以高于、等于或低于包裹它的混凝土的膨胀值，导致构件不同的破坏方式，因此了解高温下钢材的热工性能是很重要的。概括起来有下述四点：

1. 其在高温下强度降低非常快，在建筑物钢结构中普遍使用的普通低碳钢温度超过350℃，强度开始大幅度降低，在350℃、500℃、600℃时强度可分别降低1/3、1/2、2/3左右。

2. 钢材导热率大；$\lambda=37.5W/(mK)$，易于传递热量，使构件内部升温很快。钢材的导热率约为混凝土的40倍，在一般情况下，一个空间起火且无外来干涉，大约燃烧7min，就可以达到500℃的高温。

3. 在高温环境下钢材塑性变形大，易于产生变形。在450～650℃温度中钢结构失去静态稳定性，在800～1000℃，钢结构很快发生塑性变形，失去承载力，导致事故。

4. 比热小：$C=520J/(kg·℃)$。钢构件由单一材料组成，温度分布均匀，截面面积较小，热容量小，呈薄壁状，受火面积大，升温快。因此钢结构必须采取防火保护措施。

9.4.2 钢材过火后的表观特征和金相变化

与混凝土一样，钢材过火后表观颜色和金相晶粒将发生变化，并可据此推断过火温度。颜色可直接用肉眼观测，后者只需表面磨平在显微镜下观测即可。表9-8给出了钢材表观颜色与温度的关系，表9-9则给出了结构钢晶度折减系数。利用这两个表可以较快地判定钢结构的过火温度。此外，火灾后还可从现场残留的现象来推测火灾时的最高温度，如过火温度在200～300℃时，钢结构表面的油漆层被破坏；温度在300～500℃时，钢构件会翘曲；玻璃在700℃时可软化，而超过800℃则产生熔化现象。

不同的过火温度与钢材的表观颜色　　　　　　　　　　　表9-8

温度	250℃	330℃	400℃	500℃
表观颜色	与常温相同	深蓝色→浅	蓝色→深蓝	灰黑色
温度	600℃	700℃	800℃	900℃
表观颜色	黑色	浅灰色	灰白色	灰白色

不同过火温度钢材晶粒度折减系数　　　　　　　　表 9-9

温度(℃)	≤550	600	650	700
晶粒度折减系数	1	0.989	0.989	0.989
温度(℃)	750	800	850	900
晶粒度折减系数	0.948	0.906	0.885	0.865

9.4.3 钢材高温下的弹性模量

钢筋的弹性模量随温度的升高而不断降低，在 20～1000℃ 范围内可以近似地用两个方程来表述，600℃ 是这两个方程的分界线：

当温度在 20～600℃ 范围时：

$$\frac{E_T}{E} = 1.0 + \frac{T}{2000\ln\left(\dfrac{T}{1100}\right)} \tag{9-6}$$

当温度在 600～1000℃ 范围时：

$$\frac{E_T}{E} = \frac{600 - 0.69T}{T - 53.5} \tag{9-7}$$

图 9-14 给出了弹性模量随温度的变化曲线。

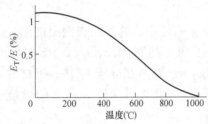

图 9-14　弹性模量与温度关系曲线

9.4.4 钢材在高温下本构关系及抗拉强度

对于普通热轧钢筋，当温度小于 300℃ 时，其屈服强度降低不到 10%；而当温度升高到 600℃ 时，其屈服强度不足常温时的 50%，屈服台阶亦随温度的升高逐渐消失。对于冷拔钢丝或钢绞线，当受火温度达到 200℃ 时，其极限强度的降低就更明显；在温度达到 450℃ 时，极限强度只有常温时的 40% 左右。对于高强合金钢筋，在 200～300℃ 之间，强度反而有所上升，随后同冷拔钢筋呈同一趋势下降，见图 9-15。

我国改革开放之后钢产量日益增多，就产量而论雄居世界之首，但众多钢厂生产的钢种和质量悬殊。因此，我国建筑用钢的标准虽经反复修订，似乎仍不尽如人意，比较一致的认识是在全负荷的情况下失去静态平衡稳定性的临界温度为 500℃ 左右。一般在 300～400℃ 时，其强度开始迅速下降。到 500℃ 左右，其强度下降到 40%～50%，钢材的力学性能，诸如屈服点、抗压强度、弹性模量以及荷载能力等都迅速下降。图 9-16 及图 9-17 分别是我国常用钢材在不同温度下的应力-应变关系及 f_{yT}/f_y、E_T/E 值随温度变化的曲线。

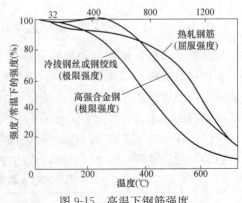

图 9-15　高温下钢筋强度

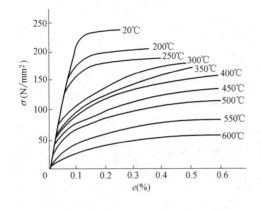

图 9-16 不同温度下钢材的应力-应变曲线

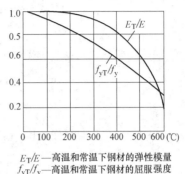

E_T/E——高温和常温下钢材的弹性模量
f_{yT}/f_y——高温和常温下钢材的屈服强度

图 9-17 f_{yT}/f_y、E_T/E 随温度的变化

9.4.5 高强硬钢的高温性能

用于预应力的钢材大都是高强硬钢，这种钢往往无明显的屈服台阶，高温下的性能与一般钢材不同，图 9-18 给出了这种钢材随温度升高强度下降的趋势，图中纵坐标 $\phi_s = \dfrac{\sigma_{ST}}{\sigma_s}$ 代表高温下的强度与常温下强度之比，是个无量纲值。由图中可看出，高强硬钢较具有明显屈服台阶的软钢对高温更为敏感，温度超过 175℃ 之后，强度急剧下降；温度达到 500℃ 时则降至常温强度的 30%；温度达到 750℃ 则完全丧失工作能力，无任何强度可言。一般来说，预应力构件耐火性能要低于普通混凝土构件，其原因除上述硬钢对温度比较敏感以外，还因为在高温下预应力极易损失，使构件难以正常工作。如对于强度为 600MPa 的低碳冷拔钢丝当温度升高至 300℃ 时，其预应力几乎全部丧失。

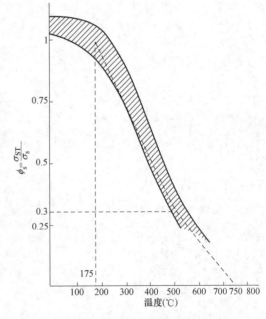

图 9-18 高强硬钢高温特性

9.4.6 高温下钢筋与混凝土的粘结强度

钢筋与混凝土的粘结强度反映钢筋与混凝土在界面的相互作用的能力，通过这种作用来传递两者的应力和协调变形。它的大小对构件的裂缝、变形和承载能力有直接的影响，高温下钢筋与混凝土粘结强度如图 9-19 所示，从图中可以看出，高温下混凝土与钢筋粘结强度的损失与钢筋品种、表面形状和锈蚀程度有关，光面钢筋在高温下的粘结强度损失最大。和混凝土的抗压强度相比，粘结强度的损失要大得多。

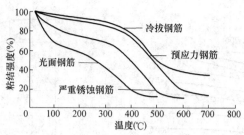

图 9-19 高温下钢筋与混凝土的粘结强度

第 10 章 火灾事故预防与防火设计

10.1 概　　述

10.1.1 防火的综合性

防火是一个内容十分广泛的概念，应理解为关于防止火灾发生和蔓延而采取的多种精神方面和物质方面的措施。图 10-1 用分类框图的形式给出了防火综合性所包含的主要内容。

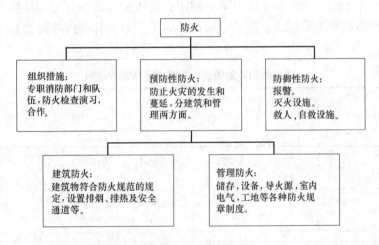

图 10-1　防火综合性框图

对建筑工程技术人员来说，最重要的是预防性防火，其中又以建筑防火与建筑设计关系最大。主要措施是：

（1）防止火灾发生（设计上使用不燃性或难燃性建筑材料，给出管理性防火规章制度和措施）；

（2）防止火灾蔓延（保证足够的防火措施，设置防火墙、防火门）；

（3）及时报警和灭火（安装火灾报警器、自动灭火装置）；

（4）发生火灾时的扑救（为消防设置消火栓、消防车循环通道、救护通道、楼梯间、消防巷道等）。

建筑防火应理解为在建造房屋时为防止或限制火灾以及一旦失火保持房屋的稳定性所采取的一切必要措施。经验表明，建筑防火是防止在建筑物中火灾蔓延的一种特别有效的手段。为此各国都有自己的建筑防火规范，我国由住房城乡建设部负责。随着时代的发展和认识水平的提高，《建筑设计防火规范》不断完善与修订。除建筑以外，在防火方面我国还有许多专用规范。如化工厂房、石油炼厂等均应遵循有关的专用规范进行消防设计。

10.1.2 耐火等级与燃烧性能和耐火极限

建筑物的耐火等级一般按功能区分，如高层民用建筑、高层工业建筑，超过1200个座位的剧院、电影院、会堂、体育馆，占地面积超过 $1200m^2$ 的商场、火车站、粮仓、电视塔等均列入一、二级耐火等级的建筑物；而五层以下木结构屋顶的民用建筑，可采用三级耐火等级；临时建筑、木结构建筑则多为四级耐火等级。具体划入何种等级要由使用部门、设计部门及消防部门，根据建筑的功能及重要程度来确定。

建筑物的耐火等级决定于构件物体的燃烧性能和耐火极限。所谓耐火极限，即按规定的火灾升温曲线，对建筑构件进行耐火试验，从受到火的作用时起，到失掉支撑能力或发生穿透裂缝或背火一面温度升高到220℃为止的时间，这段时间称为耐火极限，用小时（h）表示。请读者注意，耐火极限是按三个条件来界定的。

其中把发生穿透裂缝和背火面温度升高到220℃作为界限，主要是因为这样的温度已经能够使靠近构件背面的纤维制品自燃。上述三个条件只要达到任何一个条件，就可认为该构件达到了耐火极限。表10-1给出了不同耐火等级的建筑各有关构件的燃烧性能和耐火极限。图10-2则更为形象地表达了建筑构件对不同耐火等级的建筑物其耐火极限的限值是不同的。

建筑物构件的燃烧物体的性能和耐火极限　　　　　表 10-1

构件名称		一级	二级	三级	四级
墙	防火墙	非燃烧体 4.00	非燃烧体 4.00	非燃烧体 4.00	非燃烧体 4.00
	承重墙、楼梯间、电梯井的墙	非燃烧体 3.00	非燃烧体 2.50	非燃烧体 2.50	非燃烧体 0.50
	非承重外墙，疏散走道两侧的隔墙	非燃烧体 1.00	非燃烧体 1.00	非燃烧体 0.50	难燃烧体 0.25
	房间隔墙	非燃烧体 0.75	非燃烧体 0.50	难燃烧体 0.50	难燃烧体 0.25
柱	支承多层的柱	非燃烧体 3.00	非燃烧体 2.50	非燃烧体 2.50	难燃烧体 0.50
	支承单层的柱	非燃烧体 2.50	非燃烧体 2.00	非燃烧体 2.00	燃烧体
梁		非燃烧体 2.00	非燃烧体 1.50	非燃烧体 1.00	难燃烧体 0.50
楼板		非燃烧体 1.50	非燃烧体 1.00	非燃烧体 0.50	难燃烧体 0.25
层顶承重构件		非燃烧体 1.50	非燃烧体 0.50	燃烧体	燃烧体

10.1 概述

续表

燃烧性能和耐火极限(h) 构件名称	耐火等级	一级	二级	三级	四级
疏散楼梯		非燃烧体 1.50	非燃烧体 1.00	非燃烧体 1.00	燃烧体
吊顶(包括吊顶搁栅)		非燃烧体 0.25	难燃烧体 0.25	难燃烧体 0.15	燃烧体

注：耐火等级由高至低分别为一级、二级、三级、四级。
1. 以木柱承重且以非燃烧材料作为墙体的建筑物，其耐火等级应按四级确定；
2. 高层工业建筑的预制钢筋混凝土装配式结构，其节点缝隙或金属承重构件节点的外露部位，应做防火保护层，其耐火极限不应低于本表相应构件的规定；
3. 二级耐火等级的建筑物吊顶，如采用非燃烧体时，其耐火极限不限；
4. 在二级耐火等级的建筑中，面积不超过100m² 的房间隔墙，如执行本表的规定有困难时，可采用耐火极限不低于 0.3h 的非燃烧体；
5. 一、二级耐火等级民用建筑疏散走道两侧的隔墙，按本表规定执行有困难时，可采用 0.75h 非燃烧体。

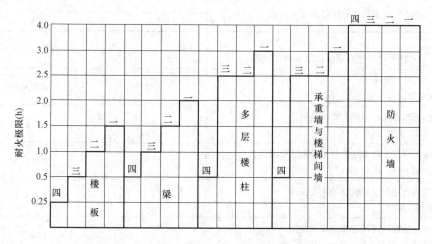

图 10-2 不同耐火等级、不同构件所需耐火极限
图中数字（一、二、三、四）为建筑物耐火等级

世界各国大体都用这种方法来建立不同建筑等级与构件的耐火极限的关系。表 10-2～表 10-4 分别给出了苏联、美国、日本三个国家的情况，确定各构件的燃烧小时的依据是统计的结果。需要注意的是，苏联是将建筑物耐火等级划分为 5 级的，而美国将建筑物分为耐火 3h 和耐火 2h 两种级别。而日本则用建筑的层数来界定。但对构件的耐火极限都是用小时来表示的。

建筑物耐火等级分类表（苏联） 表 10-2

燃烧性能和最低耐火极限(h) 建筑物构件的名称	建筑物的耐火等级	一级	二级	三级	四级	五级
承重墙、自承重墙、楼梯间墙、柱		非燃烧体 3.00	非燃烧体 2.50	难燃烧体 2.00	难燃烧体 0.50	燃烧体 —

续表

燃烧性能和最低耐火极限(h) \ 建筑物构件的名称	建筑物的耐火等级 一级	二级	三级	四级	五级
楼板及顶棚	非燃烧体 1.50	非燃烧体 1.00	难燃烧体 0.75	难燃烧体 0.25	燃烧体
无闷顶的屋顶	非燃烧体 1.00	非燃烧体 0.25	燃烧体 —	燃烧体 —	燃烧体 —
骨架墙的填充材料和墙板	非燃烧体 1.00	非燃烧体 0.25	非燃烧体 0.25	难燃烧体 0.25	燃烧体 —
间隔墙(不承重)	非燃烧体 1.00	非燃烧体 0.25	难燃烧体 0.25	难燃烧体 0.25	燃烧体 —
防火墙	非燃烧体 4.00	非燃烧体 4.00	非燃烧体 4.00	非燃烧体 4.00	非燃烧体 4.00

建筑物的抗火要求表（美国） 表10-3

用小时来表达各种构件的抗火性能	分级 3h	2h
承重墙（在受到火的作用下这种墙和隔板必须是相当稳定的）	4	3
非承重墙（墙上有电线穿过或作为居住房间的墙）	非燃烧体	非燃烧体
支承一层楼板或单独屋顶的主要承重构件（包括柱、主梁、次梁、屋架）	3	2
支承二层及二层以上楼板或单独屋顶的主要承重构件（包括柱、主梁、次梁、屋架）	4	3
不影响建筑物稳定的支承楼板的次要构件（如次梁、楼板、搁栅）	3	2
不影响建筑物稳定的支承层面的次要构件（如次梁、屋面板、檩条）	2	1.5
封闭楼梯间的壁板和穿过楼板孔洞的四周壁板	2	2（在某种情况下此壁板可为1h的非燃烧体）

日本在建筑标准法规中关于耐火结构方面的规定 表10-4

建筑的层数（上部的层数）	房盖	梁	楼板	柱	非承重的外墙 有延烧危险的部分	其他部分	承重墙	间隔墙
4以内	0.5	1	1	1	1	0.5	1	1
5~14	0.5	2	2	2	1	0.5	2	2
15以上	0.5	3	2	3	1	0.5	2	2

注：表内数字单位为h。

表10-5列出了我国几个大城市火灾延续时间的统计数，可以看出，90%以上的火灾其延续时间都在2h之内，考虑一定的安全系数，故防火墙这类等级最高的隔火构件，其耐火极限规定为4h。

火灾延续时间所占比例　　　　　　　　　　表 10-5

地 区	连续统计年份	火灾次数	延续时间在 2h 以下的占火灾总数的百分比（%）
北 京	8	2353	95.10
上 海	5	1035	92.90
沈 阳	16		97.20
天 津	12 （天津前 8 年与后 4 年不连续）		95.00

建筑物的耐火等级是由所选用的建筑构件的耐火极限来体现的，而一个建筑物由梁、板、柱等许多构件组成。如何确定不同耐火等级的建筑各构件的耐火极限，通用的方法是以楼板为标准首先确定楼板的耐火极限，其余构件，以其重要程度，在楼板的基础上给予增减。我国一级耐火建筑的楼板的耐火极限规定为 1.5h，二级耐火建筑的楼板的耐火极限为 1h，三、四级耐火建筑则分别为 0.5h 和 0.25h。支承柱、承重墙、楼梯间墙其重要程度高于楼板，故其耐火极限在一级耐火建筑中规定为 3h，在二、三级耐火建筑中规定为 2h，其余构件则基本上按这个思路类推，见表 10-6。

不同耐火等级下不同构件的耐火极限（h）　　　　　表 10-6

构 件	与楼板比较重要程度	耐 火 等 级			
		一	二	三	四
楼板	（标准值）	1.5	1.0	0.5	0.25
支承单层柱	重要	2.5	2.0	2.0	
支承多层柱	更重要	3.0	2.5	2.5	0.5
防火墙	最重要	4.0	4.0	4.0	4.0

10.2　防火分隔与疏散

防火设计最重要的原则或者说是两个基本要求，就是分隔和疏散。分隔以杜绝火势蔓延；疏散以减少伤亡和损失。

10.2.1　分　　隔

火势的蔓延和传播，一般是通过可燃构件的直接燃烧、热传导、热辐射和热对流几种途径，减少火势的蔓延自然应设法阻断这些途径，最常用也是最有效的手段之一，就是分隔。

我国建筑设计防火规范中规定有明确的防火间距，建筑之间拉开距离本身就是一种分隔。表 10-7 和表 10-8 分别给出了民用建筑和厂房建筑的防火间距，一般情况下耐火等级高者其间距小些。需要说明的是该两表根据建筑布局的不同要求，允许有适当增减，但幅度都不超过 2～35m。

有的建筑是不能或没有必要拉开距离的，则采用构件进行分隔。

用于分隔的构件，有防火墙、防火门、防火卷帘等，视建筑的不同等级和部位选择不同的分隔构件。

民用建筑的防火间距　　　表 10-7

防火间距(m)＼耐火等级 耐火等级	一、二级	三级	四级
一、二级	6	7	9
三级	7	8	10
四级	9	10	12

厂房的防火间距　　　表 10-8

防火间距(m)＼耐火等级 耐火等级	一、二级	三级	四级
一、二级	10	12	14
三级	12	14	16
四级	14	16	18

1. 防火墙

这是最常用的防火分隔构件，不同的建筑防火等级，均有着在一定长度内设置防火墙的规定，如一、二级耐火等级的建筑，考虑到其耐火极限大些，防火墙之间的距离可规定为150m，而三级耐火建筑则规定为100m；防火墙设置除与长度有关以外，还与两防火墙之间包容的面积有关，一、二级建筑规定为2500m²，三级建筑则为1200m²。另外防火墙是防火的重要隔断构件，其耐火极限要求最高，规定为4h，要选用良好的耐火材料，必要时外包阻燃材料，以保证足以承受4h的持续燃烧时间。

2. 防火门

为了保证防火墙的效能，在防火墙上最好不开门，但建筑功能的需要，有时又不得不开门，而且常常不是开一道门，因而需要在开门处加设防火门。防火门既要防火，又要便于开启和使用，其耐火极限如像防火墙那样规定为4h势必做得十分笨重，不便使用，故一般规定为1.2h，如用于楼梯间及单元住宅的防火门，其耐火极限还可放宽至0.6～0.9h。通常双层木板外包镀锌铁皮、总厚度为41mm的防火门，其耐火极限即可达到1～1.2h。

3. 防火卷帘

采用扣环或铰接的办法，将一些特殊的异形钢板条连接起来，形同竹帘，可以卷起，设置在需要隔断的位置上，起火时把它垂落，以阻断火势。按所用钢板条的厚度不同，卷帘又分轻重两种，轻型卷帘钢板厚0.5～0.6mm；重型卷帘钢板厚1.5～1.6mm。用于防火墙的卷帘多采用重型，一般楼梯间等处则可采用轻型。

10.2.2 疏　　散

一旦发生火灾，合理而迅速的疏散，是减少人员伤亡，降低损失的重要措施之一，特别对公共建物，尤其重要。

安全疏散设计方法就是通过使建筑物在满足安全疏散的基本条件下进行设计的一种方法。安全疏散设计方法程序如图10-3所示。

建筑物发生火灾后，人员能否安全疏散主要取决于两个时间，一是火灾发展到对人构成危险所需的时间 T_{fire}，一是人员疏散到安全场所需要的时间 $T_{evacuate}$。如果人员能在火灾达到危险状态之前全部疏散到安全区域，便可认为该建筑对于火灾中人员疏散是安全的。

1. 允许时间

人员疏散并不是伴随着火灾的发生而进行的，一般来说它要经过以下三个时间段：

(1) 意识到有火情发生。火灾发生后，产生的烟气、火光或温度自动启动火灾探测报

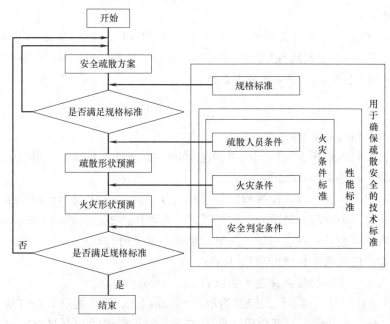

图 10-3 安全疏散设计方法程序

警,使人知道有异常情况发生。这段时间记为 T_{det}(简写 T_d)。

(2)火灾确认与制定行动决策。人员意识到有火情时,一般并不急于疏散,而是首先通过获取信息进一步确定是否真的发生了火灾,然后采取相应的行动,比如:火灾扑救、等待求救、疏散。人员在疏散之前的这段时间称为:$T_{response}$(简写 T_r)。

(3)开始疏散直到结束。人员从疏散开始走出房间、通过走道、楼梯间、安全出口到达安全区域这段时间称为:T_{travel}(简写 T_t)。

从火灾发生到人员全部疏散为止,总的疏散时间为:$T_{evacuate}$(简写 T_e)。

$$T_e = T_d + T_r + T_t$$

人员安全疏散的评价标准:

$$T_{fire} > T_e = T_d + T_r + T_t$$

在建筑物中每个可能受到火灾威胁的区域都应满足该式。且从此式可以看出 T_{fire} 越大,则人员安全性越大;反之,安全性越小,甚至不能安全疏散。因此,为了提高安全度,就要通过疏散设计和消防管理来缩短从疏散开始到疏散行动所需时间,同时延长危险状态发生的时间。

起火后要提供人员疏散的时间,这个时间是很短的,它是根据起火后足以导致人员无法自由行动来大致推定的,如烟气中毒、高热、缺氧等均可使人员丧失意识而不能逃离现场。据统计资料分析,我国规定对一、二级耐火等级的公共建筑,允许疏散时间为6min,三、四级耐火等的建筑物,则仅为2~4min。

2. 安全出口

安全出口在设计上最重要的两项指标,一个是距离;一个是数量和宽度。这两个指标均应服从允许疏散时间的要求,即人员逃向安全出口和从安全出口挤出火灾建筑,必须在允许时间完成。

(1) 距离

据统计和实测，人员密集时，平地疏散速度为 22m/min，坡道和下楼梯的速度 15m/min，一般室内人员逃离现场要经过房间、走道、楼梯三个区段，即在允许时间内完成上述几个区段的位移，亦即应满足关系式：

$$t = t_1 + \frac{l_1}{v_1} + \frac{l_2}{v_2} \leqslant 允许疏散时间 \tag{10-1}$$

式中　t——建筑物内总疏散时间（min）；

　　　t_1——自房间内最远点到房间门的疏散时间，据统计人数少时可采用 0.25min，人数多时可采用 0.7min；

　　　l_1——从房门口到出口或楼梯间的走道的长度（m），亦代表介于两个楼梯间的走道长度，考虑起火时，一个楼梯间入口被堵住，故走道取两个楼梯间全长；

　　　v_1——人群在走道上疏散速度，人员密集时，可采用 22m/min；

　　　l_2——多层楼梯水平长度的总和（m）；

　　　v_2——人群下楼时的疏散速度，可取为 15m/min。

该公式具体计算时，对一、二级建筑取 $t=6$min，三、四级建筑取 $t=2\sim4$min。如某集体宿舍，二级防火等级，层高六层，假定走道、门及楼梯间均有足够宽度，不影响疏散，求自室内到楼梯门的最大长度。

按式（10-1）取 $t=6$min，$t_1=0.25$min，$v_1=22$m/min。$l_2=22.5$m（每层一个楼梯段，6 层共 5 个楼梯段，每梯段长 3m，共长 15m；每平台转弯长 1.5m，共 $5\times1.5=7.5$m，两者之和 $15+7.5=22.5$m），$v_2=15$m/min 代入式（10-1）可以算出从房门口到出口的长度为：

$$l_1 = v_1\left(t - t_1 - \frac{l_2}{v_2}\right) = 22\left(6 - 0.25 - \frac{22.5}{15}\right) = 93.5\text{m}$$

显然这个距离太大了，所以该公式的计算结果往往偏于危险，只能作为参考，实际情况要复杂的多，从设计人员的方便出发我国防火规范中给出了不同类型建筑的安全疏散距离，见表 10-9。

安全疏散距离　　　　　　　　　　表 10-9

名　称	房门至外部出口或封闭楼梯间的最大距离(m)					
	位于两个外部出口或楼梯间之间的房间			位于袋形走道两侧或尽端的房间		
	耐火等级			耐火等级		
	一、二级	三级	四级	一、二级	三级	四级
托儿所、幼儿园	25	20	—	20	15	—
医院、疗养院	35	30	—	20	15	—
学　校	35	30	—	22	20	—
其他民用建筑	40	35	25	22	20	15

注：1. 敞开式外廊建筑的房间门至外部出口或楼梯间的最大距离可按本表增加 5.00m；

　　2. 设有自动喷水灭火系统的建筑物，其安全疏散距离可按本表规定增加 25%。

(2) 数量和宽度

一般建筑物，特别是公共建筑物，其安全出口数量不得少于两个。

宽度的确定方法，一般先求出"百人宽度指标" D_h 然后再根据具体建筑功能进行调

整,百人宽度指标(D_h)计算公式如下:

$$D_h = \frac{Nb}{At} \quad (10\text{-}2)$$

式中　N——疏散总人数;

　　　t——允许疏散时间(min);

　　　A——单股人流的通过能力,一般平地取 40 人/min,楼梯和坡道取 33 人/min;

　　　b——单股人流宽(m),空身单人流宽可取 0.6m。

如某三级耐火建筑,($t=2$min)疏散 100 人,平地,空身疏散:

$$D_h = \frac{100 \times 0.6}{40 \times 2} = 0.75\text{m}$$

不同功能、不同耐火等级的建筑,其百人指标有不同要求,如人数在 1200 人及 1200 人以下的一、二级耐火建筑的影剧院,在走道及平地处取 $D_h=0.65$m,在楼梯处取 0.75m,据此,则该剧院走道的总宽度应为:总人数/100×0.65=7.80m,楼梯总宽应为:总人数/100×0.75=9.10m。按此计算,可考虑设置 3 条宽度为 2.50m 的走廊和 3 个 3m 宽的楼梯。这个计算是一个参考值,具体设计时可参照下面给出的表格,见表 10-10~表 10-12。

影剧院观众厅疏散宽度指标　　表 10-10

宽度指标 (m/百人) 疏散部位	观众厅座位数(个) 耐火等级	≤2500 一、二级	≤1200 三级
门和走道	平坡地面	0.65	0.85
门和走道	阶梯地面	0.75	1.00
楼　梯		0.75	1.00

注:有等场需要的入场门,不应作为观众的疏散门。

体育馆观众厅疏散宽度指标　　表 10-11

宽度指标 (m/百人) 疏散部位	观众厅座位数(个) 耐火等级	3000~5000 一、二级	5001~10000 一、二级	10001~20000 一、二级
门和走道	平坡地面	0.43	0.37	0.32
门和走道	阶梯地面	0.50	0.43	0.37
楼　梯		0.50	0.43	0.37

注:表中较大座位数档次按规定指标计算出来的疏散总宽度,不应小于相邻较小座位数档次按其最多座位数计算出来的疏散总宽度。

3. 为顺利疏散创造条件

起火后人员疏散都是在很紧张、很拥挤甚至很混乱的情况下进行的,必须有一系列引导保证措施,如楼梯和楼梯间要有保护墙,楼梯不宜过窄,亦不宜过宽,过宽则中间应加设扶手栏杆,出入口及拐角处要设指示灯及疏散标志等。

学校商店候车室楼梯门和走道的宽度指标　　表 10-12

宽度指标(m/百人) 层数	耐火等级 一、二级	三级	四级
一、二层	0.65	0.75	1.00
三层	0.75	1.00	—
>四层	1.00	1.25	—

注:1. 每层疏散楼梯的总宽度应按本表规定计算,当每层人数不等时,其总宽度可分层计算,下层楼梯的总宽度按其上层人数最多一层的人数计算;

2. 每层疏散门和走道的总宽度应按本表规定计算;

3. 底层外门的总宽度应按该层或该层以上人数最多的一层人数计算,不供楼上人员疏散的外门,可按本层人数计算。

10.3 防雷设计

10.3.1 建筑物防雷的重要性及其特点

1. 雷击起火的严重性

雷击历来是一个引发火灾的因素，历史上尤其严重。北京故宫博物院内，明、清两代就发生过 25 次大火。所谓火烧金銮殿就有两次，明永乐 19 年（1421 年），因雷击起火，太和殿、中和殿、保和殿毁于火中；明嘉靖 36 年（1557 年），因雷击起火，从三大殿到午门的三殿、二楼、十五门全部毁于火中。1987 年黑龙江发生了两次森林大火，其中一次就是由雷击造成的。1989 年 8 月 2 日山东黄岛油库的大火也是雷击所致，大火烧毁油罐 5 座，造成 19 人死亡，70 余人受伤，直接经济损失 3000 余万元，间接经济损失数千万元。

无论是多高层民用建筑，还是大型公共建筑，防雷设计都是必须的，更不要说像电视塔、纪念性堂馆等重要建筑了。

我国在很早以前就有关于避雷装置的记载，如古建筑物上的风室铜顶和锡背层就是防雷的需要。新中国成立后北京中山公园音乐堂和十三陵长陵被雷击后，北京市对一些重要的古建筑大多补加了防雷装置。

2. 雷击有规律可循

雷击有一定的规律性，王时煦等统计了 1954～1984 年的雷击事故，发现雷击在靠近河湖池沼和潮湿的地区者占 23.5%，大树、旗杆、杉槁受击者占 15%，烟囱、收音机天线、电视天线及稻田和良好土壤交界的地区占 10%（见表 10-13）；从建筑物的部位来看，雷击又容易发生在建筑物的突出部位，见表 10-14～表 10-16。

根据地区性质和被击物体的特征分析雷击事故　　　　表 10-13

序 号	雷击地区、部位及被击物体	受雷击次数	事故比例
1	靠近河湖池沼及内部潮湿的建筑物	27	23.5%
2	烟囱及雨落管	11	10%
3	金属屋顶及屋顶上的金属物体	4	3.5%
4	大树、旗杆、杉槁	17	15%
5	收音机天线及电视天线	11	10%
6	广场及地面	3	2.5%
7	棉花垛、草垛、皮革垛	4	3.5%
8	火球及侧击	9	8%
9	有避雷针的建筑物被雷击	6	5%
10	建筑物和空旷、大田地区交界	12	10%
11	雷电感应(不包括电力线路)	6	5%
12	其　他	5	4%
	总　计	115	100%

注：本表根据 1954～1984 年的调查资料。

根据建筑物被击部位分析雷击规律　　　　　　　　　　表 10-14

被击建筑物部位	房角或兽头	房　脊	房檐或女儿墙	坡顶或平顶	总　　计
受雷击次数	20	12	9	3	44
事故比例	45.5%	27%	20.5%	7%	100%

注：本表为 1954~1984 年的统计数字。

平屋顶建筑物四周女儿墙用避雷带保护的试验结果　　　　表 10-15

雷　击　部　位	雷　击　次　数	雷　击　率（%）
屋　　角	860	85
女儿墙	180	15
屋面（雷击事故率）		0

注：雷击事故率是指打在建筑物上的次数与放电总次数之比，即：

$$雷击事故率 = \frac{击中建筑物次数}{放电总次数}$$

坡屋顶建筑物用避雷针重点保护的试验结果　　　　　　表 10-16

雷　击　部　位	正 极 性 放 电		负 极 性 放 电	
	雷击次数	%	雷击次数	%
屋角（有避雷针保护）	704	70.0	314	62.8
屋脊（部分保护）	1	0.1	0	0
屋檐（没有保护）	0	0	0	0
檐角（没有保护）	6	0.6	36	7.2
地　　面	299	29.3	150	30.0
合　　计	1010	100.0	500	100.0
雷击事故率（%）		0.7		7.2

据统计，1954~1998 年在北京地区雷击事故共有 170 多处，其中，因雷击引起火灾的占 37.7%，导致人员死亡的占 6.9%，致伤的占 15.4%，球雷雷击事故占 13.7%。该文归纳了 15 条雷击规律：

（1）河、湖、池、沼旁边的建筑物易受雷击

如 1961 年 6 月 21 日颐和园昆明湖东边的文昌阁被雷击掉西房角及坡顶瓦，内部电线被烧断；1988 年 8 月 6 日通县永乐店草厂乡黄厂村北部湖边的民房落球雷，击死 1 人。

（2）古河道上的建筑物和河流的桥上构筑物易受雷击

如紫禁城内 1954~1992 年共落雷 16 次，据文献记载，明、清两代共发生过 25 次火灾，其中写明为雷击所致的有 5 次，未说明原因的也可能是雷击所致。1988 年 8 月 30 日卢沟桥中部北侧石狮子的头被击掉。

（3）在潮湿地区以及过去是苇塘或坑洼地带的区域上建造的建筑物易受雷击

如 1957 年 7 月 31 日陶然亭地区某公司工棚（该处过去是苇塘）的收音机天线落雷；1965 年 7 月 22 日北郊土冷库（即内装冰块以贮藏食物的平房）的老虎窗被雷电击中起火。

（4）在四周大片土壤电阻率高，中间局部土壤电阻率低的环境中或在高、低电阻率分界之处建造的建筑物易受雷击

如 1981 年 8 月 2 日八里庄善家坟公安局仓库西墙外大树落雷，雷电入室打碎 5 个电

警棍盒，盒内33根电警棍被烧。而该仓库的西南两面均为稻田。

（5）局部漏雨或局部房角新修缮且十分潮湿的建筑物易受雷击

如1957年7月6日十三陵长陵祾恩殿落雷，劈掉西部吻兽，劈裂两根大楠木柱子，死1人，伤3人（当时该殿西部房角刚刚修缮且很潮湿）。

（6）突出高或孤立的建筑物易受雷击

如1957年7月29日原朝阳门北部的吻兽被雷击掉，据十三陵当地农民说，十三陵大多数的明楼或正殿均被雷击过（明楼和正殿都属高而孤立的建筑物）。

（7）曾经遭受过雷击的地区和建筑物容易受雷击

如1956年、1957年7月8日和1957年8月16日北京鼓楼东部吻兽曾三次被雷击。

（8）金属屋顶易受雷击

如1957年7月8日原民航局礼堂的铁皮屋顶被雷击裂3处，顶内明配线被烧成3段；1988年8月6日北京火车站东北角出租汽车站的铝合金房顶落雷。

（9）收音机天线、电视共用天线易受雷击

如1986年10月13日左家庄柳芳东里的居民楼电视共用天线遭受雷击；1992年8月3日和平里民旺胡同的居民楼电视共用天线也遭受雷击。

（10）地下管线多或管线交叉处易落雷

如1963年8月4日天安门广场旗杆西侧（现人行过街地道的西南出口）一位老妇被雷击倒（该处地下敷设的管线较多且是转角处）。

（11）铁路沿线和终端易受雷击

如1965年7月22日东郊百子湾棉花仓库室外堆场靠近铁路终端的一个棉花垛被雷击中燃烧；1984年8月6日东郊百子湾物资局储运公司水泥库外铁路西侧站台上的水泥袋落雷，烧焦约20个水泥袋的纸边。

（12）山区泉眼、风口或地下有金属矿床的地方易受雷击

如1985年6月18日西山下马岭水电站室外构架进出线的主线落雷，烧焦母线2处，每处约长1～3m。

（13）高大的烟囱和工厂的排气管最易接闪和雷击

如1957年8月16日朝外门诊部的烟囱被雷击裂；1979年4月8日东郊宋家庄化工三厂的室外化工设备构架上的两个排气管同时接闪并点燃。

（14）高大的树木和屋顶旗杆容易落雷

如1982年8月16日北京钓鱼台迎宾馆内两处大树落球雷，一面木板墙被烧毁，另一处打倒一位警卫战士；1967年6月11日前门劝业场屋顶木旗杆被雷击坏；1993年8月19日日坛公园西北角一棵大树被雷劈掉树杈，树干也被劈裂。

（15）北京地区总的落雷走向

北京地区的落雷走向是：西山→八里庄→紫禁城→朝阳门→宋家庄→百子湾→通县，这些地方多数是古河道或地下水线。

以上这些雷击规律虽是北京地区的，但颇具普遍性，因而对防雷、防火很有参考价值。

10.3.2 不同建筑物的防雷构造和要求

1. 防雷装置及注意事项

防雷装置分三个部分,接闪器(即通常可以看到的避雷针)、引下线和接地体(见图10-4)。

避雷针有一定的保护范围,保护范围的大小与避雷针的长短有关,表10-17给出了几个国家关于避雷针保护范围的规定。图10-5 形象地给出了几种在避雷设计中容易误解的情况,应引起注意。

2. 不同建筑物防雷构造及要求

(1) 对于钢筋混凝土结构要尽量利用其中的钢筋作为防雷装置的一部分,如构成楼板内的暗装防雷网,通过柱子等引入地下,见图10-6~图10-8。

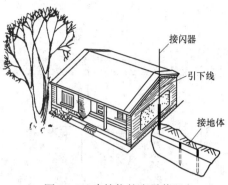

图10-4 建筑物的防雷装置

雷电通过露天电线进入建筑物

树木不能避雷

在较大屋面上的单根接闪杆起不到防护作用

高层建筑上的避雷装置不能保护相邻的低层建筑

图10-5 避雷设计容易误解的几种情况

国外单支避雷针的保护范围　　　　　　　表10-17

国　名	一般建筑		重要建筑		说　明　图
	R_p	α	R_p	α	
美　国[①]	2/1		1/1		
英　国		45°		30°	
日　本		60°		45°	
波　兰	1.5/1				

表中 R_p——保护率,$R_p = r/h$;
　　　h——避雷针的高度(m);
　　　r——圆锥底的保护半径(m);
　　　α——保护角。

① 1980年出版的《美国建筑物防雷规范》中有较复杂的规定,依避雷针的不同高度而有不同的保护范围。

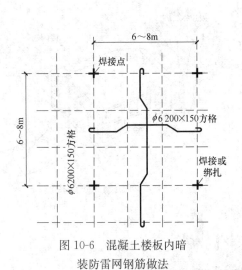

图 10-6 混凝土楼板内暗装防雷网钢筋做法

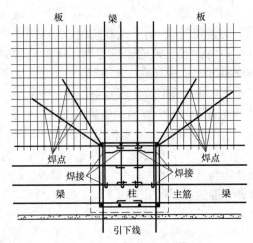

图 10-7 利用混凝土楼板钢筋做暗装防雷网做法

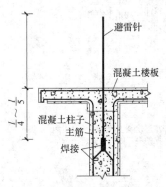

图 10-8 利用混凝土柱子主筋作避雷针引下线做法

(2) 大型建筑设有伸缩缝和沉降缝时，两段建筑之间要构成统一的防雷体系，并做好缝间防雷系统的跨越处理，见图 10-9。

(3) 引下线的间距不宜大于 20m，对于跨度或长度超过 20m 的房屋，则应设多根引下线。图 10-10 给出了一些不同平面的房屋应设引下线的数目。

(4) 金属屋面、金属墙体、金属烟囱可直接利用其表面做接闪和引下装置，图 10-11 给出了这种实例。

(5) 近代建筑室内管线很多，故应设置电位平衡母线将水管、燃气管、电信管等联成一体，统一接地，见图 10-12。

(6) 有条件时优先利用结构基础内的钢筋作为接地装置。但当地下室有防水油毡层能起到绝缘作用时，则需另外设置接地装置。

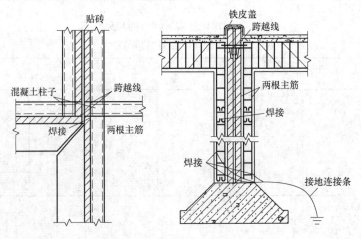

图 10-9 伸缩缝中跨越线及柱子内钢筋焊接做法

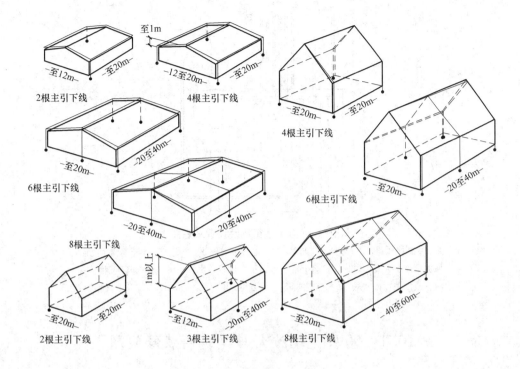

图 10-10 不同平面的房屋应设引下线的数目

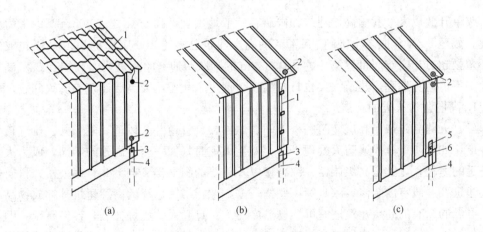

图 10-11 利用金属屋面或金属墙体设计避雷装置
(a) 瓦屋盖和钢板墙；(b) 钢板屋盖和木墙；(c) 钢板屋盖和钢板墙
1—圆钢或带钢；2—用内外夹板和螺栓安装的；3—分离件，圆钢/带钢；
4—带钢；5—带钢，内外夹板和螺栓；6—分离件，圆钢/带钢

(7) 注意防雷装置的锈蚀，明装或埋地金属应当镀锌，引下线和接地装置也要涂防锈漆。

(8) 高山上的建筑物，其高度已接近云层，雷电可能从侧面横向放电，宜采用避雷网、避雷带和明装引下线（此时引下线不涂防锈剂）以防侧击。

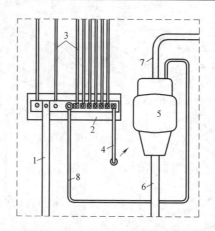

图 10-12　电位平衡母线设置示意图

1—基础接地器；2—电位平衡母线；3—电位平衡导线，为连接下列各设备而用：
保护导体、天线、电梯、长途电信设备、集中供暖、水管、燃气管、其他钢结构；
4—避雷装置；5—强电入户接线箱；6—强电入户；7—强电主导线；8—接零线

10.4　高层建筑防火与建筑内装修问题

10.4.1　高层建筑防火

改革开放以来，我国高层建筑如雨后春笋般地出现，1998 年建成 403m 高的上海金茂大厦。截至 2004 年底，全国超过 170m 的高层建筑已多达 100 座以上，2012 年建成的广州小蛮腰超过当时雄居世界第一的高达 828m 的阿联酋迪拜哈法利塔。高层建筑发展如此迅速，不可避免地高层建筑火灾也日益增多，促进了我们研究高层建筑的防火问题。

1. 高层建筑火灾的特点

(1) 火势蔓延快。高层建筑的楼梯间、电梯井、管道井、风道、电缆井、排气道等竖向井道，如果防火分隔或防火处理不好，发生火灾时好像一座座高耸的烟囱，成为火势迅速蔓延的途径；尤其是高级旅馆、综合楼以及重要的图书楼、档案楼、办公楼、科研楼等高层建筑。一般室内装修、家具等可燃物较多，像图书馆这样的高层建筑其存放物品本身就是可燃的。有的高层建筑还有可燃物品库房，一旦起火，燃烧猛烈，容易蔓延。助长火势蔓延的因素较多，其中风对高层建筑火灾就有较大的影响。因为风速是随着建筑物的高度增加而相应加大的。据测定，在建筑物 10m 高处的风速为 5m/s，在 30m 高处的风速为 8.7m/s，在 60m 高处的风速为 12.3m/s，在 90m 高处的风速为 15.0m/s。由于风速增大，势必会加速火势的蔓延扩大。

(2) 疏散困难。高层建筑的特点：一是层数多，垂直距离长，疏散到地面或其他安全场所的时间也会长些；二是人员集中；三是发生火灾时由于各种竖井拔气能力大，火势和烟雾向上蔓延快，增加了疏散的困难。有些城市虽从国外购置了为数有限的登高消防车，而大多数建有高层建筑的城市尚无登高消防车，即使有了，高度不够，也不能满足高层建筑安全疏散和扑救的需要。而建筑物中的电梯在火灾时由于切断电源等原因往往停止运转。因此，多数高层建筑安全疏散主要是靠人行楼梯，而楼梯间内一旦窜入烟气，就会严重影响疏散。这些，都是高层建筑火灾时疏散的不利条件。

(3) 扑救难度大。高层建筑高达 100m 以上，甚至超过 400m 的也很多，发生火灾时从室外进行扑救相当困难，一般要立足于自救，即主要靠室内消防设施。目前一般高层建筑仍以消火栓系统扑救为主。扑救高层建筑火灾往往遇到较大困难。例如：热辐射强、烟雾浓、火势向上蔓延的速度快和途径多。高层建筑的消防用水量多是根据我国目前的技术、经济水平，按一般的火灾规模考虑的，当形成大面积火灾时，其消防用水量显然不足，需要利用消防车向高楼供水。

(4) 火险隐患多。一些高层综合性的建筑，功能复杂，可燃物多，消防安全管理不严，火险隐患多。如有的建筑设有百货营业厅、可燃物仓库、人员密集的礼堂、餐厅等；有的办公建筑，出租给十几家或几十家单位使用，安全管理不统一，潜在火险隐患多，一旦起火，容易造成大面积火灾。火灾实例证明，这类建筑发生火灾，火势蔓延更快，扑救、疏散更为困难，容易造成更大的损失。

2. 高层建筑防火设计中的几个问题

(1) 高层建筑分类不像一般民用建筑那样分为 4 类，而是只分为两类，建筑构件的燃烧性能和耐火极限也只分为两级，分别见表 10-18 和表 10-19。这种规定不是一种简化，而是根据高层建筑火灾危险性较一般民用建筑更大的特点所做的，例如高层建筑就不允许耐火等级仅为三、四级者。

(2) 重视防烟、排烟通风问题。根据日本、英国等国家火灾统计资料，在火灾中被烟熏死的比例较大。最高可达 78.9%，被火烧死的人中，多数也是先中毒窒息 (主要是烟气中的 CO) 晕倒后被火烧死的，美国米高梅 (M.G.M) 饭店 1980 年 11 月 20 日的火灾，死亡 84 人中有 67 人是被烟熏死的。烟气的流动很快，据测定发生火灾时烟气水平方向的流动速度为 0.3~0.8m/s，垂直方向的扩散速度为 3~5m/s，这表明当烟气在毫无阻挡时，只需 1 分钟左右就可以扩散至几十层高的大楼，烟气流动速度大大超过了人的疏散速

建筑分类 表 10-18

名 称	一 类	二 类
居住建筑	高级住宅 19 层及 19 层以上的普通住宅	10~18 层的普通住宅
公共建筑	1. 医院 2. 高级旅馆 3. 建筑高度超过 50m 或每层建筑面积超过 1000m² 的商业楼、展览楼、综合楼、电信楼、财贸金融楼 4. 建筑高度超过 50m 或每层建筑面积超过 1500m² 的商住楼 5. 中央级和省级(含计划单列市)广播电视楼 6. 网局级和省级(含计划单列市)电力调度楼 7. 省级(含计划单列市)邮政楼、防灾指挥调度楼 8. 藏书超过 100 万册的图书馆、书库 9. 重要的办公楼、科研楼、档案楼 10. 建筑高度超过 50m 的教学楼和普通的旅馆、办公楼、科研楼、档案楼等	1. 除一类建筑以外的商业楼、展览楼、综合楼、电信楼、财贸金融楼、商住楼、图书馆、书库 2. 省级以下的邮政楼、防灾指挥调度楼、广播电视楼、电力调度楼 3. 建筑高度不超过 50m 的教学楼和普通的旅馆、办公楼、科研楼等

建筑构件的燃烧性能和耐火极限　　　　　　表 10-19

构件名称		燃烧性能和耐火极限(h) 耐火等级	
		一级	二级
墙	防火墙	不燃烧体 3.00	不燃烧体 3.00
	承重墙、楼梯间、电梯井和住宅单元之间的墙	不燃烧体 2.00	不燃烧体 2.00
	非承重外墙、疏散走道两侧的隔墙	不燃烧体 1.00	不燃烧体 1.00
	房间隔墙	不燃烧体 0.75	不燃烧体 0.50
柱		不燃烧体 3.00	不燃烧体 2.50
梁		不燃烧体 2.00	不燃烧体 1.50
楼板、疏散楼梯、屋顶承重构件		不燃烧体 1.50	不燃烧体 1.00
吊顶		不燃烧体 0.25	难燃烧体 0.25

度。据测试人在浓烟中低头掩鼻的最大通行距离仅为 20～30m，这些数据都说明在高层建筑中防烟、排烟、通风等措施的重要性，因此规范中规定一类建筑和高度超过 32m 且长度超过 20m 的二类建筑，内走道及其面积超过 100m² 且经常有人停留的房间应设置排烟设施。另外高层建筑发生火灾时，通风空调系统的风管常常会引起火灾迅速蔓延，如韩国大然阁饭店的火灾，死伤 223 人以及美国佐治亚州亚特兰大"文考夫"饭店的火灾死伤 220 多人均是由于通风空调系统竖向管道助长了火势的蔓延从而导致了死伤的惨重性。我国杭州市宾馆由于电焊引燃了风管可燃材料的保温层，火势沿着风管和竖向孔洞蔓延而上，一直烧到顶层，大火持续了 8～9h，造成重大经济损失。因此在规范中对通风空调系统规定了加设防火防烟的措施。

（3）加强并合理地考虑消防给水和自动灭火系统。用水灭火是主要的灭火手段，高层建筑的灭火也不例外，但消火栓压力不能太小（最不利的情况下不得小于 0.1MPa），水量要足够。消火系统、自动喷淋系统、水幕消防设备的使用，特别是这几种系统同时开放时，则应考虑它们用水量之和。根据上海、无锡、天津、沈阳、武汉、广州、深圳、南宁、西安等城市火场用水量的统计，有效地扑救较大公共建筑火灾，平均用水量为 38.7L/s；而我国各大城市专门针对扑救最大火灾平均用水量做的实际统计约为 89L/s。根据上述统计，又考虑到我国是个缺水的发展中国家，规范中规定消防用水量的上下限为 70～25L/s。

10.4.2 建筑内部装修防火问题

1. 内装修防火问题的严重性

内装修设计涉及的范围很广，包括装修的部位及使用的装修材料与制品，如顶棚、墙面、地面、隔断等装修部位是最基本的部位；而木材、棉纺织物则是基本的常用装修材料。许多火灾都是起因于装修材料的燃烧，有的是烟头点燃了床上织物；有的是窗帘、帷幕着火后引起了火灾；还有的是由于吊顶、隔断采用木制品，着火后很快就被烧穿。因此，要求正确处理装修效果和使用安全的矛盾，积极选用不燃材料和难燃材料，做到安全适用、技术先进、经济合理。

近年来，建筑火灾中由于烟雾和毒气致死的人数迅速增加。如英国在 1956 年死于烟毒窒息的人数占火灾死亡总数的 20%，1966 年上升为 40%，至 1976 年则高达 50%。日本"千日"百货大楼火灾死亡 118 人，其中因烟毒致死的为 93 人，占死亡人数的 78.8%。1986 年 4 月天津市松江胡同居民楼火灾中，有 4 户 13 人全部遇难，其实大火并没有烧到他们的家，甚至其中一户门外 2m 外放置的一只满装的石油气瓶，事后仍安然无恙。夺去这 13 条生命的不是火，而是烟雾和毒气。

1993 年 2 月 14 日河北省唐山市某商场发生特大火灾，死亡的 80 人全部都是因有毒气体窒息而死。

人们逐渐认识到火灾中烟雾和毒气的危害性，而烟雾和毒气又主要来自装修材料，有关部门模拟试验研究，在火灾中产生烟雾和毒气的室内装修材料主要是有机高分子材料和木材。常见的有毒有害气体包括一氧化碳、二氧化碳、二氧化硫、硫化氢、氯化氢、氰化氢、光气等。内部装修材料燃烧时产生的烟雾毒气数量种类各不相同，烟是火灾的主要杀手，因此在规范中明文规定对产生大量浓烟或有毒气体的内部装修材料提出尽量"避免使用"这一基本原则。

2. 装修材料的分类和分级

我国将装修材料的燃烧性能分为四级，见表 10-20 所示。

装修材料燃烧性能等级　　　　表 10-20

等　级	装修材料燃烧性能
A	不燃性
B_1	难燃性
B_2	可燃性
B_3	易燃性

不同功能不同规格的建筑物在不同的部位对装修材料的燃烧性能要求也不同，级别太低了对防火显然不利，但太高了不仅造价过高，使同一个建筑空间的装修防火水平不相匹配，而且也难于实现，比如大部分家具及窗帘等就根本找不到不燃性的 A 级材料，因此要有一个科学而可行的规定，详见表 10-21。

单层、多层建筑内部各部位装修材料的燃烧性能等级　　　　表 10-21

建筑物及场所	建筑规模、性质	装修材料燃烧性能等级						
		顶棚	墙面	地面	隔断	固定家具	装饰织物		其他装饰材料
							窗帘	帷幕	
候机楼的候机大厅、商店、餐厅、贵宾候机室、售票厅等	建筑面积>10000m² 的候机楼	A	A	B_1	B_1	B_1	B_1		B_1
	建筑面积≤10000m² 的候机楼	A	B_1	B_1	B_1	B_2	B_2		B_2
汽车站、火车站、轮船客运站的候车（船）室、餐厅、商场等	建筑面积>10000m² 的车站、码头	A	A	B_1	B_1	B_1	B_1		B_1
	建筑面积≤10000m² 的车站、码头	B_1	B_1	B_1	B_2	B_2	B_2		B_2

续表

建筑物及场所	建筑规模、性质	装修材料燃烧性能等级							
		顶棚	墙面	地面	隔断	固定家具	装饰织物		其他装饰材料
							窗帘	帷幕	
影院、会堂、礼堂、剧院、音乐厅	>800 座位	A	A	B_1	B_1	B_1	B_1	B_1	B_1
	≤800 座位	A	A	B_1	B_2	B_1	B_1	B_1	B_2
体育馆	>3000 座位	A	A	B_1	B_1	B_1	B_1	B_1	B_2
	≤3000 座位								
商场营业厅	每层建筑面积>3000m² 或总建筑面积>9000m² 的营业厅	A	A	A	B_1	B_1	B_1		B_2
	每层建筑面积 1000~3000m² 或总建筑面积为 3000~9000m² 的营业厅	A	B_1	B_1	B_2	B_1	B_1		
	每层建筑面积<1000m² 或总建筑面积<3000m² 的营业厅	B_1	B_1	B_1	B_2	B_2	B_1		
饭店、旅馆的客房及公共活动用房	设有中央空调系统的饭店、旅馆	A	B_1	B_1	B_1	B_2	B_1		B_2
	其他饭店、旅馆	B_1	B_1	B_1	B_2	B_2	B_1		
歌舞厅、餐馆等娱乐、餐饮建筑	营业面积>100m²	A	B_1	B_1	B_1	B_2	B_1		B_2
	营业面积≤100m²	B_1	B_1	B_1	B_2	B_2	B_1		B_2
幼儿园、托儿所、医院病房楼、疗养院、养老院		A	B_1	B_1	B_1	B_2	B_1		
纪念馆、展览馆、博物馆、图书馆、档案馆、资料馆等	国家级、省级	A	B_1	B_1	B_1	B_2	B_1		B_2
	省级以下	B_1	B_1	B_2	B_2	B_2	B_1		
办公楼、综合楼	设有中央空调系统的办公楼、综合楼	A	B_1	B_1	B_1	B_2	B_1		
	其他办公楼、综合楼	B_1	B_1	B_2	B_2	B_2	B_1		
住宅	高级住宅	B_1	B_1	B_1	B_1	B_2	B_1		B_2
	普通住宅	B_1	B_2	B_2	B_2	B_2	B_1		

注：表中 A、B_1、B_2 是表 11-20 中界定的等级。

什么样的材料符合 A 级，什么样的材料符合 B_1 级，这是内装修设计人员立即会提出来的问题。表 10-22 将常用内部装修材料的燃烧性能等级列出以供查阅。

常用建筑内部装修材料燃烧性能等级划分举例 表 10-22

材料类别	级别	材 料 举 例
各部位材料	A	花岗石、大理石、水磨石、水泥制品、混凝土制品、石膏板、石灰制品、黏土制品、玻璃、瓷砖、陶瓷锦砖（马赛克）、钢铁、铝、铜合金等
顶棚材料	B_1	纸面石膏板、纤维石膏板、水泥刨花板、矿棉装饰吸声板、玻璃棉装饰吸声板、珍珠岩装饰吸声板、难燃胶合板、难燃中密度纤维板、岩棉装饰板、难燃木材、铝箔复合材料、难燃酚醛胶合板、铝箔玻璃钢复合材料等

续表

材料类别	级别	材料举例
墙面材料	B_1	纸面石膏板、纤维石膏板、水泥刨花板、矿棉板、玻璃棉板、珍珠岩板、难燃胶合板、难燃中密度纤维板、防火塑料装饰板、难燃双面刨花板、多彩涂料、难燃墙纸、难燃墙布、难燃仿花岗岩装饰板、氯氧镁水泥装配式墙板、难燃玻璃钢平板、PVC塑料护墙板、轻质高强复合墙板、阻燃模压木质复合板材、彩色阻燃人造板、难燃玻璃钢等
墙面材料	B_2	各类天然木材、木制人造板、竹材、纸制装饰板、装嵌微薄木贴面板、印刷木纹人造板、塑料贴面装饰板、聚酯装饰板、复塑装饰板、塑纤板、胶合板、塑料壁纸、无纺贴墙布、墙布、复合壁纸、天然材料壁纸、人造革等
地面材料	B_1	硬PVC塑料地板、水泥刨花板、水泥木丝板、氯丁橡胶地板等
地面材料	B_2	半硬质PVC塑料地板、PVC卷材地板、木地板、氯纶地毯等
装饰织物	B_1	经阻燃处理的各类难燃织物等
装饰织物	B_2	纯毛装饰布、纯麻装饰布、经阻燃处理的其他织物等
其他装饰材料	B_1	聚氯乙烯塑料、酚醛塑料、聚碳酸酯塑料、聚四氟乙烯塑料、三聚氰胺、脲醛塑料、硅树脂塑料装饰型材、经阻燃处理的各类织物等。另见顶棚材料和墙面材料内的有关材料
其他装饰材料	B_2	经阻燃处理的聚乙烯、聚丙烯、聚氨酯、聚苯乙烯、玻璃钢、化纤织物、木制品等

注：表中 A、B_1、B_2 是表 11-20 中界定的等级。

3. 内部装修的几个特殊问题

（1）无窗房间：近代大型建筑乃至民用住宅，无窗房间越来越多，一旦发生火灾，这种房间有几个明显的特点：①火灾初起阶段不易被发觉，发现时火势已比较大了；②室内烟雾和毒气不能及时排出；③消防人员进行火情侦察和施救比较困难，因此规范中对无窗房间的装修防火要求提高一级。

（2）高层和地下建筑：近 20 年来我国高层建筑大发展，而高层建筑大多有地下室，为了节省城市用地，一些具有特殊功能的地下空间多年来有了很大发展，如地下商场、地下旅馆、地下车库等。无论高层建筑还是地下建筑，一旦发生火灾都是特别难以疏散和扑救的，因此对高层建筑和地下建筑内装修的防火要求应十分慎重。规范中对这两类建筑各部位装修材料的燃烧性能等级均做了专门的规定。

（3）电气设备：由电气设备引发的火灾占各类火灾的比例是很大的，详见图 9-2 和图 9-3。电气火灾日益严重的原因是多方面的：①用电的范围和地域日益扩大；②电线陈旧老化；③违反用电安全规定；④电器设计或安装不当；⑤家用电器设备大幅度增加。另外，由于室内装修采用的可燃材料越来越多，增加了电气设备引发火灾的危险性。为防止配电箱产生的火花或高温熔珠引燃周围的可燃物和避免箱体传热引燃墙面装修材料，规范中规定配电箱不应直接安装在低于 B_1 级的装修材料上。

（4）灯具、灯饰：由于室内装修逐渐向高档化发展，各种类型的灯具应运而生，灯饰更是花样繁多。制作灯饰的材料包括金属、玻璃等不燃材料，还包括硬质塑料、塑料薄膜、棉织品、丝织品、竹木、纸类等可燃材料。这导致了由照明灯具引发火灾的案例日益增多。如 1985 年 5 月某研究所微波暗室发生火灾，该暗室的内墙和顶棚均贴有一层可燃的吸波材料，由于长期与照明用的白炽灯泡相接触，引起吸波材料过热，阴燃起火。又如 1986 年 10 月某市塑料工业公司经营部发生火灾，其主要原因是日光灯的镇流器长时间通电过热，引燃四周紧靠的可燃物，并延烧到胶合板木龙骨的顶棚。

鉴于这些情况，规范中规定对 B_2 级和 B_3 级材料加以限制。如果由于装饰效果的要求必须使用 B_2、B_3 级材料，应进行阻燃处理使其达到 B_1 级。

10.5 地下建筑防火

地下建筑就其用途划分包括地下人防建筑、地下贮库建筑、地下交通建筑、地下商业建筑等，其中功能最庞杂、人流物流最不规律、防火问题最复杂的应属地下商业建筑。20世纪 50 年代我国陆续兴建的一大批人防工程，自 80 年代开始根据平战结合，充分利用地下空间的原则，相当一批改造为地下商场，几乎每一个城市，特别是大城市，都有十几个乃至几十个地下商场，以我国北方城市哈尔滨为例，该城市地下商场就有 16 家，总建筑面积达 19 万 m^2 之多。本节着重就地下商业建筑防火问题进行论述。

10.5.1 地下商业建筑火灾特点

地下商业建筑火灾特点如下：

1. 空间封闭，着火后烟气大、温度高

由于地下商场出入口少，密闭性高，通风条件差，一旦发生火灾，可燃物产生大量的烟雾，从起火部位以 1m/s 的速度向四处扩散，并呈现聚积不散的状态，能见距离一般仅在 2～5m 之间。

2. 疏散困难

（1）地下建筑无窗，只能从安全出口疏散出去。

（2）全部采用人工照明，无法利用自然采光疏散。

（3）烟气的扩散严重阻碍了人的疏散：

1）人流的速度远小于烟气流动的速度。人水平疏散的速度，正常条件下为 1.0～1.2m/s，烟水平流动的速度为 0.5～1.5m/s；人上楼梯的速度最快为 0.6m/s，而烟向上流动的速度为水平方向流速的 3～5 倍。

2）烟气蔓延方向与人员疏散方向一致。

3）烟气中的 CO 等有毒气体及高温烟气直接威胁人身的安全，昏迷倒地者又成为疏散障碍。

3. 扑救困难

（1）进入火场困难，因为烟气的流动方向、人流的疏散方向与消防员进入火场的方向相对碰撞。

（2）烟雾和高温影响灭火。

（3）地下建筑内火场通讯联络较地上困难。

4. 人员伤亡及财产损失大

地下商场是人员及商品高度集中的场所，一旦发生火灾事故，极易造成群死群伤及重大财产损失的后果。

10.5.2 地下商业建筑火灾的危险性

1. 建筑毗连，上下贯通，空间超大

为吸引客流便利商品流通，经常出现不仅几个地下商城毗连在一起，而且与地上商业建筑连通，进而形成广阔空间的现象。仅哈尔滨市就有7家地下商场连通在一起，并与6座大型地上建筑及地下五层、地上33层建筑相互贯通，总连通面积达398316.78m^2，总连通建筑体积达1654532.09m^3的超大地下空间。如此巨大的地下、地上连为一体的建筑规模，在我国并不罕见，一旦发生火灾，将使高温烟气在"烟囱效应"作用下，迅速向多座地下和地上建筑蔓延，极易造成群死群伤的恶性后果。

2. 客流量大，疏散困难

由于各城市利用地下商场兼作人员过街通道，节假日购物高峰时刻人员过分密集，致使人员密度指标远远超过《人民防空工程设计防火规范》有关地下一层人员密度指标为0.85人/m^2、地下二层人员密度指标为0.80人/m^2的规定。因此，地下商场当初的设计疏散能力已经不能满足现实的疏散要求，这种情况下一旦发生火灾事故，将会造成人员无法快速疏散、无法逃生的严重后果。

3. 安全通道狭小，安全出口数量及宽度不足

由于多数地下商场是由原人防工程演变而来的，始建于20世纪50~70年代，并逐步开始向平战结合而开发利用。某些特点如疏散通道狭小、部分防火分区无直通地面出口，以及安全出口宽度不足等现象普遍存在。再加上地下商场比地上商场可供顾客占用的面积要小，在客流量同样大的情况下，人员的密度就大大高于地上商场，因此，在火灾情况下，地下商场的人员和物资疏散比较困难。

4. 物流大、火灾荷载密度高

地下商场以经营服装、鞋帽、小百货为主，商品大部分是化纤、皮革、橡胶等可燃、有毒物品，燃烧速度快、发烟量大、燃烧产生烟气毒性大。且以批发为主，建设时没有考虑库房问题，经营往往是前柜后库，甚至以店代库，在走道上也堆满了商品。据统计，哈尔滨市地下商业街最高火灾荷载，地下一层为21.5~73.3kg/m^2，地下二层为21.5~28kg/m^2。如此高的火灾荷载密度，一旦发生火灾将会造成长时间燃烧及大量有毒烟气，增加了扑救和疏散难度，极易造成巨额财产损失。

5. 电气照明设备多

由于地下商场无自然采光，除事故照明外，其余均为正常照明设备，共分为①荧光灯：安装在商场内的主要照明设备为荧光灯具，其镇流器易发热起火；②射灯：为吸引顾客提高商品吸引力，除正常照明外，许多店主在橱窗和柜台内安装了各种射灯，射灯除采用冷光源者外，其他表面温度都较高，极易烤着衣物。

6. 装修复杂，隐蔽工程隐患多

由于地下建筑各种空调、防排烟、火灾自动报警及自动灭火设施管线繁多，错综复杂，装修空间大。由于可供选择的非燃烧材料较少且装修不规范，电气线路或管道隔热材料等起火后不易被发现，容易出现火灾沿装修表面蔓延、迅速扩大、无法控制的现象。

7. 消防安全管理不到位

一是企业领导和从业人员对消防安全重视不够，只顾赚钱，不管安全，如商品侵占消防通道、影响消防设施发挥作用、违章用电等现象普遍存在。二是消防设施维护保养不及时，造成部分自动消防设施失去功能，甚至发生消防控制中心瘫痪的现象。三是部分商场没有按照《人民防空工程设计防火规范》及《建筑设计防火规范》对不合格的部位进行逐

步改造，舍不得投入资金，致使火灾隐患迟迟得不到整改。四是从业人员流动性大，多数未经过消防安全培训，消防安全观念淡薄，防灭火常识匮乏，有的甚至不会使用灭火器材。五是部分商场未能制定出一整套切实可行的人员疏散预案，发生紧急情况时，不知所措。

10.5.3 地下商业建筑火灾预防措施

严格把好防火设计关，从防火灭火及安全管理上采取切实有效的措施，是确保地下商场安全使用的一项根本措施。

1. 一般要求

(1) 地下商场营业厅不宜设置在地下三层及三层以下，且不应经营和储存火灾危险性为甲、乙类储存物品属性的商品。

(2) 消防控制室应设置在地下一层，有直通室外的安全出口。可燃物存放量平均值超过 $30kg/m^2$ 火灾荷载的房间，应采用耐火极限不低于 2.00h 的墙和楼板与其他部位隔开。隔墙上的门应采用常闭的甲级防火门。

(3) 地下商场的内装修材料应全部采用非燃烧材料。

(4) 地下商场内严禁存放液化石油气钢瓶，并不得使用液化石油气和闪点小于 60℃ 的液体做燃料。

2. 防火、防烟分区

为了防止火灾的扩大和蔓延，使火灾控制在一定的范围内，减少火灾所带来的人员和财产损失，地下商场必须严格划分防火及防烟分区。

(1) 每个防火分区的允许最大建筑面积不应大于 $500m^2$。当设有自动灭火系统时，允许最大建筑面积可增加一倍。

(2) 当地下商场内设置火灾自动报警系统和自动喷水灭火系统，且建筑内部装修符合国家标准时，其营业厅每个防火分区的最大允许建筑面积可增加到 $2000m^2$。当地下商场总建筑面积大于 $20000m^2$ 时，应采用防火墙分隔，且防火墙上不应开设门窗洞口。

(3) 需设置排烟设施的地下商场，应划分防烟分区，每个防烟分区的建筑面积不应大于 $500m^2$，防烟分区不得跨越防火分区。

3. 安全疏散

地下商场发生火灾时，产生高温浓烟，人员疏散与烟的扩散方向相同，而且由于地下商场自然排烟与进风条件差，要排除火灾时产生的大量热、烟和有毒气体比地上建筑困难得多。因此，在安全疏散方面要采取以下几方面措施：

(1) 安全出口的数量：

每个防火分区的安全出口数量不应少于两个，当有两个或两个以上防火分区时，相邻防火分区之间的防火墙上的门可作为第二安全出口，但要求每个防火分区必须设置一个直通室外的安全出口。

(2) 安全出口之间的距离：

安全出口宜按不同方向分散设置，当受条件限制需同方向设置时，两个出口之间的距离不应小于 5m。

(3) 安全疏散距离：

安全疏散距离应满足：房间内最远点至该房间门的距离不应大于15m。房间门至最近安全出口或防火墙上防火门的最大距离为40m，位于袋形走道尽端的房间安全距离应为20m。

(4) 疏散人数：

地下商场营业部分疏散人数，可按每层营业厅和为顾客服务用房的使用面积之和乘以人员密度指标来计算，其人员密度指标规定为：地下一层，人员密度指标为0.85人/m²；地下二层，人员密度指标为0.80人/m²。

(5) 疏散宽度：

地下商场安全出口疏散总宽度应按容纳总人数乘以疏散宽度指标计算确定。当室内外高差不大于10m时，其疏散宽度指标为0.75m/100人；当室内外高差大于10m时，其疏散宽度指标为1.00m/100人；每个安全出口平均疏散人数不应大于250人。

(6) 疏散楼梯：

地下商场发生火灾时，只能通过疏散楼梯垂直向上疏散，因此，楼梯间必须安全可靠。当地下商场为3层及3层以上，或室内外高差大于10m时，应设置防烟楼梯间；当地下两层且室内外高差小于10m时，应设置封闭楼梯间。疏散楼梯间在各层的位置不应改变且疏散楼梯的阶梯不宜采用螺旋楼梯和扇形踏步。

(7) 疏散指示灯及事故照明设备：

为了避免发生火灾后，因切断电源而陷入一片黑暗，地下商场内必须设有疏散指示灯及事故照明灯，同时，事故照明设备对消防人员进入商场内扑救火灾也是十分必要的。疏散指示灯其间距不宜大于15m，最低照度不应低于5lx。建筑面积大于5000m²的地下商场，其事故照明灯应保持正常照明的照度值。

4. 防、排烟

地下商场需设置防、排烟设施，将烟气和热量及时排除。

(1) 排烟风量：

机械排烟时，排烟风机和风管的风量计算应满足：担负一个或两个防烟分区排烟时，应按该部分总面积每平方米不小于60m³/h计算，但风机的最小排烟风量不应小于7200m³/h；担负三个或三个以上防烟分区排烟时，应按其中防烟分区面积每平方米不小于120m³/h计算，排烟区应有补风措施。

(2) 排烟口：

烟气由于受热膨胀，向上运动并贴附于顶棚下，再向水平方向流动，因此要求排烟口应设置在顶棚或墙面的上部；防火分区内最远点距排烟口的距离不应大于30m；单独设置的排烟口，平时应处于关闭状态，可采用手动或自动开启方式。

(3) 排烟风机：

排烟风机可采用离心式风机，并在烟气温度达280℃时能连续工作30min；排烟风机应与排烟口设有联动装置，该联动装置与火灾自动报警系统也应联动；风机入口处应设当烟气温度超过280℃时能自动关闭的防火阀。

5. 火灾自动报警系统

对地下商场火灾能做到早期发现，早期报警，规定建筑面积大于500m²的地下商场应设置火灾自动报警设施。

6. 固定灭火装置

地下商业建筑特殊的建筑构造和火灾特点，发生火灾要借助消防人员进入其中进行灭火非常困难，因此地下商场发生火灾主要依靠自动消防设施发挥作用进行自救，目前地下商场普遍采用的固定灭火装置主要有消火栓和自动喷水灭火系统两大类。建筑面积大于 $500m^2$ 的地下商场应设自动喷水灭火系统。

10.6 钢结构防火

10.6.1 钢结构的成就

钢结构作为一种承重结构体系，由于其自重轻、强度高、塑性韧性好、抗震性能优越、工业装配化程度高、综合经济效益显著、造型美观等众多优点，深受建筑师和结构工程师的青睐。表10-23中所列的世界著名建筑代表了20世纪钢结构的巨大成就，从中我们可以体会到钢结构的魅力所在及其发展的巨大潜力。

20世纪国内外钢结构著名建筑实例　　　　　表10-23

分类	序号	工程名称	规模	结构体系	建造年代	说明
高层钢结构	1	马来西亚吉隆坡石油大厦	88层 450m	M	1996	
	2	美国芝加哥西尔斯大厦	110层 442m	S	1974	
	3	中国上海金贸大厦	88层 420.5m	M	1998	
	4	美国纽约世界贸易中心	110层 417m	S	1973	"9·11"事件中倒塌
	5	美国纽约帝国大厦	102层 381m	S	1931	
大跨钢结构	6	美国新奥尔良超级穹顶	$D=207m$	双层网壳	20世纪70年代	世界上最大的双层网壳
	7	日本名古屋体育馆	$D=229.6m$	单层网壳	20世纪90年代	世界上最大的单层网壳
	8	美国亚特兰大体育馆	椭圆形186m×235m	张拉整体结构	1996	世界上最大跨度的体育馆
	9	日本福冈体育馆	$D=220m$	开合结构	1993	世界上最大的开合屋顶
	10	英国千年穹顶	$D=320m$	杂交结构	1998	当今世界跨度最大的屋盖
桥梁钢结构	11	日本明石海峡大桥	跨度1991m	悬索桥		
	12	中国江阴长江大桥	跨度1385m	悬索桥		
	13	中国香港青马大桥	跨度1377m	悬索桥		
	14	日本多多罗大桥	跨度890m	斜拉桥		
	15	上海杨浦大桥	跨度602m	斜拉桥		

随着改革开放的深入，现代建筑已经告别了过去"秦砖汉瓦"的时代。各种新型建筑技术和建筑材料被广泛应用于现代建筑中。目前，钢结构已在建筑工程中发挥着独特且日益重要的作用。轻型钢结构因其商品化程度高、施工速度快、周期短、综合经济效益高，市场需求也越来越大，现已广泛运用于厂房、库房、体育馆、展览馆、机场机库等工程，发展十分迅猛。

钢结构体系具有自重轻、安装容易、施工周期短、抗震性能好、投资回收快、环境污染少等综合优势，与钢筋混凝土结构相比，更具有在"高、大、轻"三个方面发展的独特优势。改革开放以后，我国钢产量高达16亿t/年，雄居世界之首，使我国建筑业长期以来混凝土和砌体结构一统天下的局面发生变化，钢结构已经在工程中得到广泛而迅速的应用。

10.6.2 9·11事件的警示

1. 事件经过

2001年北京时间9月11日20时45分（美国东部时间11日8时45分），一架由波士顿飞往洛杉矶的波音757型客机被恐怖分子劫持。机上载有58名乘客，6名机组人员，以低空飞行撞到了世贸中心北塔楼接近顶部位置。大楼被撞去一角，爆炸起火。该大楼于北京时间11日22时28分（美国东部时间11日10时28分）坍塌，距离被撞时间1小时43分钟。

2001年北京时间9月11日21时03分（美国东部时间11日9时03分），另一架载有81名乘客，11名机组人员的波音767型客机撞击了南塔楼。飞机从大楼的玻璃窗冲了进去，并穿过大楼，撞上另一幢大楼。南塔楼于北京时间11日22时05分（美东部时间11日10时05分）坍塌，距离被撞时间59分钟，详见表10-24。

2001年9月11日纽约世贸中心遭袭击情况表　　　　　　　　表10-24

纽约世贸中心	被撞击时间		被撞机型、起飞重量、机上乘客（机组人员）数量	开始坍塌时间		自被撞至坍塌时间
	北京时间	美东部时间		北京时间	美东部时间	
北塔楼	20时45分	8时45分	波音757、104吨、58(6)名	22时28分	10时28分	1小时43分
南塔楼	21时03分	9时03分	波音767、156吨、81(11)名	22时05分	10时05分	1小时02分

图10-13则更为形象地给出了撞击的过程。

此次袭击给美造成的经济损失达300亿美元，使美国金融、航空和保险业受到重创。事后若干年统计该恐怖事件导致死亡3000多人。

2. 工程概况

美国纽约世贸大厦（World Trade Center），它不仅是世界上最高的建筑物之一，也是世界上最大的贸易机构之一。位于曼哈顿闹市区南端，雄踞纽约海港旁。它由纽约和新泽西州港务局集资兴建，美籍日裔总建筑师山崎实（Minoru Yamasaki）负责设计。占地约6.5km^3，耗资7亿美元。大楼有84万m^{2}的办公面积，可容纳5万名工作人员，及2万人同时就餐。其楼层分租给世界各国800多个厂商，还设有为这些单位服务的贸易中心，情报中心和研究中心。在地面层休息厅及44、78两层高空休息厅中，有种类齐全的商业性服务。建筑分成三部分运行区段。楼中装有100台载人电梯、4台货梯，最长运行时间2min，遇紧急情况，在电源不间断情况下，全部人员5min内疏散完毕。地下有供2000辆停车的车库，并有地铁在此经过设站。第107层瞭望观景厅，极目远眺，方圆可及72km。从底层上到107层，搭电梯只需58s，纽约的美景尽收眼底。一切机器设备全有电脑自动控制，被誉为"现代技术精华的汇集"。

纽约世贸中心于1966年开工，历时7年，1973年竣工。其中世贸中心北塔楼于1972年竣工，110层，建筑高度417m；南塔楼于1973年竣工，110层，建筑高度415m。大楼建在面积达6英亩（≈25万m^2）的填海地基上，其基础深入地下70ft（21.4m）坐落在基岩层上。在基础的周围建地下连续墙围成的长"澡盆"，以防哈得逊河河水的渗透。其主楼呈双塔形，塔柱边宽63.5m，采用钢框筒结构，用钢量7.8万t。外框筒柱距1.0m，钢柱截面尺寸为430mm×430mm，每三层柱为一安装单元，墙面由铝板和玻璃窗组成，

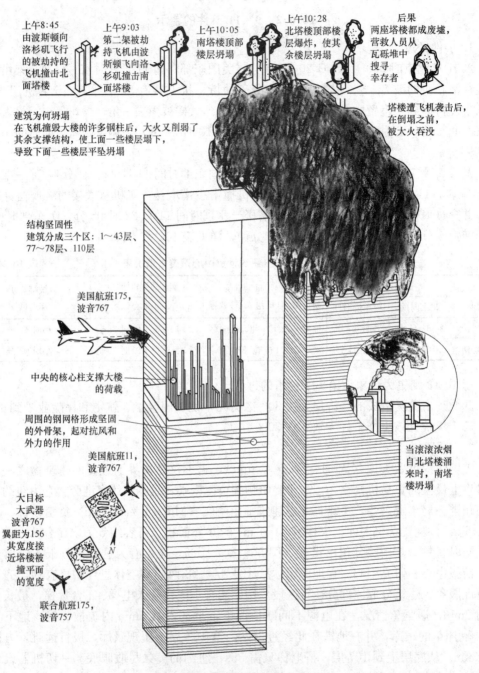

图 10-13 9·11 事件的基本情况

有"世界之窗"之称。栅栏似的外钢柱与各层楼板组合成巨大的无斜杆的空腹钢架,四个面合起来又构成巨大的带缝隙的钢制方型管筒。大楼的中心部分也是由钢管构成的内管筒(参见图 10-13),其中安设电梯、楼梯、设备管道和服务房间等。内外两个管筒形成了双管筒结构。各层楼板支托在内外筒壁间的钢架上,钢架与内外管筒的接点上还装有可吸收振动能量的阻尼装置。这样的体系不仅可以承担全部重力荷载,更为重要的是能够同时承担修建如此高楼所无可回避的风载。在楼顶,最大风力引起的摇摆仅为 3ft ($\approx 92cm$),

这样的体系有着强大的抵抗水平荷载的能力。

3. 倒塌原因分析

世贸大厦坍塌于次生灾害——火灾，而非由于客机的直接撞击和爆炸。由于世贸大厦采用钢框筒结构，再加上钢架与内外管筒的接点上装有可以吸收振动能量的阻尼装置，所以整个结构具有很好的吸收撞击冲量和爆炸能量作用，钢架本身就具有良好的韧性。撞击北塔楼的波音757客机起飞重量104t，撞击南塔楼的波音767客机起飞重量156t，它们的飞行速度大约每小时1000km。根据能量公式$E=mv^2/2$，可以计算出当时飞机对大楼的冲量分别是1.2×10^9J和1.8×10^9J。这么巨大冲量连同随后引起的爆炸能量使大厦晃动了1m多，但并没有严重坍塌，可见，当初设计时，可能考虑了飞行器的撞击和局部爆炸的破坏作用，这是大量楼内工作人员得以逃生的关键。

航空煤油燃起的大火是对这座大厦的最致命一击。由于煤油是液体，它顺着关键部件的缝隙流淌并渗透过防火保护层到达钢结构表面，航空煤油所过之处，便引起熊熊大火，起到了炸弹爆炸、导弹袭击所达不到的效果。钢材虽然是不可燃的，但是当温度超过450℃（美国指标，我国钢材300~400℃），强度就会急剧下降，产生塑性变形；当达到800℃（我国钢材600℃）时，失去承载能力而坍塌。在客机发生爆炸、航空煤油熊熊燃烧、火焰向外喷射时，室内空气温度已达到1000℃以上。北京时间9月11日20时45分第一架飞机撞击北塔楼接近顶部位置。由于这种波音757飞机所载燃油量较少（35t），加上撞击位置较高，上层压力小，所以大火燃了1小时43分，直到北京时间11日22时28分北塔楼才坍塌。北京时间9月11日21时03分第二架飞机撞击南塔楼，因波音767飞机所载燃油量较大（51t），加上撞击位置低，上层压力大，大火燃了1小时02分，反而先于后撞的北塔楼坍塌。

钢结构的承重性强，但遇到高温，势必使钢材软化变形。在19世纪，芝加哥的一座钢结构大厦曾发生火灾，结果钢结构化成了钢水，蔓延开去。自此之后，美国要求钢结构的建筑必须在钢梁和钢管外面添加防火材料。世界贸易中心的钢结构露明部分喷涂5mm厚的石棉水泥防火层，核心筒设计成用防火墙及防火门包起来的防火措施，对付一般的小灾小火还可以应付，但遇到如此猛烈的火灾，钢结构防火涂层难以应付。波音757飞机所载35t燃油，波音767飞机所载51t燃油，在撞击时的爆炸威力相当于2万kg的TNT炸药；而且由于飞机的撞击，使得防火保护涂层剥落毁坏，火焰乘虚而入，使得部分钢结构直接暴露于熊熊烈火之中，由于这部分的热快速传递到其他部位，使得钢结构内部很快达到其耐火极限。长时间猛烈的大火烧软了飞机所撞击的那几个楼层的钢材，导致它上部楼层约数千吨到上万吨的重量像一个巨大的铁锤，砸向下面的楼层，对下面的楼层结构的冲击力远远大于其原先静止时的重力，下面的楼层结构自然难以承受，于是就发生了连续倒塌效应，层层相砸，直到整个大楼彻底倒塌。

10.6.3 钢结构防火原则及防火保护措施

9·11事件告诉人们，必须加强钢结构防火的研究，包括保护层材料及钢材本身的耐火性能。

进行钢结构防火要着眼于下面的三点原则：

（1）减轻钢结构在火灾中的破坏。避免钢结构在火灾中局部倒塌造成灭火及人员疏散的困难；钢结构的防火保护的目的是尽可能延长钢结构到达临界温度的过程，以争取时间灭火救人。

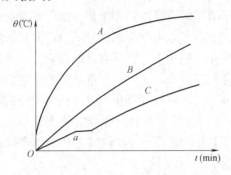

图10-14 耐火极限实验中钢结构在有防火保护与无保护条件下的升温情况比较
A—标准升温曲线；B—未受保护钢结构升温曲线；C—受保护钢结构升温曲线；a—升温停顿时间段

(2) 避免钢结构在火灾中整体连续倒塌造成人员伤亡。

(3) 减少火灾后钢结构的修复费用，缩短灾后结构功能恢复周期，减少间接经济损失。

目前，钢结构的防火保护主要有三种方法：一是混凝土包覆，二是用防火板包覆，三是采用隔热涂料或膨胀型防火涂料。图10-14 给出了有无防火保护的钢结构升温曲线。

选择钢结构的防火措施时，应考虑下列因素：

(1) 钢结构所处部位，需防护的构件性质（如屋架、网架或梁、柱）。

(2) 钢结构采取防护措施后结构增加的重量及占用的空间。

(3) 防护材料的可靠性。

(4) 施工难易程度和经济性。

1. 混凝土防火保护

承重钢结构采取混凝土防火措施，以延长其耐火极限。

(1) 外砌黏土砖防护，一般用厚120mm普通黏土砖，耐火极限可达3h左右。

(2) 用普通水泥混凝土将钢结构包裹起来，即我们通常意义上说的钢管（筋）混凝土结构。混凝土可参与工作（如劲性混凝土结构），也可以只起保护作用。厚100mm时，耐火极限可达3h左右。

(3) 用金属网外包砂浆防护，这其中的金属网起到骨架增强的作用。

此外，还可用陶粒混凝土或加气混凝土防护，可预制成砌块或现浇，防火效果亦十分理想。

2. 防火板包覆保护

作为钢结构直接包覆，如防火板保护钢结构早已在建筑工程中应用。早期使用的防火保护板材主要有蛭石混凝土板、珍珠岩板、石棉水泥板和石膏板，还有的是采用预制混凝土定型套管。板材通过水泥砂浆灌缝、抹灰与钢构件固定，或以合成树脂粘结，也可采用钉子或螺栓固定。这些都属早期传统的防火板材。自20世纪70年代中期以来，国外相继研制成功硅酸钙防火板，适用于钢结构的防火保护。最高使用温度1000℃。20世纪90年代中期德国和丹麦研制成功最高使用温度达1100℃的硅酸钙高温防火板。国内最近自行研制的GF和爱特等品牌新型钢结构硅酸钙防火板，最高使用温度亦可达1100℃，耐火极限可达4h（30mm厚）。作为钢结构防火板材应具备重量轻、强度高、隔热性好、耐高温、耐候性好等特点。

3. 防火涂料保护

以上两种方法要求需要相当厚的保护层，这样必然会增加构件质量和占用较多的室内空间，另外对于轻钢结构、网架结构和异形钢结构等，采用这两种方法也不适合。在这种情况下，采用钢结构防火涂料较为合理。钢结构防火涂料施工简便，无须复杂的工具即可施工，重量轻、造价低，而且不受构件的几何形状和部位的限制。国外自20世纪50年代以来就采用防火涂料施涂钢结构表面，火灾时能形成耐火隔热保护层，以提高钢结构的耐火极限，20世纪末叶，我国已成功研制和生产出自己的防火涂料并制定了相应的技术标准。防火涂料可分为：

(1) 超薄型防火涂料

该类钢结构防火涂料涂层超薄（小于3mm）。一般为溶剂型体系，具有优越的粘结强度、耐候耐水性好、流平性好、装饰性好等特点；在受火时缓慢膨胀发泡形成致密坚硬的防火隔热层，该防火层具有很强的耐火冲击性，延缓了钢材的升温，可有效保护钢构件。施工可采用喷涂、刷涂或辊涂，一般使用在耐火极限要求在2h以内的建筑钢结构上。

(2) 薄型防火涂料

这类钢结构防火涂料一般是用合适的水性聚合物作基料，再配以阻燃剂复合体系、防火添加剂、耐火纤维等组成。对这类防火涂料，要求选用的水性聚合物必须对钢基材有良好的附着力、耐久性和耐水性，一般耐火极限在2h左右。因此常用在小于2h耐火极限的钢结构防火保护工程中。

(3) 厚型防火涂料

厚型钢结构防火涂料是指涂层厚度为8~50mm的防火涂料，其耐火极限可达0.5~3h。火灾时，涂层并不膨胀，依靠自身材料的不燃性、低导热性或吸热性，延缓钢结构的温升，保护钢构件。

矿物棉类建筑防火隔热涂料与珍珠岩类防火涂料相比，其主要特点是作为隔热填料的矿物纤维对涂层强度可起到增强的作用，可应用于地震多发的地区或常受震动的建筑物，并能起到防火、隔热、吸声的作用。该类防火涂料能够获得密度较小的涂层，从而能减轻整个钢结构的重量，降低建筑物负荷。这种方法在日本采用较多。

钢结构的防火涂料采用时应根据有关技术规程计算并确定涂层厚度，可参见有关规程。

4. 耐火钢

喷涂、防火板、混凝土等防火保护措施费工费时，还增加了建筑结构的重量，延长了工期，提高了建造成本。研制和应用耐火钢正是为了减薄或取消耐火涂层。耐火钢也不同于普通的耐热钢，耐热钢对钢的高温性能，如高温持久强度、蠕变强度、疲劳性能等有严格的要求；而耐火钢在性能上它不需要长时间的高温强度，只要在600℃左右的高温下保持1~3h后其屈服强度值不低于室温数值的2/3即可，以保证结构的安全性，保证人员、重要物资等在结构坍塌前能安全地撤离火灾现场。

耐火钢的概念是20世纪80年代日本提出的，日本研究者通过在钢中添加微量的铬、钼、铌等合金元素开发出了耐火温度为600℃的建筑用耐火钢。该钢在600℃的高温屈服强度保持在室温的2/3以上。欧洲的cresotloire钢厂完成了能经受900~1000℃火灾温度的含钼耐火钢的研究，但由于成本过高而未能推广应用。目前，耐火钢在日本获得了较为广泛的使用。

现在国外已开发出了390~490MPa的耐火钢、耐候耐火钢系列，其主要特点是：在600℃高温下，其高温屈服强度为常温标准值的三分之二以上，常温下的各种性能与普通焊接结构钢相同，焊接性与普通钢相同。

我国耐火钢的应用相对滞后，但马钢、宝钢、鞍钢等单位早已开展研究，并在上海某些工程中使用。

第 11 章 火灾后建筑结构鉴定与加固

11.1 鉴定程序与内容

统计表明，火灾后建筑结构鉴定主要集中在公共建筑（商场、游戏厅、酒楼、影剧院、办公楼、教学楼、礼堂……）、多层住宅、高层建筑、厂房和构筑物（仓库、通廊……）。结构类型多为混凝土结构、砖混结构。钢结构和木结构则较少，且关于钢结构防火问题在第 10 章中已作了一定的介绍。

火灾后结构鉴定宜分三个层次进行，即初步鉴定（概念性分析）、详细鉴定（规范标准规定深度的分析）和高级详细鉴定（用高级理论鉴定分析）。按哪个层次进行以业主合同要求和能解决工程问题的需要为准，绝大多数结构做到第二层次就可以了，只有少数要求较高的结构或解决疑难问题才作第三层次高级详细鉴定。

鉴定工作应委托专门机构或具有法定资质的单位进行，鉴定程序框图原则应和国际标准（《结构设计基础——已有结构的评定》ISO/CD 13822）原则相一致，如图 11-1 所示。

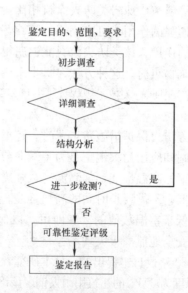

图 11-1 检测鉴定程序粗框

火灾对建筑的损害与地震不同，火焰的高温使建筑材料本身会发生很大的变化，有时不仅是物理的，如强度、硬度等，甚至也会有化学的。必须通过鉴定确认建筑物的受害情况和损坏程度，以便作出科学的加固修复方案。

火灾鉴定包括三项主要的内容：①火灾温度；②结构构件损伤程度；③修复处理意见。其中的每一项都要靠一些检测手段才能确定，图 11-2 给出了详细的鉴定内容和步序。

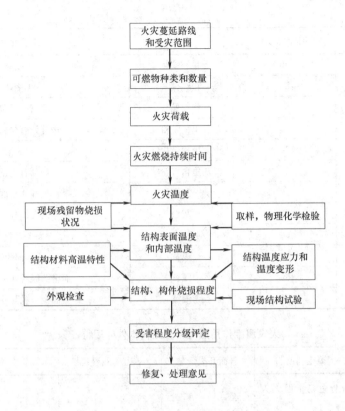

图 11-2 火灾事故检验内容和步序

11.2 判定火灾温度的物理化学方法

火灾温度与火场温度（消防部门称谓）的概念是差不多的，判定的手段也很多，可分物理方法、化学方法及计算方法。重大火灾可根据三种方法对比确定。

11.2.1 物 理 方 法

1. 表面特征判定

近代建筑在不同部位大都采用混凝土，过火后的混凝土表面因温度不同都呈现出不同的特征，表 11-1、表 11-2 给出了比较详尽的不同温度下混凝土的表面颜色及外观特征。如果

混凝土颜色、外形变化与加热温度、时间的关系　　表 11-1

温度(℃)	时间(min)	颜色	外形变化情况
500	30	红	无变化
	60	红	无变化
	90	红	无变化
600	30	粉红	无变化
	60	粉红	无变化
	90	粉红	无变化

续表

温度(℃)	时间(min)	颜色	外形变化情况
700	30	粉红偏灰	无变化
700	60	粉红偏灰	无变化
700	90	粉红偏灰	角有少量脱落
800	30	灰里稍带粉红	边开始有少量脱落
800	60	灰里稍带粉红	边脱落
800	90	灰里稍带粉红	面局部有少量脱落
900	30	灰白	全部裂开并有部分脱落
900	60	灰白	面大部分脱落
900	90	灰白	面全部脱落
1000	30	浅黄	面全部脱落
1000	60	浅黄	面全部脱落并部分粉化
1000	90	浅黄	面全部脱落并粉化

火灾温度作用后混凝土结构构件外观特征　　　　表 11-2

火灾温度	混凝土颜色	表面开裂情况	疏松脱落情况	露筋情况
200℃以下	灰青色与常温无大变化	无	无	无
500℃	微显红色	无	无	无
550～800℃	灰白色为主呈浅黄色	表面有贯通裂缝	角部剥落、表面起鼓、混凝土有酥松状	板底、梁、柱角部混凝土爆裂出现钢筋
900～1000℃	浅黄并现呈白色	裂缝较多	表面酥松、大块剥落	严重露筋
1000～1100℃	浅黄并呈白色	裂缝多	表面酥松、大块剥落	钢筋全部外露

确知建筑结构所采用的水泥种类，还可根据第9章的表9-7查出更为准确的火灾温度。总体上随着温度的升高混凝土表面颜色大致为红—灰—黄，外形变化从550～700℃开始显现，且随着温度升高变化越来越大。当温度达800℃以上时，骨料开始分解，混凝土外形基本破坏而粉化，如果达不到破坏温度，尽管恒温加热时间很长，也不能使混凝土破坏。

2. 回弹仪检测法

回弹仪检测在常温下可以用来评定混凝土的质量，火灾中混凝土受高温作用后，其微观结构受到了损害，表面硬度发生变化，由于各种部位在实际火场中受热温度不同，各部位也相应地表现出不同程度的损伤，因而各部位的回弹值也相应地发生变化。用回弹仪检测混凝土构件表面硬度，可以定性地判断烧损程度，判定其受热温度和受热时间。混凝土表面回弹值与受热温度、时间的关系见表11-3。

混凝土表面回弹值与受热温度和时间的关系　　　　表 11-3

加热时间(min)	最高温度(℃)	回弹值	回弹值降低率(%)
0	15	22	2
5	556	21.5	
0	15	25	6
10	658	23	
0	15	21.5	18
15	719	17.7	
0	15	24.4	42
20	761	14.3	
0	15	21	60.5
25	795	8.3	
0	15	29.3	68.1
30	845	9.3	
0	15	22.3	71.3
35	845	6.0	
0	15	24.5	91.8
40	865	2.0	
0	15	25	100
50	895	0	

从表 11-3 可以看出，随着加热持续时间的增长、温度的升高，回弹值越来越小，回弹值降低率越来越大。在加热 5～10min（556～658℃）时混凝土表面硬度变化不大；加热到 50min（895℃）以上时，混凝土表面已严重粉化，回弹值为零。火场勘查人员可以根据混凝土回弹仪测定被烧混凝土表面的回弹值，判断混凝土被烧温度的高低。

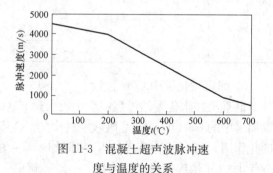

图 11-3　混凝土超声波脉冲速度与温度的关系

3. 超声波检测法

火灾使混凝土内部出现许多细微裂缝，对超声波在其内部的传播速度影响很大。实验证明，超声波脉冲的传播速度随混凝土被烧温度的升高而降低（见图 11-3）。因此可以根据超声波在混凝土内部传播速度的改变定性地说明混凝土结构某部位的烧损程度，进而说明该部位的受热温度的高低，以此判断火势蔓延方向和起火部位。

11.2.2　化 学 方 法

当混凝土被加热时，会发生如下变化：

$$Ca(OH)_2 \longrightarrow CaO + H_2O$$
$$CaCO_3 \longrightarrow CaO + CO_2$$

反应生成物数量随受热温度升高和时间增长而增加，因此，可通过测量其质量变化值判断混凝土火烧部位温度的高低。

1. 测定中性化深度

混凝土中由于存在 $Ca(OH)_2$ 和少量 $NaOH$、KOH，因而硬化后的混凝土呈碱性，pH 为 12～13。混凝土经火灾作用后，碱性的 $Ca(OH)_2$ 发生分解，放出水蒸气，留下中性的 CaO。CaO 遇无水乙醇的酚酞溶液不显色，而 $Ca(OH)_2$ 则显红色。因此，测定不显红色部分的深度，即中性化深度。实验研究表明，混凝土中性化深度随着加热温度的升高和加热时间的增长而加深（见表 11-4）。现场勘查时可直接在混凝土构件表面凿取小块，将小块放入 1％酚酞的无水乙醇溶液中，测定混凝土中性化深度。通过测定不同部位混凝土构件的中性化深度，查表得出受热温度和持续时间。根据温度分布分析火势蔓延方向，进而分析判定起火部位。

矿渣水泥混凝土中性化深度与受热温度、时间的关系　　　　　　　　　表 11-4

受热温度(℃)	受热时间(min)	中性化深度(mm)	受热温度(℃)	受热时间(min)	中性化深度(mm)
500	30	4～5	800	30	11～12
500	60	4.5～6	800	60	12～13
500	90	5～7	800	90	13～15
600	30	6～7	900	30	12～13
600	60	7～8	900	60	粉化
600	90	9～10	900	90	粉化
700	30	7～9	1000	30	12～14
700	60	8～11	1000	60	粉化
700	90	9～12	1000	90	粉化

2. 测定炭化层中 CO_2 含量

混凝土在水化凝结过程中会生成大量 $Ca(OH)_2$，当混凝土长期在空气中自然放置时，表面层中的 $Ca(OH)_2$ 就会吸收空气中的 CO_2 形成 $CaCO_3$，通常把这种过程叫作混凝土的碳化作用，所形成的 $CaCO_3$ 层叫碳化层（一般厚度为 2～3mm 左右）。碳化作用的速度随空气中 CO_2 浓度的增大而加快，一般碳化层中 CO_2 含量在 20％左右，试验表明，当混凝土受热温度达 550℃时，$CaCO_3$ 开始分解，但分解速度很缓慢，随着混凝土受热温度的升高，其分解速度迅速增加。当达到 898℃时，分解出的 CO_2 分压可达到 1 个大气压。因此，898℃称为 $CaCO_3$ 的分解温度。如果加热温度继续提高，仍会加剧 $CaCO_3$ 分解速度，混凝土碳化层中 CO_2 含量将随加热温度的升高而降低。所以可在现场勘查中凿取混凝土碳化层试样，测定二氧化碳的含量，通过查表推算出燃烧时间和火烧温度（见表 11-5）。根据现场温度分布，分析判断火势蔓延方向和起火部位。

普通水泥混凝土碳化层中 CO_2 含量与受热温度、时间的关系　　　　　　表 11-5

加热时间(min)	最高温度(℃)	CO_2 含量(％)
20	761	16.1
30	822	13.9
53	901	7.3

续表

加热时间(min)	最高温度(℃)	CO_2 含量(%)
60	925	6.0
75	975	2.9
88	983	2.3
93	991	1.6

3. 测定混凝土碳化层中游离氧化钙（f-CaO）含量

游离氧化钙（f-CaO）是指水泥熟料煅烧过程中未被硅酸二钙完全吸收的 CaO，该项指标一般作为水泥厂的一项技术指标，含量在 1% 以下，如果过高则影响水泥质量。火灾中混凝土碳化层中的游离氧化钙（f-CaO）会随被烧温度发生变化。

根据水泥厂生产过程反映火场温度在 761～925℃（时间 20～60min）范围内，由于正好在 $CaCO_3$ 分解温度范围内，温度升高，游离氧化钙（f-CaO）含量升高；当温度升至 900～1000℃时，硅酸二钙吸收氧化钙变成硅酸三钙，此时游离氧化钙含量随温度升高而降低。因此，在现场勘查时凿取混凝土碳化层试样测定氧化钙的含量，参照水泥生产过程的规律分析判断火势蔓延方向起火部位和过火温度。

此外，还可以采用热分析技术测定混凝土碳化层中水泥的失重以及用电子显微镜测定混凝土中 $Ca(OH)_2$ 晶体改变等方法来判断混凝土化学成分的变化，为分析判定火势蔓延路线和起火部位提供依据。

上述方法在具体鉴定时并不要求全部采用，用较少的手段可以得到较为准确的结论即可。

11.3 火灾温度的判定

11.3.1 火灾荷载的计算

一般先计算火灾荷载，再计算火灾燃烧持续时间，最后由燃烧持续时间即可求出火灾温度。

建筑物内部有各种材料制作的各种物品，不同材料其单位重量的发热量是不同的。为计算方便，将火灾区域内实际存在的全部可燃物，按木材发热量统一换算成木材的重量，作为可燃物总量。可燃物总量除以火灾范围内的建筑面积，得到单位面积上的可燃物量（换算木材重量），称为火灾荷载。按下式计算：

$$q=\frac{\sum (G_i H_i)}{H_0 A}=\frac{\sum Q_i}{18810A} \tag{11-1}$$

式中　q——火灾荷载（kg/m^2）；

　　　G_i——可燃物质量（kg）；

　　　H_i——可燃物单位质量发热量（kJ/kg），按表 11-6 选取；

H_0——木材单位质量发热量,取 18810kJ/kg;

A——火灾区域建筑面积(m^2);

$\sum Q_i$——火灾区域内可燃物总发热量(kJ)。

由于临时性可燃物变化极大,计算常较繁杂和困难。因此,在计算有困难时,也可按建筑物的不同用途统计得到的火灾荷载资料进行估计,表 11-7 数值可作为参考。表 11-7 还给出了不同用途火灾荷载调查统计值,亦可作为火灾荷载的取值依据。

材料单位发热量　　　　　　　　　　　　　　　　表 11-6

材料名称	发热量(4.18kJ/kg)	材料名称	发热量(4.18kJ/kg)	材料名称	发热量(4.18kJ/kg)
木材	4500	油毡	5000	聚乙烯	10000
软木	4000	塑料	10400	聚碳酸酯	7000
无烟煤	8000	动物油	9500	聚酯	6000
褐煤	3600	植物油	9500	聚苯乙烯	10000
泥炭	6000	脂肪	10000	聚胺甲酸酯	6000
焦炭、木炭	8000	黄油	9000	尿素	2000
汽油	10000	干酪	4000	氮肥	500
轻油	10500	砂糖	4000	沥青	9500
石油	10500	奶粉	4000	沥青卷材	5000
焦油	9000	蛋粉	5000	贴砂沥青卷材	2000
挥发油	10000	大米	4000	干鱼	3000
石蜡	11000	玉米粉	4000	干肉	6000
甘油	4000	麦芽	4000	咖啡	4000
硬质橡胶	8000	淀粉	4000	可可粉	4000
弹性橡胶	10000	正庚烷	11000	茶叶	4000
泡沫橡胶	8000	二甲烷	10000	巧克力	6000
橡胶板	10000	甲醇	5000	香烟	4000
甲烷	12000	乙醇	6000	甜酒	3000
乙炔	12000	苯甲醇	8000	纤维素	3800
乙烷	12000	十六醇	10000	天然纤维	4000
丙烷	11000	醋酸	4000	干草、稻草	3600
丁烷	11000	氯化乙烯	4100	羊毛	5000
环己烷	11000	尿素树脂	5000	人造纤维	4000
正己烷	11000	苯酚	8000	丝织品	4000
甲苯	10000	苯酚树脂	6000	皮革	5000
软质木屑板	4000	苯酚丙烯醛	8000	纸张	3900
本质纤维板	4000	聚丙烯酸酯	7000	纸板	4000
塑料地板	5000	赛璐珞	4000		
混合颜料	6000	聚酰胺	7000		

不同用途火灾荷载调查统计值　　　　　　　　　　表 11-7

房屋用途	火灾荷载(kg/m^2)	房屋用途	火灾荷载(kg/m^2)	房屋用途	火灾荷载(kg/m^2)
住宅	35~60	教室	30~45	图书库房	150~500
办公室	40~50	旅馆客房	30~45	剧场	30~75
设计室	30~150	医院病房	20~25	商场	100~200
会议室	20~35	图书阅览室	100~250	仓库	200~1000

11.3.2 计算火灾燃烧持续时间

火灾燃烧持续时间取决于可燃物量(火灾荷载)和燃烧条件。所谓燃烧条件是指房间

的通风条件,即为门窗开口面积和高度。试验表明,一般民用建筑的火灾燃烧持续时间可按下列经验公式计算:

$$t = \frac{qA}{KA_b\sqrt{H}} \tag{11-2}$$

式中　t——火灾燃烧持续时间（min）；
　　　K——系数,可取 $5.5\sim6.0\text{kg}/(\text{min}\cdot\text{m}^{5/2})$；
　　　A_b——门窗开口面积（m^2）；
　　　H——门窗口的高度（m）；
　　　A——火灾区域面积（m^2）；
　　　q——火灾荷载（kg/m^2）。

此外,火灾燃烧持续时间,也可根据火灾荷载值按表 11-8 所列经验数值取用。

火灾荷载与火灾持续时间的关系　　　　　　　　　　　　表 11-8

火灾荷载(kg/m^2)	25	37.5	50	75	100	150	200	250	300
火灾持续时间(h)	0.5	0.7	1.0	1.5	2.0	3.0	4.5	6.0	7.5

11.3.3　推算火灾温度

求得火灾燃烧持续时间后,可按下列统计方法得到的由国际标准化组织（ISO）确定的标准火灾升温曲线公式推算火灾温度:

$$T = 345\lg(8t+1) + T_0 \tag{11-3}$$

式中　T——火灾温度（℃）；
　　　T_0——火灾前的室内温度（℃）；
　　　t——火灾燃烧持续时间（min）。

11.3.4　估算结构表面温度和内部温度

结构表面温度和内部温度判断的方法很多,可以通过观察残留物状况考察结构材料特性的变化,以及取样进行物理化学试验等方法。

1. 结构表面温度

火灾时梁和楼板的表面温度可按下式计算:

$$T_h = T - \frac{k(T-T_0)}{\alpha_1} \tag{11-4}$$

式中　T_h——火灾时楼板底面（直接受火焰热流体作用的面）的表面温度（℃）；
　　　T——火灾温度（℃）；
　　　T_0——楼板顶面空气温度（℃）；
　　　α_1——火焰热流体对楼板底面的综合换热系数 $[1.163\text{W}/(\text{m}^2\cdot\text{K})]$,可按表 11-9 取用；
　　　k——楼板的传热系数 $[1.163\text{W}/(\text{m}^2\cdot\text{K})]$,按公式（11-5）计算。（注:这里采用

SI 标准符号,但温度 K 仍按摄氏温度取值,下同):

$$k = \cfrac{1}{\cfrac{1}{\alpha_1} + \cfrac{\delta}{\lambda} + \cfrac{1}{\alpha_2}} \tag{11-5}$$

δ——楼板厚度 (m);

λ——材料导热系数 [1.163W/(m²·K)],按表 11-10 取用;

α_2——楼板放热系数对不稳定的火灾热源 $\alpha_2 = \dfrac{\lambda c \rho}{\pi t}$;其中 t 为火灾燃烧时间 (h);c 为材料比热 [4.18kJ/(kg·K)];ρ 为材料密度 (kg/m³),见表 11-10。

综合换热系数 α_1　　　　表 11-9

火焰温度(℃)	200	400	500	600	700	800	900	1000	1100	1200
α_1[1.163W/(m²·K)]	10	15	20	30	40	55	70	90	120	150

建筑材料的热工性能　　　　表 11-10

材料名称	密度 ρ (kg/m³)	导热系数 λ [1.163W/(m²·K)]	比热 c [4.18kJ/(kg·K)]	导温系数 a (m²/h)
钢筋混凝土	2400	1.33	0.20	0.00277
混凝土	2200	1.10	0.20	0.00262
轻混凝土	1500	0.60	0.19	0.0021
	1200	0.45	0.18	0.00208
	1000	0.35	0.18	0.00195
泡沫混凝土	1000	0.34	0.20	0.0017
	800	0.25	0.20	0.00156
	600	0.18	0.20	0.0015
	400	0.13	0.20	0.00162
建筑钢材	7850	50.00	0.115	0.0552
多孔砖砌体	1300	0.45	0.21	0.00165
水泥砂浆	1800	0.80	0.20	0.00222
混合砂浆	1700	0.75	0.20	0.00221
石棉板(瓦)	1900	0.30	0.20	0.00079
石棉毡	420	0.10	0.20	0.00119
玻璃棉	200	0.05	0.20	0.00125

2. 结构内部温度

火灾时钢筋混凝土楼板(或墙板)内部温度可按下式计算:

$$T_{(Y,t)} = T_h - (T_h - T_0)\,\mathrm{erf}\,\frac{Y}{2\sqrt{at}} \tag{11-6}$$

式中　$T_{(Y,t)}$——火灾持续时间为 t 时,离板底表面 Y (cm) 处的楼板内部温度 (℃);

T_h——楼板底表面温度 (℃);

T_0——火灾前室内温度 (℃);

$\mathrm{erf}\dfrac{Y}{2\sqrt{at}}$——高斯误差函数，按表 11-11 取值，其中 a 为材料导温系数，按表 11-10 取值；

Y——至楼板底面的距离（cm）；

t——火灾燃烧时间（h）。

火灾时板、墙、梁等构件内部温度也可按表 11-12～表 11-14 直接查取。

误 差 函 数 表   表 11-11

$\dfrac{Y}{2\sqrt{at}}$	$\mathrm{erf}\dfrac{Y}{2\sqrt{at}}$	$\dfrac{Y}{2\sqrt{at}}$	$\mathrm{erf}\dfrac{Y}{2\sqrt{at}}$	$\dfrac{Y}{2\sqrt{at}}$	$\mathrm{erf}\dfrac{Y}{2\sqrt{at}}$
0.00	0.00000	0.80	0.74210	1.60	0.97635
0.05	0.05637	0.85	0.77067	1.65	0.98038
0.10	0.11246	0.90	0.79691	1.70	0.98379
0.15	0.16800	0.95	0.82089	1.75	0.98667
0.20	0.22270	1.00	0.84270	1.80	0.98909
0.25	0.27633	1.05	0.86244	1.85	0.99111
0.30	0.32863	1.10	0.88020	1.90	0.99279
0.35	0.37938	1.15	0.89612	1.95	0.99418
0.40	0.42839	1.20	0.91031	2.00	0.99532
0.45	0.47548	1.25	0.92290	2.10	0.99702
0.50	0.52050	1.30	0.93401	2.20	0.99813
0.55	0.56332	1.35	0.94376	2.30	0.99885
0.60	0.60386	1.40	0.95228	2.40	0.99931
0.65	0.64203	1.45	0.95970	2.50	0.99959
0.70	0.67780	1.50	0.96610	2.75	0.99989
0.75	0.71116	1.55	0.97162	3.00	0.99997

混凝土板内部温度分布值（℃）   表 11-12

深度(mm)	受 火 时 间 (h)					
	0.5	1.0	1.5	2.0	3.0	4.0
0	600	740	800	800	800	800
10	480	660	800	800	800	800
20	340	530	650	730	800	800
30	250	420	550	610	700	770
40	180	320	450	510	600	670
50	140	250	360	430	520	600
60	110	200	310	360	450	530
70	90	170	260	310	400	470
80	80	130	220	270	350	430
90	70	110	180	230	310	390
100	65	100	160	200	290	360

混凝土墙内部温度分布值（℃）   表 11-13

深度(mm)	受 火 时 间 (h)						
	0.5	1.0	1.5	2.0	3.0	4.0	5.0
0	460	670	760	815	890	935	1000
5	420	625	720	775	850	905	970
10	380	580	680	740	820	875	940
15	340	540	640	700	785	840	910
20	300	495	600	660	750	810	880
25	270	450	555	625	710	775	855
30	215	400	520	590	680	740	825
35	180	360	475	550	640	710	800
40		315	435	510	605	675	770
45		270	400	475	570	645	740
50		235	360	440	535	585	720

续表

深度(mm)	受火时间(h)						
	0.5	1.0	1.5	2.0	3.0	4.0	5.0
55		200	325	405	500	555	690
60		175	295	375	475	530	660
65			265	340	440	500	635
70			235	320	420	480	615
75			200	290	400	455	585
80			185	265	375	430	560

混凝土梁内部温度分布值（℃）　　　　　　表 11-14

到底面的距离（竖向深度）(cm)	到侧面的距离（横向深度）(cm)					
	12	10	8	6	4	2
20	140	175	250	355	500	680
18	150	180	255	360	505	685
16	160	195	265	370	510	690
14	180	210	280	385	520	695
12	210	245	310	405	540	705
10	260	290	350	445	565	720
8	335	360	415	495	605	745
6	430	455	500	570	665	780
4	560	580	610	660	735	825
2	720	730	750	780	825	885

3. 主筋（受力筋）温度的确定

其实如果已经求得了结构内部温度，那么内部附近的钢筋温度也就确定了，表 11-15 还提供了一个根据火灾持续时间及保护层厚度来查取主筋温度的关系表，可供参照。

大火灾温度作用下梁内主筋温度与保护层厚度的关系　　　　　　表 11-15

主筋保护层(cm)	主筋温度(℃)	升温时间(min)							
		15	30	45	60	75	90	105	140	175	210
1		245	390	480	540	590	620				
2		165	270	350	410	460	490	530			
3		135	210	290	350	400	440		510		
4		105	175	225	270	310	340			500	
5		70	130	175	215	260	290				480

11.4　过火建筑鉴定与加固实例

过火灾后建筑的可靠性鉴定与加固方法与一般事故下建筑结构的鉴定与加固没有重大差别，下面以一例子说明之。

【实例 11-1】　某纺织车间火灾后鉴定与加固

过火建筑为某纺织厂的清花车间，该车间为单层工业厂房，钢筋混凝土柱、风道梁、锯齿形屋架、双T形屋面板，这些构件均为预制安装，预制构件及现浇梁、板、楼梯、天沟等混凝土强度等级均为C20。梁柱主筋为Ⅱ级钢，砖墙为砖MU10、混合砂浆M5砌筑。

1994年4月9日发生火灾，火灾旺盛期1h左右，持续时间4h，图11-4为火灾面积与温度区域示意图。

1. 火灾后结构烧损的调查结果

（1）建筑烧损情况

建筑物材料烧损情况如下：

轴②、轴D—E水泥窗框内侧钢杆安全扶手烧红、变弯曲。

轴①、轴B—C和轴②、轴C—D水泥窗框内侧钢杆安全扶手弯曲变形。

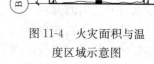

图11-4 火灾面积与温度区域示意图

轴①—③、轴C直径5cm的自来水管烧红变形弯曲。

轴①和轴②、轴C—D和轴D—E上的窗户玻璃溶化。

轴②—③、轴D—E靠轴E液压升降机钢板外壳烧后发红。

（2）结构受损情况

1) 钢筋混凝土预制柱（带牛腿）。轴②、轴D柱受损严重，柱混凝土爆裂，外表呈红色或白色带黄，该柱混凝土烧伤深度严重的达20mm，碳化深度15mm，一般部位烧伤深度15mm，碳化深度10mm左右。柱距地面1m以上混凝土烧成红色带黄，1m以下混凝土仍呈微红带青色。

2) 钢筋混凝土预制风道梁。风道梁烧损严重的是轴①—②、轴C—E梁，混凝土颜色烧成红色、白色带黄、局部爆裂。烧伤深度严重的达20mm，碳化深度严重的达14mm，一般烧伤16mm，碳化10mm左右。

3) 钢筋混凝土预制锯齿形屋架。屋架烧损最严重的是轴①—②、轴C—E和轴②—③、轴D—E跨内屋架，混凝土颜色为红色、局部为白色，烧伤深度严重的达17mm，碳化13mm。

4) 钢筋混凝土双T形屋面板。屋面板受损严重的是轴①—③、轴C—E范围内的板，板底混凝土颜色一般是红色，局部为白色。烧伤深度严重的达12mm，碳化9mm，一般烧伤深度为7mm，碳化5mm左右。板在火灾后混凝土爆裂露筋1处，孔洞2处。

5) 山墙砖砌体烧损。山墙砖砌体烧损严重的是轴①—③、轴E。砖墙水泥砂浆粉刷层烧酥粉状剥落，黏土砖局部爆裂。

2. 火灾温度的判定

（1）根据现场残留物和混凝土结构颜色的调查结果判定火灾温度。

（2）根据混凝土结构内钢筋的强度损失和混凝土烧伤深度判定温度。

（3）取构件表面混凝土的烧伤层在电镜下进行混凝土内部结构和矿物成分变化分析判定温度。

根据现场调查和构件各部位的取样鉴定，判定该工程最高火灾温度 800～1000℃。其轴线位置为轴①—②、轴 C—D 附近和轴②—③、轴 C—E 范围内，火灾温度区域详见图 11-4。

根据调查和现场查看，该次火灾起火部位是在轴②—③靠轴 D 附近，火焰由南向北蔓延，从而使得轴①和轴②线的结构受损较为严重。

3. 结构材料性能检测

(1) 梁柱的混凝土强度

火灾后混凝土构件各部位受到的火灾温度不同，其强度损失也不同，对于同一根构件的混凝土强度取较低的混凝土强度值。根据判定的火灾温度区域和采用拔出法、取芯法、回弹法等的检测，结构火灾后梁柱的混凝土强度为：柱子一般为 22MPa，最低的 17MPa；风道梁一般为 25MPa，最低的 18.5MPa；屋架 28MPa，最低的 17.5MPa。该厂房的结构施工总说明中载明的混凝土强度等级为 C28。

(2) 梁柱内的钢筋强度

根据火灾温度与梁、柱内主筋强度折减系数与保护层的关系曲线，本工程判定最高火灾温度为 1000℃，实测柱子钢筋保护层 22mm 左右、风道梁 20mm 左右、屋架 19mm 左右，推定柱内主筋强度折减系数 0.87，风道梁、屋架内的主筋强度折减系数 0.80。

(3) 双 T 形屋面板内钢筋强度

判定屋面板最高火灾温度 1000℃，板内主筋保护层最小 4mm，一般 8mm，最厚 11mm。根据火灾温度与板内主筋强度折减系数与火灾温度的关系曲线，推定板内主筋强度折减系数为 0.77。

(4) 黏土砖砌体抗压强度

轴①—②、轴 E，鉴定火灾最高温度为 1000℃，砖墙的一面受火自然冷却，推定火灾后砖砌体抗压强度损失为 10%。

4. 结构受损评定意见

本工程结构受损按"受损严重"、"受损比较严重"、"受损一般"三种情况评定如下：

(1) 柱子

1) 轴②、轴 D 柱受损严重。

2) 轴③、轴 D 柱牛腿侧面受损严重。

3) 轴①和轴 E、D 和 C 柱仅牛腿侧面受损，其他柱子受损一般。

(2) 风道梁

1) 轴②、轴 E—D 和 D—C 梁受损严重。

2) 轴①、轴 E—D 和 D—C 北侧面，轴③、轴 D—E 南侧面受损较重。

3) 其余风道梁受损一般。

(3) 屋架

1) 轴②—③、轴 E—D 和 D—C 跨靠轴 D 屋架，轴①—②、轴 D—C 靠轴 D 内屋架受损严重。

2) 轴①—②、轴 E—D 内的屋架受损较重。

3) 其他屋架受损一般。

(4) 双 T 形屋面板

1）轴②—③、轴 D—E 和轴①—②、②—③、轴 D—C 跨内的部分屋面板受损严重。

2）轴①—②、轴 D—E 跨内的屋面板受损较重。

3）其他屋面板受损一般。

（5）山墙砖砌体

1）轴②—③、轴 E 砖砌体结构受损较重。

2）其他砖砌体结构受损一般。

5. 受损结构加固设计与施工

结构受损程度评定后也就知道了该工程需要修复加固的构件。对梁、板、柱、砖墙砌体受损严重、比较严重的构件采取了加固措施，其他构件仅作恢复使用功能的修复处理。

（1）加固的原则和范围

原则：将受损结构恢复到满足原结构的设计荷载要求，为了保证原使用要求，被加固的截面不宜过大。

范围：火灾后受损严重、比较严重的构件。

（2）加固方案

1）预制钢筋混凝土风道梁

受损严重的梁采取在梁侧面的主筋位置处，在跨中用建筑结构胶粘贴钢板和用无粘结预应力筋体外张拉的加固方法，加固方案见图 11-5 和图 11-6。对于受损"比较严重"的梁仅采用在跨中用建筑结构胶粘贴钢板的加固方法。

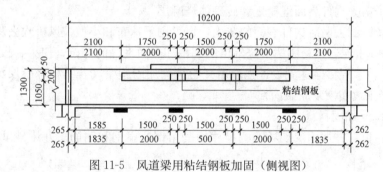

图 11-5 风道梁用粘结钢板加固（侧视图）

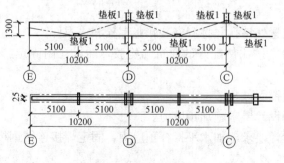

图 11-6 风道梁加固图

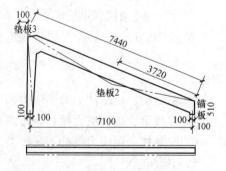

图 11-7 屋架加固

2）预制钢筋混凝土屋架

受损严重和比较严重的屋架均采用无粘结预应力筋体外张拉加固方法，加固方案见图 11-7。

3)预制钢筋混凝土柱

"受损严重"和"比较严重"的柱采用双侧预应力角钢撑杆法加固,加固方案见图11-8。

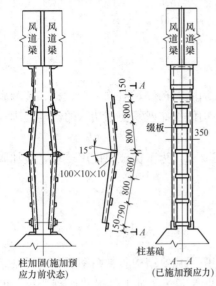

图 11-8 柱横向预应力加固

4)预制双 T 形屋面板

对于"受损严重"和"比较严重"的屋面板均采用无粘结预应力筋体外张拉加固方法。

5)山墙砖砌体加固

砖砌体采用在室内墙面用 $\phi 6@200$ 双向网片、M10 水泥砂浆粉刷(厚10mm)加固。

(3)结构加固施工

1)设置安全支撑

混凝土梁、板、柱遭火灾后,对烧损严重的构件要设置安全支撑,为此,在风道梁底每 50mm 设一道临时安全支撑。

2)面层清理

对遭火灾的部位,铲除其表面的石灰粉刷层和水泥砂浆粉刷层。

3)凿除梁、板、柱和砖砌体烧酥层

① 用凿子凿去构件表面混凝土和砖砌体烧酥层。

② 用钢丝刷刷去凿后构件表面的灰尘,也可用干抹布和小型鼓风机吹去灰尘。

③ 用 1∶2 水泥砂浆粉刷凿去烧酥层的部位和表面毛糙的部位,使梁、板、柱和砖砌体截面复原,待水泥砂浆达到设计强度后开始结构加固施工(若结构烧酥层深度较深时,可用细石混凝土填实恢复原截面)。

4)准备修复加固材料

① 按梁、板、柱加固及现场实测尺寸切割角钢、扁钢和钢筋。并用砂纸除锈,用布抹干净。

② 准备水泥、砂、石子等材料。

5)梁、板、柱加固施工

① 按图纸在梁、板、柱设计规定位置处钻孔、打洞安装膨胀螺栓和锚固件。

② 吹去孔内灰尘,在膨胀螺栓上涂上按比例配好的建筑结构胶,插入孔内固定膨胀螺栓。

③ 粘贴梁、板、柱上的预应力加固锚固件。

④ 焊接梁、板预应力拉杆,按图纸设计要求施加预应力。

⑤ 安装柱子预应力撑杆,按图纸设计要求施加水平撑杆预应力,固定焊接连结钢板。

6)其他施工

① 凿去未加固的梁、板、柱的原粉刷层或局部微烧伤层,清除灰尘。

② 用 1∶2 水泥砂浆粉刷所有的梁、板、柱,粉刷厚度梁、柱为 25mm,楼板底为13mm(分二次粉刷)。

③ 梁、板、柱结构加固后,对于暴露在外的钢筋、钢板、角钢等刷防锈漆二道。

④ 刷白内墙涂料（室内装饰根据使用单位要求另定）。

【实例 11-2】 某商品市场火灾的鉴定与加固

1. 工程概况及现场调查

该市场为 8 层框架结构，一～三层为市场，五～八层为住房。2000 年 4 月二楼由于烟头引起火灾，造成二楼结构烧损，整个二楼市场的服装及设备烧毁。

遭受火灾损伤区域主要为第二层⑥～⑪轴 5 个开间。火灾后受损区域内的木制架、凳子烧成焦炭，摊位钢丝网变形扭曲；楼层顶棚吊物用的吊钩变形表皮脱落，窗玻璃熔化，被火焰熏黑。

火灾后⑨轴 B 柱混凝土表面呈灰白色，B 轴⑨～⑩梁呈淡黄色，部分构件混凝土呈粉红色，其余混凝土未变色。根据现场物品烧损情况表面颜色变化情况及现场取样所做电镜分析，该楼第二层火灾后，温度区域划分见图 11-9。

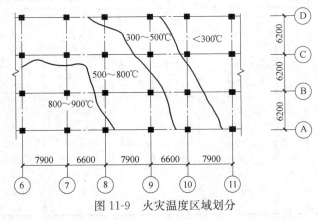

图 11-9 火灾温度区域划分

2. 结构受损情况及混凝土强度检测结果

火灾后该大楼第二层Ⓑ与⑧轴梁角部烧酥，Ⓑ轴线⑥～⑦梁烧伤深达 2.6cm，⑥～⑦轴线的Ⓑ柱受损比较严重，特别是⑦轴Ⓑ柱，烧伤深达 2.5cm，使局部柱的钢筋外露。

(1) 构件强度检测

采用多种方法检测，进行综合评价混凝土强度。

1) 敲击法

首先用敲击法全面检测了各构件混凝土强度，检测部位为构件可能遭遇受火灾的部位。

2) 回弹法

① 检测程序：先按 $f_{ct}=k_{cn}f_c$ 常规方法进行分析，然后进行修正。

式中，f_{ct} 为火灾后混凝土抗压强度（MPa）；f_c 为按常规法回弹评定的结果《回弹法检测混凝土抗压强度技术规程》JGJ/T 23；k_{cn} 为回弹修正系数，$k_{cn}=1.08-8.48\times10^{-4}T+4.84\times10^{-2}L$；$T$ 为混凝土构件受火温度；L 为碳化深度。

② 测试部位及测试点：主要测试了柱中下部，梁侧的中、上部，板的底部。全面检测了各构件强度。

3) 取样分析法

从现场取样后与标准试件相比，确定柱梁混凝土强度。

取样点柱上+1.00m处、+2.00m处，梁侧中上部，板底部。取了相当部分有代表性的试样。

4) 受火温度分析法

火灾后混凝土抗压强度 f_{ct}

$$f_{ct}=k_c f_{co} \quad k_c=1.068-5.73\times 10^{-4}T \quad f_{co}\text{为未受火混凝土强度}。$$

(2) 构件强度评定

由于篇幅有限，选同类型的梁柱中有代表性的部位分别用各种方法进行灾后混凝土强度测试，其综合评定结果为表 11-16。

混凝土强度测试及评定结果（MPa）　　　　　　　　表 11-16

构件编号	火灾前混凝土强度	敲击法结果	回弹法结果	取样分析法结果	温度分析法结果	综合评定
⑥轴 B 柱	22.9	17.0	16.5	17.0	15.9	16.6
⑦轴 B 柱	21.0	15.0	14.0	15.0	14.0	14.5
⑦轴 C 柱	23.0	20.5	20.0	21.0	18.5	20.5
⑥轴 A 柱	20.2	15.5	15.5	15.5	15.0	15.3
⑦轴 A 柱	22.0	16.5	16.2	16.0	15.5	16.1
⑧轴 A 柱	20.0	16.0	15.5	16.0	15.0	15.6
⑥轴 A~B 梁	20.0	16.0	16.5	16.0	15.0	15.8
⑥轴 B~C 梁	21.0	17.0	16.5	16.0	16.0	16.4
⑦轴 A~B 梁	22.1	16.0	16.0	16.0	15.5	15.9
⑦轴 B~C 梁	21.3	18.0	17.2	17.5	16.1	17.2
⑧轴 B~C 梁	21.2	19.0	18.2	19.0	17.5	18.4
⑨轴 A~B 梁	24.0	20.0	20.2	20.0	19.5	20.0
⑤轴 9~10 梁	23.1	21.0	22.1			20.0

(3) 钢筋火灾后强度评定

受力构件的钢筋强度评定采用的是受火温度分析法，火灾后钢筋抗拉强度按 $f_{yt}=k_y f_y$ 计算，其中 $k_y=1.011-2.9\times 10^{-4}T$ 为强度降低系数，f_y 为钢筋未受火的抗压强度，f_{yt} 为火灾后的抗压强度。其评定结果见表 11-17。

钢筋强度测试及评定结果　　　　　　　　表 11-17

构件	受火温度(T)	f_y(MPa)	k_y	f_{yt}(MPa)
⑥轴 A 柱	800	310	0.779	241.5
⑥轴 B 柱	800	310	0.779	241.5
⑥轴 C 柱	700	310	0.800	248.0
⑦轴 B 柱	900	310	0.729	232.5
⑧轴 B 柱	700	310	0.800	248.0
⑧轴 C 柱	600	310	0.837	259.5
⑨轴 A 柱	500	310	0.866	269.0
⑦轴 A~B 梁	900	310	0.729	232.5
⑦轴 B~C 梁	800	310	0.779	241.5
⑧轴 B~C 梁	700	310	0.800	248.0
⑧轴 C~D 梁	600	310	0.837	259.5
⑨轴 B~C 梁	500	310	0.866	269.0

3. 剩余承载力计算

由于遭受火灾损伤的主要受力构件是柱、梁、板，因而火灾的剩余承载力分析主要是这三种构件。

(1) 柱

原设计图柱配筋均为双向对称配筋，在此分别计算其受灾前极限承载力和火灾后极限承载力。

1) ⑥轴 A 柱（400mm×650mm）

火灾前　原柱参数 $b×h=400mm×650mm$，混凝土强度取

$$f_c = 11.11N/mm^2$$
$$N_{max} = f_c b h_0$$
$$N = 11.11×400×615×0.544 = 1486.8kN$$

火灾后

参数：经现场检测得其损坏层 $a_1=6mm$，

损伤层 $a_2=10mm$，如图 11-10。

受损面积 $A_{ct}=20×634=10×388=16560mm^2$

灾后综合评定混凝土强度为

$$f_c = 8.47N/mm^2$$
$$h_0 = 650 - 35 - 6 = 609mm$$
$$b = 400 - 12 = 388mm$$

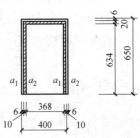

图 11-10　Z6—A 烧伤截面

故火灾后 $N_t = 8.47×388×609×0.544 = 1088.8kN$

损失：$(1-N_t/N)×100\% = (1-1088.8/1486.8)×100\% = 27\%$

2) ⑦轴 B 柱（650×650）

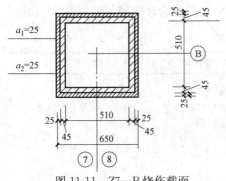

图 11-11　Z7—B 烧伤截面

火灾前　原柱参数：$b×h=650mm×650mm$，$f_c = 11.55N/mm^2$，极限承载力：

$$N_{max} = f_c b h_0$$
$$N = 11.55×650×615×0.544 = 2511.70kN$$

火灾后损伤情况如图 11-11 所示。

火灾后综合评定混凝土强度为 $f_c = 8.03N/mm^2$

未损面积　$A_a = 510×510 = 260100mm^2$

损伤面积　$A_a = 90×510×2 + 45×45×4 = 99900mm^2$

剩余承载力极限

$N_t = \{11.55×510×(615-70) + 8.03×90×[615-(615-70)]\}×0.544 = 1773.9kN$

损伤　$(1-N_t/N)×100\% = (1-1733.9/2511.7)×100\% = 30\%$

同理可得：

⑥轴 C 柱（简写 Z_c）承载力损失 15%；⑧轴 Z_c 承载力损失 10%；⑨轴 Z_a 承载力损失 5.1%等。

(2) 梁

以⑦轴梁 A~B 梁为例。

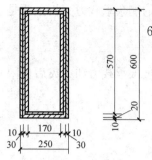

图 11-12 梁烧伤截面

火灾前，原设计为单筋矩形截面梁，$b \times h = 250\text{mm} \times 600\text{mm}$，混凝土强度为 $f_c = 12.2\text{N/mm}^2$

$f_y = 310\text{N/mm}^2$，底筋 $4\Phi20$

则其抗弯能力

$f_c bx = f_y A_s \quad x = f_y A_s/(f_{cm} b) = 310 \times 314 \times 4/(12.2 \times 250)$
$= 127.65\text{mm}$

$M = f_y A_s (h_0 - x/2)$
$= 310 \times 314 \times 4 \times (565 - 127.65/2) = 195.1\text{kN} \cdot \text{m}$

火灾后损伤情况如图 11-12。

混凝土强度 $f_c = 8.7\text{N/mm}^2$，

综合评定火灾后钢筋强度：$f_{yt} = 232.5\text{N/mm}^2$，$a_1 = 10\text{mm}$，$a_2 = 30\text{mm}$

受压区高度计算：

$x = f_{yt} A_s/(2a_1 f_c) + (b - 2a_1 - 2a_2) f_c$
$= 4 \times 232.5 \times 314/[(2 \times 10 \times 8.7) + (250 - 2 \times 10 - 2 \times 30) \times 12.2]$
$= 129.6\text{mm}$

受弯承载力：

$M_t = f_y A_s (h_0 - x/2) = 1256 \times 257.3 \times (565 - 129.9/2) = 1256 \times 232.5 \times 500$
$= 146.01 \times 10^6 \text{N} \cdot \text{mm} = 146.01\text{kN} \cdot \text{m}$

抗弯能力损失：$(1 - M_t/M) \times 100\% = (1 - 146.01/195.1) \times 100\% = 25\%$

同理可得其他梁抗弯能力损失。

4. 结构受损综合评价

经过现场调查、检测、计算、分析得出火灾损伤结构的综合评定结果，如表 11-18。

结构受损程度综合评定　　　　　　　表 11-18

构件分类	严重受损构件	中度受损构件	轻度受损构件
二层顶棚楼板	⑥~⑦轴内 A~B 跨 B~C 跨 ⑦~⑧轴内 A~B 跨 B~C 跨	⑥~⑦轴 CD 跨 ⑦~⑧轴 CD 跨 ⑧~⑨轴 AB 跨	⑥~⑪轴其他跨
二层梁	⑦轴梁 A~B 梁 B~C ⑧轴梁 6~7 梁 7~8	⑥轴 $L_{A~B, B~C, C~D}$ ⑦轴 $L_{C~D}$ ⑧轴 $L_{A~B, B~C, C~D}$ ⑨轴 $L_{A~B}$	⑥~⑪轴其他梁
柱	⑦轴 $Z_{7~B}$ ⑥轴 $Z_{6~13}$	$Z_{6~A}$　$Z_{6~B}$ $Z_{6~D}$　$Z_{7~A,C,D}$ $Z_{8~A,B,C}$　$Z_{9~A,B}$	⑥~⑪轴其他柱

5. 受损结构加固方法

板梁柱受损分类及加固方法如表 11-19。

6. 加固施工

（1）烧酥层处理

11.4 过火建筑鉴定与加固实例　　439

板梁柱受损分类及加固方法　　表 11-19

构件分类	严重	中度	轻度
板	撑桁架方法加固	板底高强度水泥砂浆方法加固	清理面层,用水泥砂浆粉平
梁	预应力撑杆及受压区粘钢加固	预应力撑杆加固	铲除烧酥层、清理剥落的粉刷层,用1∶1水泥粉浆粉抹平
柱	撑杆角钢加固加1∶1水泥砂浆粉刷50mm厚	撑杆角钢加固加1∶1水泥砂浆粉刷25mm厚	铲除烧酥层和清理剥落的粉刷层,加1∶1水泥砂浆粉刷25mm厚

柱、梁、板烧酥层处理:凿除混凝土烧酥层。在火灾检测及加固设计人员指导下完成,凿除工作应仔细避免将未烧酥层振松,烧酥层凿除后用钢丝刷刷去浮灰,用压力清水将表面冲洗干净后用801胶刷一遍,用1∶1水泥将构件分层粉平至原尺寸。

(2) 柱子加固施工

1) 根据柱子的实际尺寸在现场放样受力四角用角钢加固。

2) 施工时,缀板与角钢应采用等焊。

3) 在分块缀板上下各焊一道 $\phi 12$ 箍筋一道。

4) 安装柱角传力钢板。

5) 用C30细石混凝土灌捣密实60mm厚,柱角钢保护层30mm厚。

(3) 梁加固施工

1) 中度损伤梁用预应力拉杆加固

预应力拉杆张拉。由于梁端放置千斤顶有困难故采用拉式千斤顶在梁中间部位张拉。拉杆锚固如图 11-13 所示。

预应力拉杆锚固,其施工工艺按如下操作(在火灾检测人员及加固设计人员指挥下进行)。

① 在原梁及钢板上钻出与高强度螺栓直径相同的孔。

② 在钢板和原梁上各涂一层环氧砂浆,用高强度螺栓将钢板紧紧地压在原梁上,以产生良好的粘结力和摩擦力。

③ 将预应力筋锚固在与钢板相焊接的凹缘处。

④ 张拉结束后,对外露的加固钢筋进行粉刷1∶2水泥砂浆和涂刷防锈漆。

2) 损伤严重梁的加固施工

先与中度损伤梁一样进行预应力撑杆加固施工,施工完毕的再进行粘贴加固,其加固示意图如图 11-14。

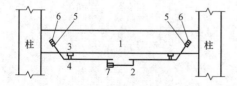

图 11-13　拉杆锚固示意图
1—原梁;2—加固梁;3—上钢板
(80mm×80mm×20mm);4—下钢棒
($\phi 22\ L=450\mathrm{mm}$);5—焊接;
6—高强度螺栓;7—外拉式千斤顶

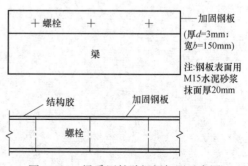

图 11-14　梁受压粘贴钢板加固示意图

施工操作：

① 构件表面处理：先用钢丝刷将表面松散浮渣刷去，并用硬毛刷沾洗涤剂于表面，然后用压力水冲洗，稍干后用30%左右浓度的盐酸溶液涂敷，于常温下放置约15min，再用硬尼龙刷刷除表面产生的气泡，用冷水冲洗，用3%的氨水中和，最后用压力水冲洗干净，待完全干燥后可涂胶粘剂。

② 钢板粘贴前的处理。

a. 前贴面须打磨进行防锈处理，然后用脱脂棉沾丙酮擦拭干净。

b. 贴钢板前，先对被加固梁卸荷。

c. 胶粘剂的配制。

JGN胶粘剂为甲、乙两组，将两组按说明配比混合使用，并用转速为$100\sim300r/min$的锚式搅拌器拌至色泽均匀为止。

③ 钢板粘贴。

将配制好的胶用抹刀抹在已处理好的钢板表面上1～3mm厚，将钢板粘贴剂的砂表面粘好，并立即用U形夹具夹紧，以防胶液从钢板边缘挤出。

④ 24h后可拆除夹具，并在钢板表面涂水泥砂浆保护。

(4) 板的加固施工

一般的用1∶1水泥砂浆粉刷板底即可。

对于严重损伤的板，采用撑桁架方法进行加固，将板面酥松砂浆全部凿除，全部铺双向钢筋网浇筑C30细石混凝土。

第12章 燃爆事故预防与处理

12.1 概　述

12.1.1 一个不容忽视的城市灾害

随着生产建设的发展，城市燃气的使用特别是民用燃气使用的日益普及，特别是由于燃煤排放引发的环境污染问题使人们认识到采用燃气的重要性和迫切性。2004年12月投入运营的第一条西气东送管线之后又相继建设了二线和三线，我国燃气的利用率大大提高，相继而来的是燃气爆炸事故，尤其是民用燃气爆炸。燃爆往往与火灾伴生，给人类的生产和生活带来了极大的威胁。

在城市燃气使用和普及的过程中，国内外都有一段不寻常的经历，虽然城市煤气（Town Gas）、天然气（Natural Gas）、液化石油气（Liquied Petroleum Gas）方便了生活、促进了生产，但也引发了一系列燃爆事故。国际上最为著名的例子就是早在1968年伦敦Ronan Point公寓，因居住在18层的一户不慎引发燃气爆炸造成整个22层的公寓一角连续倒塌，见图12-1。

图12-2为日本昭和40年到昭和49年液化石油气与爆炸事故上升曲线，可以看出10年来液化石油气用户由1200万户增至1600万户，增加了400多万户，相当于基数的1/3，但燃爆事故却由每年70起增至每年500起左右，增加7倍之多。

图12-1　1969年Ronan Point公寓事件

我国由于燃气普及得较晚，至今许多中小城市的居民还用不上燃气，但大城市则发展得快些。燃爆事故尚无系统的统计资料，但从一些零星的资料中也可概略地看出趋势，北京市1991年因燃爆起火19起，而1992年1~9月就已多达29起，图12-3给出了北京市1991~1992年燃爆事故随用户增加而增长的趋势图。

20世纪90年代以后，我国城镇化的发展速度大大加快，随着城镇人口的增加，家庭用气量也大大增加，由表12-1给出的数字可以看出仅液化石油气一项，2000年较1990年增加了419%，燃爆事故也相应地增加。

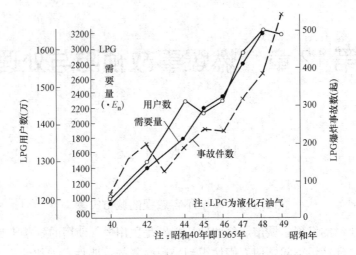

图 12-2　日本液化石油气（LPG）事故随用量增加的统计曲线

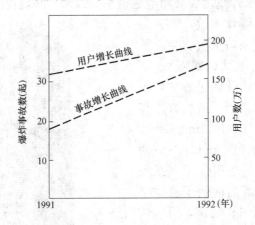

图 12-3　北京市一年间燃气用户和燃爆事故增长趋势图

2000 年与 1990 年城市（镇）发展与可燃气用量增加情况　　　表 12-1

项　目	2000 年底	1990 年底	同比数（±%）
城市数(个)	690	464	+48.7
建制镇数(个)	20312	11060	+83.7
城镇人口数(万人)	45844	25094	+53.3
建成区面积(km^2)	22439	12856	+74.5
人口密度(人/km^2)	441	279	+58.1
房屋建筑面积(亿 m^2)	76.6	39.8	+92.5
住宅面积(亿 m^2)	44.1	19.6	+125.0
家庭煤气用量(万 m^3)	630937	274127	+130.2
家庭天然气用量(万 m^3)	247580	115662	+114.1
家庭石油液化气用量(万 t)	1053.7	203.0	+419.1

几乎所有燃爆都伴随着火焰的产生与传播，许多火灾往往直接起源于燃爆，尤其是恶性

大火。我国1993年下半年的三起大火都与燃爆有关，8月5日深圳清水河危险品仓库爆炸起火，伤亡逾百人，出动1万余名消防战士，1000多辆各种灭火车，才制止了火势的蔓延；9月22日北京燕化公司化工一厂高压车间乙烯爆炸起火，死3人，整个高压车间连同设备几乎全部被毁，损失极为惨重，殃及附近房屋多处；10月21日南京炼油厂1万 m^3 的贮油罐大爆炸，调动扬州、镇江、无锡、上海等近10个城市的消防车前往灭火，南京军区及省军区也派出部队及飞机协助扑救，并先后派6名少将赶赴现场指挥。上述爆炸均是由于可燃物挥发为可燃气体达到一定浓度遇明火引发爆炸并进一步加剧火势蔓延的。

燃爆不仅是一个火灾源，往往又是一个火灾的伴生灾害。深圳清水河危险品仓库的第二次大爆炸就属于这一种。8月5日13点25分4号库爆炸起火，由于火势猛烈，没有得到及时的制止，1小时后，即14点28分，由于大火的烘烤导致附近的6号库又发生了更强烈的爆炸，人员伤亡大都是这次爆炸造成，而且几乎全是在现场灭火的消防干警，情景十分惨烈悲壮。

进入21世纪后，随着西气东送三条管路的建设，燃气用户大幅增加，燃爆事故已成为一个需要高度重视的灾害。

12.1.2 燃爆灾害事故举例

可燃气体与空气混合后，一经点燃即具猛烈的爆炸性，燃气的组分决定了它具有一般可燃气体爆炸的特性。日常生活中，一些闪点较低的可燃液体，如汽油、乙醚等在常温下极易挥发成可燃蒸气，甚至一些闪点较高的可燃液体，遇热后同样挥发成可燃蒸气，这些蒸气达到一定的浓度，遇明火点燃即发生爆炸。

燃气一般要经过生产、输送、贮配、使用四个环节才能获得能量转换即使用效果，其中每一个环节都可能发生爆炸酿成灾害。下面针对这些环节给出若干典型的燃爆灾害实例：

1. 生产环节的爆炸

• 某市石油六厂合成车间

时间：1970年7月21日

爆因：高压釜油气喷出，离地1m高内充满可燃气，配电间开关打火引爆。

简况：该车间聚异丁烯装置试运行，7号釜石棉垫片被冲破，油气喷出。

损失：死14人，伤36人，直接损失17万。

• 某市石油五厂

时间：1974年2月2日

爆因：液化石油气泄漏，充满了室内空间，拉电闸开关时引爆。

简况：因冬天过冷，厂区地下液化气管道所用的铸铁阀门冻裂，导致石油气外泄。

损失：死5人，毁坏房屋多幢。

• 某厂聚氯乙烯车间

时间：1976年4月30日

爆因：聚氯乙烯气体外溢，遇明火引爆。

简况：生产聚氯乙烯的某生产线发生故障，导致聚氯乙烯外溢，蒸气自一楼逐渐升至正在烧水的茶炉附近，遇明火引爆。

损失：死2人，伤6人，损失30万元。

- 巴西圣保罗库巴坦炼油厂

时间：1984年3月25日

爆因：输油管故障破裂，遇明火引爆。

简况：流出大量油品，使附近贫民区上空充满雾气，爆后火焰温度达1000℃，可将人牙烧成灰。

损失：死508人，伤127人，死亡中有300名是3岁以下婴儿和6岁以下幼儿，2000名幸存者无家可归，毁房无数。

2. 输送（车、船或管路）环节的爆炸

- 美国伊利诺伊州横穿克利圣特城市中心街的铁道上——火车运输

时间：1970年6月21日

爆因：牵引10节液化石油气（LPG）槽车的列车脱轨，槽车开裂爆炸。

简况：每节车装LPG75t，脱轨后翻倒碰撞爆炸，车皮飞到200m远并撞毁楼房，部分爆片飞至500m以外。

损失：伤66人，毁坏16幢大楼，25幢民房，中心街90％设施被烧毁。

- 中国远洋运输公司货轮爆炸——轮船运输

时间：1981年9月26日

爆因：装聚苯乙烯树脂货轮停在新加坡锚地，树脂内戊烷外泄充满船体上空，水手关闭桅杆荧光灯时打火引爆。

简况：戊烷爆炸的上下限为1.4％～8.3％，闪点：－40℃，点燃能量仅0.28mJ。首先4号舱爆炸，继而3号、2号舱，共2000多吨可挥发性聚苯乙烯树脂毁于一旦。

损失：1亿元以上。

- 墨西哥近郊工业区煤气汽车爆炸——汽车运输

时间：1984年11月19日

爆因：装满煤气汽车遇明火引爆。

简况：该车煤气爆炸时正处于油、气库区20m左右，导致整个库区爆炸。为了防止扩散，政府下令，切断了全国向首都的输气管。

损失：死600人，伤3000人，120万人搬迁，35万人无家可归，震惊全世界。

- 意大利中部佩路贾省托迪市古董展览会——管路输送

时间：1982年4月25日

爆因：煤气管路泄露，遇明火爆炸。

简况：在场的观众及饮酒者慌乱逃生、互相挤压，踩死多人，文物大量毁坏。

损失：死34人，伤60人，大批珍贵美术绘画、古董、文物毁坏。

- 中国太原市焦炉煤气干管爆炸——管路输送

时间：1993年2月11日

爆因：干管埋置于自行车道下，埋深较浅，由于道路翻修，汽车改走自行车道，在汽车重载压力下，干管破裂泄漏，遇明火爆炸。

简况：干管破裂后，通过污水管道进入邻近厨房，遇明火爆炸后，火焰波阵面沿污水管在地下传播，导致通信管路等发生多次继发性爆炸。

损失：全市一半居民中断煤气供应十几小时，部分地区通讯及交通中断。

3. 贮配环节的爆炸
- 某市煤气公司

时间：1969 年 2 月

爆因：煤气贮罐泄漏，遇明火引爆。

简况：该煤气公司一个 28000m³ 的煤气贮罐，年久失修腐蚀穿孔，煤气逸散升至 20m 高的一个烟囱口，遇明火引爆。

损失：极其惨重（1969 年我国统计工作不健全，故数字不详）。

- 中国某市煤气公司液化气贮配站

时间：1979 年 12 月 18 日

爆因：102 号球罐焊缝开裂，液化石油气（LPG）喷出，气雾扩及整个厂区、罐区，当气雾飘散到一个杀猪脱毛烧水处，遇明火引爆。

简况：102 号球罐连续引爆 101 号、202 号、206 号球罐，又撞倒 103 号、104 号球罐。30km 以外可以看到火光；50km 以外能听到爆炸声。不仅球罐炸毁，已装好的 3000 支钢瓶也爆炸，5000 支空瓶烧坏。

损失：死 34 人，伤 58 人，毁车 5 辆；厂外 500m 以内苗圃、高压线均被毁，直接损失 500 万元。

- 中国某钢厂液化石油气贮罐区

时间：1977 年 2 月

爆因：检修时钢尺碰撞量油孔盖板产生火花引爆。

简况：该罐区共 8 个罐，每罐 8~10m³，贮量不大，且顶部覆土，贮罐区设有围墙，起了一定阻挡作用。

损失：死 8 人，气化间及其附近厂房被毁。

- 中国某起重设备厂液化石油气钢瓶站

时间：1976 年 9 月 10 日

爆因：打开钢瓶倒残液，燃气蒸发至加热炉附近，遇明火引爆。

简况：全站共 100 个液化石油气（LPG）钢瓶，幸而只有 5 个是充气的。

损失：死 2 人，伤 1 人，毁 230m² 房屋。

- 某市油库

时间：1977 年 7 月 21 日

爆因：汽油蒸发充满上空，遇雷击引爆。

简况：该油库有的油罐盖未盖严，使罐区上空散发了大量石油气，附近又有一根铁丝，雷击时铁丝放电引爆，导致大火及连续爆炸，抢救 5 天才扑灭。

损失：死伤 10 人，损失 60 万元。

4. 使用环节的爆炸
- 中国某市街道居民户

时间：1983 年 6 月 30 日

爆因：用煤气烧水，水沸灭了炉火，煤气继续外溢，充满室内，已达到爆炸浓度，住户发现炉灭后再次点火引爆。

损失：死 9 人，伤 8 人，烧毁附近制鞋厂、球拍厂、针织品商店等，损失 41 万。

- 韩国汉城（现称首尔）大然阁旅馆爆炸

时间：1971年12月25日

爆因：二楼咖啡厅液化石油气瓶漏气，遇明火引爆。

简况：当日圣诞节，大楼内约有290人，爆炸引起大火。

损失：死163人，伤60人，从底层烧至顶层，旅馆的家具、陈设、装修全部烧毁。

- 中国某县氮肥厂职工宿舍

时间：1982年12月1日

爆因：管道漏气，遇明火引爆。

简况：该职工宿舍使用管路天然气，由于管道维护不善，腐蚀漏气充满空间，当达到一定浓度，居民用火时引爆。

损失：死14人，伤14人，受灾户43户，损失12万。

- 中国东北盘锦某招待所

时间：1990年2月11日

爆因：底层餐厅厨房天然气管道漏气，遇明火引爆。

简况：2月11日晚，厨房天然气管道裂缝漏气扩及整个招待所，翌晨厨师进厨房做饭，发现气味不对，关闭总阀门，打开窗户通气约20min（冬季通气快），并绑好管道漏气部分，照常点燃做饭。约半小时以后招待所上班，有人进入与厨房相隔一大餐厅的会议室，开门后划火柴点烟立即爆炸。

损失：整个楼房连续倒塌，损失惨重。关于连续倒塌问题本书在下面还会作较详细的讨论。

12.1.3 我国民用燃气的分类及其组分

1. 民用燃气分类

民用燃气按来源可分为天然气（NG）、人工煤气（TG）和液化石油气（LPG）三类。现分述如下：

(1) 天然气。一般天然气可分为气田气、油田伴生气和矿井气三种，它们分别是纯天然气、石油开采时的石油气、含有石油轻质馏分的气田气和矿井瓦斯气等。纯天然气甲烷含量超过90%，其他为少量二氧化碳、硫化氢、氮气和微量的惰性气体如氦、氖、氩气等。油田伴生气甲烷含量约在80%，乙、丙、丁和戊烷等含量约15%。矿井气的主要成分为甲烷，具体含量与集气方式有关，变化范围较大。

我国天然气分布地区较广，但已探明的储量有限且主要集中在西北地区，所以西气东送是我国的战略考量。2004年早已建成的一线年输气120亿m^3，二线、三线气源主要来自中亚的邻国。

(2) 人工煤气。人工煤气亦称城市煤气。按制取方式和原料分为干馏煤气、气化煤气、油制气等：

干馏煤气。利用焦炉、直立炉或立箱炉对煤进行干馏而得，20世纪20年代我国主要大城市采用的罐装燃气均为这种煤气，其甲烷和氢的含量高，热值较大。我国不少城市的管道煤气均为此类煤气。

气化煤气。可以用两种方式制取。一是利用高炉、煤气发生炉将煤氧化制成，主要成分为一氧化碳和氢气,毒性较大,热值较低,需与干馏气掺混方可使用,一般作为城市煤气的补充;另一种则是利用高压制取的气化煤气,其主要成分为甲烷和氢气,可以直接使用。

油制气。利用重油为原料制取煤气。可分为重油蓄热催化裂解煤气和重油蓄热热裂煤气两种,前者主要组分为氢气、甲烷和一氧化碳,可以直接供城市使用;后者则以甲烷、乙烯和丙烯为主,需掺混干馏煤气或水煤气等才能供应城市。

(3) 液化石油气。液化石油气是开采和炼制石油过程中的副产品,其主要组分为丙烷、丙烯(异)丁烷等。既可作为城市煤气,同时又为重要的化工原料。

2. 民用燃气组分

燃气的组分与燃气的种类、产地、原料及生产方式有密切关系,表12-2给出了几个主要城市及主要气田生产的燃气的主要组分。

我国主要民用燃气的组分 表12-2

序号	燃气种类		产地	燃气组分(体积%)													备注
	名称			H_2	CO	CH_4	C_mH_n							O_2	N_2	CO_2	
							C_2H_4	C_2H_6	C_3H_6	C_3H_8	C_4H_8	C_4H_{10}	C_5^+				
1	人工煤气	炼焦煤气	北京	59.2	8.6	23.4	2.0							1.2	3.6	2.0	1965年
2		直立炉气	东北	56.0	17.0	18.0	1.7							0.3	2.0	5.0	1970年
3		混合煤气	上海	48.0	20.0	13.0	1.7							0.8	12.0	4.5	1965年
4		发生炉气	天津	8.4	30.4	1.8	0.4							0.4	56.4	2.2	1963年
5		水煤气	天津	52.0	34.4	1.2								0.2	4.0	8.2	1965年
6		催化制气	上海	58.1	10.5	16.6	5.0	—						0.7	2.5	6.6	1972年
7		热裂制气	上海	31.5	2.7	28.5	23.8	2.6	5.7	—		—		0.6	2.4	2.1	1972年
8	天然气	气田气	四川			98.0			0.3		0.3		0.4		1.0		1965年
9		油田伴生气	大庆			81.7		6.0			4.7		4.9	0.2	1.8	0.7	1965年
10		矿井气	抚顺			52.4								7.0	36.0	4.6	1965年
11	液化石油气		北京			1.5		1.0	9.0	4.5	54.0	26.2	3.8	—		—	1973年
12			大庆	—		1.3	—	0.2	15.8	6.6	38.5	23.2	12.6		1.0	0.8	1973年
13		概略值		—		—			50.0	—	50.0		—		—			

注: 1. 表中是干煤气组分,实际上煤气中往往含有水蒸气;
    2. 由于多种因素的影响,各种煤气组分是变化的,上表是平均组分。

12.2 燃爆机理及对建筑结构的影响

12.2.1 凝聚相与分散相爆炸

爆炸是能量突然释放并产生压力波向周围传播的现象，燃气爆炸与一般化学爆炸不同，如火药爆炸属化学爆炸，不需要氧化，爆炸的引发与周围环境无关，爆炸物高度凝聚，多成固态，爆炸波的传播速度较快，称凝聚相爆炸；燃气爆炸则需要氧气助燃，且爆炸的引发与周围环境密切相关，爆炸介质分散在周围介质之中，且与浓度有关，压力波的传播速度较慢，称分散相爆炸，燃气爆炸、粉尘爆炸多属于这种爆炸。

12.2.2 爆轰与爆燃

多数化学爆炸是一个爆轰过程，这类爆炸特点是爆炸过程为已爆炸药向相邻未爆炸药起爆的过程，该过程非常快，大于爆炸物质的声速，可达每秒数千米，其作用主要是以波的形式造成的力学高压冲击。燃气爆炸属于爆燃，已爆介质向相邻未爆介质起爆过程较慢，且低于爆炸物质的声速，其作用主要依靠热学效应。需要说明的是物理学家是用声速（而不是爆炸物）作为分界点来区分两类爆炸的，因为无论是火药还是燃气，在特定的条件下都可以显示出上述两种爆炸形态，如燃气在管路内的爆炸，且沿管路传播时，其速度有时会超过声速而形成爆轰，不过这种情况在燃爆灾害特别是民用燃爆灾害中比较少见。

12.2.3 燃烧速度，爆炸的上、下限

如上所述，燃气爆炸需要氧的参与，亦即是一个快速燃烧过程。正常燃烧，其速度都小于1m/s，燃烧速度又与可燃气体在空气中的浓度有关，图12-4给出了一般可燃气体不同浓度下的燃烧速度曲线。图12-4（a）中显示乙烯在浓度7%左右其燃烧速度最快可达60cm/s，图12-4（b）中显示三种城市煤气浓度在20%左右其燃烧速度最快可达0.5～

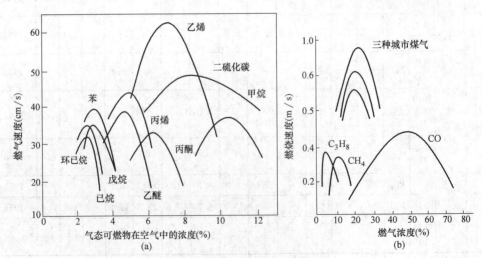

图12-4 可燃气体燃烧速度曲线
(a) 不同浓度的可燃气体燃烧速度曲线；(b) 三种城市煤气及甲烷等可燃气体燃烧速度曲线

1m/s，可见对任一种燃气来说，在空气中总存在一个使其燃烧速度最快的浓度最优值。这个最优浓度表征了该种燃气在化学等当量情况下与氧气充分反应的能力，一般来说这个最优浓度也就是最容易发生爆炸的浓度。偏离最优浓度（过高或过低）一定程度之后，其燃烧速度都会明显降低，因而也不再自发地传播爆炸，这个范围称作爆炸范围，范围的两个端点分别称作爆炸的上下限。

燃气的爆炸上限与空气中的含氧量关系很大，与下限无关且空气中的含氧量与环境气候密切相关。因此，一般总是用燃气与空气而不是氧气的混合比例来规定爆限，表12-3给出了不同燃气的爆炸极限，表12-4给出了三种常用民用燃气的爆炸极限。由表中可知，焦炉气爆炸范围最宽，最容易发生爆炸。

部分可燃气体爆炸浓度的上、下限（体积比％）　　　　表12-3

燃 烧 物	下 限	上 限	燃 烧 物	下 限	上 限
乙 烷	3.5	15.1	戊 烷	1.4	7.8
乙 烯	2.7	34	丙 烷	2.4	8.5
一氧化碳	12.5	74	甲 苯	1.2	7.0
甲 烷	4.6	14.2	氢 气	4.0	76
甲 醇	6.4	37			

注：燃气成分的爆炸极限是在标准压力、常温、点燃能量为10J时测定的。

三种民用燃气爆炸极限（体积比％）　　　　表12-4

燃 气	上 限	下 限	燃 气	上 限	下 限
焦炉气	44	36	液化石油气	2.1	7.7
天然气	4.5	14			

12.2.4 压力时间曲线

图 12-5 所示为核爆、化爆和燃爆三种不同的压力时间曲线，核爆是一个瞬时核裂变或核聚变的过程，其升压时间极短，在几毫秒甚至不到 1ms 压力波即可达到峰值，峰值压力 P_1 很高，正压作用以后还有一段时间的负压段；化爆则升压时间慢些，峰值压力较核爆为低，正压作用时间短（约几毫秒到几十毫秒），负压段更短；燃爆压升最慢，时间可达100～300ms，峰值压力也更低。就是在密闭体内测得燃爆的理想最大压力也才为700kPa（见图12-6），日常的燃爆灾害其压力峰值一般都达不到这个值。燃爆正压作用时间较长，是一个缓慢衰减的过程，负压段很小，有时甚至测不出负压段。

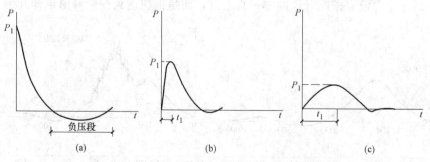

图 12-5　三种不同爆炸的压力时间曲线示意图
(a) 核爆；(b) 化爆；(c) 燃爆

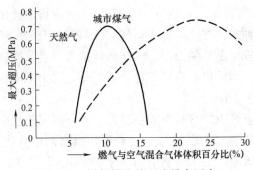

图 12-6 燃气爆炸的理论最大压力

图 12-7 给出了 Van Wengerden 模拟室内燃爆实测得到的燃爆升压曲线。

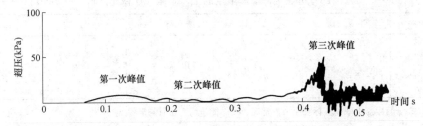

图 12-7 Van Wengerden 实测液化石油气爆炸升压曲线

可以看出燃气爆炸作为一种分散相爆燃（不是爆轰）的特征，其升压过程较慢。图 12-7 横坐标上显示第一次峰值时间大于 0.1s 且超压值很低，第一次峰值压力几乎不到 10kPa，其第三次峰值到达时间已经长达 400ms 了。从测到的曲线来看，此时呈多次反射的形态，这种跳跃性反射在实际室内空间由于第一次峰值已造成窗户、屋盖等形成泄压口，因此一般不会出现这种反射现象。

12.2.5 泄压（爆）保护

燃气爆炸大都是分散相爆炸，升压时间慢，压力峰值低。这种爆炸又多发生在室内，如生产厂房或居民的厨房，一旦发生爆炸常常是窗户、屋盖等薄弱环节被鼓破导致压力下降，这种现象常称泄压保护。

Mainstone 在图 12-8 中给出了存在泄压情况下测定的曲线，其中图 12-8（a）是在泄压比较小的情况下测到的，而图 12-8（b）则是在泄压比较大的情况下测得的，两者都显示在泄压后，压力没有按原升压曲率一直上升，而是很快达到一个峰值点即开始下降，其

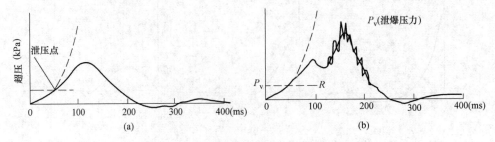

图 12-8 Mainstone 的压力-时间曲线
（a）泄压比较小的情况；（b）泄压比较大的情况

中图 12-8（b）还产生了一些高频震荡，可能是反射造成的。

Dragosavic 在体积为 $20m^3$ 的实验房屋内测得了压力时间曲线，经过整理描绘了室内理想化的理论燃气爆炸的升压曲线模型（见图 12-9），人们在分析燃气爆炸特性和机理时多乐于采用这个模型。其中 A 点是泄爆点，压力从 0 开始上升到 A 点出现泄爆（窗玻璃被压破等），压力稍有上升后即下降，下降的过程有时甚至出现短暂的负超压。经过一段时间，由于燃气的湍流及波的反射出现高频振荡。图 12-9 中 P_v 为泄爆时压力，P_1 为第一次压力峰值，P_2 为第二次压力峰值，P_w 为高频振荡的峰值，该实验是在空旷房屋中进行的，如果室内有家具等障碍，则振荡会大大减弱。

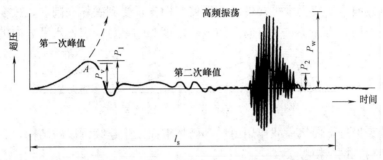

图 12-9　Dragosavic 理论燃气爆炸升压曲线模型

综合上述，可见易爆空间要有足够的泄压口是多么重要，生产可燃气体的化工车间，贮存室乃至民用厨房在设计上都应考虑这个泄爆保护因素。最简单易行的方法，就是把窗户做得大一些，多一些。对大型易爆车间甚至整个屋盖都可考虑为泄压口，万一发生爆炸，在压力上升不大的情况下，屋盖即被掀翻，压力外泄，使厂房内的人员和重要设备得以保护。

12.2.6　冲击波与压力波

所有爆炸都压缩周围的空气而产生超压，通常所说的爆炸压力指超过正常大气压的超压，核爆、化爆、燃爆都产生超压，只是幅度不同。核、化爆由于是在极短的时间（几毫秒）压力即可达到峰值，周围的气体急速地被挤压和推动而产生很高的运动速度，形成波的高速推进称之为冲击波。冲击波所到之处，除产生压力升高即超压以外，还有一个高速运动引起的动压。超压属静压，它是向有超压空间内各个表面的挤压作用，而动压则与物体的形状和受力面的方位有关，与风压类似。核爆由于升压时间极短，其风压效果最强，核爆后附近一定范围内的建筑物均被摧毁飞散，这种波称冲击波，破坏性极大；燃气爆炸的效应以超压为主，动压很小，可以忽略不计，所以燃爆波属于压力波。

12.2.7　连续倒塌问题

连续倒塌即为连续发生的破坏导致结构的整体倒塌。更为严格的定义可表述为：非良好设计的结构或构造，由于意外荷载发生，导致结构"连锁反应"式的、使主体丧失承载力的过程。实际上，结构或构件的局部破坏为"源头"，导致相邻构件缺少支承或丧失工作能力构成进一步破坏的"动力"，引起主体结构发生倒塌。连续倒塌的定义可以概括为：①相对较小的局部破坏；②破坏的发展以局部破坏为"中心"，向四周扩展，进而引发大面积的破坏。典型的倒塌方式有两种，一是垂直方向的连续倒塌，结构某一部分退出工作，使上部结构失去支承而塌落，下部结构受塌落堆积物而造成的超过设计荷载的恒载和动力冲击，进一步引起下部结构塌毁，这种相互影响并逐步加剧的"连锁反应"导致结构的垂直方向上连续塌落，图 12-1 所示的那幢英国 Ronan Point 公寓燃爆引发的连续倒塌就属这一种；另一种则是水平方向的连续倒塌，可以形象地称为"多米诺骨牌"式的倒塌，如图 12-10 所示。辽宁盘锦市一幢办公大楼即是水平方向上的连续倒塌。水平构件的破坏导致竖向结构构件的削弱，引发了竖向的倒塌，竖向倒塌又使水平传力失调引起其他竖向结构构件失稳和破坏，如此反复，整个办公大楼几乎全部塌毁。其特征是从破坏源头沿水平方向（侧向）发展。水平构件的变形使竖向支承受到破坏和削弱，改变了水平和竖向两向的各自作用，再加上水平方向上强度、刚度等的不足，引发水平方向的连续破坏。

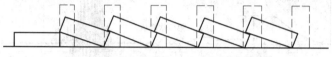

图 12-10 "多米诺骨牌"式的连续倒塌

据各类调查报告，偶然荷载作用由局部破坏继而发生连续倒塌的结构，有钢筋混凝土结构、砌体结构、钢结构等。

很多实例表明连续倒塌与建筑材料的特性有关，有些缺乏延性的材料所建造的结构，如砌体结构，易发生连续倒塌；但连续倒塌不仅仅依赖于建筑材料，也在很大程度上依赖于结构的机动特性即结构布置和传力方式。此外，还依赖于结构的细部构造。在结构设计中，应当具体分析，而不仅仅拘泥于结构选型。

12.2.8 小　　结

综上所述，燃气爆炸的机理及其物理力学特征可以概括如下：

（1）燃气爆炸属分散相爆炸，要有氧助燃，与周围环境、燃气的组分和浓度密切相关。

（2）燃气爆炸多为爆燃过程，爆炸的扩大和延伸主要依靠热学效应，已爆介质向未爆介质的传播较慢，低于爆炸介质声速。

（3）每种燃气均存在一个爆炸浓度上限和下限，超出这个范围，无论浓度过高或过低，即使点燃，也不会引发爆炸。

（4）燃气爆炸过程，本质上是一个快速氧化即燃烧的过程，压力波的传播伴随火焰波阵面的传播，这种"伴随"性在燃气泄漏严重、扩及范围很大的空间内极易引发恶性大火，而大火又会促使周围其他一些燃气设备（如贮罐等）再次爆炸而形成连锁反应。

（5）燃气爆炸相对于核爆和化爆升压时间较慢，约为 100～300ms，密闭体内测得的理论最大压力峰值为 700kPa，实际生活中一般室内燃气爆炸都远低于这个值，约低 1～2 个数量级。从图 12-11 给出的统计曲线可以看出，以往发生的燃爆其超压值都在 5～50kPa。超压大于 70kPa 就是很严重的了。

（6）燃爆波基本上是压力波而不是冲击波，它的破坏作用以超压为主，动压作用很小，可以忽略不计。

（7）泄爆是减少室内燃气爆炸峰值的重要手段，在易爆空间内设置足够的泄爆面积是

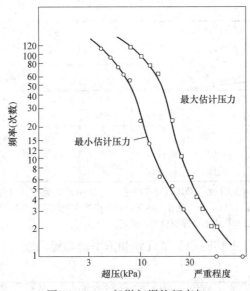

图 12-11 一般燃气爆炸频率与
严重程度（超压）的关系

防爆设计中最廉价而又最现实的措施。

（8）防燃爆设计除一般的防爆间距和分隔以外，应考虑防止连续倒塌问题。

12.3 防爆设计原则与措施

对于建筑结构工程技术人员来说，燃爆事故的预防最重要的就是在设计中贯彻防燃爆设计的思想。在国家标准《建筑设计防火规范》关于厂房和仓库的有关条目中均对防爆问题作了详细的讨论，另外在《石油库设计规范》、《石油化工企业设计防火规范》中对防爆问题则作了更为详细的阐述和规定。本节除对厂房、车间以外，还将对民用燃气爆炸的预防及灾后加固进行必要的讨论。

12.3.1 防爆设计的一般原则

1. 拉开距离

亦可称为防爆间距，如民用建筑要与具有爆炸危险性的厂房、库房以及液化石油气的储罐保持一定的距离，表 12-5 给出了液化石油气储罐区与建筑物的防火间距，这个防火间距实际已考虑了液化石油气储罐爆炸的影响。

液化石油气储罐或罐区与建筑物、堆场的防火间距　　　　表 12-5

防火间距(m) 名　称	总容积(m³) 单罐容积(m³)	<10 1	11～30 ≤10	31～200 ≤50	201～1000 ≤100	1001～2500 ≤400	2501～5000 ≤1000
明火或散发火花地点		35	40	50	60	70	80
民用建筑,甲、乙类液体储罐,甲类物品仓库,易燃材料堆场		30	35	45	55	65	75

续表

防火间距(m) 名称		单罐容积(m³) 总容积(m³)	<10 1	11~30 ≤10	31~200 ≤50	201~1000 ≤100	1001~2500 ≤400	2501~5000 ≤1000
丙类液体储罐,可燃气体储罐			25	30	35	45	55	65
助燃气体储罐,可燃材料堆场			20	25	30	40	50	60
其他建筑	耐火等级	一、二级	12	18	20	25	30	40
		三级	15	20	25	30	40	50
		四级	20	25	30	40	50	60

注：1. 容积超过1000m³的液化石油气单罐或总储罐量超过5000m³的罐区，与明火或散发火花地点和民用建筑的防火间距不应小于120m，与其他建筑的防火间距应按本表的规定增加25%；
2. 防火间距应按本表总容积或单罐容积较大者确定。

防爆间距在建筑设计上实际是一个规划和总平面布置问题。

2. 隔断

隔断一般是靠防爆墙来实现的，如需要观察或通行，常在防爆墙上安装防爆窗和防爆门，这些构件都是为隔断爆炸波而设置的。在化工厂房及储存易爆物品的库房设计中是常用的防爆手段，在民用建筑中用得较少，仅在公共建筑如大型宾馆、饭店用于隔断厨房和就餐间或厅堂之间爆炸波的传播，在住宅内一般很少使用。

3. 泄爆

亦称泄压，对于生产可燃气体的厂房泄爆是必须要考虑的，不但门窗设计要提供足够的泄爆面积，厂房和车间的屋顶亦应考虑设计成一旦发生爆炸整个屋盖被掀翻吹走的轻质屋盖，对于多层和高层民用建筑，每户使用燃气的厨房就只能靠开设较大的窗口来满足泄爆的要求了。为此必须明确规定多层、高层民用建筑可以有暗厕所，但却不能有暗厨房，亦即至少有一面墙是外墙，而且要开设较大的窗户且玻璃厚度不宜大于3mm，以利于在不太大的压力下即可鼓破泄压。

4. 防止连续倒塌

从结构形式上看采用钢筋混凝土框架结构是可以防止连续倒塌的，但对砌体结构、墙体承重的大板结构则需采取必要的构造措施，如加设防止连续倒塌的构造柱、圈梁并加强节点的连接性能等。关于连续倒塌下面还要专门予以讨论。

12.3.2 防爆构件的一般要求

1. 泄压轻质屋盖

泄压轻质屋盖是为满足泄压要求而设置的，因此要求：

（1）材料要轻、耐水、不燃烧，且爆裂后能裂成碎块掉落不易伤人者；

（2）重量不宜大于100kg/m²。

2. 防爆墙

防爆墙是为了达到隔断目的而设置的，一旦易爆空间发生爆炸后，能够有效地阻挡爆炸波向其他空间传播，因此要求：

（1）材料强度要高，足够承受爆炸压力和气浪冲击；

（2）稳定；

(3) 选用不燃烧材料。

3. 防爆窗

多用于防爆墙的观察窗口，要求：

(1) 窗框和玻璃选用抗爆强度高的材料，如窗框可用钢材，玻璃用夹丝玻璃或夹层玻璃（层间夹有聚乙烯类的塑性材料）；

(2) 窗口在满足使用要求的情况下越小越好，利用隔爆。

4. 防爆门

多用于防爆墙上开设的人流孔要具有开启和密闭功能，要求：

(1) 材料多用钢材，门板钢材厚度不宜小于 6mm；

(2) 具有密闭性，多采用橡皮条或橡皮垫圈压紧密封。

12.4 防燃爆设计

12.4.1 防止连续倒塌的总体策略

燃气爆炸荷载是民用建筑中的意外荷载，常能引起结构的局部破坏，有时也会造成严重的连续倒塌。预防连续倒塌的方法归纳起来不外有：

(1) 事故控制；

(2) 直接设计；

(3) 间接设计。

其中：事故控制。控制燃气爆炸的办法很多，如避免燃气泄漏扩散，防止达到爆炸浓度范围之内，杜绝引起爆炸的明火等。再如开设较大的泄压口，一旦发生燃爆后压力波很快获得泄压，消除关键受力结构破坏的可能性。

直接设计。要求设计人员在设计过程中考虑如何抵抗连续倒塌。可用两种思路，一为替代路径，并称冗余构件，即某一支承发生破坏，存在替代路径，把正常荷载沿此路径传递，分担原属已破坏部分承担的正常荷载，避免结构发生连续倒塌。

间接设计。指专门制订规范，在规范中规定构件和结点的强度、刚度和稳定性的最小阈值和构造要求。它基于直接设计，方便于工程技术人员遵循，但却限制了设计人员的主观能动性，易于忽视连续倒塌的概念。

直接设计要求结构工程师要有较多的经验，而且认识上因人而异，采取的措施也会有所差异，但由于它是用于某一具体工程的方法和措施，因此，针对性强，效果可能会好些；间接设计由于要权威部门汇总归纳各种可能的破坏情况，制定规程和规范，结构工程师设计时要遵照执行。但其对具体工程的针对性差，有时采取的措施不是过分保守造成浪费，就是抗力不足，不能充分抵御连续倒塌。

图 12-12 比较简明地概括了抗连续倒塌的思路和方法。

12.4.2 防止连续倒塌的设计原则及结构构造措施

1. 防止连续倒塌的结构设计原则

(1) 结构选型

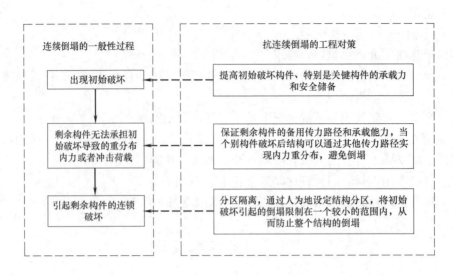

图 12-12 抗连续倒塌工程对策

在建筑设计伊始,或在结构设计时,就要考虑结构材料的选择、结构布置及施工方法等。

1) 应选择抗爆性能良好的结构形式。如现浇钢筋混凝土框架、剪力墙、筒体结构或钢框架结构,它们具有良好的延性,结构上无需再采取特殊措施。由于它们整体性能较好,发生局部破坏时,完好部位可以分担塌落荷载和部分正常荷载被迫改变传力路径所带来的额外荷载,从而防止连续倒塌。许多事故调查分析表明,现浇钢筋混凝土结构具有良好的抗爆能力。避免采用混合结构、装配式壁板结构,这种类型结构的结点延性较差,在发生局部破坏时,易出现倒塌的连锁反应。

2) 选择有较好的抗竖向冲击荷载的结构形式,防止大量爆炸碎片下落冲击引起的连续倒塌,应避免采用无梁楼盖、装配式结构和混合结构。

(2) 民用居住建筑的结构布置原则

众所周知,我国民用居住建筑,尤以混合结构和钢筋混凝土大板为多,针对这种结构进行分析,具有较强的典型性和实用性。当设计方案选定这些结构型式时,如何有效地减少连续倒塌,应当成为结构工程师考虑的问题。不论是水平还是竖向连续倒塌,究其原因,都是局部破坏引起了另一些局部的破坏,使本来合理的传力路径中断,导致整体倒塌,这启发我们加强一些局部,把材料合理分布,构造一些新的传力路径。为简化问题,并结合实际,这里把混合结构分解成砌体墙+楼板(分预应力空心板、预制大板、现浇板等)+圈梁+构造柱等构件与结点组成,而把大板结构视作板通过结点(线)连结而成。

1) 墙体布置原则

避免出现孤立的直墙,即墙尽量有连续的转折,避免出现薄弱墙体,如图 12-13 中黑实体墙所示的。

2) 楼板布置原则

楼板的刚度和整体性的好坏与其形式有关。按施工方式分,选型以现浇板为最好,它具有较好的整体性;其次为大板预制楼板、叠合楼板等与结构连结成装配整体式,也具有

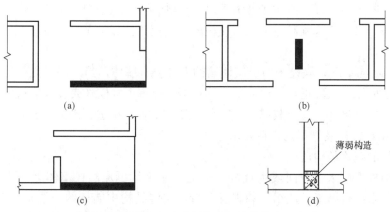

图 13-13　墙体布置时应当避免的结构布置方式

较好的整体性，最不利的情况为预应力空心板。但由于施工速度快和造价相对较低的原因，这种空心板仍使用得较多，应采取如加强板端与墙体的连接等措施来补救。按传力方式分，板以双向传力为好，一边或两边支承失去后可由其余边继续承担正常荷载，而不致完全丧失支承，发生倒塌。

3）整体薄弱环节的构造

当结构出现某些局部破坏之后，是否会出现整幢建筑物的倒塌，除依赖于材料特性外，还依赖于材料的分布和整个结构的机动特性。在如图 12-14（a）所示的结构中，当某些支承失去之后，出现图 12-14（b）所示的机构。在这个机构中，某些地方的内力或变形过大，超过材料的抗力，导致房屋的倒塌。为此，必须加强某些位置的强度和延性性能，以防止结构的连续倒塌。

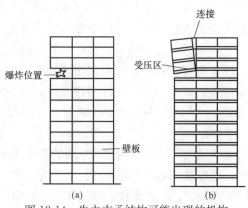

图 12-14　失去支承结构可能出现的机构

如图 12-15（a）、(b)、(c) 所示，通过增设垂直连接和水平连接，可在一定程度上达

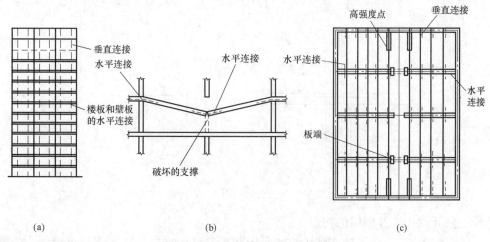

图 12-15　结构整体需要加强的部位

到这个目的。图 12-15（b）形象地表述了由于增加了水平连接中间支撑被破坏退出工作之后的"悬吊"状态，这就避免了两边楼板的突然塌落。保护了其下层楼板以免被砸毁。

（3）设计校核

按图 12-13 的情况，假设图中黑实体墙的上部仍有墙体，当这些孤立的墙体因爆炸坍塌以后，上部墙体传来的正常集中荷载（线荷载）分布于楼板（或楼板的边缘）上，使板的支承情况（边界条件）及荷载都发生变化，须按两种情况进行内力的校核。

2. 砌体结构抗连续倒塌的构造要求

（1）墙体的布置与构造

砌体墙结构不论水平方向或垂直方向都能发生连续倒塌。在整体上应当加强构造做法，严格按要求进行施工。从结构的观点来看，砖混结构中墙体的布置是一个重要问题。墙体可提供房屋的侧向强度和刚度。稳固的墙体，可使结构坚固，即使在燃气爆炸之后，造成局部破坏，残余结构也可以承担起尚存的荷载，避免引起结构的连续倒塌。燃气爆炸荷载下结构构造要求，可以参照抗震规范中有关规定，即：

承重墙体布置要均匀对称，最好贯通整体房屋的宽度和高度。增加承重墙体之间的连接，除需咬槎砌筑外，尚应在交接处布置适当数量的连接钢筋或增设构造柱。有地震设防的房屋按抗震要求进行设计。在非地震区的房屋按图 12-16 进行设计，在外墙转角及内外墙交接处，均应沿墙高 50cm 配置 2ϕ6 的拉接钢筋，且每边伸入墙体不应少于 1m。见图 12-16（a）（b）。

承重墙与同时砌筑的非承重墙的连结按承重墙之间的连接做法；承重墙与后砌的非承重墙之间的连接按非承重墙在其与承重墙（柱）的交接处，沿墙高每 50cm，用 2ϕ6 的钢筋与墙（柱）预留的钢筋拉接，伸入非承重墙内的长度应不小于 50cm，如图 12-16（c）所示。

支撑在墙上的板，亦应采用伸入板内不少于 1/4 板跨的 ϕ6 钢筋给以拉接。见图 12-16（d）、（e）。

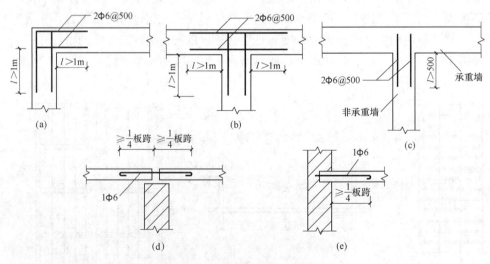

图 12-16 砌体结构的一般构造

（2）防止水平连续倒塌的构造

1）圈梁构造：为防止局部破坏源的发生和抵抗挤压推力，在每道承重横墙设置混凝土后浇带,此后浇带要与圈梁做在一起。

2) 结构布置纵向现浇带。在实际应用中可结合阳台、走廊等处的处理。

3) 每隔一段距离(单元),纵向加设止推构造,把可能的水平连续倒塌局限在一个较小的范围内。该止推构造的做法可在房间平面布置时,视具体情况增加纵向墙体的抗剪能力。

4) 每隔一定距离将一块预制板改为现浇板带。如图 12-17 所示,现浇板带要与横向承重墙做好拉接。

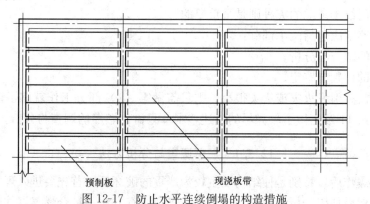

图 12-17　防止水平连续倒塌的构造措施

(3) 防止垂直连续倒塌的构造

砖墙受爆炸后会出现喇叭形洞口,由应力分析可知,在墙角处出现强烈的拉应力。众所周知,砌体结构是不宜受拉的,就是压应力过分增大也不利,因为一般砌体结构设计安全系数为 1.55,过大的压应力仍具有一定的危险性,需要加强。具体做法按下述原则处理:①角部受到很大的拉应力,需做好抗拉的一般构造,可参照图 12-16 的一些做法。有一定经验的工程师亦可视具体情况予以处理。②边支座处可设置构造柱,配筋只需按抗震最低要求即可,不必另作处理。

3. 大板结构的抗连续倒塌的设计原理

1) 支承改变的楼板设计。如果边界的形式不变,则可按砌体墙与现浇、预制大板、叠合楼板等结构抗连续倒塌设计相同的方法来处理。如果边界的形式与原来相同,但板尺寸随破坏构件退出工作而增大,原板之间的连接应当给予良好的拉接。

2) 楼板的抗冲切设计与砌体结构中楼板的抗冲切问题大体一致,不再赘述。

3) 我国大板结构的构造与英国历史上的情况有所不同,在保证结构整体性方面由于考虑了建筑抗震,我们有较多的安全储备。因此正确执行我国现行的抗震规范,一般可以抵抗中、小燃气爆炸。必要时在整体上加强拉接构造。除某些特殊的建筑外,不必再作另行规定,调查近年发生过燃气爆炸的大板结构也证明了这一点。

4. 一点设想

我国是人口大国,截止到 2014 年 3 月公布的数字,城镇化率仅为 52%。众所周知城镇人口由于居住相对集中因而多高层建筑较多,燃气利用率也相应增加,但由于我国是多地震的国家,许多地区都规定不同的设防烈度,实际上已经加强了抗侧向荷载的能力。笔者认为对于普通的民用建筑是否要专门规定因燃爆引发的连续倒塌看似不必要,但工程师们在具体设计时对这一问题给予关注从而采取简单的构造措施则是必要的。

12.5 燃爆灾害后的调查分析与处理

燃爆大都伴生火灾，局部建筑特别是爆炸点附近的房间破坏都大于单纯由火灾引发的烧损，如果伴生火灾很大又没有来得及扑救，持续燃烧时间长，过火面积大，这样一来灾害的损失就远远超过仅有局部燃爆造成的损害了，这也是消防部门长期以来把燃爆作为火因的一种来考虑的原因，但从建筑工程部门设计与修复的角度，燃爆作为一个区别于一般火灾而需要专门给予考虑的灾种则是很重要的。

燃爆后的鉴定应包括两个部分：
（1）燃爆的调查与分析；
（2）火灾的评判与鉴定。

如果燃爆没有引发火灾或火灾很小，则只需做第（1）部分工作就够了。由于火灾的评判与鉴定在第 11 章已做了较详尽的论述，本章只讨论燃爆的调查与分析。

12.5.1 燃爆调查与分析方法

发生燃气爆炸后，特别是使结构发生较为严重的破坏后。首先要进入现场调查以获取第一手材料，然后加以分析和总结。参考一般爆炸调查方法，结合燃气爆炸的特点，分述如下。

1. 现场调查

（1）尽量使破坏现场的碎片、废墟保持原状；
（2）拍摄照片或录像，尽可能全面录制现场情况，并做好现场记录；
（3）量测结构破坏和损坏的程度，并写（绘）出文字材料和图纸等；
（4）获取该地区的平面图及破损结构的建筑、结构施工图纸等技术文件；
（5）搞清散落或坍塌构件、物品的原始位置并绘制抛散物的抛掷图，标明位置、尺寸、材料、重量等特征；
（6）取得目击者的证词等材料；
（7）取得事故发生前后的当地气象资料。

2. 分析和总结

（1）分析确定事故的全程，包括爆炸前后现象、爆源的类型与位置、现象出现的顺序等；
（2）分析爆炸性质和作出超压估计；
（3）分析事故原因，写出完整结论。

这里仅是提纲性地简述了调查与分析方法，具体执行可参照下列一起案例的调查与分析。

【实例 12-1】 北京南沙滩小区居民楼燃爆事故调查与分析

1. 现场调查

（1）事故基本情况描述

南沙滩小区位于北京市德胜门外北大街东侧。建筑总平面图如图 12-18 所示。该区供应天然气，发生爆炸的是 4 号楼，该楼为预制壁板结构，建于 1982 年，高 6 层，层高

12.5 燃爆灾害后的调查分析与处理

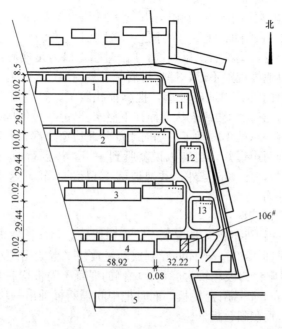

图 12-18 南沙滩小区总平面图

2.9m。同年竣工。各部位预制板厚分别为内墙 140mm，外墙 280mm，楼板厚 120mm。施工为现场装配焊接并浇筑节点混凝土。

1992 年 8 月 23 日凌晨 1 点 35 分，4 号楼 1 单元 2 层 106 号（见图 12-19）发生爆炸，当晚家中无人。由气象部门得知当时的气象情况为少云，气温 22℃，相对湿度为 87%，

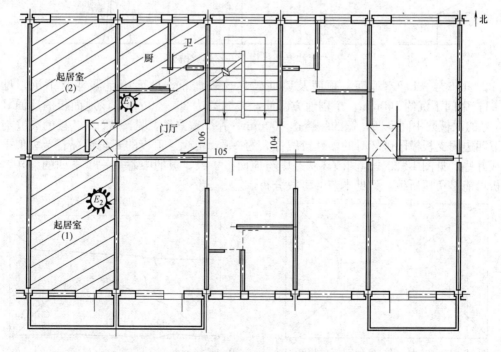

图 12-19 爆炸户（106）平面图
E_1 第一次引爆，冰箱打火引爆；E_2 第二次引爆，火焰波阵面引爆

气压为1000.9hPa（气象常用单位1百帕即1hPa＝100Pa≈0.75mmHg）。爆炸时附近居民听到爆炸声，4号楼的居民有地震感，特别是106号上下左右的住户。

该1单元1层101号，周姓居民反映说："当时感觉以为是地震，床、家具乱响，因为天热，睡地铺，觉得地板震颤不已，爆炸过后，发现门扇已经没有了，拿毯子一包床上的孩子，光着脚就冲出门外，满地碎玻璃，把脚都扎破了。脸也被飞散的碎玻璃划伤。""大火从二楼窜到五楼，五、六楼的人从上面往下浇水。"另一姓傅居民说，许多人以为是地震，在房间找个角落一趴就不敢动了。当时106号北边窗户都打到对面楼下。还有一位姓李的居民说，他听到两声爆炸，也有人说就听到一声。该区行政科反映，该单元共18户（每层3户，共6层），除106号外，共换玻璃4（标准）箱。这个单元的窗户几乎全都碎了，有很多人受外伤。

(2) 结构构件的破损情况

1) 从结构或非结构构件的破坏情况来看，爆炸比较猛烈，该室玻璃飞至30～50m外；对面的路上和楼下，见图12-20。楼梯间受到振动，致使平台梁出现小的破损和一些非结构构件的损坏。106号阳台的破坏较为严重，两侧的混凝土隔板均有水平走向裂缝，栏板一部飞出，殃及2单元204号阳台栏板，而且把中间隔断板扯出一块200mm×500mm×10mm的混凝土板，悬垂在阳台板外。

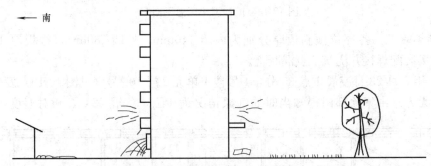

图12-20　南沙滩4号楼106室爆炸抛掷示意图

2) 106号（1）室地面、顶面及墙面破坏比较严重，地面板呈漏斗状下沉，见图12-21，中间下沉约100mm，个别地方漏筋，裂缝宽达20～30mm，该地面板的反面（即103号的顶板）中间下凹，宽的裂缝达100mm，并严重漏筋，见图12-22。板的裂缝与均载下四边固支板极限破坏时的塑性铰线惊人的一致。106号顶板的开裂情况看上去似乎较地板好些，见图12-22。但其破坏状态则与地面板一致，板的中心呈一个下凹的漏斗，经分析可能是负压所致，详见本节的事故分析。

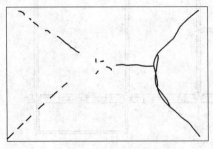

图12-21　106号（1）室地面板破损状况

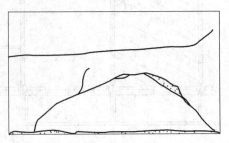

图12-22　103号（1）室（106号（1）室的楼下）顶板破损状况

3）106号（1）室西墙面中心裂缝掉块，剥落严重，见图12-23。106号（1）室东墙面的破坏见图12-24。东墙面的反面，即105号的西墙面，见图12-25。各墙面裂缝宽度都在30mm左右，个别可达50~70mm。漏筋严重且呈明显的塑性铰线的极限破坏状态。

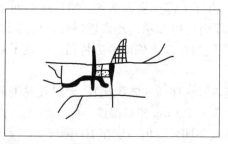

图12-23　106号（1）室西墙面破损状况

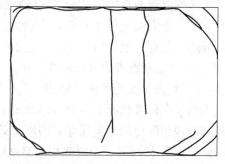

图12-24　106号（1）室东墙面破坏状况

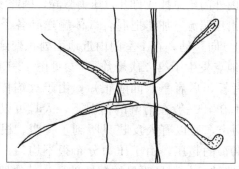 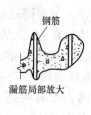

图12-25　105号西墙（即106号（1）室东墙反面）破损状况

4）106号（2）室东墙面和南墙入口处的破坏情况示于图12-26和图12-27。裂缝最宽可达30mm左右。但该室地面无明显的裂缝。

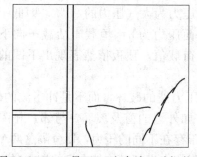 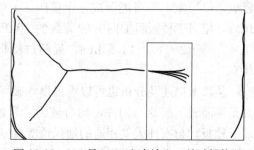

图12-26　106号（2）室东墙面破损状况　　图12-27　106号（2）室南墙入口处破损状况

5）106号厨房结构无肉眼可见的破坏。外窗有变形，外倾达150mm，与门厅相隔的窗框、门都没有损坏，甚至玻璃还有几块是完整的。菱苦土制作的通风道200mm×150mm×10mm，破坏严重，有贯通裂缝，大部已跌落。

1单元楼梯间损坏不大，仅在梯段板与平台梁相接处及上下几层通往楼梯间的门框处，由于振动产生裂缝和部分损坏。通往一、三层楼梯栏杆倾斜，分别为5°和4°，即外倾200mm左右。

邻居 104 号、105 号外门及部分内门移位或被击破，其他相邻户结构都有不同程度的破坏。另外爆炸荷载对结构的整体影响，也使许多家庭中易碎的物品被振碎。

2. 事故分析

天然气泄漏源在厨房。天然气经厨房门缝等处逐渐弥漫至门厅乃至散布至（1）室和（2）室。由于天然气轻于空气，在进入门厅后，门厅上部充满天然气，然后逐渐向下扩散，天然气与空气混合后，达到一定浓度，经门厅内的电冰箱启动点燃爆炸，见图 12-19 E_1 点。由现场勘察表明这次爆炸波压力不大，但气浪推动火焰向各方传播，导致了第二次在（1）室发生更为严重的爆炸。

天然气在标准状况下（0℃，1atm.）爆限是 6%～16%（体积比）。天然气发生最大爆炸（即理想配比的当量爆炸）的环境条件是 20℃，1atm，相对湿度 50%，天然气占空气的体积比为 10.5%。当时除相对湿度略大，浓度不明外（但一定在 10% 附近），其他条件均接近于理想条件，爆炸是比较剧烈的。

门厅内发生爆炸后，气浪把内外门扇掀掉或打开，压力骤降，因此没有造成门厅的严重破坏。气体穿过各个狭窄洞口出现湍流，加速把混合气体输送到各个房间或室外。气流沿阻碍最小路径、最短路径的方向移动，在 1 室门内近地面处积聚到一定浓度时，门厅的火焰即已到达，在 E_2 处的地点发生了第二次爆炸，（参见图 12-19）现场有人说听到两声爆炸，这是正确的，前者轻，后者重，间隔很短，由于火焰传播速度约为 5～10m/s，这段距离只需约 0.6～1.0s，一般在清醒的情况下，人耳可以分辨得出。有的人可能因为已熟睡，没有听到两声，所以有人反映只听到了一声。根据超压分析，第二次爆炸在 1 室产生了 15～25kPa 的超压，由于压力分布很不均匀，局部超压可能更高，1 室墙面有局部破坏痕迹，墙的另一面呈明显的塑性破坏。其他地方压力稍弱，但足以破坏门窗等构件。

压力向各个方向作用，地面发生的破坏与预想一致，然而顶板为什么也与同一房间的地面破坏状态相似呢？笔者认为是因近地面处爆炸压力最大，上部压力较小。考虑湍流的影响，（1）室上部可能形成一个负压区。如负压区压力为大气压力的 90%，即低于常压 10%，相当于楼板附加向下的荷载约 10kPa，楼板面压力为 $q=$ 恒载+活载+向下的负压$=2.65+2+10=14.65$kPa，远超过楼板的设计荷载值，顶板依然表现出下凹的塑性状态。

从以上描述及分析也可以看出爆炸破坏是空气压力波的破坏，而不是冲击波的破坏。凡是单面超压所及的构件，均有较为严重的破坏。如外墙的窗及玻璃，与邻户相隔的内墙、楼板，与室外大气相通的通风道等。室内外由于存在不同的压力，使分隔这两个不同压力环境的构件一侧受到超压压力，由压力引起的附加内力超过构件本身的抗力时，就会发生破坏，甚至被抛出，室内物品移动不大，是因为室内压力波从各个方向向物品施加相近的超压，室内物品不会被移动或推倒。

12.5.2 燃爆灾害的加固与修复

燃爆后的加固与一般建筑加固（如震后加固）基本上没有什么区别，而且比抗震加固可能还要轻微（燃爆波是压力波可视为静载），如果伴生很大的火灾则应做火灾后的评估与鉴定，并根据鉴定结果给出火灾后的建筑加固修复方案并辅以解决燃爆压力波局部破坏的加固方案，其综合考虑方法见图 12-28。

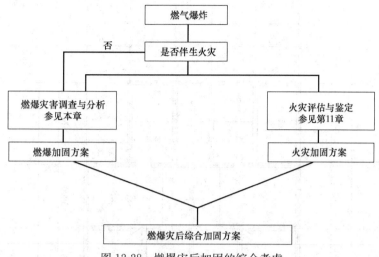

图 12-28　燃爆灾后加固的综合考虑

具体加固方案可视不同部位参见本书讨论的各种方法灵活运用即可。

【**实例 12-2**】　东北地区某居民楼燃气泄漏爆炸事故分析与修复加固

1. 工程概况

某居民小区 9 号楼（施工号）为一栋六层砖混结构住宅，建于 1997 年，建筑面积为 $5655.57m^2$，房屋采用条形砖基础，主体结构的外墙厚度为 370mm，内墙厚度为 240mm，房屋每层设置现浇钢筋混凝土圈梁、构造柱，楼、屋盖板、过梁、阳台、雨罩、挑檐和楼梯板等采用预制构件，厨房、卫生间和起居室局部采用现浇板，主体结构的材料等级：砖为 MU10；混合砂浆：一至三层为 M10，四层以上为 M7.5；现浇钢筋混凝土构件强度等级为 C20。2001 年 11 月 22 日早晨 6 点 22 分，位于该楼西北角首层的五单元 102 号厨房发生燃气泄漏爆炸，随后起火，11 分钟后消防队赶到灭火。五单元 102、202 号和首层、二层的楼梯休息板的主要承重构件受损情况严重，不能满足继续承载的要求，局部构件成为危险构件。业主要求进行加固处理。爆炸户的单元平面图，如图 12-29 所示，为三室两厅户型。

2. 结构的损伤状况分析

（1）结构的损伤状态描述

从结构或非结构构件的损伤和破坏情况来看，爆炸比较猛烈，爆炸使得该楼和周围房屋的多数窗户玻璃破碎、窗框变形，五单元首层和二层，西北侧内纵墙外墙受损严重。下面就五单元 101、102 室各部位逐一描述。

1）现场检查五单元 102 号，发现餐厅、起居室、北侧卧室顶板全部塌落。起居室四周墙体严重开裂，西山墙外闪，与起居室北墙的交接处断开 150mm，与起居室南墙的交接处开裂 10mm。

西南卧室的三块预制板存在不同程度的露筋、露孔现象，并以靠近阳台处最严重。该室的墙体抹灰全部脱落，砖墙爆裂深度 10mm，敲击声音发闷。东墙有多道竖向及斜向裂缝，最大裂缝宽度 1mm。

东南卧室的三块预制板向上拱起，最大处达 300mm，该室的窗框被炸毁，该室东、

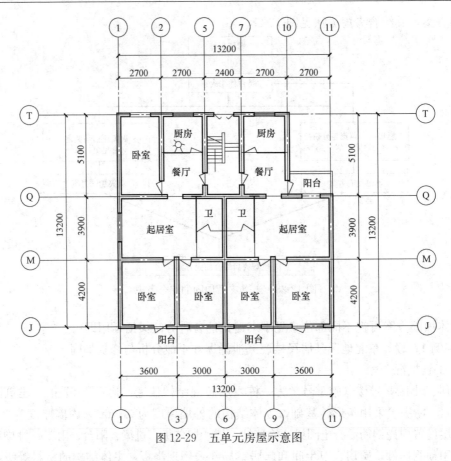

图 12-29 五单元房屋示意图

西横墙的软包墙面未见明显受损。

南侧阳台钢窗框严重变形，窗下墙外闪 100mm，砖砌阳台栏板消失，阳台门窗过梁表面熏黑、局部抹灰脱落，且过梁底面个别部位顺裂，但过梁敲击声音清脆。

北侧卧室暖气沟坍塌。西山墙上部塌落，下部外闪达 400mm；该室北侧窗下墙塌落，北墙墙体外闪、开裂，最大处外闪 200mm，最大水平裂缝为 13mm 最大竖向裂缝为 10mm。西北角构造柱混凝土开裂露筋，向西北方向变形严重。

厨房现浇混凝土顶板严重上拱，最大处达 150mm，厨房与餐厅间隔墙塌落，烟道完全损坏，厨房东西墙体酥裂。卫生间轻质维护墙被炸毁、卫生间东墙瓷砖墙面熏黑、爆裂、通风道破损。

2) 检查 5-202 室发现：东南卧室的三块预制板存在不同程度的露筋、露孔现象，门窗框严重变形，室内家具已烧光。西南卧室顶板表面熏黑，局部抹灰面层脱落，门窗框变形轻微，木家具已成大孔木炭。起居室顶板表面装修面层全部脱落，露出的原结构板底未见受损，餐厅处顶板表面熏黑，厨房烟道破碎，铝合金窗框变形。北侧卧室西北墙的北侧大部分塌落，剩余墙体外闪约 400mm，在靠近内纵墙处有竖向裂缝，最大裂缝宽度 30mm。该室西北角墙体塌落，构造柱受损弯曲，北侧墙体存在水平、竖向裂缝，窗下墙的最大竖向裂缝宽度为 10mm。南侧阳台栏板外闪 20mm。

3) 检查五单元楼梯间梁、板发现：预制楼梯板、休息板除五层西侧外，全部在与墙体交接处开裂；休息平台三层（含）以下，与内纵墙交接处均开裂，愈向下愈重。楼梯板与楼梯梁交接处也有开裂。三层外墙处楼梯休息板中间横向开裂，裂缝宽度 0.3mm。二层顶板处休息平台板底斜裂、顺裂严重。一层顶板处休息平台板底有斜向、顺向开裂，开裂较二层轻。二层外墙处楼梯休息板受损严重，现已采取临时支顶加固，休息板边梁开裂 10mm。检查楼梯间墙体发现：二层东、西两侧外闪，一层顶板圈梁多处开裂，一～三层楼梯间南、北纵墙竖向开裂，其中一层墙体受损较轻，四层以上墙体未见开裂。

4) 五单元其他户都有不同程度的损坏，邻居 101、201 外门及内门部分变形、移位，其他相邻构件都有不同程度的损坏。

(2) 爆炸损伤分析

此住宅小区使用的燃气为液化石油气（LPG），液化石油气在标准状况下（0℃，1atm）爆限为 2.1%～7.7%（体积比）。当时现场的条件接近于理想条件，爆炸是比较剧烈的。液化石油气泄漏源在厨房，液化石油气经厨房门缝逐渐弥漫至餐厅、北侧卧室，由于液化石油气轻于空气在进入餐厅及北侧卧室后，上部充满液化石油气然后逐渐向下扩散，液化石油气与空气混合后，达到一定浓度后，经电冰箱启动点燃。现场勘察表明，破坏严重的是北侧的卧室和厨房。因此爆炸点可判断为在北侧卧室。北侧卧室首先爆炸后，由于北侧卧室的泄压面积很小致使起居室与北侧卧室的顶板塌落，西侧山墙外闪断裂，外门与邻居的外门被挤到邻居的房中墙上。气体穿过各个狭窄洞口形成湍流加速把混合气体送到起居室。气流沿阻碍最小路径、最短路径的方向移动，在起居室达到一定浓度后，厨房火焰已达到，发生第二次爆燃，致使厨房顶现浇楼板向上屈服变形。

灾害性爆炸事先无法预知其爆炸压力，往往需要依靠灾后的现场情况、结构的破坏形态，来反推爆炸压力的大小。根据构件的破坏来计算爆炸产生的超压，因为厨房顶现浇楼板屈曲变形出现塑性铰线，可由此现浇楼板的破坏情况来计算爆炸产生的超压。厨房顶现浇楼板的轴线尺寸为 2700mm×2400mm，混凝土等级为 C20，下部配筋 Φ8@200，上部配筋 Φ8@200，楼板厚 120mm。由 Joharvsen 弯曲屈服理论，不考虑板大变形和边界约束带来的薄膜效应，取各材料的强度标准值，有

$$m_x = A_{sx} f_{yk} \gamma h_{0x}$$
$$m_y = A_{sy} f_{yk} \gamma h_{0y}$$
$$q = \frac{\lambda+\alpha}{3\lambda-1}(1+\beta)\frac{24m_x}{l_x^2}$$

式中，m_x 为沿短跨塑性铰线上单位宽度内的极限弯矩；m_y 为沿长跨塑性铰线上单位宽度内的极限弯矩；λ 为矩形双向板长边边长与短边边长之比；α 为长短跨方向的极限弯矩比；β 为支座、跨中极限弯矩比；q 为板出现破坏机构的均布荷载值。由计算得到 $q=27.3$kPa。按照楼板标准荷载，恒荷载 $q_G=3.24$kPa，活荷载为 2kPa，设计荷载为 $q=6.68$kPa，可见爆炸产生的超压远远大于楼板的设计荷载，所以楼板表现为屈服状态。由于爆炸条件的极端复杂性用不同方法估计的压力峰值有时会有很大差异，但从以上计算中可以大体认定这次爆炸的压力峰值在 27.3kPa 左右。

3. 爆炸损伤后的结构加固修复处理方案

目前，国内外学者对灾后结构的加固修复技术进行了一定程度的研究。对受损结构的修复问题，以往提出了许多修复技术和方法，如采用加大截面法、改变受力模式、预应力粘钢加固等技术。各种方法可单独采用也可以几种方法综合采用。但设计中都应考虑每一

结构的损坏特点，因此建筑物的加固修复设计一定要因地制宜。

(1) 根据此住宅楼爆炸后的损伤情况确定加固改造方案的基本原则

1) 充分利用原有结构构件的承载能力，使新加构件与原结构协同工作，降低造价。

2) 加固后对主要构件的影响小，对其他部位的居民生活影响小，受力合理确保安全，便于施工。

(2) 根据"现场破损情况详细调查结果"确定加固方案

1) 地坪加固

首先清除室内杂物，对于凹陷地坪，以回填土填平夯实，找平抹灰。

2) 墙体加固

西侧一至二层顶山墙与北侧①～②轴线间墙体，破坏严重不能继续使用，需要拆除，变之以框架结构。先在地梁部分增一道混凝土梁，钢柱下脚落在新增地梁上。上部结构的荷载通过钢柱传到新加混凝土梁上之后传到条形基础上。

原体加固部分的墙体，通过铺设钢丝网，喷射 50mm 的混凝土加固。

3) 楼梯加固

楼梯 1～4 层休息板，由于破坏裂缝，需拆除原有休息板，重新浇注现浇混凝土板。在⑤～⑦轴线的楼梯墙体 4 层以下铺设钢丝网，喷射混凝土加固。楼梯板进行原体加固。保证两者之间的连接。

4) 楼板加固

拆除 5 单元 102、202 号一层、二层所有房间的原有预制空心楼板，改为现浇混凝土楼板。

5) 阳台加固

二层阳台与楼板考虑一同加固。

参 考 文 献

[1] 崔京浩. 地下工程与城市防灾. 北京：中国水利水电出版社，知识产权出版社，2007.

[2] 蒋永琨，陈正昌等编. 国内外火灾与爆炸事故 1000 例. 成都：四川科学技术出版社，1986.

[3] 公安部消防局. 中国火灾统计年鉴. 北京：中国人事出版社，2002.

[4] 中国消防协会. 2001 年火灾形势分析与防治对策. 消防技术与产品信息，2002 年 No. 6.

[5] 汪忠云. 石化钢结构超薄型防火涂料老化性能试验研究. 北方工业大学硕士研究生论文. 导师高建岭，白玉星，2012.

[6] 张颖. 李延河等. 火灾后钢结构损伤的检测鉴定方法. 第七届全国结构抗火技术交流会论文集，南京：2013.

[7] 王时煦. 论防火与防雷. 消防技术与产品信息，2002 年 No. 3.

[8] 穆海涛. 地下商业建筑的火灾危险性分析及预防措施. 消防技术与产品信息，2002 年 No. 9.

[9] 过镇海等. 混凝土应力-应变全曲线的试验研究. 建筑结构学报, 1982.

[10] 张其顶, 许金余等. 纽约世贸大厦坍塌原因分析及设计高层建筑应吸取的经验教训. 工程力学增刊, 2002.

[11] 王耀南等. 建筑物火灾后的可靠性鉴定及处理对策. 第六届全国建筑物鉴定与加固改造学术会议论文集. 长沙: 湖南大学出版社, 2002.

[12] 林志坤, 吕天启. 火灾后结构鉴定的性质与鉴定标准的框架. 第六届全国建筑物鉴定与加固改造学术会议论文集. 长沙: 湖南大学出版社, 2002.

[13] 周朝辉, 刘运华. 郴州市万达市场火灾后结构受损鉴定与处理. 第六届全国建筑物鉴定与加固改造学术会议论文集. 长沙: 湖南大学出版社, 2002.

[14] 李引擎, 马道贞, 徐坚. 建筑结构防火设计计算和构造处理. 北京: 中国建筑工业出版社, 1991.

[15] R. J. Mainstone, The Response of Building to Accidental Explosions. Building Failure. The Construction Press, 1978.

[16] 万墨林, 韩继云. 混凝土结构加固技术. 北京: 中国建筑工业出版社, 1996.

[17] 闵明保等. 某纺织厂火灾后结构受损鉴定与加固. 建筑结构, 1996, 7.

[18] Ir. Dragosavic. Structural Measure against Natural Gas Explosions in High-Rise Blocks of Flats. HERON, 1973.

[19] R. J. Mainstone. The Hazards of Internal Blast in Buildings. BRE, Building Research Series, Vol. 5, Building Failure, The Construction Press, 1978.

[20] 叶宏, 崔京浩, 王志浩. 室内燃气爆炸机理、危害及减灾措施. 第二届结构工程学术会议论文集, 1993.

[21] 崔京浩, 叶宏, 王志浩. 防止燃气爆炸下连续倒塌的结构措施. 第三届全国结构工程学术会议论文集, 1994.

[22] 崔京浩. 燃气爆炸的特性及对策. 城市综合防灾减灾与对策论文集. 北京: 中国建筑工业出版社, 1996.

[23] 幸坤涛等. 砖混结构爆炸损伤分析与加固处理对策. 第六届全国建筑物鉴定与加固改造学术会议论文集, 长沙: 湖南大学出版社, 2002.

[24] 陆新征, 李易, 叶列平. 混凝土结构防连续倒塌理论设计方法研究. 北京: 中国建筑工业出版社, 2011.

高校土木工程专业指导委员会规划推荐教材（经典精品系列教材）

征订号	书　名	定价	作者	备　注
V28007	土木工程施工(第三版)(赠送课件)	78.00	重庆大学　同济大学　哈尔滨工业大学	教育部普通高等教育精品教材
V28456	岩土工程测试与监测技术(第二版)	36.00	宰金珉　王旭东　等	
V25576	建筑结构抗震设计(第四版)(赠送课件)	34.00	李国强　等	
V30817	土木工程制图(第五版)(含教学资源光盘)	58.00	卢传贤　等	
V30818	土木工程制图习题集(第五版)	20.00	卢传贤　等	
V27251	岩石力学(第三版)(赠送课件)	32.00	张永兴　许明	
V20960	钢结构基本原理(第二版)	39.00	沈祖炎　等	
V16338	房屋钢结构设计(赠送课件)	55.00	沈祖炎　陈以一　陈扬骥	教育部普通高等教育精品教材
V24535	路基工程(第二版)	38.00	刘建坤　曾巧玲　等	
V31992	建筑工程事故分析与处理(第四版)	44.00	王元清　江见鲸　等	教育部普通高等教育精品教材
V13522	特种基础工程	19.00	谢新宇　俞建霖	
V28723	工程结构荷载与可靠度设计原理(第四版)(赠送课件)	37.00	李国强　等	
V28556	地下建筑结构(第三版)(赠送课件)	55.00	朱合华等	教育部普通高等教育精品教材
V28269	房屋建筑学(第五版)(含光盘)	59.00	同济大学　西安建筑科技大学　东南大学　重庆大学	教育部普通高等教育精品教材
V28115	流体力学(第三版)	39.00	刘鹤年	
V30846	桥梁施工(第二版)(赠送课件)	37.00	卢文良　季文玉　许克宾	
V31115	工程结构抗震设计(第三版)	28.00	李爱群　等	
V27912	建筑结构试验(第四版)(赠送课件)	35.00	易伟建　张望喜	
V29558	地基处理(第二版)(赠送课件)	30.00	龚晓南　陶燕丽	
V29713	轨道工程(第二版)(赠送课件)	53.00	陈秀方　娄平	
V28200	爆破工程(第二版)(赠送课件)	36.00	东兆星　等	
V28197	岩土工程勘察(第二版)	38.00	王奎华	
V20764	钢-混凝土组合结构	33.00	聂建国　等	
V29415	土力学(第四版)(赠送课件)	42.00	东南大学　浙江大学　湖南大学　苏州大学	
V24832	基础工程(第三版)(赠送课件)	48.00	华南理工大学　等	

注：本套教材均被评为《"十二五"普通高等教育本科国家级规划教材》和《住房城乡建设部土建类学科专业"十三五"规划教材》。

高校土木工程专业指导委员会规划推荐教材（经典精品系列教材）

征订号	书　名	定价	作者	备　注
V28155	混凝土结构（上册）——混凝土结构设计原理(第六版)(赠送课件)	42.00	东南大学　天津大学　同济大学	教育部普通高等教育精品教材
V28156	混凝土结构（中册）——混凝土结构与砌体结构设计(第六版)(赠送课件)	58.00	东南大学　同济大学　天津大学	教育部普通高等教育精品教材
V28157	混凝土结构（下册）——混凝土桥梁设计(第六版)	52.00	东南大学　同济大学　天津大学	教育部普通高等教育精品教材
V25453	混凝土结构（上册）（第二版）（含光盘）	58.00	叶列平	
V23080	混凝土结构（下册）	48.00	叶列平	
V11404	混凝土结构及砌体结构（上）	42.00	滕智明　等	
V11439	混凝土结构及砌体结构（下）	39.00	罗福午　等	
V25362	钢结构（上册）——钢结构基础(第三版)(含光盘)	52.00	陈绍蕃	
V25363	钢结构（下册）——房屋建筑钢结构设计(第三版)(赠送课件)	32.00	陈绍蕃	
V22020	混凝土结构基本原理(第二版)	48.00	张誉　等	
V25093	混凝土及砌体结构（上册）（第二版）	45.00	哈尔滨工业大学　大连理工大学等	
V25027	混凝土及砌体结构（下册）（第二版）	29.00	哈尔滨工业大学　大连理工大学等	
V20495	土木工程材料(第二版)	38.00	湖南大学　天津大学　同济大学　东南大学	
V29372	土木工程概论(第二版)	28.00	沈祖炎	
V19590	土木工程概论(第二版)(赠送课件)	42.00	丁大钧　等	教育部普通高等教育精品教材
V30759	工程地质学(第三版)(赠送课件)	45.00	石振明　黄雨　等	
V20916	水文学	25.00	雒文生	
V31530	高层建筑结构设计(第三版)(赠送课件)	45.00	钱稼茹　等	
V19359	桥梁工程(第二版)	39.00	房贞政	
V32032	砌体结构(第四版)(赠送课件)	32.00	东南大学　同济大学　郑州大学	教育部普通高等教育精品教材

注：本套教材均被评为《"十二五"普通高等教育本科国家级规划教材》和《住房城乡建设部土建类学科专业"十三五"规划教材》。